海外進出企業のための
外国公務員贈賄規制ハンドブック
〔第2版〕

森・濱田松本法律事務所
グローバルコンプライアンスチーム　編

商事法務

■推薦の辞■

　森・濱田松本法律事務所のグローバルコンプライアンスチームにより企画・執筆された本書は、外国公務員贈賄規制の法的枠組みを詳細に解説し、これに対応するための実践的な戦略とアプローチを提供しており、国境を越えてビジネスを展開する日本企業にとって必携の1冊といえます。

　現代の企業経営においては、中長期的な企業価値の向上と持続可能な成長のため、コンプライアンスはもとより、これにとどまらない高いインテグリティに基づく経営が求められています。

　コンプライアンス、インテグリティに背く経営により発生した企業不祥事がもたらすリスクは甚大です。いかに強固に見える企業であっても、レピュテーションリスクに見舞われた場合、その影響は企業の根幹を揺るがす可能性があります。このため、不祥事を効果的に防止し、万一発生した場合にも迅速かつ適切に対処することで損害を最小限に抑える体制の構築は、外国公務員贈賄というリスクが高まる国際舞台において特に重要です。

　森・濱田松本法律事務所のコンプライアンスチームは、国際ビジネスに関する多年にわたる実務経験と実績を有しており、国際ビジネスにおけるリスクを熟知しています。本書は、彼らが提供する豊富な知識と実践的なソリューションに基づいており、海外における事業展開に際して遭遇する腐敗リスクに対する効果的なコンプライアンス体制の構築とビジネス実践の具体的な指針が示されています。本書は、グローバルなビジネス環境で、公正で責任ある企業活動を安全に行うための重要なリソースとなります。

　私は、グローバルな企業活動が、持続可能で、より高いインテグリティに根ざしたものになることを願って、本書を強く推薦します。

2024年7月

元検事総長・弁護士

林　眞琴

■第 2 版はしがき■

　本書は、2018 年に森・濱田松本法律事務所が刊行した『海外進出企業のための外国公務員贈賄規制ハンドブック』の改訂版である。

　2018 年 11 月の本書初版の刊行から約 5 年が経過した。その間、世界では新型コロナウイルス感染症の感染拡大により国境をまたいだヒト・モノの移動が著しく制限され、世界経済は深刻な打撃を受けた。また、2021 年 2 月には、ミャンマーにおいて、国軍が武力による総選挙により選ばれた民主派勢力から政権を奪取する事態が生じた。そして、2022 年 2 月には、ロシアが、かねてより紛争状態にあったウクライナに侵攻し、2023 年 10 月にはハマースによるイスラエルに対する攻撃を端緒としてイスラエルとパレスチナの間で戦争が勃発した。世界はいまだ厳しい情勢に置かれているが、一方でコロナ禍の終息を見据え、にわかに活気を取り戻しつつもある。

　ヒト・モノの流れが回復することはもちろん喜ばしいことであるが、人の交流が活発になれば、それだけ不正が行われるリスクも高まる。国境をまたいだ取引においては、特に現地の外国人公務員との贈収賄リスクが高まることが予想される。

　本書初版刊行後、国内外において法令の改訂がなされた。日本では、2019 年の OECD 作業部会による第 4 次対日条約審査の勧告を受け、2023 年 6 月に不正競争防止法が改正され、法定刑が引き上げられると共に、海外で活動する日本企業の外国人従業員等による単独での贈賄行為が処罰対象に加えられた。またこれを受けて、日本で外国公務員贈賄規制を所管している経済産業省は「外国公務員贈賄防止指針」を 2024 年 2 月に改訂している。米国では海外腐敗行為防止法指針が 2020 年 7 月に改訂され、新興国においても、例えばマレーシアにおいては初版刊行時には未施行であった法人処罰に関する規定が施行され、インドネシアにおいては贈収賄行為に対する規制を強化する方向で刑法が改正された。

　そこで第 2 版では、コロナ禍後を見据えた外国公務員贈賄防止のコンプライアンス体制構築に試行錯誤する日本企業の一助となるべく、こうした各国の法規制の整備や執行の強化等を可能な限りアップデートすると共に、カンボジアとイスラエルの 2 か国の法制度紹介を第 5 章に追加した。また、

一部、読み手へのわかりやすさの観点から記載内容を一部見直したり、記載順序等を入れ替えたりした箇所がある。

記載内容については上記のとおりアップデートがあるが、章立てとしては初版の構成を維持している。第2章において主要各国の規制を解説し、第3章においてそれらを踏まえたグローバルコンプライアンス体制の構築や、現実に問題が発見されたときの対処法等についても詳しく解説している。第4章では、まさに日本企業が海外において頻繁に直面し得るケースを24例取り上げ、それぞれの論点や対処法等について、Q&A方式で整理している。第5章の各国規制に関しては、上記の2か国を加え、新興国を中心に諸外国18か国にわたり、各国の有力法律事務所（446頁参照）の協力も得て、実務的な視点から分析・解説している。

初版に続き、本書も、日本国内のコンプライアンス担当者や、現地でビジネスに携わる方々にぜひお手に取っていただければ幸いである。日本企業が海外でビジネスを展開するにあたり、外国公務員贈賄防止は重要なイシューであり、体制構築や有事の際の対応に悩まれる皆様に、弊所としても全力でご支援していきたいと考えている。

第2版の刊行に際しては、株式会社商事法務の浅沼亨氏、吉野祥子氏に多大なご尽力と貴重なご助言をいただいた。また、アップデート作業において多大なるご協力をいただいた森・濱田松本法律事務所の秘書をはじめとする多くのスタッフの方々にも、この場を借りて改めて感謝申し上げる。

2024年8月

　　　　　　　　　　　本書の出版に関わった全ての者を代表して
　　　　　　　　　　　井上　淳、田中亜樹、菊池春香、重冨賢人

■初版はしがき■

　本書は、森・濱田松本法律事務所のグローバルコンプライアンスチームによる前著『外国公務員贈賄規制と実務対応』（2014年11月刊行）をベースに、その後の各国における規制の広がりや執行状況の進展を踏まえて内容を拡充し、アップデートするための加筆を行った上で、書名も新たにして出版するものである。

　前著の出版時から、約4年が経過した。その間も日本企業による積極的な海外進出が続いている。前著は、各国で外国公務員贈賄規制の整備・強化が進んでいる状況を踏まえ、東南アジアや中南米各国をはじめとする新興国に進出する日本企業向けに、主要国の規制に関する体系的な情報や、必要なコンプライアンス体制に関する説明に加え、現地で直面しやすいさまざまなケースについて一定の考え方を示すという構成をとったことにより、日本国内でコンプライアンスに携わる方はもとより、現地でビジネスに携わる方にも手にとっていただき、活用いただいた。

　各国では、その後も贈収賄に対する規制を整備・強化する取組みが進められている。例えば、外国公務員贈賄に対する執行が最も活発であるといえる米国では、違反行為を当局に自主開示した場合に制裁を減免する制度が、2016年4月に開始されたパイロットプログラムを経て、2017年11月には正式に導入されるに至った。日本では、2018年6月、外国公務員贈賄罪を含む財政経済関係犯罪などを対象として、日本版司法取引制度（合意制度）および刑事免責制度が導入された。新興国でも、例えばメキシコでは、2015年に大規模な法令改正・新法制定が行われ、贈賄規制が整備・強化されるとともに、司法取引制度も導入されるなど、規制が整備・強化された国は少なくない。また、こうした取組みとあわせ、各国における外国公務員贈賄に対する執行も強化されている。

　こうした法規制の整備や執行の強化を踏まえ、外国公務員贈賄罪をも対象として、適切なコンプライアンス体制を構築する要請はますます高まっている。日本で外国公務員贈賄規制を所管する経済産業省は、2015年と2017年に「外国公務員贈賄防止指針」を改訂し、外国公務員贈賄防止のコンプライアンスについて具体的な指針を明らかにしている。また、日本弁護士連合

会が2016年に「海外贈賄防止ガイダンス（手引）」を定め、2017年に改訂を行ったのも、その表れの一つといえよう。

このような要請に応えるため、本書では、前著から、大きく以下の点について変更を行った。

- 第2章において解説している主要国の規制のうち、米国、英国および日本については最新の法規制を踏まえて記載のアップデートを行った。加えて、2017年に新法（サパンⅡ法）の施行により外国公務員贈賄規制が強化され、外国企業に対する執行の可能性が高まったといえるフランスについて、規制の解説を追加した。
- 第3章におけるグローバルコンプライアンス体制の構築や、問題発見時の対応等についての解説および第4章におけるQ&Aについては、最新の規制・執行の状況や実務の進展等を踏まえた加筆を行った。
- 第5章におけるアジア・新興国の規制解説については、各国有力法律事務所の協力を得て、直近の規制・執行の状況を踏まえて全面的にアップデートするとともに、近年投資規模が拡大しているトルコおよびサウジアラビアについて、規制解説を追加した。

前著に続き、本書も、日本企業のコンプライアンス担当者および現地でビジネスに携わる方々に手にとっていただき、日々の実務に役立てていただければ幸いである。日本企業がグローバルに活躍するにあたり、外国公務員贈賄防止のコンプライアンスについて悩みは尽きないと思われる。当事務所は今後も、そうした日本企業を全力でサポートする所存である。

最後に、本書の出版に際して、多大なるご協力をいただいた株式会社商事法務の小山秀之氏・岩佐智樹氏・木村太紀氏に感謝申し上げるとともに、各原稿の準備等において多大なるサポートをいただいた森・濱田松本法律事務所の秘書を始め、多くのスタッフの方々にも、心から感謝申し上げたい。

2018年9月

　　　　　本書の出版に関わった全ての者を代表して
　　　　　編者兼執筆者
　　　　　伊藤憲二　宇都宮秀樹　小松岳志　眞鍋佳奈
　　　　　梅津英明　大野志保　高宮雄介　増田雅史　田中亜樹

■凡　例■

本文中の略称は、次の例によります。

● 組織・法令の略称

[組織名]
米国 DOJ	Department of Justice（米国）
米国 SEC	Securities and Exchange Commission（米国）

[法令名]
米国 FCPA	Foreign Corrupt Practices Act（米国）
米国 FCPA 指針	A Resource Guide to the U.S. Foreign Corrupt Practices Act（米国）
UKBA	Bribery Act 2010（英国）
UKBA 指針	Bribery Act 2010 Guidance（英国）
不正競争防止法	不正競争防止法（日本）
経産省指針	外国公務員贈賄防止指針（日本）
OECD 条約	国際商取引における外国公務員に対する贈賄の防止に関する条約（OECD Convention on Combating Bribery of Foreign Public Officials in International Business Transactions）

■目　次■

第1章　序　論

1　「大きな賭け」 ……………………………………………………… 2
2　なぜ、外国公務員贈賄規制への留意が必要なのか……………… 4
　(1)　新興国への進出のますますの活発化 ……………………… 4
　(2)　外国公務員贈賄規制の執行 ………………………………… 6
3　外国公務員贈賄規制の歴史的経緯 ……………………………… 7
4　外国公務員贈賄規制の基本的枠組み …………………………… 9
　(1)　OECD条約を前提とした共通の枠組み …………………… 9
　(2)　各国法制を比較する上での主要な視点 …………………… 11

第2章　主要国における外国公務員贈賄規制

第1節　米国における規制 ………………………………………… 16
1　沿革及び近時の動向 ……………………………………………… 16
2　米国FCPAの概要 ………………………………………………… 18
3　贈賄禁止条項 ……………………………………………………… 19
　(1)　贈賄禁止条項の適用範囲 …………………………………… 19
　(2)　贈賄禁止条項の基本的な構成要件 ………………………… 22
　(3)　第三者を通じた贈賄行為が贈賄禁止条項違反となる場合 … 28
　(4)　子会社による贈賄行為について親会社の責任が問われる場合 … 29
　(5)　被承継会社の行為について承継会社の責任が問われる場合 … 30
　(6)　贈賄禁止条項の抗弁事由 …………………………………… 30
4　会計・内部統制条項 ……………………………………………… 35
　(1)　会計・内部統制条項の適用範囲 …………………………… 35
　(2)　会計条項 ……………………………………………………… 36
　(3)　内部統制条項 ………………………………………………… 37

(4)　会計・内部統制条項の主観的要件 …………………………………… 38
 5　米国 FCPA 違反の制裁 …………………………………………………… 38
　(1)　刑事罰 ……………………………………………………………………… 38
　(2)　民事上の制裁 …………………………………………………………… 39
　(3)　その他の不利益処分 …………………………………………………… 40
 6　米国 FCPA 違反の自主開示に関する制度 …………………………… 41
 7　米国 FCPA 違反の時効 …………………………………………………… 41
　(1)　刑事手続における時効 ………………………………………………… 41
　(2)　民事手続における時効 ………………………………………………… 42

第2節　英国における規制 …………………………………………………… 44

 1　概　要 ……………………………………………………………………… 44
 2　UKBA の概要 …………………………………………………………… 45
 3　適用範囲（域外適用） …………………………………………………… 45
　(1)　贈賄（UKBA 1 条）、収賄（同法 2 条）、外国公務員贈賄（同法 6 条）
　　　の罪 ………………………………………………………………………… 45
　(2)　贈賄防止措置懈怠罪（UKBA 7 条） ………………………………… 46
 4　各規程の内容 ……………………………………………………………… 47
　(1)　贈賄罪（UKBA 1 条） ………………………………………………… 47
　(2)　収賄罪（UKBA 2 条） ………………………………………………… 49
　(3)　外国公務員等に対する贈賄罪（UKBA 6 条） ……………………… 50
　(4)　営利団体による贈賄防止措置の懈怠（UKBA 7 条） ……………… 54
 5　執　行 ……………………………………………………………………… 56
　(1)　執行機関 ………………………………………………………………… 56
　(2)　制　裁 …………………………………………………………………… 56
　(3)　自主申告 ………………………………………………………………… 57
　(4)　事件の終結 ……………………………………………………………… 57
　(5)　執行状況 ………………………………………………………………… 58

第3節　日本における規制 …………………………………………………… 61

 1　立法に至る経緯 …………………………………………………………… 61
 2　構成要件 …………………………………………………………………… 62
　(1)　総　論 …………………………………………………………………… 62
　(2)　何人も …………………………………………………………………… 62

- (3) 国際的な商取引 …………………………………………………… 65
- (4) 営業上の不正の利益 ……………………………………………… 66
- (5) 職務に関する行為 ………………………………………………… 68
- (6) （職務に関する行為を）させ若しくはさせないこと、又はその地位を利用して他の外国公務員等に（職務に関する行為を）させ若しくはさせないようにあっせんをさせること …………………………… 69
- (7) 金銭その他の利益 ………………………………………………… 69
- (8) （外国公務員等に対し、）……供与し、またはその申込み若しくは約束をしてはならない ……………………………………………… 70
- (9) 外国公務員等 ……………………………………………………… 71

3 罰則その他の制裁 ……………………………………………………… 73
- (1) 刑事罰 ……………………………………………………………… 73
- (2) 行政機関による処分及びその他の措置等 ……………………… 79
- (3) 民事上の責任 ……………………………………………………… 83
- (4) 自主開示の制度 …………………………………………………… 83

4 実例の紹介 ……………………………………………………………… 84
- (1) フィリピン公務員に対する不正利益供与事案（福岡簡裁 2007 年 3 月） ………………………………………………………………… 85
- (2) ベトナム公務員に対する不正利益供与事案（東京地裁 2009 年 1 月及び 3 月） ………………………………………………………… 85
- (3) 中国の地方政府幹部に対する不正利益供与事案（名古屋簡裁 2013 年 10 月） ………………………………………………………… 86
- (4) インドネシア、ベトナム及びウズベキスタンにおける日本の円借款事業（有償資金協力事業）を巡る不正利益供与事案（東京地裁 2015 年 2 月） …………………………………………………… 86
- (5) タイ王国公務員に対する不正利益供与事案（東京地裁 2019 年 9 月及び最高裁 2022 年 5 月 20 日）） …………………………………… 87
- (6) ベトナム公務員に対する不正利益供与事案（神戸簡裁 2019 年 12 月） … 87
- (7) ベトナム税関職員に対する不正利益供与事案（名古屋簡裁 2020 年 1 月） ………………………………………………………… 87
- (8) ベトナム公務員に対する不正利益供与事案（神戸簡裁 2020 年 6 月） 88
- (9) ベトナム公務員に対する不正供与事案（津簡裁 2020 年 7 月） …… 88
- (10) ベトナム公務員に対する不正利益供与事案（神戸簡裁 2022 年 8 月） … 88
- (11) 大使館職員に対する不正利益供与事案（長崎簡裁 2022 年 8 月） …… 88
- (12) ベトナム税関職員に対する不正利益供与事案（東京地裁 2022 年 11 月） ………………………………………………………… 89

5 日本版司法取引制度及び刑事免責制度の導入とその影響 ………… 89
- (1) 日本版司法取引制度の概要 ……………………………………… 89

(2) 刑事免責制度の概要 …………………………………………… 90
　　(3) 日本版司法取引制度及刑事免責制度が導入されることによる影響 … 91

第4節　その他の国――フランス …………………………… 92
1　概　要 ………………………………………………………… 92
2　適用範囲（域外適用） ………………………………………… 92
3　贈賄罪の構成要件 …………………………………………… 93
　　(1) 贈賄行為の類型 ………………………………………………… 93
　　(2) 単純贈賄（Corruption） ……………………………………… 93
　　(3) あっせん贈賄（Trafic d' Influence） ………………………… 95
4　エンフォースメント ………………………………………… 96
　　(1) 刑事制裁 ………………………………………………………… 96
　　(2) ファシリテーション・ペイメント・贈答品等 ……………… 97
　　(3) リニエンシー …………………………………………………… 97
　　(4) 公益司法取引 …………………………………………………… 97
　　(5) 民事損害賠償 …………………………………………………… 99
5　汚職の防止及び発見に関する規制 ………………………… 100
　　(1) 概　要 …………………………………………………………… 100
　　(2) コンプライアンスプログラムの実施義務 …………………… 100
　　(3) 内部通報保護の強化 …………………………………………… 102

第3章　外国公務員贈賄規制への実務対応

第1節　贈賄防止コンプライアンス体制の整備 ……………… 106
1　はじめに ……………………………………………………… 106
2　贈賄防止コンプライアンス体制の構築・整備の意義 …… 107
　　(1) 違反行為の未然防止 …………………………………………… 107
　　(2) 違反行為の早期発見 …………………………………………… 108
　　(3) 当局対応における利点 ………………………………………… 109
　　(4) 会社法上の取締役の善管注意義務 …………………………… 112
3　贈賄防止コンプライアンス体制を構築・整備する上での重要な視点 …………………………………………………………… 112
　　(1) 経営トップの決意・姿勢・関与（Top-level commitment／Tone at

　　　　the top) ··· 112
　　(2) リスクに応じた適切な体制構築（Risk-based approach）··············· 114
　　(3) 人的リソースの確保 ·· 117
　　(4) 内部・外部コミュニケーションの確保 ································ 118
　　(5) 適切なデューデリジェンスの実施 ····································· 120
　　(6) 監査の実施 ·· 121
　　(7) 人事制度との連携 ·· 122
　4　コンプライアンス体制の構築・運営に当たっての具体的な論点 ··· 123
　　(1) 社内規程の策定 ··· 123
　　(2) 問題となることが多い論点 ·· 123

第2節　問題発見時の対応 ·· 133
　1　違反行為を発見したらどうするか ··································· 133
　　(1) 違反行為の発見 ··· 133
　　(2) 証拠保全 ··· 135
　2　対応方針の検討 ··· 136
　　(1) 体制の構築 ·· 136
　　(2) 内部調査 ··· 137
　　(3) 内部調査の結果に基づく法適用の検討 ······························· 141
　　(4) 方針の検討 ·· 141
　3　当局対応における留意点 ··· 143
　　(1) 日　本 ·· 143
　　(2) 米　国 ·· 151
　　(3) その他の留意点 ··· 161

第4章　Q&Aで考える外国公務員贈賄規制

Q1　各国の贈賄防止規制の適用可能性 ·· 168

Q2　通関の手続を迅速に行うための少額の現金の支払を求められたら
　　 どうすべきか？ ·· 171

Q3　警察官から、スピード違反の罰金としてその場で多額の現金の支払
　　 を求められたらどうすべきか？ ··· 173

Q4	警察官から、警護の対価の支払を求められたらどうすべきか？ …175
Q5	外国公務員から特定の代理店を使うことを要求された場合にどのように対応すべきか？……………………………………………………177
Q6	外国公務員からの旅費等の負担要請に対してどのように対応すべきか？ ……………………………………………………………………180
Q7	外国公務員の派遣受入れ、寄付の要請に対してどのように対応すべきか？ ……………………………………………………………………184
Q8	外国公務員に対してプロモーションのための贈答品を配布してよいか？ ……………………………………………………………………188
Q9	外国公務員から生命・身体を脅かすような脅迫行為が行われた場合にどのように対応すべきか？ ………………………………………190
Q10	政府が45％の株式を保有する民間企業の担当者からキックバックを要求されたらどうするか？ ……………………………………192
Q11	民間企業の担当者から個人的な利益の供与を要求されたらどうするか？ ……………………………………………………………………196
Q12	外国政府との取引に際してコンサルタントを使う場合にどのような点に留意すべきか？ ……………………………………………199
Q13	直接の契約関係のない自社製品のユーザーに違反行為の嫌疑が生じた場合、どのように対応すべきか？ ………………………202
Q14	取引先から違反行為の有無を調査するための資料開示や違反行為を行っていないことの保証を求められた場合に、どのように対応すべきか？ ……………………………………………………………205
Q15	新興国でジョイントベンチャーを開始する場合に、そのパートナーの贈賄関連コンプライアンスはどのように調査すべきか？ …207
Q16	買収前のデューデリジェンスにおいて何を調査すべきか？………210
Q17	買収前のデューデリジェンスにおいて疑惑が生じた場合にどのように調査を進めるか？ ……………………………………………214
Q18	買収前のデューデリジェンスにおいて問題が発覚した場合に買収に踏み切るべきか？ ……………………………………………………216

Q19	買収実行後に問題が発覚したら、どのように対処すべきか？……218
Q20	海外子会社にグローバルに適用される接待・贈答ルールは導入可能か？……220
Q21	海外子会社の実情に応じたコンプライアンスプログラムを構築するためにはどうすればよいか？……223
Q22	グローバル企業における内部コミュニケーション手段（研修制度・内部通報制度を含む）はどのように構築すべきか？……227
Q23	違反行為の嫌疑が生じた場合の内部調査でどのような点に留意すべきか？……229
Q24	贈賄被疑事実について各国当局、国際機関（世界銀行等）による調査が並行して行われた場合、会社としてはどのように対応すべきか？……232

第5章　アジア・新興国における贈賄規制

第1節　インド……238

1　インドにおける贈収賄行為の実情は？……238
2　インドにおける公務員贈賄規制の概要は？……238
3　公務員贈賄罪の要件は？……239
　(1)　個人による公務員贈賄罪……240
　(2)　法人等による公務員贈賄罪……241
4　公務員贈賄罪の適用が除外される場合とは？……242
5　①外国法人・個人による贈賄行為、②外国公務員に対する贈賄行為、③外国における贈賄行為に公務員贈賄罪が適用されるか？……243
6　公務員贈賄罪の罰則その他の制裁は？　法人に対する制裁、海外の親会社に対する制裁は？……243
7　第三者を通じた贈賄行為が処罰される場合とは？……244
8　公務員贈賄罪はどのような手続を経て執行されるか？　自主報告により制裁が軽減される制度はあるか？　時効期間は？……244

9　民間企業の役職員に対する賄賂・リベート供与は処罰対象となるか？ 245
　10　コンプライアンスプログラム等に関する規制・ガイドライン等はあるか？ 245

第2節　インドネシア 246
　1　インドネシアにおける贈収賄行為の実情は？ 246
　　(1)　KPK による贈収賄事件の取扱件数 246
　　(2)　KPK による贈収賄事件の取扱件数の推移と KPK 法の改正 247
　　(3)　日系企業の関与事案 249
　2　インドネシアにおける公務員贈賄規制の概要は？ 249
　3　公務員贈賄罪の要件は？ 250
　　(1)　公務員 250
　　(2)　物 251
　　(3)　その他の要件 252
　4　公務員贈賄罪の適用が除外される場合とは？ 252
　　(1)　ファシリテーション・ペイメント 252
　　(2)　KPK への報告 253
　5　①外国法人・個人による贈賄行為、②外国公務員に対する贈賄行為、③外国における贈賄行為に公務員贈賄罪が適用されるか？ 253
　6　公務員贈賄罪の罰則その他の制裁は？　法人に対する制裁、海外の親会社に対する制裁は？ 254
　7　第三者を通じた贈賄行為が処罰される場合とは？ 255
　8　公務員贈賄罪はどのような手続を経て執行されるか？　自主報告により制裁が軽減される制度はあるか？　時効期間は？ 256
　　(1)　照会・予備調査（inquiry/preliminary investigation） 256
　　(2)　捜査（investigation） 257
　　(3)　訴追（prosecution） 257
　9　民間企業の役職員に対する賄賂・リベート供与は処罰対象となるか？ 258
　10　コンプライアンスプログラム等に関する規制・ガイドライン等はあるか？ 259

| Column | 賄賂撃退法？ 260

第3節　タイ 261

1　タイにおける贈収賄行為の実情は？ 261
2　タイにおける公務員贈賄規制の概要は？ 262
3　公務員贈賄罪の要件は？ 263
　(1)　公務員に対する贈賄罪 263
　(2)　司法官に対する贈賄罪 264
4　公務員贈賄罪の適用が除外される場合とは？ 264
5　①外国法人・個人による贈賄行為、②外国公務員に対する贈賄行為、③外国における贈賄行為に公務員贈賄罪が適用されるか。 265
6　公務員贈賄罪の罰則その他の制裁は？　法人に対する制裁、海外の親会社に対する制裁は？ 266
　(1)　個人に対する罰則 266
　(2)　法人に対する制裁 266
　(3)　海外の親会社に対する制裁 268
7　第三者を通じた贈賄行為が処罰される場合とは？ 269
8　公務員贈賄罪はどのような手続を経て執行されるか？　自主報告により制裁が軽減される制度はあるか？　時効期間は？ 269
　(1)　執行の手続 269
　(2)　自主申告制度 270
9　民間企業の役職員に対する賄賂・リベート供与は処罰対象となるか？ 270
10　コンプライアンスプログラム等に関する規制・ガイドライン等はあるか？ 271

| Column | タイ独特の慣習「グラチャオ・ピーマイ」 272

第4節　フィリピン 273

1　フィリピンにおける贈収賄行為の実情は？ 273
2　フィリピンにおける公務員贈賄規制の概要は？ 274
3　公務員贈賄罪の要件は？ 275
　(1)　改正刑法 275

- (2) 汚職防止法 …………………………………………………… 276
- (3) 公務員倫理規範 ……………………………………………… 276
- (4) 改正会社法 …………………………………………………… 277

4 公務員贈賄罪の適用が除外される場合とは？ ………………… 278

5 ①外国法人・個人による贈賄行為、②外国公務員に対する贈賄行為、③外国における贈賄行為に公務員贈賄罪が適用されるか？ …… 279

6 公務員贈賄罪の罰則その他の制裁は？　法人に対する制裁、海外の親会社に対する制裁は？ ……………………………………… 279
- (1) 制裁の概要 …………………………………………………… 279
- (2) 法人及びその役員等に対する制裁 ………………………… 281
- (3) 親会社の責任 ………………………………………………… 281

7 第三者を通じた贈賄行為が処罰される場合とは？ …………… 282

8 公務員贈賄罪はどのような手続を経て執行されるか？　自主報告により制裁が軽減される制度はあるか？　時効期間は？ ……… 282
- (1) 公務員贈賄罪の執行手続 …………………………………… 282
- (2) 司法取引・捜査協力による刑の減免 ……………………… 282
- (3) 公訴時効 ……………………………………………………… 283

9 民間企業の役職員に対する賄賂・リベート供与は処罰対象となるか？ ……………………………………………………………… 283

10 コンプライアンスプログラム等に関する規制・ガイドライン等はあるか？ ………………………………………………………… 283

Column　フィリピンの汚職と司法 ……………………………… 284

第5節　ベトナム ………………………………………………… 286

1 ベトナムにおける贈収賄行為の実情は？ ……………………… 286

2 ベトナムにおける贈賄規制の概要は？ ………………………… 287

3 贈賄罪の要件は？ ………………………………………………… 287
- (1) 客体（収賄の対象） ………………………………………… 288
- (2) 主観的要件 …………………………………………………… 289
- (3) 利　益 ………………………………………………………… 289
- (4) 贈賄行為 ……………………………………………………… 290

4 贈賄罪の適用が除外される場合とは？ ………………………… 290

5 ①外国法人・個人による贈賄行為、②外国公務員に対する贈賄行

為、③外国における贈賄行為に贈賄罪が適用されるか？ ……………291
  6 贈賄罪の罰則その他の制裁は？ 法人に対する制裁、海外の親会社に対する制裁は？ ……………………………………………………292
  7 第三者を通じた贈賄行為が処罰される場合とは？ ……………293
  8 贈賄罪はどのような手続を経て執行されるか？ 自主的な申告 … 293
    による制裁の減免制度はあるか？ 時効期間は？ ………………293
  9 民間企業の役職員に対する賄賂・リベート供与は処罰対象となるか？ ……………………………………………………………………295
 10 コンプライアンスプログラム等に関する規制・ガイドライン等はあるか？ ……………………………………………………………………295

Column ベトナムにおける贈答品と贈賄 ……………………………296

第6節　マレーシア ……………………………………………………297
  1 マレーシアにおける贈収賄行為の実情は？ ……………………297
  2 マレーシアにおける贈賄規制の概要は？ ………………………298
  3 贈賄罪の要件は？ …………………………………………………299
    (1) 公務員 …………………………………………………………300
    (2) 利　益 …………………………………………………………300
    (3) 汚職の意図をもって …………………………………………300
  4 贈賄罪の適用が除外される場合とは？ …………………………300
  5 ①外国法人・個人による贈賄行為、②外国公務員に対する贈賄行為、③外国における贈賄行為に贈賄罪が適用されるか？ ……………301
  6 贈賄罪の罰則その他の制裁は？ 法人に対する制裁、海外の親会社に対する制裁は？ ……………………………………………………302
    (1) 贈賄罪の罰則 …………………………………………………302
    (2) 法人に対する制裁 ……………………………………………303
    (3) 海外の親会社に対する制裁 …………………………………304
  7 第三者を通じた贈賄行為が処罰される場合とは？ ……………304
  8 ①贈賄罪はどのような手続を経て執行されるか？ ②自主報告により制裁が軽減される制度はあるか？ ③時効期間は？ ……………305
  9 民間企業の役職員に対する賄賂・リベート供与は処罰対象となる

か？ ……………………………………………………………………306
　10　コンプライアンスプログラム等に関する規制・ガイドライン等は
　　　あるか？ ………………………………………………………………306

第7節　ミャンマー …………………………………………………………308
　1　ミャンマーにおける贈収賄行為の実情は？ ……………………………308
　2　ミャンマーにおける公務員贈賄規制の概要は？ ………………………309
　3　公務員贈賄罪の要件は？ …………………………………………………310
　4　公務員贈賄罪の適用が除外される場合とは？ …………………………310
　5　①外国法人・個人による贈賄行為、②外国公務員に対する贈賄
　　　行為、③外国における贈賄行為に公務員贈賄罪が適用されるか？ …311
　6　公務員贈賄罪の罰則その他の制裁は？　法人に対する制裁、海外
　　　の親会社に対する制裁は？ ………………………………………………312
　　　(1)　汚職防止法上の制裁 …………………………………………………312
　　　(2)　その他の制裁・法人に対する制裁、海外の親会社に対する制裁 ……312
　7　第三者を通じた贈賄行為が処罰される場合とは？ ……………………312
　8　①公務員贈賄罪はどのような手続を経て執行されるか？　②自主
　　　報告により制裁が軽減される制度はあるか？　③時効期間は？ ……313
　　　(1)　執行手続 ………………………………………………………………313
　　　(2)　自主報告による制裁の軽減・時効 …………………………………314
　9　民間企業の役職員に対する賄賂・リベート供与は処罰対象となる
　　　か？ ……………………………………………………………………………314
　10　コンプライアンスプログラム等に関する規制・ガイドライン等は
　　　あるか？ ………………………………………………………………………315
　Column　汚職行為に関するミャンマー人の意識〜民主政権下での変化
　　　　　　…………………………………………………………………………315

第8節　中　国 ………………………………………………………………317
　1　中国における贈収賄行為の実情は？ ……………………………………317
　2　中国における贈賄規制の概要は？ ………………………………………318
　3　贈賄罪の要件は？ …………………………………………………………319
　4　贈賄罪の適用が除外される場合とは？ …………………………………320

(1) 贈賄罪（刑法389条）について（汚職賄賂刑事事件解釈7条）……… 320
　　(2) 影響力を有する者に対する贈賄罪（刑法390条の1）について（汚職賄賂刑事事件解釈7条）……………………………………………… 321
　　(3) 単位に対する贈賄罪（刑法391条）について（贈賄罪立件基準に関する規定2条）…………………………………………………………… 321
　　(4) 単位贈賄罪（刑法393条）について（贈賄罪立件基準に関する規定3条）……………………………………………………………………… 322

5　①外国法人・個人による贈賄行為、②外国公務員に対する贈賄行為、③外国における贈賄行為に贈賄罪が適用されるか？ ……………… 323

6　贈賄罪の罰則その他の制裁は？　法人に対する制裁、海外の親会社に対する制裁は？ ………………………………………………………… 323
　　(1) 個人による公務員に対する贈賄 ……………………………………… 323
　　(2) 影響力を有する者に対する贈賄 ……………………………………… 324
　　(3) 単位に対する贈賄 ……………………………………………………… 324
　　(4) 単位による贈賄 ………………………………………………………… 325
　　(5) 具体的な認定基準等 …………………………………………………… 325
　　(6) 親会社等の責任 ………………………………………………………… 325
　　(7) 調達、入札に関する規制 ……………………………………………… 325

7　第三者を通じた贈賄行為が処罰される場合とは？ …………………… 326

8　①贈賄罪はどのような手続を経て執行されるか？　②自主的な申告による制裁の減免制度はあるか？　③時効期間は？……………… 327
　　(1) 贈賄罪はどのような手続を経て執行されるか？ …………………… 327
　　(2) 自主的な申告による制裁の減免制度はあるか？ …………………… 327
　　(3) 時効期間は？ …………………………………………………………… 329

9　民間企業の役職員に対する賄賂・リベート供与は処罰対象となるか？ ………………………………………………………………………… 329
　　(1) 刑法164条 ……………………………………………………………… 329
　　(2) 不正競争防止法7条 …………………………………………………… 330

10　コンプライアンスプログラム等に関する規制・ガイドライン等はあるか？ …………………………………………………………………… 331

Column　中国の商業賄賂の法執行……………………………………… 331

第9節　台　湾………………………………………………………… 334
　1　台湾における贈収賄行為の実情は？ ………………………………… 334

2 台湾における公務員贈賄規制の概要は？ ………………………335
3 公務員贈賄罪の要件は？ ………………………………………335
　(1) 公務員 …………………………………………………………336
　(2) 賄賂又はその他の不正利益を供与することの申込み ………336
　(3) 賄賂又はその他の不正利益を供与することの約束 …………337
　(4) 賄賂又は不正利益 ……………………………………………337
　(5) 職務に違背しない行為 ………………………………………337
　(6) 行為者 …………………………………………………………337
4 公務員贈賄罪の適用が除外される場合とは？ …………………338
　(1) 贈答品たる財物を収受すること ……………………………338
　(2) 接　待 …………………………………………………………339
　(3) 職務に関する活動の制限 ……………………………………339
5 ①外国法人・個人による贈賄行為、②外国公務員に対する贈賄行為、③外国における贈賄行為に公務員贈賄罪が適用されるか？ ……340
6 公務員贈賄罪の罰則その他の制裁は？　法人に対する制裁、海外の親会社に対する制裁は？…………………………………………340
　(1) 公務員贈賄罪の罰則その他の制裁 …………………………340
　(2) 法人・海外親会社への制裁の可能性 ………………………341
7 第三者を通じた贈賄行為が処罰される場合とは？ ……………342
8 公務員贈賄罪はどのような手続を経て執行されるか？　自主報告により制裁が軽減される制度はあるか？　時効期間は？ ………342
9 民間企業の役職員に対する賄賂・リベート供与は処罰対象となるか？ ……………………………………………………………………343
10 コンプライアンスプログラム等に関する規制・ガイドライン等はあるか？ …………………………………………………………………344

第10節　ブラジル ………………………………………………345

1 ブラジルにおける贈収賄行為の実情は？ ………………………345
2 ブラジルにおける公務員贈賄規制の概要は？ …………………346
3 公務員贈賄罪の要件は？ …………………………………………347
　(1) 刑法における公務員贈賄罪 …………………………………347
　(2) 腐敗防止法における公務員贈賄規制 ………………………348
4 公務員贈賄罪の適用が除外される場合とは？ …………………348

5 ①外国法人・個人による贈賄行為、②外国公務員に対する贈賄行為、③外国における贈賄行為に公務員贈賄罪が適用されるか？ ……349
  (1) 刑法上の公務員贈賄罪の適用関係 …………………………349
  (2) 腐敗防止法上の公務員贈賄規制の適用関係 ………………350
6 公務員贈賄罪の罰則その他の制裁は？　法人に対する制裁、海外の親会社に対する制裁は？………………………………………351
  (1) 刑法上の公務員贈賄罪に関する罰則 ………………………351
  (2) 腐敗防止法上の公務員贈賄規制違反に関する制裁 ………352
7 第三者を通じた贈賄行為が処罰される場合とは？………………355
8 公務員贈賄罪はどのような手続を経て執行されるか？　自主報告により制裁が軽減される制度はあるか？　時効期間は？ ………355
  (1) 刑法上の公務員贈賄罪 ………………………………………355
  (2) 腐敗防止法上の公務員贈賄規制 ……………………………357
9 民間企業の役職員に対する賄賂・リベート供与は処罰対象となるか？ ……………………………………………………………………358
10 コンプライアンスプログラム等に関する規制・ガイドライン等はあるか？ ……………………………………………………………358

第11節　メキシコ …………………………………………………361

1 メキシコにおける贈収賄行為の実情は？ ………………………361
2 メキシコにおける公務員贈賄規制の概要は？ …………………361
3 公務員贈賄罪の要件は？ …………………………………………362
  (1) 連邦刑法 ………………………………………………………362
  (2) 行政責任一般法 ………………………………………………363
4 公務員贈賄罪の適用が除外される場合とは？ …………………363
5 ①外国法人・個人による贈賄行為、②外国公務員に対する贈賄行為、③外国における贈賄行為に公務員贈賄罪が適用されるか？ ……364
6 公務員贈賄罪の罰則とその他の制裁は？　法人に対する制裁、海外の親会社に対する制裁は？ …………………………………………364
  (1) 連邦刑法 ………………………………………………………364
  (2) 行政責任一般法 ………………………………………………365
  (3) 親会社に対する制裁 …………………………………………365

7　第三者を通じた贈賄行為が処罰される場合とは？……………366
8　公務員贈賄罪はどのような手続を経て執行されるか？　自主報告により制裁が軽減される制度はあるか？　時効期間は？……………366
　(1)　連邦刑法……………366
　(2)　行政責任一般法……………367
9　民間企業の役職員に対する賄賂・リベート供与は処罰対象となるか？……………368
10　コンプライアンスプログラム等に関する規制・ガイドライン等はあるか？……………368

第12節　南アフリカ……………369

1　南アフリカにおける贈収賄行為の実情は？……………369
2　南アフリカにおける公務員贈賄規制の概要は？……………369
3　公務員贈賄罪の要件は？……………370
4　公務員贈賄罪の適用が除外される場合とは？……………370
5　①外国法人・個人による贈賄行為、②外国公務員に対する贈賄行為、③外国における贈賄行為に公務員贈賄罪が適用されるか？……………373
6　公務員贈賄罪の罰則その他の制裁は？　法人に対する制裁、海外の親会社に対する制裁は？……………373
7　第三者を通じた贈賄行為が処罰される場合とは？……………374
8　公務員贈賄罪はどのような手続を経て執行されるか？　自主報告により制裁が軽減される制度はあるか？　時効期間は？……………374
9　民間企業の役職員に対する賄賂・リベート供与は処罰対象となるか？……………375
10　コンプライアンスプログラム等に関する規制・ガイドライン等はあるか？……………376

第13節　ロシア……………377

1　ロシアにおける贈収賄行為の実情は？……………377
2　ロシアにおける公務員贈賄規制の概要は？……………378
3　公務員贈賄罪の要件は？……………379

(1)　刑法上の贈賄罪 ……………………………………………… 379
　　(2)　行政的法令違反法上の違反行為 …………………………… 381
　4　公務員贈賄罪の適用が除外される場合とは？ ………………… 381
　5　①外国法人・個人による贈賄行為、②外国公務員に対する贈賄行為、③外国における贈賄行為に公務員贈賄罪が適用されるか？ …… 381
　6　公務員贈賄罪の罰則その他の制裁は？　法人に対する制裁、海外の親会社に対する制裁は？ ……………………………………… 383
　　(1)　個人に対する刑法上の制裁 ………………………………… 383
　　(2)　法人に対する行政的法令違反法上の制裁 ………………… 384
　　(3)　親会社に対する制裁 ………………………………………… 385
　7　第三者を通じた贈賄行為が処罰される場合とは？ …………… 385
　8　公務員贈賄罪はどのような手続を経て執行されるか？　自主報告により制裁が軽減される制度はあるか？　時効期間は？ ……… 385
　　(1)　執行手続 ……………………………………………………… 385
　　(2)　自主報告等 …………………………………………………… 386
　　(3)　時効期間 ……………………………………………………… 387
　9　民間企業の役職員に対する賄賂・リベート供与は処罰対象となるか？ ……………………………………………………………… 387
　10　コンプライアンスプログラム等に関する規制・ガイドライン等はあるか？ ………………………………………………………… 388

第14節　トルコ ………………………………………………………… 389

　1　トルコにおける贈収賄行為の実情は？ ………………………… 389
　2　トルコにおける公務員贈賄規制の概要は？ …………………… 389
　3　公務員贈賄罪の要件は？ ………………………………………… 391
　　(1)　刑　法 ………………………………………………………… 391
　　(2)　公務員法及び公務員倫理規則における贈答品の禁止 …… 392
　4　公務員贈賄罪の適用が除外される場合とは？ ………………… 392
　　(1)　禁止される贈答品 …………………………………………… 392
　　(2)　許容される贈答品 …………………………………………… 393
　5　①外国法人・個人による贈賄行為、②外国公務員に対する贈賄行為、③外国における贈賄行為に公務員贈賄罪が適用されるか？ …… 393

(1) 個　　人 ……………………………………………………………… 393
　　　(2) 外国法人 ……………………………………………………………… 394
　6　公務員贈賄罪の罰則その他の制裁は？　法人に対する制裁、海外の親会社に対する制裁は？ …………………………………………… 394
　　　(1) 個　　人 ……………………………………………………………… 394
　　　(2) 法　　人 ……………………………………………………………… 395
　7　第三者を通じた贈賄行為が処罰される場合とは？ ………………… 395
　8　公務員贈賄罪はどのような手続を経て執行されるか？　自主報告により制裁が軽減される制度はあるか？　時効期間は？ ………… 396
　　　(1) 公務員贈賄罪の執行手続 …………………………………………… 396
　　　(2) 自主申告制度による刑の免除 ……………………………………… 397
　　　(3) 公訴時効 ……………………………………………………………… 397
　9　民間企業の役職員に対する賄賂・リベート供与は処罰対象となるか？ ……………………………………………………………………… 397
　10　コンプライアンスプログラム等に関する規制・ガイドライン等はあるか？ …………………………………………………………………… 398

第15節　シンガポール ……………………………………………… 399

　1　シンガポールにおける贈収賄行為の実情は？ ……………………… 399
　2　シンガポールにおける贈賄規制の概要は？ ………………………… 400
　3　贈賄罪の要件は？ ……………………………………………………… 401
　　　(1) 汚職の目的 …………………………………………………………… 401
　　　(2) 利　　益 ……………………………………………………………… 401
　　　(3) 公務員 ………………………………………………………………… 402
　4　贈賄罪の適用が除外される場合とは？ ……………………………… 402
　5　①外国法人・個人による贈賄行為、②外国公務員に対する贈賄行為、③外国における贈賄行為に贈賄罪が適用されるか？ ………… 403
　6　贈賄罪の罰則その他の制裁は？　法人に対する制裁、海外の親会社に対する制裁は？ ………………………………………………… 403
　7　第三者を通じた贈賄行為が処罰される場合とは？ ………………… 404
　8　民間企業の役職員に対する賄賂・リベート供与は処罰対象となるか？ ……………………………………………………………………… 405

第16節 香港 ... 406
1 香港における贈収賄行為の実情は？ ... 406
2 香港における公務員贈賄規制の概要は？ ... 407
3 公務員贈賄罪の要件は？ ... 407
　(1) 所定の役人（prescribed officer） ... 407
　(2) 公務員（public servant） ... 408
　(3) 利益（advantage） ... 408
　(4) 申出（offer） ... 408
　(5) 適法な権限（lawful authority）又は合理的な理由（reasonable excuse）のないこと ... 409
4 公務員贈賄罪の適用が除外される場合とは？ ... 409
　(1) 贈収賄防止法3条に関する適用除外 ... 409
　(2) 贈収賄防止法4条に関する適用除外 ... 410
　(3) 「適法な権限又は合理的な理由」がある場合 ... 410
　(4) 贈収賄防止法の適用が除外されない場合 ... 411
　(5) 小括 ... 411
5 ①外国法人・個人による贈賄行為、②外国公務員に対する贈賄行為、③外国における贈賄行為に公務員贈賄罪が適用されるか？ ... 411
6 公務員贈賄罪の罰則その他の制裁は？　法人に対する制裁、海外の親会社に対する制裁は？ ... 412
7 第三者を通じた贈賄行為が処罰される場合とは？ ... 412
8 民間企業の役職員に対する賄賂・リベート供与は処罰対象となるか？ ... 412

第17節 カンボジア ... 414
1 カンボジアにおける贈収賄行為の実情は？ ... 414
2 カンボジアにおける公務員贈賄規制の概要は？ ... 415
3 公務員贈賄罪の要件は？ ... 416
4 公務員贈賄罪の適用が除外される場合とは？ ... 417
　(1) 社会的儀礼・慣習としての適用除外の有無 ... 417
　(2) ファシリテーション・ペイメント ... 417
　(3) その他 ... 418
5 ①外国法人・個人による贈賄行為、②外国公務員に対する贈賄行

為、③外国における贈賄行為に公務員贈賄罪が適用されるか？ …… 418
  6　公務員贈賄罪の罰則その他の制裁は？　法人に対する制裁、海外
　　　の親会社に対する制裁は？ ………………………………………………… 419
  7　第三者を通じた贈賄行為が処罰される場合とは？ ………………… 420
  8　公務員贈賄罪はどのような手続を経て執行されるか？　自主報告
　　　により制裁が軽減される制度はあるか？　時効期間は？ ………… 420
  9　民間企業の役職員に対する賄賂・リベート供与は処罰対象となる
　　　か？ …………………………………………………………………………… 421
  10　コンプライアンスプログラム等に関する規制・ガイドライン等は
　　　あるか？ ……………………………………………………………………… 422

第18節　イスラエル …………………………………………………………… 423

  1　イスラエルにおける贈収賄行為の実情は？ ………………………… 423
  2　イスラエルにおける公務員贈賄規制の概要は？ …………………… 425
  3　公務員贈賄罪の要件は？ …………………………………………… 425
  　　(1)　刑法上の贈賄罪 …………………………………………………… 425
  　　(2)　「賄賂」 ……………………………………………………………… 426
  　　(3)　「提供」 ……………………………………………………………… 426
  　　(4)　「公務員」 …………………………………………………………… 427
  4　公務員贈賄罪の適用が除外される場合とは？ ……………………… 428
  　　(1)　円滑化のための支払 ……………………………………………… 428
  　　(2)　一部の贈答・接待 ………………………………………………… 428
  　　(3)　刑法上の抗弁 ……………………………………………………… 429
  5　①外国法人・個人による贈賄行為、②外国公務員に対する贈賄行
　　　為、③外国における贈賄行為に公務員贈賄罪が適用されるか？ …… 430
  　　(1)　外国法人・個人による贈賄行為 ………………………………… 430
  　　(2)　外国公務員に対する贈賄行為 …………………………………… 430
  　　(3)　外国における贈賄行為 …………………………………………… 430
  6　公務員贈賄罪の罰則その他の制裁は？　法人に対する制裁、海外
　　　の親会社に対する制裁は？ ………………………………………………… 431
  　　(1)　概　要 ……………………………………………………………… 431
  　　(2)　法人（親会社）に対する制裁 …………………………………… 432

7　第三者を通じた贈賄行為が処罰される場合とは？ ……………………… 432
 8　公務員贈賄罪はどのような手続を経て執行されるか？　自主報告により制裁が軽減される制度はあるか？　時効期間は？ …………… 433
 9　民間企業の役職員に対する賄賂・リベート供与は処罰対象となるか？ ……………………………………………………………………………… 434
10　コンプライアンスプログラム等に関する規制・ガイドライン等はあるか？ ………………………………………………………………………… 434
Column　イスラエルにおける贈賄規制の特色 ………………………………… 435

■編者・執筆者一覧 ……………………………………………………………… 436
■執筆協力法律事務所一覧 ……………………………………………………… 446

第1章

序論

1 「大きな賭け」

　その話は突然やってきた。懇意にしている証券会社の担当者がある日、電話を掛けてきた。

　「東南アジアで売りに出ている会社がある。貴社の事業計画では、『今後数年以内に、M&Aを含む積極的なアジア進出により、海外売上高比率を上げる』とされているが、まさにその事業計画にぴったりと合うような案件だ」

　M&Aの企画担当になって早半年。会社の方針に沿ってM&Aの候補となるような企業を東南アジアで探していたものの、なかなか案件にめぐり合えず、困り果てていた。縁というのは突然やってくるものである。

　早速、検討に取り掛かった。事業内容も規模感もなかなか良さそうである。さすがに東南アジアだけあって成長性も極めて高い。大口の顧客をしっかりと押さえているようであり、しかも今もどんどん大口顧客が増えている。

　社内においても正式にM&A検討開始の許可を得て、先方のオーナーにも会った。なかなか意欲旺盛な企業家であり、現地においては、官民問わず、幅広いネットワークを持っているようである。日本の企業には大変好意的で、我々が買収の意図を持っていることに大変喜んでいる。それもあってか、我々が買収するのであればほかの買い手候補に声を掛けるのは一旦中断するとのこと。その代わり、急ぎ1か月以内で売却を完了させたいとのことである。また、当局には相当強いコネクションがあるようで、案件の完了のための許認可はすぐにとれるので、1か月でも心配ないと断言していた。

　これは非常に有り難い。当社の社長も喜んでいる。そうなれば、こちらも急ぐのみである。専門家も起用して、早速デューデリジェンスに取り掛かった。専門家は1か月で完了させることは到底無理だとの見解であったが、とにかく売り手の気が変わらないうちにと、急いでデューデリジェンスを開始してもらった。

ところが、デューデリジェンスを開始して1週間程度が経過した頃、ぽつぽつときな臭い情報が入り始めた。会計チームからは不透明な出費がみられるとの報告が入り始めた。法務チームからは実態不明のコンサルタント契約によりいくつか支払がなされているようであるとのコメントが入った。また、大口顧客の多くは、国営企業や政府機関のようであるとの情報も入ってきた。専門家チームは一様に、贈賄の疑いがあるので、拙速にデューデリジェンスを終わらせるのではなく、しっかりと調査をすべきであるとの意見のようである。

　しかし、である。そんなことをしていては1か月以内に案件をクローズさせることができるはずもない。そもそも、「あなたの会社には贈賄の疑いがあるのでしっかり調査をしたい」などと先方に伝えられるわけもない。そんなことをしたら、先方としては、自分たちを信頼していないのかと怒って本件は潰れてしまうだろう。

　そもそも贈賄のリスクとは何なのだ。贈賄自体が悪いことは当然わかっている。ただし、東南アジアでは、そんなことは日常茶飯事だと聞いているし、本当に懸念すべきリスクなのだろうか。単に専門家が針小棒大にリスクを大きく伝えているだけではないのか。どこまでが正当な業務上の支払で、どこからが賄賂なのか。これだけ成長性の高い会社である。多少のコンプライアンス違反があったって不思議ではないだろう。万が一贈賄が行われていたとしても、買収した後に直ちに我々の方で贈賄を止めればよいだけなのではないか。

　本件では、せっかく売り手が最大限協力してくれると言っており、当局手続まで面倒をみてくれるという。こんなチャンスを逃すと、次の売り物がいつ市場に出てくるかもわからない。これを逃すことによる機会損失のリスクと贈賄の疑いによるリスクを天秤に掛けたら、明らかに機会損失のリスクのほうが大きいのではないか。であれば、リスクをとってでも、本件では買収を進めたほうがよいのではないか…。

　この会社は、「大きな賭け」に出ようとしていた。

2　なぜ、外国公務員贈賄規制への留意が必要なのか

(1)　新興国への進出のますますの活発化

　上記の例において、この会社は「大きな賭け」に出てよかったのであろうか。

　この担当者の頭の中には、贈賄のリスクをめぐる悩み・疑問が渦巻いていたことであろう。贈賄のリスクとはそもそも何なのか。どこまでが贈賄でどこまでが正当な支払なのか。贈賄のリスクは機会損失のリスクと天秤に掛けてよいものであろうか。買収した後に贈賄は止められるのだろうか。贈賄を止めると何が起きるのか。今回の買収における当局手続についても面倒をみてくれるとのことであるが、頼ってしまってよいのであろうか…。

　本書は、まさにこうした悩み・疑問に答えることを目的に作られたものである。

　日本企業による海外進出は進んでおり、2022年10月時点で海外進出している日本企業の総数は約7万9,300拠点である[1]。

　また、その中で、特に2010年代以降は、特にアジアをはじめとする新興国への進出が引き続き多くみられ、進出後に困難に直面している日本企業も多い。

　新興国に進出しビジネスを展開する場合には、欧米各国等の先進諸国に進出する場合とは大きく異なる問題にさまざま直面するが、本書が取り扱う贈賄の問題は、その典型的な例の1つであり、また、最も深刻な問題の1つといえるであろう。

　トランスペアレンシー・インターナショナル（Transparency International）という国際的な非政府機関が、毎年、腐敗認識指数（Corruption Perceptions Index）という指標を公表している[2]。これは、各国

---

1) 2023年7月11日付け外務省報道発表「海外進出日系企業拠点数調査（2022年調査結果（令和4年10月1日現在））」（https://www.mofa.go.jp/mofaj/ecm/ec/page22_003410.html）。
2) 毎年の結果は、トランスペアレンシー・インターナショナルのウェブサイトで公表されている（https://www.transparency.org/en/cpi/2023）。

図表1-1 トランスペアレンシー・インターナショナルの腐敗認識指数（2023年）

順位	国名	点数	順位	国名	点数
1	デンマーク	90	83	ベトナム	41
…			…		
5	シンガポール	83	93	インド	39
14	香港	75	104	ブラジル	36
16	日本	73	108	タイ	35
20	英国	71	115	インドネシア	34
20	フランス	71	115	フィリピン	34
24	米国	69	115	トルコ	34
28	台湾	67	126	メキシコ	31
52	サウジアラビア	53	141	ロシア	26
57	マレーシア	50	162	ミャンマー	20
76	中国	42	…		
83	南アフリカ	41	180	ソマリア	11

の公的機関においてどの程度汚職行為が発生しているかを示すもので、毎年各国の指標とランキングを発表している。

　これによれば、先進国はランキングも比較的高く、汚職行為に関してクリーンな国が多くなってきているのに対して、新興国ではまだ腐敗が多くみられることが明らかにされている。例えば、2023年の結果によれば、東南アジアにおける先進国であるシンガポールは全180か国中5位と非常にランキングが高く、9位にドイツ、12位にカナダ、16位に日本、20位にフランス及び英国と続き、先進国は軒並み上位に位置している。これに対して図表1-1に示すとおり、**第5章**において取り上げる新興国は軒並み順位が低い。

　このように、贈賄リスクに関しては、先進国に進出する場合と新興国に進出する場合ではそのリスクの大きさが全く異なる。実際にも、既に先進国には進出済みで十分な海外経験があると思われる日本企業であっても、新興国

においては贈賄の深刻なリスクに苦しんでいる場合も多い。

(2) 外国公務員贈賄規制の執行

　近時、贈賄リスクが高いもう1つの理由は当局による執行である。外国公務員贈賄規制自体は以前より存在している国が多いが、世界的に当該規制の執行は引き続き強化されている。特に米国FCPAの執行は、2010年代に比べて減少しているものの、2022年頃から増えつつあり、米国当局は、引き続き域外適用をしている。米国外で生じた事案であろうが、米国以外の企業であろうが、積極的に米国FCPAを適用し、多額の罰金を課すケースや、担当者が米国において逮捕・収監されるようなケースも多くみられる。

　米国FCPAによる制裁は、当然日本企業に対しても及んでおり、日本企業が制裁の対象となるケースも多く存在する。公表されている近時の事例でも、例えば、2011年に、米国企業及びフランス企業等とコンソーシアムを組成してナイジェリアのLNGプラント建設プロジェクトを受注した日本企業が、DOJと司法取引を行い、共謀及び教唆・幇助行為を理由に、2億1,800万ドルという巨額の支払に合意した事例、2014年に、フランス企業の米国子会社及びインドネシア子会社とコンソーシアムを組成してインドネシアの火力発電所向けボイラー案件を受注した日本企業が、DOJと司法取引を行い、8,800万ドルという巨額の支払に応じた例や、2018年に、日本企業の米国子会社が、ある国の国営企業との契約を成立させるため政府関係者を自社のコンサルタントという名目で起用し、報酬をコンサルタント費用として計上したものの、これが実態とは異なることから米国FCPA上の会計・内部統制条項に違反するとの疑いがかけられ、DOJ及びSECとの間で司法取引を行い、DOJに対して1億3,740万ドル、SECに対して1億4,300万ドルという巨額の支払に合意した事例がある[3]。

　これに対し、日本の当局による執行は、これまで比較的低調であり、不正競争防止法に規定されている外国公務員贈賄罪で実際に訴追され、刑事罰が課された事案は限定的であった（その詳細は、**第2章第3節4**を参照された

---

3) 日本企業に対する米国FCPAによる処分事例については、**第2章第1節1**も参照されたい。

い）。ただし、日本は、下記3記載のOECD条約の枠組みの中で、OECDから執行状況が低いレベルにとどまっていることについて指摘を受けており（2021年10月の「Japan：PHASE 4 TWO-YEAR FOLLOW-UP REPORT」[4]参照）、かつ、2023年に外国公務員贈賄罪の罰則を強化し、適用範囲を拡大する方向で不正競争防止法が改正されたことから（**第2章第3節2(2)②参照**）、事例が増加することが想定される。

　また、新興国自身も執行を活発化させている。新興国において日本国民が贈賄行為を行った場合には、米国FCPAや不正競争防止法による「外国公務員贈賄罪」のみならず、新興国の贈賄規制でも処罰され得ることになる。なお、その場合は「外国公務員」に対する贈賄ではなく、一般の国内公務員に対する贈賄ということになる。周知のとおり、例えば中国においては、習近平政権への移行後、汚職撲滅を強行に推進しており、多くの事案が摘発されている。また、南アフリカにおけるヨーロッパ企業による贈賄疑惑について、南アフリカ・米国・スイス・ドイツの当局による捜査がなされ、同企業が制裁金等を支払うなど、新興国の当局とその他の国の当局による連携・捜査が行われている事例も見受けられる。また、日本企業・日本人が新興国による規制や捜査の対象となることもある。

　このように、贈賄に関しては、米国や英国等の当局による執行がなされているだけでなく、新興国自体においても執行が強化されてきているため、現地に進出する日本企業にとっては、まさに「身近に存在する大きなリスク」となっており、贈賄規制をきちんと理解しておくことが何よりも重要になってきている。

3　外国公務員贈賄規制の歴史的経緯

　外国公務員贈賄規制は、もともと1972年の米国ウォーターゲート事件の調査において、多数の米国企業による外国公務員に対する多額の贈賄行為が判明したこと等を契機として、米国が、外国公務員に対する贈賄行為を防止することを目的として1977年に導入した米国FCPAがきっかけとなり、発展してきた法規制である。米国は自国での米国FCPAの導入後、国際連合

---

[4]　https://www.oecd.org/corruption/Japan-phase-4-follow-up-report-en.pdf

やOECD等においても各国の取組を要請し（この背景には、米国のみが当該規制の対象となることにより、米国企業が競争上不利になるという考慮もあった）、その後、国際的にも、企業活動のグローバル化に伴って当該規制が必要であるとの問題意識が高まったことを受け、1997年よりOECDにおいて外国公務員贈賄規制の枠組みに関する交渉が開始され、1999年2月にOECD条約が発効した。

OECD条約は、OECD加盟国以外にも開放されており、2024年3月時点で日本を含む46か国（うち、OECD非加盟国は8か国）が署名する条約となっている。OECD条約では、犯罪の基本的な構成要件、外国公務員の定義、制裁の内容等、外国公務員贈賄規制の大きな枠組みを定めており、各締約国は基本的にこれに従った枠組みで各国法を制定している。また、OECD条約では、各締約国の措置の同等性を確保することが世界的な外国公務員贈賄防止の進展を図るために必要であるとの考えから、12条において「締約国は、この条約の完全な実施を監視し及び促進するため、組織的な事後措置の計画を実行することに協力」するものとされており、OECDの贈賄作業部会では、条約発効後、順次各国の審査を行っている。上記のとおり、日本はOECDから執行状況が低調であることについて指摘を受けているが、これはまさにこの審査の枠組みの中で指摘を受けているということになる。

日本においても、当該条約を実施するべく、1998年に不正競争防止法を改正し（1999年2月に施行）、外国公務員贈賄罪を新たに導入し、その後改正を経て現在に至っている。また、経済産業省では、外国公務員贈賄罪に関する理解や予見可能性の向上に資することを目的として、経産省指針を策定し、公表すると共に、断続的に指針の見直しを続けている[5]。

その他の国においても、外国公務員贈賄罪に関する立法措置等が行われている。例えば、先進国でいえば、英国では、2023年12月に経済犯罪及び企業の透明性に関する法律（The Economic Crime and Corporate Transparency Act 2023）が改正され、従業員が犯罪を犯した場合に企業による犯罪とみな

---

[5] 2024年3月現在、2024年2月改訂版が最新版となっている。経済産業省のウェブサイト（https://www.meti.go.jp/policy/external_economy/zouwai/pdf/GaikokukoumuinzouwaiBoushiShishin.pdf）にて入手可能である。

される範囲が拡大したが、同法律は贈収賄についても適用される。また、新興国においても、例えばインドにおいては2018年に贈賄行為自体を処罰することを初めて明記する形で汚職防止法が改正される、インドネシアにおいては2023年に贈収賄の罪の罰則を強化する形で刑法が改正される（2026年1月施行予定）など（詳細は**第5章**参照）、活発な動きが続いている。

4　外国公務員贈賄規制の基本的枠組み

(1) OECD条約を前提とした共通の枠組み

　各国における外国公務員贈賄罪の要件は異なるものの、上記のとおり、OECD条約の締約国に関しては、基本的に当該条約の枠組みに従った内容で各国法を制定しているため、主要な構成は共通しているとされる。

　OECD条約1条1項においては、「締約国は、国際商取引において商取引又は他の不当な利益を取得し又は維持するために、外国公務員に対し、当該外国公務員が公務の遂行に関して行動し又は行動を差し控えることを目的として、当該外国公務員又は第三者のために金銭上又はその他の不当な利益を直接に又は仲介者を通じて申し出、約束し又は供与すること」を、自国の法令の下で犯罪とするものとされており、OECD条約締約国では、これが外国公務員贈賄罪の基本的な枠組みとなっている。この内容は大きく3つのポイントに分けることができ、これらが各国に共通する外国公務員贈賄罪の基本的な要件であるということができる。

　① 「金銭上又はその他の不当な利益を申し出、約束し又は供与する」

　これは、何を供与すれば罪となるかという点である。現金であればもちろん該当するが、ここに記載されているように、現金に限らず、何らかの利益（有形・無形を問わない）を供与するものは全て対象となる。また、原則として金額の多寡も問題とならない（なお、**第2章第1節3**記載のように、米国ではファシリテーション・ペイメントという例外事由が定められているが、これは金額が少なければ直ちに認められるというものではなく、裁量のない行政サービス等についての支払であるといった別の要件があることに留意が必要である）。

また、「申出」「約束」「供与」については、代理人等を通じて間接的な供与等を行った場合であっても、基本的にはこれに該当し、少なくとも一定の場合には適用を免れないと考えられている（代理人を通じた供与等をめぐる詳細な議論については、本書において各国法制を解説している**第5章**においても記述しているので参照されたい）。

② 「外国公務員に対し」

「外国公務員」の定義は各国の法制においてそれぞれ異なるが、基本的には「外国公務員」という語感又は一般的な用語のイメージよりは、広く解釈されていると理解しておいたほうがよい。何らかの公的権限を持っている者については「外国公務員」に該当する可能性があるとみて、各国法制を詳細に検討することが望ましい。

③ 「外国公務員が公務の遂行に関して行動し又は行動を差し控えることを目的として」及び「商取引又は他の不当な利益を取得し又は維持するために」

これらは、目的を定めている要件である。何らかの不正な利益を得る目的や公務員の職務に影響を与える目的で金銭等の申出を行っていることが要件となる。各国法制において、それぞれ条文の表現や解釈は異なるものの、何らかの目的（贈賄行為者の主観）に関する要件が定められている。かかる目的要件に該当するか否かは、各国においてまさにケースバイケースの判断となる。米国FCPAやUKBA（英国）、不正競争防止法（日本）等当局がガイドライン等を提示し、解釈の明確化に努めているが、かかる要件の解釈は必ずしも確立していない側面もあるため、実際に本要件が問題となる場合には慎重な検討が必要となる。

このように、OECD締約国においては一定程度共通する要件・ポイントがあるため、各国法制を検討する場合には、かかる構造を理解しておくことにより全体像の把握が容易となる。

なお、上記のとおり、日本企業が海外の現地で贈賄行為を行った場合には、米国FCPAや不正競争防止法等の「外国公務員贈賄罪」が適用されることに加えて、各国現地の通常の贈賄罪（国内公務員に対する贈賄罪）が適用される可能性があることになる。この各国の国内公務員に対する贈賄罪についてはOECD条約がカバーする範囲ではないため、共通した枠組みはなく、各

国の贈賄罪の要件をそれぞれ慎重に検討していく必要がある。なお、**第 5 章**においてアジア諸国及び新興国全 18 か国の贈賄規制を解説しているが、これらは全てこのような各国の国内法に基づく贈賄規制を解説しているものである。

(2) 各国法制を比較する上での主要な視点

このように OECD 条約締約国であれば、一定の共通した枠組みには基づいているものの、それでもやはり各国の法制にそれぞれ特徴・差異があり、それらを鳥瞰的に理解し、横断的に考察するのは容易ではない。ただし、各国法制を比較・考察するための主要なポイントを把握することで、理解しやすくなる面もある。

① 適用範囲・域外適用のメカニズム

まず、各国の外国公務員贈賄罪の適用範囲である。これは、各国の外国公務員贈賄罪がどのようなメカニズムで域外適用されるのか（例えば、日本企業が東南アジアで事業を行っているといったような、一見すると米国と全く関連性がないように見受けられる事例に、なぜ米国 FCPA が適用されるのか）という点を理解する上で重要なポイントである。

詳細は**第 1 節 3**(1)に記載するが、例えば、米国では、米国で証券を発行している場合や米国で設立した米国子会社による贈賄といった、直接的に米国 FCPA の適用対象となる場合に限らず、外国企業が米国の領域内で州際通商の手段（instrumentality of inter-state commerce）を利用して贈賄を行った場合も米国 FCPA の適用対象になるとされ、実際には、米国を経由した電子メールの送受信により謀議を行った場合や、米国ドルにより米国外で賄賂を送金し、米国の銀行口座が資金決済の過程で用いられた場合等、一見すると米国との直接的な関連性が薄いとも思われる事情をもって、米国 FCPA の適用対象になるとされる場合がある。また、英国法における域外適用の論点としては、詳細は**第 2 章第 2 節**にて記載するが、例えば贈賄防止懈怠罪の成否が問題となり、理論上は、英国で事業を行っているような日本企業に幅広く適用される可能性がある。

これら以外にも教唆や幇助その他の共犯が成立することにより、直接的な

贈賄行為者以外に対しても外国公務員贈賄罪が成立する場合もあり、これらの成立範囲を総合的に検討することにより、各国規制の適用範囲（域外適用の範囲）を正確に理解することが重要となる。

② 「外国公務員」の定義・範囲

次に「外国公務員」の範囲である。上記(1)②のように「外国公務員」の定義・範囲は各国において異なるため、具体的な事例の検討に際しては十分に各国の法制を確認する必要がある。

「外国公務員」の範囲を理解するに当たっての大きな視点としては、㈜直接的な政府ではない、政府の関連機関（公益法人等）がどこまで含まれるか、㈭（これと類似するが）国営企業や国立病院等がどこまで含まれるのか、㈥政党関係者等がどこまで含まれるか、㈦国連等の国際機関の業務に従事する者がどこまで含まれるか、といった辺りが主なポイントになる。

③ 行為者の主観に関する要件（目的要件）

上記(1)③のように、外国公務員贈賄罪では、行為者の何らかの目的を要件として設けていることが多い。これは、現実に外国公務員贈賄が問題となる場面では「形式的には贈賄行為を行っているものの、主観要件を満たしていないので外国公務員贈賄規制の対象とならない」といったように、例外規定・免除規定の形で議論することが多くなる。

例えば、米国FCPAのガイドラインでは、展示会においてノベルティグッズを提供するといった行為には、汚職の意図（corruptly）が認められない（そのため、処罰の対象とならない）といった議論がなされている。上記のとおり、本要件によって外国公務員贈賄罪の適用を免れるか否かはケースバイケースの判断となるが、実際の場面では非常に重要なポイントにもなるため、各国の要件を慎重に検討する必要がある。

④ コンプライアンス体制を整備することの意義

上記の3点は、具体的な事案が発生した際に、外国公務員贈賄罪が成立するか否かという場面におけるポイントであったが、この④は、それを予防するためにどのようなコンプライアンス体制を整備すればよいか、また、その体制を整備しておくことによって何らかのベネフィットを得られるか（例

えば、仮に贈賄行為が行われたとしても、適切なコンプライアンス体制が備わっていた場合には、当該会社自体の訴追は免除されるなど）といった点が理解のポイントとなる。

　例えば、**第2章第2節4(4)**に記載するように、UKBAでは「適正な手続」（adequate procedures）と呼ばれる、コンプライアンスプログラムを導入する際に検討すべき6つの原則がUKBA指針において解説されている。この「適正な手続」をとっていた場合、UKBA上、上記の贈賄防止懈怠罪に対する抗弁（defense）になるとされている。このように、どのようなコンプライアンス体制をとればよいのか、また、その体制をとった場合にどのような効果が認められるのかといった点は、重要な比較の視点となる。

　⑤　商業賄賂（民間人に対する贈賄）

　最後に「外国公務員」に対する贈賄ではないが、贈賄行為の対象が民間人であった場合にも処罰され得るかという点は、国によって考え方が大きく異なる。日本法を念頭に置くと、相手方が公務員でない場合には贈賄の問題は生じないと考えがちであるが、例えば、UKBAでは、贈賄の相手方は公務員だけではなく民間人をも含むとされており、また、中国でも民間人に対する商業賄賂が規制対象となっている。さらには、ベトナムでは、2018年1月1日に施行されたベトナム刑法において、民間企業の職員に対する贈賄行為についても贈賄罪が成立する可能性も出てきている。そのため、各国法制を比較検討する上では、かかる視点からの各国法制の正確な理解も欠かせない。

第2章

主要国における外国公務員贈賄規制

第1節 米国における規制

1 沿革及び近時の動向

　米国FCPAは、1972年のウォーターゲート事件の調査において、400社以上の企業による外国公務員に対する多額の贈賄行為が判明したこと等を契機として、米国企業による外国公務員に対する贈賄行為を厳しく処罰する必要があるという声が高まる中で、1977年に成立した。

　その後、1988年に、手続の円滑化のための支払（いわゆるファシリテーション・ペイメント）に関する除外規定、合理的かつ善意の支出（reasonable and bona fide expenditures）の抗弁、企業の役員及び従業員の個人責任に関する規定の新設、罰則の強化等を含む改正が行われた。また、1997年にOECD条約が採択（1999年に発効）されたことを受け、1998年には、同条約との整合性を図ることなどを目的として、米国の裁判権の拡大等を内容とする改正が行われた。この1998年の改正は、米国FCPAの適用範囲を、外国人又は外国企業による贈賄行為及び米国外での贈賄行為に拡大したという点において重要な意義を有するものであった。特に近年は米国当局による摘発件数が増加するなど活発な執行が行われ、日本企業を含む多くの外国企業に対して米国FCPAが適用されて、厳しい制裁が科せられている。日本企業に対する米国FCPAのこれまでの主な事例は、**図表2-1**のとおりである。

　また、米国司法省（Department of Justice. 以下本節において「DOJ」という）は、米国FCPA違反行為を自主的に開示した企業に対して、一定の要件の下で制裁の減免措置を講じる旨の方針を発表するなど、近年、積極的に米国FCPA違反行為を覚知すべく、執行制度を整備している。DOJの自主開示制度の詳細については、**第3章第2節3(2)**を参照されたい。

図表2-1　日本企業に対する米国FCPAの執行事例

	概要	結果
①エンジニアリング会社	他の3社と共にJV企業を設立し、ナイジェリアのLNGプラント建設に関する契約を受注したところ、ナイジェリアの公務員に対して不正な支払を行った疑いでDOJによる調査が行われた。当該日本企業は、米国企業による違反行為について共謀・幇助行為を行ったとされている。	2011年、DOJとの間で司法取引を行い、2億1,880万ドルを支払うと共に、独立コンプライアンス・コンサルタントを2年間起用することに合意。
②商社	①の事件においてJV企業との間で業務委託契約を締結し、代理人としてナイジェリアの公務員に対して不正な支払を行った疑いがあるとしてDOJの調査が行われた。当該日本企業は、米国企業による違反行為について共謀・幇助行為を行ったとされている。	2012年、DOJとの間で司法取引を行い、5,460万ドル（約78億8,642万円）を支払うと共に、独立コンプライアンス・コンサルタントを2年間起用することに合意。
③メーカー	ラテンアメリカ諸国における販売を確保するために海外エージェントを通じてラテンアメリカ諸国の公務員に対して不正な支払を行った疑いがあるとしてDOJの調査が行われた。贈賄行為を実際に行ったのは当該日本企業の米国子会社であるが、当時、当該日本企業の部長であった日本人従業員が、米国子会社従業員との共謀をしたとして、米国内における会議に出席した直後に逮捕された。	2011年、DOJとの間で司法取引を行い、2,800万ドル（約40億4,432万円）を支払うことに合意（同時に調査がなされていた米国独占禁止法違反行為に関する罰金も含む）。従業員には24か月の禁錮及び8万ドル（約1,157万円）の罰金刑が科せられた。
④商社	フランス企業の米国子会社及びインドネシア子会社とコンソーシアムを組成してインドネシアの火力発電所向けボイラー案件を受注したところ、コンソーシアムが起用した代理店がインドネシアの公務員に対して不正な支払を行った疑いでDOJによる調査が行われた。	2014年3月、DOJとの間で司法取引を行い、8,800万ドル8,800万ドル（約127億1,072万円）を支払うことに合意。

⑤メーカー	南アフリカの与党のフロント企業と合弁で現地子会社を設立し、発電所建設に関するプロジェクトを政府系企業から受注した後に、フロント企業に対して、配当として500万ドル、成功報酬として100万ドルを支払ったところ、これらの支払が consulting fee という不正確な名目で計上されていたことが会計・内部統制条項に違反するとの疑いにより、SECによる調査が行われた。	2015年9月、SECとの間で司法取引を行い、1,900万ドル（約27億4,436万円）を支払うことに合意。
⑥メーカー	航空機向け娯楽システムを提供する米国子会社が、ある国の国営企業との契約を成立させるため、政府関係者を自社のコンサルタントという名目で起用し、報酬をコンサルタント費用として計上したものの、これが実態とは異なり、会計・内部統制条項に違反するとの疑いにより、DOJ及びSECによる調査が行われた。	2018年4月、DOJ及びSECとの間で司法取引を行い、DOJに対して1億3,740万ドル（約198億4,605万円）、SECに対して1億4,300万ドル（約206億5,492万円）を支払うことに合意。
⑦メーカー	日本企業が買収した米国の対象会社が、買収前の時期に行った行為が問題とされた。同社は、インドでの製品の販売に必要な許認可等と引き換えに、インド政府高官等に直接・間接に賄賂を支払ったとして、贈賄禁止条項及び会計・内部統制条項に違反する疑いにより、DOJによる調査が行われた。	2018年、SECとの間で司法取引を行い、SECに対して、合計800万ドル（約11億5,552万円）を支払うことに合意。2020年10月、DOJとの間でも司法取引を行い、1,957万ドル（約28億2,669万円）を支払うことに合意。

SEC：Securities and Exchange Commission（証券取引委員会）

2　米国FCPAの概要

　米国FCPAは主に贈賄禁止条項（anti-bribery provisions）と会計・内部統制条項（accounting and record-keeping provisions）の2種類の規制により構

成されている（下記3及び4参照）。米国FCPAは外国人又は外国企業による贈賄行為ないし米国外における贈賄行為にも適用される可能性があり、適用範囲が極めて広いという特徴がある。

米国FCPAの主な執行機関は、刑事手続を執行するDOJの刑事部（Criminal Division）、及び、民事制裁金を課すことにより違反者の責任を追及する証券取引委員会（SEC）であり、連邦捜査局（FBI）、国土安全保障省、内国歳入庁（IRS）などの関係当局とも協力して捜査に当たっている。

2012年11月にDOJとSECが公表し、2020年6月に改定した米国FCPAに関するリソースガイド（A Resource Guide to the U.S. Foreign Corrupt Practices Act.）においては、過去のDOJ及びSECの処分事例等を列挙する形で米国FCPAの解釈指針が示されている[1]。

3 贈賄禁止条項

(1) 贈賄禁止条項の適用範囲

米国FCPAの贈賄禁止条項は、以下のとおり、①発行者（issuer）、②国内関係者（domestic concern）、③米国内で行為の一部を行った者という3類型の違反行為者に適用されるほか、④共謀（conspiracy）、幇助・教唆（aiding and abetting）行為を行った者にも適用される。

① 発行者

米国FCPAの贈賄禁止条項が適用される「発行者」（issuer）とは、以下の者である[2]。

(イ) 1934年証券取引法12条に基づき証券を登録している者、又は、同法15条に基づきSECに対する報告義務を負っている者。実務的には、米国の証券取引所に上場している企業、米国の店頭市場（over-the-counter market）において証券が取引されており、かつ、SECに対する

---

1) https://www.justice.gov/criminal-fraud/file/1292051/download
2) 15 U.S.C. § 78dd-1

定期的な報告義務を負っている企業が、これに該当すると解されている[3]。したがって、米国法人ではなくても、これらの要件に該当する企業には米国 FCPA が適用されることとなる。米国の証券取引所に米国預託証券（ADR）を上場している企業も「発行者」の定義に含まれる。

(ロ)　(イ)の役員（officer、director）、従業員（employee）及びエージェント（agent）

(ハ)　(イ)を代理して行動する株主（stockholder）

② 国内関係者

米国 FCPA の贈賄禁止条項が適用される「国内関係者」（domestic concern）とは、以下の者である[4]。

(イ)　米国市民、米国国籍を有する者、米国居住者である個人

(ロ)　米国内に主たる事業所を置くか、又は、米国の州、準州、属領若しくは自治領の法律に基づいて設立された企業、組合、社団、株式会社、事業信託、権利能力なき社団、個人事業者

(ハ)　(イ)(ロ)の役員、従業員及びエージェント

(ニ)　(イ)(ロ)を代理して行動する株主

したがって、日本人であっても、米国に居住していれば「国内関係者」の定義に該当し、また、米国法に基づいて設立された日本企業の子会社にも米国 FCPA が適用されることとなる。

③ 米国内で行為の一部を行った者

米国 FCPA の贈賄禁止条項は、米国の領域内で（while in the territory of the United States）、州際通商の手段（instrumentality of inter-state commerce）を利用して行為の一部を行った者にも適用される。

(イ)　米国 FCPA は、米国内において米国 FCPA 違反の行為の一部を、直接、又は、代理人を通じて行った場合にも適用される。実務上、この「行為の一部」の範囲は非常に広く解されている。金品の授受行為を米国内で行っていないとしても、米国内でなされる行為を生ぜしめた場合

---

3)　米国 FCPA 指針 9-10 頁。
4)　15 U.S.C § 78dd-2

には、米国内で行為の一部を行ったと解され、具体的には、例えば、米国ドルにより米国外で賄賂を送金し、米国の銀行口座が資金決済の過程で用いられた場合なども、適用を受ける可能性があるとする考え方もある[5]。
(ロ)　(イ)の役員、従業員及びエージェント
(ハ)　(ロ)を代理して行動する株主

④　共謀、幇助・教唆行為を行った者

　米国FCPAの贈賄禁止条項は、共謀（conspiracy）、幇助・教唆（aiding and abetting）行為を行った者にも適用される。すなわち、上記①～③により米国FCPAの適用を受ける者が米国FCPA違反行為を行った場合、これを共謀あるいは幇助・教唆した者に米国FCPAの贈賄禁止条項が適用される[6]。実務上、米国当局が日本企業を含む外国企業に米国FCPAを適用する場合の根拠として、米国企業等の違反行為について外国企業による共謀ないし幇助・教唆行為が存在したことを主張するケースが多いことから、日本企業にとって重要なポイントである。

　一般的な共謀罪[7]の要件は、(イ)2人以上の者が違法な行為を行うことにつき合意をすること、(ロ)共謀の認識を有して実際に共謀に参加すること、当該共謀を推進するための実際の行為（overt act）を少なくとも1人の共謀者が行うことである[8]。(ハ)の実際の行為（overt act）とは、違反行為そのものである必要はなく、銀行口座の開設、計画につき協議するためのメールの送信など、共謀を推進するために行われる何らかの行為があれば足りると解されている[9]。

---

5) 米国FCPA指針10-11頁。2008年にSECとの間で和解に至ったシーメンスのケースでは、同社は発行者として米国FCPAの適用を受ける立場ではあったものの、SECは、賄賂の支払に際して米国の銀行口座が資金決済の途中に用いられたという事実も、米国FCPAを適用する根拠となることを主張した。
6) なお、①～③に該当しない個人に関しては、共謀あるいは幇助・教唆に基づくFCPAの適用を否定する第2連邦巡回裁判所の判決が存在する。他方で、別の地方裁判所では異なる見解の判決が存在し、米国の裁判所では解釈が一致していない状況である。米国FCPA指針36頁。
7) 18 U.S.C. § 371
8) Robert W. Tarun, The Foreign Corrupt Practices Act Handbook（2010）18頁。
9) Robert W. Tarun, The Foreign Corrupt Practices Act Handbook（2010）18頁。

また、米国FCPA指針によれば、外国人・外国企業（外国企業等）が、発行者（issuer）又は国内関係者（domestic concern）を幇助・教唆した場合は、外国企業等による米国の領域内における行為が存在しなくても、当該外国企業等に幇助・教唆罪が成立するとされている（ただし、幇助・教唆罪はそれのみで独立して処罰される犯罪ではないことから、当局は主犯者による違反行為の存在を証明しなければならない）[10]。

さらに、米国FCPA指針においては、外国企業等が、発行者（issuer）又は国内関係者（domestic concern）の代理人（agent）として行動している場合には、代理人として行われた行為につき、米国FCPAが適用されると説明されており[11]、これにより、外国企業が代理人として行った行為について外国企業が処罰される可能性がある。

(2) 贈賄禁止条項の基本的な構成要件

米国FCPAの贈賄禁止条項は、いずれかの主体が、①営業上の利益を得る目的で、②汚職の意図をもって、③外国公務員等に対して、④利益を、⑤供与する申出を行い、供与し、供与の約束をし、又は、供与の承認をすることを促進する行為を禁じている。また、同条項に基づき個人の刑事責任を追及する場合には、⑥違法性の認識の要件も充足する必要がある。以下、各要件について説明する。

① 営業上の利益を得る目的（Business Purpose Test）

米国FCPAの贈賄禁止条項に定める要件の1つに、「営業上の利益を得る目的」があり、事業目的テスト（Business Purpose Test）などと呼ばれる。条文の文言上は、「取引を獲得若しくは維持するために」（obtaining or retaining business）又は「取引を提供するために」（directing business）とされているが、これらの文言は広く解釈されており、必ずしも政府との契約を獲得したり維持したりする目的を有する場合のみに限定されない。例えば、税務上有利な取扱いを受けることを目的とする場合、関税の減免を受けるこ

---

10) 米国FCPA指針35-36頁。
11) 米国FCPA指針35-36頁。

とを目的とする場合、競合他社が市場に参入することを阻止するための措置を政府がとるように働きかける場合、許認可の手続を回避することを目的とする場合など、何らかの営業上の利益を得ることを目的とする場合には、広くこの要件を満たすと解されている。[12]

② 汚職の意図（corruptly）

米国FCPAの贈賄禁止条項は、「汚職の意図をもって」（corruptly）なされる贈賄行為を禁じる。「汚職の意図をもって」の定義について条文上の定めはないが、当該要件が設けられている理由について、米国議会における立法時の説明においては、「受領者（外国公務員等）がその公的立場を濫用するよう誘導することを意図してなされた申出、支払、約束又は贈与であることを明確にするために"corruptly"という文言が用いられている」と解説されている[13]。

ただし、外国公務員等による利益の収受や公的立場の濫用が実際に行われることは違反行為の要件とされておらず、条文上は利益供与の申出や約束自体が違反行為とされていることから、汚職の意図をもって利益供与の申出や約束が行われた時点で違反行為が既遂となる点に注意が必要である[14]。

条文上は、供与される利益がごくわずかである場合、すなわち、贈答品や金銭の支払が少額である場合に、贈賄禁止条項の適用を除外する旨の定めはなく、このような少額の利益供与のケースでは、「汚職の意図をもって」（corruptly）の要件を充足するか否かにより、違反行為であるか否かの判断が行われることになる[15]。例えば、米国FCPA指針によれば、コーヒーの提供、タクシー代の負担、価値の小さい企業のプロモーショングッズの提供、合理的な範囲の食事の提供や接待費用の負担などが「汚職の意図をもって」行われることは通常考えにくく、したがって、このような場合は一般に「汚職の意図」がないものとして、違反行為ではないと解されることが多いとされている[16]。ただし、旅費や接待費用の負担であっても、他の行為と併せてみて一連の贈賄行為の一部であると解される場合や、そのほかに「汚職の意

---

12) 米国FCPA指針11-13頁。
13) 米国FCPA指針13頁。
14) 米国FCPA指針13頁。
15) 米国FCPA指針14頁。

図」を示唆するような事情がある場合には、違反行為の一部を構成すると解される場合がある[17]。

　米国FCPA指針においては、以下のような行為は、不適切な旅費や接待費用の負担であると説明されており[18]、このような場合はその金額や使途等に照らして、「汚職の意図」があるものと解される可能性が高いといえる。
　(イ)　ワイナリー訪問やディナーを含む、メキシコ政府高官の誕生日を祝うための旅行への招待（1万2,000ドル）
　(ロ)　公務員に対する飲食及び娯楽の提供（1万ドル）
　(ハ)　8名のイラク公務員に対する、観光を主目的としたイタリア旅行への招待及び1人1,000ドルの金銭の提供
　(ニ)　公務員とその妻に対する、運転手付きの車による観光を主目的としたパリ旅行への招待

　一方で、以下のような行為は、「汚職の意図」がない常識的な範囲の支出であると説明されている[19]。
　(イ)　トレードショーでブースを出して、会社のロゴの入ったペン、帽子、Tシャツその他の販促品を配布し、コーヒー等の飲料やスナックを提供している企業が、ブースを訪れた外国公務員に対しても同様の販促品や飲食物を供与する行為
　(ロ)　企業が、トレードショーに参加した顧客（潜在的な顧客を含む）を会場外の飲み会に招待し、高額ではない飲み代を負担したところ、招待客に外国公務員が含まれていた場合
　(ハ)　外国政府が100％出資する政府系企業の担当者に、結婚祝いとして、高額ではないガラスの花瓶を贈る行為
　(ニ)　外国政府が100％出資する政府系企業の担当者に研修サービスを提

---

16)　米国FCPA指針14-16頁。また、米国FCPA指針は、DOJ及びSECが違反行為に対する執行を行うか否かについて裁量を有していることを指摘し、少額の利益供与が行われた過去の事例に関しては、長期間にわたって行われている一連の行為の一部としてそのような利益供与が行われており、ビジネスを獲得又は維持するために外国公務員等に対して汚職の意図をもって支払を行うスキームの存在が明らかとなっているような場合に限って執行の対象としてきた旨を説明する。

17)　米国FCPA指針14-16頁。
18)　米国FCPA指針14-16頁。
19)　米国FCPA指針17-18頁。

供する企業が、政府系企業の役員がミシガンにある研修施設を見学するための航空運賃（ビジネスクラス）、宿泊費、交通費を負担し、役員がミシガン滞在中に、高額ではないディナー、野球観戦、観劇等へ招待する行為

③　外国公務員等（foreign official）

米国 FCPA の贈賄禁止条項は、(イ)外国公務員（foreign official）、(ロ)外国の政党及びその職員、(ハ)外国の公職候補者に対する贈賄行為を禁じる。また、(ニ)支払の全部又は一部がこれらの者に対する供与、供与の約束、又は、供与の申出に用いられることを知りながら（knowing）、第三者に対してかかる利益を供与することも禁じられる（(ニ)について下記(3)参照）。

米国 FCPA において、外国公務員（foreign official）は、「外国政府、その部門（department）、局（agency）、機関（instrumentality）若しくは公的国際機関（public international organization）の役職員、又は、公的権限に基づいてこれらの機関等のために、若しくは、これらの機関等を代理して行為をする者」[20] として、非常に広く定義されている。

公的国際機関（public international organization）は、世界銀行（以下「世銀」という）、国際通貨基金（IMF）、世界知的所有権機関（WIPO）、OECD その他多数の国際機関を含むものとされている[21]。

米国 FCPA 指針は、外国政府の機関（instrumentality）は、国により保有又は支配されている企業等を含む可能性があるとしており[22]、政府系企業の役職員に対する贈賄行為が米国 FCPA の贈賄禁止条項違反となるかが問題となる。同指針では、機関（instrumentality）を「外国政府によって支配されている企業等で、かつ、当該政府がそれ自体の行為として取り扱う機能を履行する事業体」と定義し、個々の企業等が外国政府の機関に該当するか否かは、当該企業等の保有、支配、機能等の実態により個別に判断されるとしている。その上で、以下のとおり、当該企業等が「支配」に該当するかの考慮要素を列挙している。

20）　米国 FCPA 指針 19-22 頁。
21）　米国 FCPA 指針 21-22 頁。
22）　米国 FCPA 指針 20-21 頁。

(イ) 外国政府による当該企業等の正式な指定
(ロ) 外国政府が当該企業等の過半数の株式等を保有しているか。
(ハ) 外国政府が当該企業等の代表者を選解任する権限を有しているか。
(ニ) 当該企業等の利益が直接的に外国政府の財源となる程度、及び当該事業体の赤字に対して外国政府が支援する資金の程度
(ホ) 上記の期間が継続した期間の長さ

　米国FCPA指針によれば、実務上は、外国政府が当該企業の株式の過半数を保有又は支配していない場合には、外国政府の機関であると認められる可能性は低いとされている。しかし、同指針は、外国政府による保有割合が50％未満であっても、重要な支出や事業上の決定等に関して拒否権を持つ種類株式を保有している場合など、外国政府が当該企業に実質的な支配を及ぼしている場合には外国政府の機関と認められる可能性がある旨を説明する[23]。

　このように、米国FCPAの贈賄禁止条項においては、政府系企業の役職員に対する贈賄行為は一定の場合に違反となる可能性があるものの、いわゆる商業賄賂（民間企業の役職員に対する利益の供与、キックバックの支払など）は禁じられていない。しかし、米国FCPA指針においても言及されているとおり、民間企業の役職員に対する利益の供与を実際とは異なる名目で計上していた場合には米国FCPAの会計・内部統制条項に抵触する可能性があることに加え、英国や中国を含む他国の贈賄規制においては商業賄賂であっても違法とされることがあるため、注意が必要である。

④　利益（anything of value）[24]

　米国FCPAの贈賄禁止条項において供与等が禁止されているのは、何らかの利益（anything of value）とされており、現金の支払に限られない。旅費の負担や贈答品なども、利益に該当する。上記②で述べたとおり、供与される利益がごくわずかである場合などは、「汚職の意図をもって」の要件を充足するか否かにより贈賄禁止条項違反の該当性が判断される。

23）　米国FCPA指針20-21頁。
24）　米国FCPA指針14頁。

⑤　供与の申出（offer）、供与、供与の約束（promise）、又は、供与の承認（authorization）を促進（furtherance）する行為

　米国FCPAの贈賄禁止条項は、利益（anything of value）の供与の申出（offer）、供与、供与の約束（promise）、又は、供与の承認（authorization）を促進する行為を禁じている[25]。すなわち、実際に利益が外国公務員等に対して供与されなくても、供与する旨の申出や約束をした時点で既遂となるのである。また、利益の供与行為を社内で承認するだけでも違反行為となる可能性があり、例えば、企業の役員が部下に対して、契約を受注するために「賄賂を渡す必要がある者に渡すように」という承認を行った場合など、その者が賄賂の受領者が具体的に誰であるかを知らない場合であっても、また、結果的に賄賂の供与がなされなかった場合であっても、「汚職の意図」などを含む贈賄禁止条項の構成要件を充足している限り、上記の役員には違反行為が成立し得る[26]。

⑥　違法性の認識（willfully）

　米国FCPAの贈賄禁止条項に基づき企業の刑事責任及び民事責任を追及する場合には、「汚職の意図」があれば足りるが、個人の刑事責任を追及する場合には、当該違反行為が「違法性の認識をもって」（willfully）行われたという要件も充足する必要がある。「違法性の認識をもって」の定義について条文上の定めはないが、裁判例においては、一般的な法規範の下で不正な行為であるという認識をもって自主的かつ意図的に行われる場合に当該要件を満たすと解されている[27]。したがって、米国FCPAの存在の認識や自己の行為が米国FCPAに違反しているという知識がなくても、当該要件を充足することになる。

[寄付の贈賄禁止条項該当性]

　寄付については、正当な目的の寄附であれば原則として米国FCPAの贈賄禁止条項に違反することはないが、汚職の意図をもって外国公務員に対して影響を与えるための支払の隠れ蓑として行われる場合には、違反行為と解

---

25) 15 U.S.C. § 78dd-1
26) 米国FCPA指針13頁。
27) 米国FCPA指針13-14頁。

されることがある。米国FCPA指針では、寄付を行う場合には、①寄付の目的は何か、②寄付を行う企業の社内規程に従った寄付であるか、③外国公務員の要請に基づいてなされる寄付であるか、④寄付の相手方は、外国公務員と何らかの関係があるか、あるとすれば、当該外国公務員は寄付を行う企業が当該国で行うビジネスについて決定権を有しているか、⑤ビジネスの獲得その他の便宜を図ることを条件として行われる寄付であるか、の各事情を考慮して、その違法性を判断すべきであるとする[28]。

(3) 第三者を通じた贈賄行為が贈賄禁止条項違反となる場合

　米国FCPAの贈賄禁止条項は、第三者を通じて行われる贈賄行為についても適用され得る旨が明示されている。すなわち、上記(1)で述べたとおり、米国FCPAの贈賄禁止条項は、①外国公務員、②外国の政党及びその職員、③外国の公職候補者に対する贈賄行為を禁じるところ、これに加えて、④支払の全部又は一部がこれらの者に対する供与、供与の約束、又は、供与の申出に用いられることを知りながら（knowing）、第三者に対してかかる利益を供与することも禁じられている。

　海外で事業を行う日本企業が、現地のエージェントやコンサルタントを起用して、事業に関する助言や情報を得たり、取引先との連絡・交渉を代行させたり、現地の販売代理店を通じて事業を行うことはしばしばあるが、このようなエージェントやコンサルタント等が贈賄行為を行った場合に、直接的には贈賄行為を実行していない日本企業にも贈賄禁止条項が適用される可能性があることから、この点についても特に注意が必要である。

　米国FCPAの贈賄禁止条項が第三者を通じた贈賄行為を禁止する趣旨は、第三者を介在させることにより違反行為の責任を回避しようとする行為を阻止することにあるとされている。米国FCPA指針は、①第三者が当該行為に及ぶこと、そのような状況が存在すること、若しくは、そのような結果が生じることが相当程度確実であることを認識している場合、又は、②そのような状況が存在すること、若しくは、そのような結果が生じることが相当程度確実であることを確信している場合に、「知りながら」（knowing）の要件

---

[28]　米国FCPA指針16-19頁。

を充足する旨を説明する。すなわち、第三者が贈賄行為に及ぶ可能性が高いという認識があれば足り、違反行為の計画を実際に知っている必要はない。これは、贈賄行為に及ぶ可能性が高い第三者を起用しつつ、意図的に違反行為の計画を知ることを避けることにより責任を回避しようとする行為を阻止する趣旨である。米国FCPA指針は、以下のような事情がある場合の第三者について、違反行為の存在が疑われるものとして注意喚起をする[29]。

- (イ) エージェント又はコンサルタントに対して過大な報酬を支払っている
- (ロ) 販売代理店（ディストリビューター）に対する割引が不合理に過大である
- (ハ) コンサルティング契約に業務の内容が不明確にしか記載されていない
- (ニ) 当初起用した目的と異なる業務をコンサルタントに委託している
- (ホ) 第三者が、外国公務員の親戚であり、又は、緊密な付き合いがある
- (ヘ) 外国公務員の明示的な依頼又は強い要求により、第三者が取引に参加している
- (ト) 第三者が海外において設立されたペーパーカンパニーにすぎない
- (チ) 第三者が海外の銀行口座へ送金するよう求めている

海外で事業を行う場合に起用するエージェント、コンサルタント、販売代理店などの第三者については、このようなリスクがあることを十分に念頭に置いて、必要な調査・モニタリングを行う必要がある。詳細は、**第3章第1節**を参照されたい。

(4) 子会社による贈賄行為について親会社の責任が問われる場合

この点、米国FCPA指針は、①親会社が子会社に対して贈賄行為を指示し、又は、その他の方法により贈賄のスキームに直接的に参加していた場合など、親会社自身の直接的な帰責性が認められるような関与があった場合、あるいは、②子会社が親会社の代理人（agent）として当該行為を行ったと認められる場合に、親会社の責任が問われる可能性がある旨を説明する。②について、子会社が親会社の代理人として当該行為を行ったか否かは、親会社が子会社の行為を支配（control）しているか否かによって決まるとされて

---

29) 米国FCPA指針22-23頁。

いる。具体的には、親会社が子会社の行為を認識していたか、あるいは、指示を行っていたかを、一般的な状況及び問題となっている特定の取引における状況の双方について検討することにより判断される[30]。

(5) 被承継会社の行為について承継会社の責任が問われる場合

　ある企業が、合併や事業譲渡等により、別の企業の全部又は一部の事業を買収するなどして、権利義務を承継した場合、米国FCPA違反に関する刑事責任及び民事責任も承継される可能性があることにつき、留意が必要である。米国FCPA指針においても、かかる承継者責任（successor liability）に基づき、承継会社に対して、被承継会社による承継以前の米国FCPA違反行為に関する刑事責任及び民事責任を追及することができる旨が述べられている。同時に、同指針では、買収者が買収後に強固なコンプライアンスプログラムを対象会社に導入することが重要とされている[31]。なお、同指針によれば、被承継会社が米国外の企業であり、その贈賄行為に米国FCPAが適用されない場合には、贈賄行為後に、米国FCPAの「発行者」に該当する企業が当該企業を買収したとしても、遡って米国FCPA違反行為に関する責任が発生することはないとされている。

(6) 贈賄禁止条項の抗弁事由

　米国FCPAの贈賄禁止条項は、①現地法において適法とされる利益の供与及び②合理的かつ善意に行われる支出に関する積極的抗弁事由を定める。また、③円滑化のための少額の支払、いわゆるファシリテーション・ペイメントに該当する場合及び④脅迫による要求がなされた場合は違反行為を構成せず、処罰の対象とならない。上記のうち、①及び②は積極的抗弁事由として定められており、これらに該当することの立証責任を被告人（企業・個人）の側が負う。これに対して、③及び④は、違反行為の構成要件該当性の問題であることから、かかる除外に該当しないことの立証責任を当局の側が負う

---

30)　米国FCPA指針28-29頁。
31)　米国FCPA指針24頁。

こととなる。

① 現地法において適法とされる利益の提供（local law defense）

米国 FCPA の贈賄禁止条項は、行為時点において、外国公務員等の国の明文の法令により適法とされていた利益の供与を処罰対象としない[32]。これは、単に現地において明文の法令がないとか、実際は現地で立件される可能性が低いというだけでは足りず、かかる抗弁を主張する者は、当該利益の供与が適法である旨が明文で規定されていることを立証しなければならない。

実際は、公務員等に対する一定の利益の供与を明文で適法であるとしている例はほとんど見当たらないことから、実務上、かかる抗弁の存在に依拠して米国 FCPA の贈賄禁止条項違反のリスクがないと判断することは困難な場合が多いものと思われる。

② 合理的かつ善意に行われる支出（reasonable and bona fide expenditure）

米国 FCPA の贈賄禁止条項は、外国公務員の旅費及び宿泊費用に関して「合理的かつ善意に行われる支出」（reasonable and bona fide expenditure）を処罰対象としない。したがって、例えば、企業が、当該企業が提供する製品・役務を購入してもらうためのプロモーション等を目的として、あるいは、外国政府等との契約の締結ないし実行を目的として、外国公務員の出張をアレンジし、その費用を負担した場合、これらの目的と直接的に関連する支出であることを立証できれば、米国 FCPA の贈賄禁止条項違反とならない。

しかし、そのような出張が個人的な娯楽等を主たる目的とするものである場合などは、「合理的かつ善意に行われる支出」であるとは認められない。

また、当該支出が、実際とは異なる内容で帳簿上に計上され、あるいは、内部統制システムの下で要求される適切な社内承認等の手続を踏まずに実行された場合には、米国 FCPA の会計・内部統制条項の違反とされる可能性もあることに留意が必要である。

米国 FCPA 指針においては、外国公務員の出張旅費等の負担に関して、以下のような費用については、過去の事例で、DOJ が贈賄禁止条項に基づ

[32) 15U.S.C. § 78dd-1(c)(1)

く責任を追及しなかった旨が説明されている[33]。

(イ) 企業の設備及び事業場を訪問するための旅費及びその他必要な費用
(ロ) 研修のための旅費及びその他必要な費用
(ハ) 製品のデモンストレーションやプロモーション活動を行うための費用（打合せのための旅費及びその他必要な費用を含む）

また、米国FCPA指針は、米国FCPAの贈賄禁止条項との関係で、企業による外国公務員の出張旅費等の負担に問題があるか否かを検討する際には、以下のような要素を考慮すべきであるとする[34]。

(i) 企業が提案する出張又はプログラムに参加する公務員を企業側が選定しないこと、あるいは、企業側が公務員を選定するのであれば能力に基づく既存の選定基準に従って選定すること
(ii) 旅費・宿泊費等は旅行代理店に対して直接支払うか、公務員が領収書を提示した場合のみそれに従って支払うこと
(iii) 前払又は現金による返金は行わないこと
(iv) 費用が発生するであろうと思われる合理的な概算の範囲でのみ給付金を支給し、負担する費用は必要かつ合理的なものに限ること
(v) 費用の支出が、当該企業にとっても外国政府にとっても透明性のあるものであること
(vi) 外国公務員による何らかの行為を費用の支出の条件としないこと
(vii) 当該費用の支出が現地の法令に違反しないことを書面で確認すること
(viii) 実際に発生する費用を支払うために必要な範囲を超えて、追加的な報酬、給付金、手当等を交付しないこと
(ix) 当該企業の帳簿において、外国公務員のために支出した費用等について正確に記録がなされること

③ 円滑化のための少額の支払 (facilitating or expediting payment)

米国FCPAの贈賄禁止条項は、公務員の機械的な業務 (routine governmental action) に関して行われる円滑化のための少額の支払 (facilitating or expediting payment)、いわゆるファシリテーション・ペイメ

---

[33] 米国FCPA指針24-25頁。
[34] 米国FCPA指針24-25頁。

ントを処罰の対象から除外している。

　公務員の機械的な業務の例として、米国 FCPA は、ビザの発給、警察による保護、郵便サービス、電話・電気・水道等の公共サービスの提供、貨物の積み降ろし等を挙げている[35]。これらは、公務員がその業務遂行に関して裁量を有しない機械的な業務であることから、公務員に対する利益の提供により公務員の業務に対する影響を及ぼすことができないためであると解される。政府が発注するビジネスに関する受注者の決定や契約更新等は、公務員の機械的な業務に含まれない。また、米国 FCPA 指針によれば、工場に電気を供給してもらうために公務員に対して少額の金銭を支払うことはファシリテーション・ペイメントとして処罰対象外になる可能性があるが、工場の操業のために必要な許認可を取得していないことを見逃してもらうために公務員に対して支払を行うことはファシリテーション・ペイメントには該当しないとされている[36]。

　米国 FCPA 指針は、ファシリテーション・ペイメントの該当性は、公務員に対して提供される利益の多寡により決まるものではなく、利益の提供の目的により決まるが、多額の支払がなされたという事情は、公務員が裁量を有するような業務に対して影響を及ぼそうとする汚職の意図をうかがわせると説明する[37]。

　また、企業の会計帳簿において、ファシリテーション・ペイメントである旨の記録があったとしても、そのような記録のみによりファシリテーション・ペイメントの該当性が決まるわけではなく、当該支払の性質について実質的な判断がなされる。

　上記のとおり、ファシリテーション・ペイメントに該当する場合には違反から除外されるため、形式的には、かかる除外に該当しないことの立証責任は当局が負う。しかし、当局がその目的に照らしてファシリテーション・ペイメントには該当せず贈賄行為であると判断した場合において、これを争うためには、事実上、行為者の側でファシリテーション・ペイメントに該当する（贈賄行為には該当しない）ことを積極的に主張立証すべきことになると解

---

[35]　米国 FCPA 指針 25-26 頁。
[36]　米国 FCPA 指針 25-26 頁。
[37]　米国 FCPA 指針 25-26 頁。

される。

　なお、米国FCPA上、ファシリテーション・ペイメントと判断され、贈賄禁止条項による処罰対象とならないとされる場合であっても、かかる支払の内容が企業の会計帳簿において正確に記録されていない場合には、同法の会計・内部統制条項の違反となる可能性がある点についても留意が必要である。

　特に新興国においてはファシリテーション・ペイメントが慣習化している場合があり、ビジネスの現場ではファシリテーション・ペイメントを支払わないと手続に時間がかかるなどの現実的な問題が起こり得る。もっとも、ファシリテーション・ペイメントは、米国FCPAの贈賄禁止条項では、上記の要件を充足する限りは処罰対象外であるとされているが、**第 2 節 4(3)**において詳述するとおり、UKBAにおいては処罰対象外とする旨の明示的な定めはなく、また、他国の贈賄規制においても米国FCPAのように明示的に処罰対象外である旨を規定している例はまれである。したがって、米国FCPAのファシリテーション・ペイメントの要件に該当するからといって安易に公務員に対する利益の提供を行うことは避けるべきである。各企業における運用としては、原則としてファシリテーション・ペイメントを許容せず、例外的に支払う場合には事前に十分にそのリスクを検討する必要があろう。

④　脅迫（extortion, duress）

　生命・身体に対して危害を加える旨の差し迫った脅迫による要求がなされた場合、このような要求を受けた公務員に利益を供与したとしても、このような場合には「汚職の意図」ないし「営業上の利益を得る目的」が認められないことから、米国FCPAの贈賄禁止条項違反とはならない。アフリカ諸国などの発展途上国においては、例えば、公務員が武器を持って不当な要求をしてくる事態の発生も想定されることから、そのような場合に利益を供与することを免責する趣旨である。

　立法時の議会による説明では、賄賂を供与しなければ石油の掘削装置を爆破すると脅迫された場合などが例に挙げられていたことからもわかるとおり、脅迫の内容は生命・身体に対する危害である必要がある。賄賂を供与しないと、市場に参入することや契約を受注することを認めないなどという経済的な危害の告知であれば、単に収賄者側から賄賂の要求があったものにすぎず、

「汚職の意図」や「営業上の利益を得る目的」が存在することに変わりはないことから、贈賄禁止条項違反となる[38]。

4 会計・内部統制条項

(1) 会計・内部統制条項の適用範囲

　米国FCPAの会計・内部統制条項は、上記3(1)①において述べた「発行者」(issuer)に適用される。例えば、米国の証券取引所に米国預託証券(ADR)を上場している企業も「発行者」に含まれることから、日本企業がこの定義に該当し、会計・内部統制条項の適用を受ける可能性も十分にある。また、会計・内部統制条項が適用される帳簿・記録等は、連結対象となる子会社及び関連会社のものも含むことから、日本企業の親会社が「発行者」で、当該日本企業における帳簿・記録に不正確な記載があった場合に、親会社の責任が問われる可能性がある。

　また、会計・内部統制条項違反の共謀・幇助行為も処罰の対象となる。具体的には、日本企業が「発行者」の定義に該当しなくても、例えば、「発行者」の定義に該当する企業と合弁企業を設立しており、かかる合弁企業に関連して会計・内部統制条項違反が発生した場合には、合弁相手の違反行為について、日本企業による共謀・幇助行為があったとして、日本企業が処罰される可能性があるのである。

　さらに、会計・内部統制条項は、①贈賄禁止条項違反行為があったものの米国裁判所が管轄を有しない場合及び②当局が贈賄禁止条項違反行為を立証できない場合に処罰範囲を実質的に広げる可能性を持つ点にも留意が必要である。例えば、①については、ベトナム国内でベトナム公務員に対して日本企業のベトナム子会社の従業員が贈賄行為を行った場合、米国内で行為の一部が行われておらず、当該日本企業が贈賄行為に関与していなければ、米国FCPAの贈賄禁止条項について米国裁判所の管轄外となる可能性もあるが、このような場合にも、親会社である日本企業が「発行者」(issuer)に該当し、

---

[38]　米国FCPA指針28頁。United States v. Kozeny, 582F. Supp. 2d535, 537-40（S.D.N.Y. 2008）

会計帳簿上の記録が不正に行われていた事実があるとすれば、会計・内部統制条項違反による米国当局による摘発がなされる可能性がある。また、②については、「汚職の意図」等の一部の構成要件を立証するために十分な証拠を当局が有しておらず、贈賄禁止条項違反による訴追ができない場合にも、会計帳簿等の不正確な記録があれば当局が会計条項違反の責任を追及する可能性がある。

(2) 会計条項

米国 FCPA の会計・内部統制条項のうち、会計条項（books and records provision）は、「発行者」（issuer）に対して、「合理的な程度に詳細に」（in reasonable detail）取引及び資産の処分行為を正確かつ公正に反映した帳簿、記録及び会計を作成することを義務付ける[39]。

「合理的な程度に詳細に」（in reasonable detail）の文言は、立法時の議会による説明では、非現実的な程度の厳密な正確さを求めることは妥当ではないところ、発行者の帳簿等を、一般に認められた記録方法に基づいて取引を反映し、簿外資産及び賄賂の供与を効果的に防止するようなものとするべく追加されたものであるとされている[40]。

具体的には、各自の事務処理において「慎重な担当者」（prudent officials）が満足する程度の正確さが求められ、正確な記録を行うことのコスト等を含む諸要素を考慮してその水準が判断される[41]。

また、「合理的な程度に詳細に」（in reasonable detail）という基準が用いられているとしても、帳簿上、虚偽の記録を行うことが認められているわけではない。「コミッション料」、「ロイヤルティー」、「コンサルティング報酬」等として、正当な支払であるかのようにみせかけて賄賂の支払を記録した場合には、常に会計条項違反となるのである。この点、通常の帳簿等において用いられる費目は、その趣旨等を含めて詳細に記載されるケースはまれであり、概括的な記載が多いことからすれば、当局が、正当な支払であるかのよ

---

[39] 15U.S.C. § 78m(b)(2)(a)
[40] 米国 FCPA 指針 39 頁。
[41] 15U.S.C. § 78m(b)(7)

うにみせかけて賄賂の支払を記録したと主張して会計条項違反の責任を追及するためのハードルはさほど高くない点につき注意する必要がある。

(3) 内部統制条項

米国FCPAの会計・内部統制条項のうち、内部統制条項（internal accounting controls provision）は、「発行者」（issuer）に対して、以下の各事項を合理的に確保する（provide reasonable assurances）ために十分な内部統制システムを構築することを義務付ける[42]。

① 経営者の一般的な承認又は特定の事案に関する承認に従って取引を実行すること
② 一般的に認められた会計原則及び適用のある基準に準拠して財務諸表を準備し、資産に関するアカウンタビリティーを維持するために、必要に応じて取引を記録すること
③ 経営者の一般的な承認又は特定の事案に関する承認がある場合のみ、これに従って、資産へのアクセスを認めること
④ 資産を記録した説明を既存の資産と適度な頻度で比較し、差異がある場合は適切な措置を講ずること

(2)において述べたとおり、会計条項においては「合理的な程度に詳細に」（in reasonable detail）取引等を正確に記録することが求められているが、内部統制条項においても、上記①～④の事項を「合理的に確保する」（provide reasonable assurances）ことが求められており、この点についても、各自の事務処理において「慎重な担当者」（prudent officials）が満足する程度の水準が求められる[43]。

米国FCPAの条文上は、構築すべき内部統制制度について具体的な定めはなく、各企業の事業における実務やリスクの程度等に応じて、適切な制度を構築すべきであると解されている。

---

42) 15U.S.C. § 78m(b)(2)(b)
43) 15U.S.C. § 78m(b)(7)

(4) 会計・内部統制条項の主観的要件[44]

　SEC が会計・内部統制条項違反による民事責任を追及する場合には、違反行為者の主観的要件に関する立証は不要である。ただし、DOJ が会計・内部統制条項違反により刑事責任を問う場合には、「知りながら」（knowingly）、「違法性の認識（willfully）をもって」、違反行為を行っていたことを立証する必要がある。

5　米国 FCPA 違反の制裁

(1)　刑事罰

　米国 FCPA の贈賄禁止条項に違反した場合の刑事罰は、法人に対しては 200 万ドル（約 2 億 8,888 万円）以下の罰金、役員・従業員等の個人に対しては 25 万ドル（約 3,611 万円）以下の罰金又は 5 年以下の禁錮刑及びその併科とされている。また、会計・内部統制条項に違反した場合の刑事罰は、法人に対しては 2,500 万ドル（約 36 億 1,100 万円）以下の罰金、個人に対しては 500 万ドル（約 7 億 2,220 万円）以下の罰金又は 20 年以下の禁錮刑及びその併科とされている。

　共謀罪の法定刑は、法人に対しては 50 万ドル（約 7,222 万円）以下の罰金、個人に対しては 25 万ドル以下の罰金又は 5 年以下の禁錮刑及びその併科とされている。ただし、上記の法定刑のうち罰金額については、選択的罰金法（Alternative Fines Act）に基づき、裁判所により上限の引上げがなされ得ることに留意が必要である。すなわち、法人・個人のいずれについても、犯罪行為により生じた利得又は損失の 2 倍を上限として罰金の支払を命じることが可能である[45]。過去に米国 FCPA 違反により、1 億ドルを超える罰金を支払う旨の司法取引に合意した企業が複数存在するのは、この選択的罰金法に基づく引上げがなされた結果である。

　なお、個人に対して科せられた罰金を法人が代わりに支払うことは認めら

---

44)　米国 FCPA 指針 45-46 頁。
45)　米国 FCPA 指針 69 頁。

れていない。

　各事案における実際の量刑は、上記の上限の範囲内で、連邦量刑ガイドライン（Federal Sentencing Guidelines. 以下「量刑ガイドライン」という）に従い決定される。

　量刑ガイドラインにおいては、まず、違反行為の重大性及び違反行為ごとの事実関係により、基本的な「犯罪レベル」（offense level）を数値化し、そこから、捜査に協力した、罪を認めた、企業が違反行為を自主的に申告した、以前からコンプライアンスプログラムを導入していた、補償を既に行ったなどの事情がある場合に量刑を軽減するなどの修正を行うことで、最終的な量刑を決定するというプロセスが明らかにされている。**第3章第2節3(4)**において詳述するDOJとの間の司法取引が行われる場合には、量刑ガイドラインを前提として、いかなる減刑事由が認められるべきであるかなどについて交渉を行うのが通常である。また、量刑ガイドラインは、裁判所を拘束するものではないが、裁判所の判決により量刑が決定される場合にも基本的に量刑ガイドラインが参考とされる。

　また、米国FCPAに違反した場合、刑事罰として、罰金及び禁錮刑以外に、違法収益の没収も科され得る。すなわち、米国FCPAに違反した個人及び法人は、違反行為から得た収益等を米国政府に対して放棄しなければならないとされている[46]。

(2) 民事上の制裁

　米国FCPA違反の刑事責任を追及するのはDOJのみであるが、民事責任の追及についてはDOJとSECの両方が権限を有している。DOJは、国内関係者（domestic concern）による贈賄禁止条項違反のケース及び外国人・外国法人が米国内で贈賄禁止条項に違反する行為の一部を行ったケースにおいて民事責任を追及する権限を有し、これに対して、SECは、発行者（issuer）が贈賄禁止条項又は会計・内部統制条項に違反した場合の民事責任を追及する権限を有する。

　贈賄禁止条項の民事制裁金は、法人・個人のいずれに対しても、2万

---

[46] 18U.S.C. § 981。米国FCPA指針71頁。

1,410ドル（308万8,392円）以下とされている。個人に対して科せられた制裁金を法人が代わりに支払うことが認められていない点は、刑事罰と同様である。

会計・内部統制条項違反の民事制裁金は、法人に対しては、①違反行為から得た収益の総額、又は②9万6,384ドル（1,390万3,392円）以上96万6,387ドル（1億3,940万1,324円）以下の範囲のいずれか高いほうが上限とされている。個人に対しては、①違反行為から得た収益の総額又は②9,639ドル（139万425円）以上19万2,768ドル（2,780万6,784円）以下の範囲のいずれか高いほうが上限とされている。

また、SECは、米国FCPA違反行為者に対して、衡平法に基づく救済（equitable remedy）として違法収益相当額を支払うよう請求することもできるほか、投資家の利益に鑑みて適切又は必要な措置（例えば、違反行為の差止・是正措置、独立コンプライアンス・コンサルタントの起用等）を違反行為者が講じることを裁判所が命令するよう申し立てることができる。

(3) その他の不利益処分

上記(2)において述べた刑事罰及び民事上の制裁以外にも、米国FCPAの違反行為を犯した場合には、以下のとおり、さまざまな不利益処分が科せられる。

まず、米国政府機関との間の取引ができなくなる可能性がある。連邦調達規則（Federal Acquisition Regulations）は、政府と契約関係にある企業が贈賄行為で有罪判決を受けた場合などで、そうすることが公共の利益に適うと認められる場合には、契約の中断や当該企業の資格停止などを行うことができるとする。かかる資格停止等を行うか否かは、DOJやSECにより判断されるわけではなく、当該企業との契約を所管する政府機関の裁量により判断される。ただし、1つの政府機関がある企業について資格停止等の判断を行った場合には、原則として他の全ての米国政府機関もこの判断に従い、資格停止等の処分を行うことになる[47]。DOJとの間で不訴追契約や訴追猶予契約による司法取引（**第3章第2節3(4)**）を行った場合にも、違反行為に関

---

47) 米国FCPA指針72-73頁。

して認めた事実関係の内容等によっては、政府機関の裁量により資格停止等の処分がなされる可能性がある。

　また、国際開発を目的として融資等を行うために複数の国によって設立された国際開発金融機関（multilateral development banks。世銀、各地域の開発銀行等）も、各金融機関が定める規程に従い、融資対象のプロジェクトに関して贈賄行為が行われた場合等に、違反行為者の資格停止処分をすることができる。2010年4月に、アフリカ開発銀行、アジア開発銀行、欧州復興開発銀行、米州開発銀行及び世銀は協定を締結し、仮に1つの金融機関がある企業を不正行為により資格停止処分とした場合、原則としてその他の金融機関も同じ理由で資格停止処分とする旨の合意をした。したがって、米国FCPA違反その他の汚職行為により国際開発金融機関のうちの1つから資格停止処分とされた場合は、これらの金融機関の全てが融資するプロジェクトに参加できなくなるという不利益が科せられるおそれがある。国際開発金融機関による制裁等の詳細については、**第3章第2節3(3)②**を参照されたい。

6　米国 FCPA 違反の自主開示に関する制度

　DOJは、米国FCPAの執行に関するポリシー（FCPA Corporate Enforcement Policy）に基づき、米国FCPA違反行為を自主的に開示した企業に対して、一定の要件の下で制裁の減免措置を講じることとしており、自社における違反行為を発見した企業がこれをDOJに対して自主的に開示するか否かの判断を行うに当たって、重要な考慮要素の1つとなる。

　DOJが公表し、運用を開始した自主開示制度の詳細については、**第3章第2節3(2)**を参照されたい。

7　米国 FCPA 違反の時効

(1)　刑事手続における時効[48]

　米国FCPAの贈賄禁止条項及び会計・内部統制条項違反については、刑事罰の時効に関する特別な規定が置かれておらず、そのため、これらの違反

行為の公訴時効は、一般的な刑事罰の時効が適用される。贈賄禁止条項違反の公訴時効は、5年間である[49]。他方で、会計・内部統制条項違反の時効は、6年間である。時効の起算点は、違反行為の時とされる。

ただし、共謀行為については、当局は、共謀を推進するための実際の行為が時効期間である5年又は6年以内に行われたことを証明すれば足りると解されており[50]、公務員に対する賄賂の供与等を行った時点よりも後に、共謀を推進するための実際の行為があったと認められるような場合には、実質的に時効期間を長く解する判断が可能となる。

また、DOJが違反行為を行った疑いがある者に対して時効の利益を放棄させる内容の時効延長契約（tolling agreement）の締結を要求する場合があり、DOJの捜査対象となっている当事者がDOJに対する協力の一環（社内調査の時間の確保及びDOJとの交渉による解決を試みる機会を得る目的）としてかかる契約の締結に応じる場合がある。

さらに、海外に存在する違反行為の証拠を収集する必要がある場合には、DOJは裁判所に対して最大3年間時効を中断する旨の決定を行うよう求めることができる。この場合、通常、米国政府から外国政府に対して正式な要請が行われたときに時効中断期間が開始され、①外国政府が当該要請に従って必要となる最後の手続を行った時点又は②3年間満了のいずれか早い時点に、時効中断が終了し、時効期間が再度進行することになる。

(2) 民事手続における時効[51]

米国FCPAの贈賄禁止条項及び会計・内部統制条項違反により民事上の制裁が科せられる場合の時効は、通常の民事上の請求権の時効に関する規定に従い、請求権が発生してから5年間とされる[52]。ただし、かかる5年間の時効は、SECによる民事制裁金の請求には適用されるものの、SECによ

---

48) 米国FCPA指針36-37頁。
49) 18U.S.C. § 3282
50) 米国FCPA指針36-37頁、Grunewald v. United States, 353 U.S.391, 396-97（1957）など。
51) 米国FCPA指針37頁。
52) 28U.S.C. § 2462

る差止請求には適用されない。なお、SEC による不正な収益の支払請求にも 5 年間の時効は適用される。

　また、米国外に居住する個人に対して民事上の請求を行う場合、訴状の送達を行うことができるようその者が米国内に来るまでの間は、時効は停止する。

　さらに、上記(1)において述べた刑事手続の場合と同様に、民事手続においても、SEC が違反行為を行った疑いがある者に対して時効延長契約（tolling agreement）の締結を要求し、SEC に対する協力の一環としてかかる契約の締結に応じることがある。

第2節　英国における規制

1　概　要

　2010年4月8日、英国において贈収賄行為を禁止する贈収賄防止法（Bribery Act. 以下「UKBA」という）が成立し、2011年7月1日より施行された。英国においては、従来より制定法及びコモンロー上の贈収賄罪が存在していたが、これらを廃止して、新たに整理し直して制定したものがUKBAである。UKBAは、英国で設立された企業のみならず、英国において一定の事業を展開する日本企業にも適用される可能性があることや、民間人に対する贈賄についても規制の対象としているなど、米国FCPAと並んで日本企業が留意しなければならない規制の1つである。

　UKBAは、米国FCPAや不正競争防止法と比較し、例えば、①贈賄行為を行ったことのみならず、贈賄行為を防止するために適切な防止措置（いわゆるコンプライアンス措置）を講じていなかったことを処罰する規定（贈賄防止　措置懈怠罪）が存在することや、②民間人に対する贈賄も規制の対象となっていることなど、特徴的な内容を有している。英国司法省（Ministry of Justice）は、UKBAの解釈・執行に関するUKBA指針[53]を公表しており、その中で、各種の解釈や、適切なコンプライアンスに関するガイドラインを示しており、参考になる。

53）　Bribery Act2010 Guidance（英国司法省、2012年2月11日）。

2　UKBA の概要

UKBA では以下の 4 類型の行為を禁止している。各行為の要件の詳細については後述する。
① 贈賄行為（UKBA1 条）
② 収賄行為（同法 2 条）
③ 外国公務員に対する贈賄行為（同法 6 条）
④ 贈賄防止措置の懈怠（同法 7 条）

3　適用範囲（域外適用）

UKBA がどのように日本企業に適用されるか、その適用範囲を検討する上では、2 の 4 類型のうち、④贈賄防止措置の懈怠と、①〜③のその他の禁止行為を区別して検討する必要がある。下記のとおり、④贈賄防止措置懈怠罪については、広範な域外適用を認めることになり得る規定が存在する。

(1)　贈賄（UKBA1 条）、収賄（同法 2 条）、外国公務員贈賄（同法 6 条）の罪

原則として、英国において違反行為（作為不作為を問わない）の一部が行われた場合に同法の処罰が及ぶ[54]。ただし、違反行為が英国で行われなかった場合であっても、当該行為が UKBA に規定する罪の構成要件を満たし、かつ、行為者が英国と「密接な関連性」（close connection）を有する場合には、同法が適用される[55]。「密接な関連性」とは、以下のいずれかを満たす場合にのみ認められる[56]。
① 英国市民
② 英国国外領土の市民（British Overseas territories citizen）

---

54) UKBA 12 条(1)。
55) UKBA 12 条(2)。
56) UKBA 12 条(4)。

③　国外英国国籍者（British National（Overseas））
④　英国外市民（British Overseas citizen）
⑤　1981年英国国籍法に基づき英国民とされた者
⑥　同法において英国民として保護されている者
⑦　英国を常居地とする者
⑧　英国法に基づき設立された法人
⑨　スコットランドにおけるパートナーシップ

そのため、日本企業の従業員が英国で贈賄行為を行った場合や、日本企業の英国子会社による贈賄行為には、UKBA1条又は6条の適用がある。

(2) 贈賄防止措置懈怠罪（UKBA7条）

UKBAの特徴として、「英国と関連のある営利団体」（relevant commercial organisation）が、関係者（associated person）が行った贈賄行為に対して適切な措置を講じなかった場合、7条の贈賄防止懈怠罪が適用される点が挙げられる。そのため、7条の適用範囲を理解する上では、「英国と関連のある営利団体」の内容を確認する必要があるところ、UKBA上は、以下のとおり定義されている[57]。

① 英国のいずれかの地域における法に基づき設立された団体で、事業活動を行っているもの（英国内における事業であるかを問わない）
② どこで設立されたかを問わず、英国のいずれかの地域内において、事業の全部又は一部を行っているもの
③ 英国のいずれかの地域における法に基づき設立された組合（partnership）で、事業活動を行っているもの（英国内における事業であるかを問わない）
④ どこで設立されたかを問わず、英国のいずれかの地域内において、事業の全部又は一部を行っている組合

日本企業との関係では、事業の一部を英国内において行っているか否かが、7条の適用の可否を決める分水嶺となる。この点についてUKBA指針では、

---

57) UKBA7条(5)。

最終的な判断は英国の裁判所によりなされるものの、英国当局としては、コモンセンスアプローチ（common sense approach）に基づく判断を行い、英国において認識可能な程度に（demonstrable）ビジネスを行っている場合にのみ、当該要件に該当するとしている。具体的には、米国FCPAとは異なり、英国の証券取引所において株式を上場しているという事実や英国において子会社を有しているという事実のみでは、事業の全部又は一部を英国で行っているとはいえないとしている[58]。このように、当局は、「英国において事業の全部又は一部を行っているか否か」について、形式面ではなく実質面を重視して判断するものと考えられる。したがって、例えば、日本企業が英国子会社を有しており、英国子会社を経由して実質的に英国ビジネスを行っている場合には「英国と関連のある営利団体」に該当する可能性が高い。一方で、英国子会社が日本の親会社から独立して経営されており、個別の法人格単位でみたときに日本の親会社自身が英国において事業を行っているわけではないと解される場合には、「英国と関連のある営利団体」に該当しないと判断される可能性もある。外国企業がどの程度英国ビジネスに関与していれば要件に該当するかについての具体的な判断基準については示されていないため、英国ビジネスを展開する日本企業としては、UKBAの適用を前提として対策を行うことが望ましい。

4　各規程の内容

(1)　贈賄罪（UKBA１条）

①　主　体
贈賄罪の主体は、"a person"と規定されており、特に制限はない（適用範囲の議論については3参照）。

②　客　体
利益提供の客体について、公務員その他公務に従事する者のみを対象とする米国FCPAや日本の不正競争防止法とは異なり、"another person"と広

---

[58]　UKBA指針パラグラフ36。

範な規定を置いている。これは、公務員等に対する贈賄のみならず、民間人に対する贈賄行為も規制されていることを意味している。

③ 行為

規制対象となる行為について、米国FCPA、日本の不正競争防止法と同様、利益提供を実際に行うのみならず、利益提供の申出、約束のみであっても、違反行為を構成する。

また、供与する「利益」についても、金銭的な利益その他の利益（financial or other advantages）と規定されており、金銭的な利益のみならず何らかの利益の供与があれば贈賄罪が成立する可能性があると考えられる。

④ 不正な職務執行

UKBAにおける贈賄罪が成立するためには、以下のいずれかを満たす必要がある。

(イ) 贈賄者が、その賄賂により他人に関連する権限や活動を不正に遂行させることを意図するか、又は、受贈者の権限又は活動の「不正な職務執行」（improper performance）に対して報いる意図を有していること

(ロ) 贈賄者が、当該利益を受贈者が受け取ること自体が、同人の権限又は活動との関係で「不正な職務執行」であると知っていた、又は思っていたこと[59]

対象となる「不正な職務執行」については、UKBA上に定義が存在する[60]。これによると、受贈者の有する公的な権限、ビジネス上の権限、従業員としての権限又は第三者（法人化されているかを問わない）のために行う権限との関係で、信義誠実に行動する、公平中立に行動する、当該地位に付随する信頼に基づき行動する、といった受贈者に対する期待を裏切るような行為をいうとされている。当該受贈者に対してどのような期待が存在するかを判断するに当たっては、合理的な英国人が当該受贈者の地位に対してどのような期

---

59) UKBA1条(2)(3)。
60) 「職務」の定義はUKBA3条、「不正な職務執行」の定義は同法4条、「期待」の判断基準については同法5条に規定されている。

待を有するかを基準に判断するとされており、外国における職務執行が問題となった場合であっても、当該外国における慣習・慣行に関係なく判断されるとしている（ただし、現地法（現地において公表されている判例を含む）において認められている行為であれば考慮され得る）。

なお、英国当局は、合理的な範囲で行われるもてなしや販売促進行為（hospitality and promotional expenditure）は確立したビジネス慣行の1つであり、このような行為は、「不正な職務執行」を誘発する意図を有さない行為として、訴追する意図はないとしている[61]。しかしながら、このような行為が華美になればなるほど、不正職務執行に向けた行為であるという推定が働くとされており、また、そのほかにも、かかるもてなしや販売促進行為が正当なビジネス活動と関連するものであるか否かなどの要素を考慮して違反行為該当性が判断される[62]。

(2) 収賄罪（UKBA2条）

UKBA2条は、贈賄を受け取る側の規制（passive bribery）を規定しており、1条の罪とは対向犯の関係になる。すなわち、①受贈者が、自己の有する権限に関連して「不正な職務執行」（improper performance）を行うことを意図して利益を要求し、受領することに合意し、又は実際に受領すること、②利益を受贈者が要求すること、受領を合意すること、受領すること自体が、同人の権限との関係で「不正な職務執行」に該当するにもかかわらず、利益を要求し、受領し、又はその合意をすること、③受贈者が行った「不正な職務執行」に対する見返りとして利益を要求し、受領し、又はその合意をすること、④受贈者が利益を要求し、受領し、又は受領の合意をすることを予期しつつ、「不正な職務執行」を行う（又は他の者に対して不正な職務執行を行わせる）こと、がそれぞれ収賄罪に該当する[63]。

---

61) Bribery Act 2010：Joint Prosecution Guidance of the Director of the Serious Fraud Office and the Director of Public Prosecutions（以下「共同訴追指針」という）10頁。
62) 共同訴追指針10頁。
63) UKBA2条(2)-(5)。

(3) 外国公務員等に対する贈賄罪（UKBA6条）

UKBAは、1条の贈賄罪に加え、外国公務員等に対する贈賄罪を独立の違反行為として規制している。以下では、各構成要件に加えて、外国公務員贈賄規制においてしばしば問題となるファシリテーション・ペイメント等の論点についても解説を行う。

① 主体

主体については1条と同様"a person"と規定されており、特に制限はない（適用範囲の議論については3参照）。

② 客体

UKBA6条は、客体について、「外国公務員（foreign public official）」という限定を付している[64]。UKBA上、以下のいずれかを満たす場合には、外国公務員に該当する。下記(ロ)の規定に基づき、米国FCPAと同様、国営企業の従業員も外国公務員に該当する。

(イ) 英国以外の国又は地域において、立法、行政、司法上の地位を有する者（選挙で選ばれたか、任命されたかを問わない）

(ロ) 英国以外の国若しくは地域、公的機関又は公的企業のために、公的役割を担っている者

(ハ) 国際機関の職員又はエージェント

③ 主観的要件

外国公務員等に対する贈賄罪（UKBA6条）が成立するためには、①対象となる外国公務員の権限に影響を及ぼす意図で行われること、及び②事業や事業活動上の利益を獲得し、又は維持する意図があること、を立証する必要がある[65]。

---

64) ただし、外国の民間人に対する贈賄行為には、贈賄罪（UKBA1条）の構成要件を満たし、かつ、UKBAの適用範囲を定める12条の要件を満たす場合には、贈賄罪により処罰され得る。例えば、日本企業であるA社の職員Bが、ベトナムの民間会社の従業員であるCに対して、英国において贈賄行為を行った場合（又は英国において贈賄行為の一部を行った場合）には、UKBA1条が適用される。

贈賄罪（UKBA 1 条）と外国公務員等に対する贈賄罪（同法 6 条）は、両方成立する場合もあり得る。ただし、外国公務員等に対する贈賄罪では、贈賄罪の要件とは異なり、外国公務員による「不正な職務遂行」に関する要件はない。これは、外国公務員が有する職務権限を正確に把握することが困難である場合が多いことから、その立証を求めると外国公務員に対する贈賄行為を摘発できなくなる可能性があるためである[66]。

④ 現地法による例外

外国公務員等に対する贈賄罪（UKBA 6 条）が成立するためには、当該外国公務員が利益提供を求めることが現地法上許容又は要求されていないことを立証しなければならない[67]。例えば、公共工事の入札等において、担当者が入札の条件として地域社会に対する一定の投資を求め、入札者がこれに応じた場合、ビジネス獲得のために外国公務員が指定した第三者に対して利益を供与したとして、外国公務員等に対する贈賄罪が成立し得るが、現地の法律上、当該外国公務員が入札者に対して利益供与を求めることができるか、又は求めなければならないような場合には、外国公務員等に対する贈賄罪は成立しないと考えられる[68]。

⑤ 接待・贈答・販促活動等（Hospitality, promotional, and other business expenditure）

(1)において述べたとおり、英国当局は、会社等営利団体のイメージを向上したり、商品・サービスを宣伝したり、良好な関係を構築したりするために合理的な範囲で行われる接待・贈答・販促活動等は、ビジネス慣行として確立していると述べている。他方、このような費用支出も、「対象となる外国公務員の権限に影響を及ぼす意図」及び「ビジネスを確保する意図」を有して行われた場合には、外国公務員等に対する贈賄罪（UKBA 6 条）に該当する可能性もある。検察官は外国公務員等に対する贈賄罪を訴追する際にはこれらの意図を立証しなければならないが、これを直接立証することは難しく、

---

65) UKBA 6 条(1)(2)。
66) UKBA 指針パラグラフ 23。
67) UKBA 6 条(3)(b)。
68) UKBA 指針パラグラフ 25。

さまざまな情況証拠によって立証していくことになる。その中で重要な要素として、接待・贈答・販売促進活動において外国公務員に対して供与する利益が大きければ大きいほど、外国公務員の権限に影響を及ぼし、ビジネスを獲得する意図が推認される可能性が高まる[69]。裏を返せば、行為者の意図を直接立証するような証拠がない場合、通常のビジネスで行われる範囲内の合理的な範囲にとどまるものであり、当該業界での慣行と同等のものであれば、偶発的な利益供与が贈賄に該当する可能性は低いとされている[70]。

UKBA指針では、**例1～例3**のような具体例を挙げてこの論点を説明している[71]。これらの事例は参考にはなるものの、かなり抽象的な内容にとどまっており、具体的な事例が発生した場合には、事実関係に即して検討をする必要がある。また、英国当局は、あくまで個別具体的な事情を総合考慮して決定するというスタンスであることから、日本企業において具体的な事例が発生した場合には、事実関係に即して検討をする必要がある。

> **例1** 英国の鉱山会社が、同社の鉱山運営における高い安全性を示すために、外国公務員に対して、同社の鉱山を訪問するために必要な旅費及び宿泊費を負担することは、通常UKBAが禁止する行為とはならない。

> **例2** 外国公務員と会議を行うために、お互いにとって便利な都市であるニューヨークを会議の場所に選び、ニューヨークまでの必要な旅費及び宿泊費を負担し、合理的なもてなしとして接待・野球観戦を行うことは、通常は、ビジネス上の利益を得る意図を推認させるものではない。ただし、仮に当該外国公務員が当該会社を先週訪れており当該訪問で必要な情報を得ることができたような場合、意図を推認できる可能性が高まる。

> **例3** 病院の沿革、実績、専門性を示すことを目的として、外国公務員が当該病院を訪問するために必要な旅費及び宿泊費を提供することは、通常6条の問題を提起するものではない。ただし、当該病院の提供するサービスとは無関係である高級な休暇（five-star holiday）のための費用を負担するような場合には、6条の問題となる可能性が高まる。

---

69) UKBA指針パラグラフ28。
70) UKBA指針パラグラフ30。
71) UKBA指針パラグラフ31。

⑥ ファシリテーション・ペイメント

米国FCPAと比較したUKBAの特徴として、裁量のない行為に対して向けられた少額の支払（いわゆるファシリテーション・ペイメント）の例外が存在しないことが挙げられる。英国当局は、UKBA指針において、ファシリテーション・ペイメントについても不適切な行為を誘発する意図をもって行われた場合には、UKBA上の違反を構成し得るとしている。その理由として、ファシリテーション・ペイメントと贈賄行為との区別が難しく、贈賄防止の指示を受けた従業員を混乱させ、濫用される可能性があることが挙げられている。

他方、ファシリテーション・ペイメント事案に対する執行の判断に当たり、検察官は、細心の注意を払い、訴追することが公益にかなうか否かを検討しなければならないとされている。そのため、場合によっては訴追されない可能性もある。以下は、執行の際に英国当局が考慮する要素の一例である[72]。

(イ) 支払が多額であるか、繰り返し行われているか、それとも単発の少額な支払であるか
(ロ) 支払が計画的であるか
(ハ) 当局に対してファシリテーション・ペイメントの事実及びそれに対する防止措置を自発的に報告したか
(ニ) 支払要求の状況から、行為者が受け入れざるを得ないような地位にあったか

⑦ 強　要

米国FCPAと同様、自己の生命・身体・自由を守るために支払をせざるを得ない状況が生じた場合には、強要の抗弁が成立し、罪が成立しない可能性が非常に高いとされている[73]。

---

72) 共同訴追指針7頁。
73) UKBA指針パラグラフ48。

(4) 営利団体による贈賄防止措置の懈怠（UKBA7条）[74]

UKBA7条は、UKBA成立時に新設された犯罪類型であり、営利団体の関係者（associated person）が贈賄行為を行った場合に、当該営利団体が適切な防止措置を行っていなかったことが同条の違反となる。当該条項の適用範囲は広範であることから、日本企業に適用される可能性もあり、注意が必要な類型である。

UKBA7条の構成要件は以下のとおりである。

① 英国と関連のある営利団体（relevant commercial organization）であること
② 関係者（associated person）が当該営利団体のために事業や事業上の利益を獲得し、又は維持する意図で贈賄行為を行うこと
③ 当該営利団体が上記の贈賄行為を防止するための適正な手続（adequate procedures）を講じなかったこと

上記のうち、①は既に3(2)及び4(3)の部分で説明したことから、以下では②③について論じる。

① 「関係者」の範囲

UKBA7条に基づき、関係者が行った贈賄行為の責任を営利団体が負うことになるため、当該営利団体にとっての「関係者」（associated person）の範囲がどこまでかが重要となる。

UKBA上、「関係者」とは、当該営利団体のためにサービスを提供している者と定義されている。そして、サービスを提供する者の地位には特に制限がなく、当該営利団体に関連する者を広範に捕捉する規定となっている。例えば、当該営利団体にサービスを提供している限り、当該営利団体の従業員、子会社、下請業者、サプライヤー等も「関係者」となり得る[75]。

また、他の企業との共同出資により別の法人格としてジョイントベンチャーを設立し、かかるジョイントベンチャーにより贈賄行為が行われた場

---

74) UKBA7条については、他の経済犯罪に適用を拡張するための議論が進められているが、当該議論の進展は必ずしも順調ではないとされている。
75) UKBA指針パラグラフ37-38。

合にも、かかるジョイントベンチャーが出資会社にとっての「関係者」に該当し、出資会社の責任が問われる可能性がある。すなわち、UKBA指針は、ジョイントベンチャーによる贈賄行為があったというだけで出資会社の責任は生じないが、仮にジョイントベンチャーが出資会社のためにサービスを提供しており、かつ、当該贈賄行為が出資会社の利益を図る意図により行われた場合には、出資会社の責任が問われる可能性がある旨を説明している[76]。

② 贈賄行為を防止するための「適正な手続」（adequate procedures）

UKBA上、関係者が営利団体の事業に資するために贈賄行為を行ったとしても、当該営利団体がこれら関係者による贈賄行為を防ぐために「適正な手続」を講じていたことを立証した場合、7条の罪は成立しない[77]。「適正な手続」を講じていたことの立証責任を営利団体側が負うところに特徴がある。それでは、どのような場合「適正な手続」を講じたといえるのだろうか。

UKBA指針では、以下のとおり、営利団体がとるべき措置の「6原則」（six principles）が記載されている。なお、UKBAに限定されない、一般的な贈賄防止コンプライアンスのあり方については、**第3章第1節**を参照されたい。

原則1　営利団体の事業に内在する贈賄リスクに応じた措置であること（Proportionate Procedures）

原則2　トップレベルの経営責任者が贈賄行為防止措置に関与すること（Top-level Commitment）

原則3　自己及び第三者との関係における贈賄リスクを定期的に評価し、書面化すること（Risk Assessment）

原則4　自己のためにサービスを提供する関係者について適切なデューデリジェンスを行うこと（Due Diligence）

---

76) UKBA指針パラグラフ40。
77) UKBA7条(2)。

> **原則5** 内部及び外部のコミュニケーション（研修等を含む）を通じて、贈賄防止策の内容を十分に理解させること（Communication including training）

> **原則6** 贈賄防止策を監視、再検討し、必要に応じて改善すること（Monitoring and review）

5　執　行

(1)　執行機関

　UKBAの主要な執行機関は英国重大不正捜査局（Serious Fraud Office. 以下「SFO」という）であり、必要に応じて警察の協力を得て法執行を行う。海外における贈賄事案は、主にSFOが執行するとされている。また、英国検察庁（Crown Prosecution Service. 以下「CPS」という）も執行権限を有し、警察が捜査した事案を訴追するとされている。SFO及びCPSは、個別の案件を訴追するか否かについて裁量を有する。

(2)　制　裁

　UKBA1条、2条及び6条に違反した個人に対する罰則は、10年以下の禁錮又は罰金（上限なし）である（禁錮と罰金の併科も可能である）。これらの条項に違反した法人に対しても、上限なしの罰金が科される。また、同法7条に違反した法人に対しても、上限なしの罰金が科される。
　制裁については、2014年10月1日付けで量刑に関するガイドライン（Fraud, Bribery and Money Laundering Offences Definitive Guideline）が施行されている。同ガイドラインは、2009年に施行された詐欺行為を対象にしたガイドラインの対象範囲を拡張したものであり、贈賄行為及びマネーロンダリング行為を対象にした初めてのガイドラインである。同ガイドラインは、裁判所が制裁金を課すに当たっての考慮要素をとりあげており、贈賄罪に関して企業に課せられる制裁金に関しては、当該行為によって獲得された契約によって生じる利益の金額を計算の基礎とすることなどが定められている。

(3) 自主申告

SFOは、仮に違反行為が発見された場合には、会社に対して自主申告をすることを推奨している。自主申告を行うことによって訴追を完全に回避することができるわけではないが、当局が関知する前に自主申告をしたことは、訴追を回避する方向の考慮要素の1つとなる[78]。

(4) 事件の終結

英国当局が捜査をした案件については、以下のいずれかの形式により事件手続が終結する。
① 司法取引
② トライアル
③ 訴追裁量による不訴追
④ 訴追猶予合意（Deferred Prosecution Agreement）

このうち④の訴追猶予合意は、2014年2月に導入された。英国当局は、当該被疑者が違反行為に関与したという十分な証拠が存在し、訴追猶予合意をすることが公益にかなう場合に、訴追猶予合意をすることができる。

訴追猶予合意とは、一定の期間、当局による訴追が猶予され、合意により定められた諸条件を充足した上で当該期間が満了した場合には当局が訴追を行わずに事件を終結させる旨の当局と違反行為者の間の合意である。仮に訴追猶予合意に定める条件違反があった場合には、訴追がなされる可能性がある。英国において当局が訴追猶予合意を行うことができるのは、企業や組合等との間に限られ、個人との間では訴追猶予合意を行うことができない。

訴追猶予合意をするか否かの判断は当局側の裁量に属する事項である。訴追猶予合意を行うか否かの判断においては、以下のような要素を考慮することとしている[79]。
(イ) 迅速に自主申告を行ったか否か及びその後の協力の度合い[80]
(ロ) 違反行為の深刻さ
(ハ) 違反行為によって行為者が得た利益及び被害者が被った損害

---

78) 2012年10月9日付けのSFOによる発表（Corporate self-reporting）。

㈡　行為者の有責性（Culpability）

㈭　是正措置提案の内容

㈬　訴追が第三者に及ぼす影響の度合い

英国当局は、訴追猶予合意が妥当であると判断した場合、行為者と合意をする前に、裁判所に対して、(i)訴追猶予合意の締結が正義にかなうこと、(ii)合意内容が公平、合理的かつ比例的なものである、という内容の初期的な決定を出すよう求めなければならない。その後実際に行為者と合意をした後にも、同内容の最終決定を出すよう裁判所に対して求める必要がある。裁判所の決定を経て訴追猶予合意の効力が発生する。米国と同様、訴追猶予合意の内容は公表される。

(5)　執行状況

UKBAが施行されて約12年が経過した2023年12月時点で、公表情報に基づく限り、日本企業がUKBAの執行の対象となった事例は存在しない。他方で、7条違反で摘発される事例や、訴追猶予合意が締結される事例は引続き散見される状況であり、今後もこの傾向は続くと考えられる。これまでの主な執行事例は以下のとおりである。

① 裁判所の職員が、交通違反の召喚状の記録を裁判所のデータベースに記入しないことの見返りに、違反者から1件当たり500ポンド（合計約2万ポンド）を受け取ったとして、贈賄罪（UKBA2条）によりCPSに訴追された（3年の禁錮刑）。

② 「バイオ燃料」関連投資詐欺事件に関連して贈収賄行為に関与したとして、英国人3名がSFOによって訴追され、そのうち2名が贈収賄行為について有罪とされた（13年及び6年の禁錮刑）。

③ 銀行業を営む英国企業のA社について、タンザニアの関連会社の贈

79）訴追猶予合意の導入を受けてSFO及びCPSが2014年2月に公表した訴追猶予合意実務指針（Deferred Prosecution Agreements Code of Practice）6頁。

80）SFOが2019年8月に公表した協力に関するガイダンス（Corporate Co-operation Guidance）によれば、協力とは法律が要求する以上の支援をSFOに提供することを意味し、①疑わしい不正行為や犯罪行為を責任者と共に特定すること、②合理的期間内にSFOに自主申告すること、③入手可能な証拠を保全し、証拠に足る形式で速やかに提供することが含まれるとされている。

賄行為に関し、営利団体による贈賄防止措置の懈怠（UKBA7条）が問題となった。本件は、2014年2月に導入されて以降、訴追猶予合意が締結された最初の事例であり、裁判所は2015年11月30日に最終決定を出した。訴追猶予合意の内容として、同社による2,520万ドルの罰金の支払、タンザニア政府への約700万ドルの補償の支払などが合意された。

④　建設業及び建設コンサルタント業を営む英国企業のB社が、アラブ首長国連邦の子会社の贈賄行為について、営利団体による贈賄防止措置の懈怠（UKBA7条）を理由にSFOによって訴追された。2016年2月19日に判決が言い渡され、同社は140万ポンドの罰金及び約85万ポンドの没収などを命じられた。

⑤　英国企業のC社について、外国での贈賄行為に関し、営利団体による贈賄防止措置の懈怠（UKBA7条）が問題となった。本件は、訴追猶予合意が締結された2件目の事例であり、裁判所は2016年7月8日に最終決定を出した。訴追猶予合意の内容として、同社の支払能力などを考慮し、約35万ポンドの罰金の支払、約620万ポンドの不当利益の返還などが合意された。

⑥　重工業を営む英国企業のD社及びその子会社が、諸外国において贈賄行為を行っていたことに関し、営利団体による贈賄防止措置の懈怠（UKBA7条）が問題となった。本件は、訴追猶予合意が締結された3件目の事例であり、裁判所は2017年1月17日に最終決定を出した。訴追猶予合意の内容として、同社による約2億3,900万ポンドの罰金の支払、約2億5,800万ポンドの不当利益の返還などが合意された。

⑦　英国の小規模な内装工事会社であるE社が、前社長が行った他社に対する1万ポンドの贈賄行為について、営利団体による贈賄防止措置の懈怠（UKBA7条）を理由にCPSに訴追されたため、その規模等に鑑み、贈賄行為を防止するための「適正な手続」（adequate procedures）を講じていたとの主張を行った。当該主張に対し、2018年2月、陪審員は同社が「適正な手続」を実施していたとは認定せず、有罪であるとの評決を下した[81]。

⑧　2020年1月、世界的な航空宇宙企業であるF社（非英国企業）は、営利団体による贈賄防止措置の懈怠（UKBA7条）に関し、SFOと訴追

猶予合意を締結した。訴追猶予合意の内容として、同社による約3億9,800万ユーロの罰金の支払、約5億8,600万ユーロの不当利益の返還などが合意された。

⑨　天然資源の生産販売業を営むG社の英国子会社が、石油事業に関連した贈賄行為について、贈賄罪（UKBA1条）及び営利団体による贈賄防止措置の懈怠（UKBA7条）を理由にSFOによって訴追された。2022年11月に判決が言い渡され、同社は約1億8,300万ポンドの罰金及び約9,400万ポンドの没収などを命じられた。

---

81)　もっとも、同社は資産を持たない休眠会社であったことから、裁判官は絶対的免責（absolute discharge）を命じている。なお、本件は、営利団体による贈賄防止措置の懈怠（UKBA7条）の抗弁である「適正な手続」の実施の有無が問題となった最初の事例であったが、陪審裁判（jury trial）であったため、どのような場合に「適正な手続」を講じたといえるのかについての裁判官の判断やコメントはなされていない。

第3節　日本における規制

1　立法に至る経緯

　日本では、1997年にOECD条約が採択されたことを受け、1998年の不正競争防止法改正の際に外国公務員等に対する不正の利益の供与等の罪（以下「外国公務員贈賄罪」という）が新設された。

　OECD条約は、締約国に対して、条約の執行状況についてOECDの贈賄作業部会による定期的な相互審査を義務付けており[82]、日本も、これまで4次にわたる審査を受けている。これらの審査の結果、日本は、作業部会から、条約に基づく国内法整備や執行が不十分であるとの指摘及びその改善に関する勧告を受けており、これらの勧告に対応して、外国公務員贈賄防止に関する規律を強化する改正を行ってきた。最近では、2019年に行われた第4次対日審査の結果、作業部会から外国公務員贈賄の執行強化に向けた早急な法令改正等を求める勧告がなされており[83]、これを受けて、2023年6月7日、外国公務員贈賄に対する罰則の強化・拡充等を目的とした不正競争防止法の一部改正が行われた[84]。

---

[82] OECD条約12条（監視及び事後措置）は、「締約国は、この条約の完全な実施を監視し及び促進するため、組織的な事後措置の計画を実行することに協力」する旨を規定している。なお、この審査において継続的に条約の適切な実施の不履行があると判断された場合、作業部会は条約の実施に向けたさまざまな措置を採り得るとされており、その中には、「被審査国が条約又は関連する法律文書を十分に実施していないため、その国の企業に対するデューデリジェンスの強化が正当化され得る」旨を忠告する声明を発表できるとする措置（Due Diligence Warning）を講じることなどが含まれている。OECD, ANTI-BRIBERY CONVENTION: PHASE 4 MONITORING GUIDE（revised March 2023）（https://www.oecd.org/daf/anti-bribery/Phase-4-Guide-ENG.pdf）, p.24-27.

2　構成要件

(1)　総　論

　不正競争防止法18条1項は、「何人も、外国公務員等に対し、国際的な商取引に関して営業上の不正の利益を得るために、その外国公務員等に、その職務に関する行為をさせ若しくはさせないこと、又はその地位を利用して他の外国公務員等にその職務に関する行為をさせ若しくはさせないようにあっせんをさせることを目的として、金銭その他の利益を供与し、又はその申込み若しくは約束をしてはならない」と規定して、外国公務員等に対する不正の利益の供与等の禁止を定め、21条及び22条において違反行為に対する罰則を定めている。これらの規定の解釈に当たっては、外国公務員贈賄防止規定の所管官庁である経済産業省が公表している「逐条解説不正競争防止法──令和元年7月1日施行版」(以下「逐条解説」という)、「外国公務員贈賄防止指針(平成16年5月26日〔最終改訂：令和6年2月〕)」(以下「経産省指針」という)及び「外国公務員贈賄罪Q&A」(以下「経産省Q&A」という)が解釈上重要であり、以下の記載の多くもこれらに拠っている。

(2)　何人も

①　日本国内において外国公務員贈賄罪を犯した場合

　不正競争防止法18条1項は、外国公務員贈賄罪の主体について「何人も」と規定し、規制対象となる行為の主体について限定を設けていない。そのため、日本の法律の効力が及ぶ日本国内において同規定に違反する行為を行った者には、その国籍にかかわらず外国公務員贈賄罪が成立する。

---

83)　OECD, PHASE 4 REPORT: JAPAN (2019)(https://www.oecd.org/corruption/OECD-Japan-Phase-4-Report-ENG.pdf). なお、第4期対日審査の概要並びに報告書のエグゼクティブサマリー及び勧告の仮訳は、外務省ウェブサイトにも掲載されている(https://www.mofa.go.jp/mofaj/ecm/oecd/page22_003284.html)。

84)　令和5年(2023年)11月29日政令第337号により、当該改正部分は令和6年(2024年)4月1日から施行されている。

日本国内において罪を犯したといえるためには、犯罪の構成要件該当事実の一部が日本国内で生じれば足りると解されている[85]。そのため、外国公務員に対する賄賂の申込み、約束又は供与という贈賄行為の一部が日本国内で行われた場合のほか、贈賄行為の全部が国外で行われた場合であっても、賄賂の供与（外国公務員の側から見れば収受）という外国公務員贈賄罪の結果が日本国内で生じていれば、外国公務員贈賄罪による処罰の対象となる[86]。例えば、経産省指針においては、日本国内から外国公務員に対して電子メールやFAX等で利益の供与の申込、約束等が行われた場合については、それに続く利益の供与が海外で行われたとしても、全体を包括して国内犯と捉えることが可能であると考えられるとされている[87]。

　また、海外における企業活動の中で外国公務員贈賄行為が行われる場合には、日本内外において複数人が贈賄行為に関与することが多いと考えられることから、共犯関係がある場合の外国公務員贈賄処罰規定の場所的な適用範囲が問題となり得る。

　広義の共犯のうち、複数人が共謀し、そのうち一部の者が犯罪を実行する共同正犯の場合には、外国公務員贈賄罪の構成要件該当事実の一部でも日本国内で発生していれば、日本国内における行為に関わっていない者も含めて、共謀した者全員について同罪が成立する。さらに、共謀のみが日本国内で行われ、実行行為及び結果の全てが国外で発生した場合であっても、共謀も犯罪構成事実の一部であり、「日本国内において罪を犯した」として処罰の対象となる[88]。

　広義の共犯のうち、教唆犯[89]及び幇助犯[90]については、外国公務員に対する贈賄行為が日本国内で行われていれば、教唆犯・幇助犯も国内犯として

---

85) 大塚仁ほか編『大コンメンタール刑法第1巻〔第3版〕』（青林書院、2015）83頁〔古田佑紀＝渡辺咲子〕。
86) 刑法上の贈賄罪について、賄賂の約束が日本国内において行われ、それに基づく賄賂の供与が国外で行われた事案について、全体を包括して国内犯に当たると判示した裁判例がある（東京地判昭和56年3月30日判例タイムズ441号156頁）。
87) 経産省指針37頁。
88) 経産省指針39頁。仙台地気仙沼支判平成3年7月25日判例タイムズ789号275頁は、共謀のみが日本国内において行われた事案について、犯罪行為の一部が日本国内において行われたことをもって国内犯として犯罪の成立を肯定した。前掲・東京地判昭和56年3月30日も、共謀の事実を日本国内で行われた「犯罪構成事実の一部」としている。

外国公務員贈賄罪による処罰の対象となると解されている[91]。さらに、外国公務員贈賄罪を構成する事実の全てが国外で生じているが、教唆又は幇助行為は日本国内において行われていた場合にも、少なくとも日本国内で教唆又は幇助行為を行った者について、外国公務員贈賄罪の教唆犯ないし幇助犯として処罰される[92]。

② 日本国外において外国公務員贈賄罪を犯した場合

不正競争防止法21条10項は、外国公務員贈賄罪は「刑法3条の例に従う」と規定している。刑法3条は、日本国外において一定の罪を犯した日本国民に対して日本の刑法を適用して処罰する旨を定めた規定であり、この規定の「例に従う」とは、日本国民が日本国外において外国公務員贈賄行為を行った場合にも、日本の外国公務員贈賄罪による処罰の対象とすることを意味する。したがって、日本国民については、日本国内であると国外であるとを問わず、外国公務員に対する贈賄を行えば、外国公務員贈賄罪により処罰されることとなる。

さらに、2023年改正により新設された不正競争防止法21条11項は、「日本国内に主たる事務所を有する法人の代表者、代理人、使用人その他の従業者」が、その法人の業務に関し、日本国外において外国公務員贈賄の罪を犯した場合、日本国民以外の者にも同罪を適用すると規定している[93]。改正以前においては、外国公務員贈賄罪が適用されるのは、上記のとおり外国

---

89) 教唆とは、他人をそそのかして犯罪実行の決意を生じさせ、その決意に基づいて犯罪を実行させることをいう。
90) 幇助とは、外国公務員贈賄罪に当たる行為以外の行為で、正犯の外国公務員贈賄罪に当たる行為を容易にさせることをいう。
91) 産業構造審議会知的財産分科会不正競争防止小委員会外国公務員贈賄に関するワーキンググループ『外国公務員贈賄罪に係る規律強化に関する報告書』（令和5年3月）（https://www.meti.go.jp/shingikai/sankoshin/chiteki_zaisan/fusei_kyoso/gaikoku_komuin_wg/20230310_report.html）24頁注15、16。
92) 前掲注91) 24頁注16参照。
93) 経産省指針では、「日本国内に主たる事務所を有する法人」とは、日本国内に法人の事務の執行の中心となる場所を有する法人のことをいうと定義されている。経産省指針38頁注88。そのため、この新設規定によっても、日本企業の海外子会社・現地法人の役職員等は原則としてなお不正競争防止法による外国公務員贈賄罪の適用対象とはならない。

公務員贈賄行為の少なくとも一部が日本国内において行われた場合か、行為者が日本国民である場合に限られており、日本企業の外国人従業員や現地のブローカー・エージェントなど日本国籍を有しない第三者が海外で外国公務員に対する贈賄行為に及んだ場合には、日本国内において共謀が行われた場合でなければ、当該外国人行為者を外国公務員贈賄罪によって処罰することはできないとされていた[94]。

しかし、上記の新設規定により、日本企業の海外支店・支社の役職員やブローカー・エージェントなどが日本国外において外国公務員に対する贈賄を行った場合、当該行為者が日本国籍を有しない外国人であったとしても、不正競争防止法の外国公務員贈賄罪により処罰され得ることとなった。

③ 法人の処罰について

不正競争防止法22条1項は、法人の代表者又は法人若しくは人の代理人、使用人その他の従業者が、その法人又は人の業務に関して外国公務員贈賄罪を犯した場合、行為者を罰するほか、その法人に対しても罰金刑を科す旨を規定しており、法人も外国公務員贈賄罪による処罰の対象となり得る（21条4項4号）。詳細は下記3(1)②を参照されたい。

(3) **国際的な商取引**

「国際的な商取引」とは、国際的な商活動を目的とする行為、すなわち貿易及び対外投資を含む国境を超えた経済活動に係る行為を意味し、具体的には、①取引当事者間に渉外性がある場合、②事業活動に渉外性がある場合のいずれかであって、営利を目的として反復・継続して行われる事業活動に係る行為を意味すると解されている[95]。経産省Q&Aでは、具体例として以下

---

[94] OECD贈賄作業部会による第4次条約審査においても、この点が日本における条約実施の「大きな抜け穴」であると指摘され、「海外で活動する日本企業が外国人従業員を通じて贈賄が行われた場合を含め、日本が外国公務員贈賄罪に対して国籍に基づく管轄権を確保するために速やかに法制を見直すこと。」が優先勧告の1つとされた。OECD贈賄作業部会『第4期対日審査報告書 作業部会の勧告（仮訳）』（2019年（令和元年）8月27日）（https://www.mofa.go.jp/mofaj/files/000510321.pdf）14(b)。

[95] 逐条解説212頁、経産省Q&A・Q8。

のような事案が挙げられている。

(イ) 日本に主たる事務所を有する商社が、X国内のODA事業（例えば橋の建設）の受注を目的として、日本でX国公務員に贈賄する事例

(ロ) Y国に主たる事務所を有する日系の建設業者が、東京のY国の大使館の改築工事の受注を目的として、日本でY国公務員に贈賄する事例

(4) 営業上の不正の利益

① 意義

「営業」とは、不正競争防止法の判例上、単に営利を直接に目的として行われる事業に限らず、事業者間の公正な競争を確保するという法目的からして、広く経済収支上の計算に立って行われる事業一般（病院経営等）を含むと解されており、「営業上の利益」とは、事業者がかかる「営業」を遂行していく上で得られる有形無形の経済的価値その他の利益一般を意味するとされている[96]。経産省Q&Aにおいては、例として、取引の獲得、工場建設や商品の輸出入等に係る許認可の獲得等がこれに該当するとされ、一方で、販売目的のためのものではなく、現地において自らが生活するために最低限必要な食料の調達のための便宜等は「営業上の利益」に当たらない可能性があるとされている。

また、「不正の利益」とは、公序良俗又は信義則に反するような形で得られる利益を意味するとされている[97]。

例えば、取引の獲得や、外国当局による許認可の獲得等が、「営業上の不正の利益」に該当すると考えられる。経産省指針では、以下のような具体例が挙げられている。

① 外国公務員等に対する利益の供与等を通じて、自己、あるいはその他の自然人又は法人に有利な形で当該外国公務員等の裁量を行使させることによって獲得する利益

② 外国公務員等に対する利益の供与等を通じて、違法な行為をさせることによって獲得する利益

---

96) 逐条解説214頁、経産省指針26頁、経産省Q&A・Q4。
97) 逐条解説214頁、経産省指針26頁、経産省Q&A・Q4。

②　「営業上の不正の利益」を得る目的の存否が問題となり得る行為

　外国公務員に対する利益の供与等が「営業上の不正の利益」を得る目的によるものと認められるか否かが問題となり得る行為として、社交行為・接待、経費負担、寄付行為等がある。

　経産省指針によれば、外国公務員の職務に関する旅費や食費等の経費負担や贈答は、典型的な贈賄行為になり得るものとされている[98]。もっとも、純粋に一般的な社交や自社商品・サービスへの理解を深めるといった目的によるものであって、外国公務員等の職務に関して、自社に対する優越的な取扱いを求めるといった不当な目的もないのであれば、必ずしも「営業上の不正の利益」を目的とする贈賄行為と評価されるわけではないとされている。経産省指針では、具体的には、時期、品目や金額、頻度その他の要素[99]から判断して、純粋に社交や自社商品・サービスへの理解を深めることを目的とする少額の贈答、旅費の負担、娯楽の提供等が想定されるとしている[100]。

　寄付行為についても、外国公務員等個人に対する支払は、通常、「営業上の不正の利益」を得るための支払、すなわち、典型的な贈賄行為に該当することに留意すべきであるとされ、表面上は非営利団体に対する寄付の形式をとったとしても、当該寄付が実質的に外国公務員等に対する支払となっている場合も、同様に典型的な贈賄行為であるとされているほか、純粋に「よき企業市民」(good corporate citizen) として企業の社会的責任を果たすために非営利団体に対して行われる寄付は、名実共にそのような寄付であると認められる場合には、贈賄行為に該当しない場合もあると考えられるが、当該寄付が名目上のものにすぎず、実質的には外国公務員等に対する支払となっている場合には、贈賄行為であるとされている[101]。

---

[98]　経産省指針 26 頁、経産省 Q&A・Q11。
[99]　経産省指針では、正規でない承認手続や虚偽の記録の存在は、「営業上の不正の利益」を得るための支払であることを疑わせる要素となり得るとされている（経産省指針 27 頁）。
[100]　経産省指針 27 頁には、「営業上の不正の利益」を得るための支払と判断される可能性が大きいと考えられる行為及び必ずしもそのような判断がなされない可能性がある行為が列挙されており、実務上の判断における参考となる。
[101]　経産省指針 28 頁。

③ スモール・ファシリテーション・ペイメントについて

スモール・ファシリテーション・ペイメント（SFP）とは、通常の非裁量性の行政サービスに係る手続の円滑化・迅速化のための少額の支払を意味する。米国FCPAにおいては、SFPを適用除外とする規定が置かれているが、日本の不正競争防止法にはそのような規定は置かれておらず、SFPに該当するか否かではなく、外国公務員等に対する利益供与が「営業上の不正の利益を得るため」に該当すると裁判所が判断した場合には、不正競争防止法18条違反となり得るとされている[102]。

④ 不合理・差別的で不利益な取扱いを回避するための支払及び緊急避難について

経産省指針では、通関等の手続において、事業者が現地法令上必要な手続を行っているにもかかわらず、事実上、金銭や物品を提供しない限り、現地政府から手続の遅延その他合理性のない差別的な不利益な取扱いを受けるケースがあるとされており、このような差別的な不利益を回避することを目的とするものであっても、そのような支払自体が「営業上の不正の利益を得るため」の利益提供に該当し得るものとされている[103]。

なお、生命・身体に対する危険の回避を主な目的として、やむを得ず行った利益供与等は、「不正の利益」を得る目的がないと判断される場合があり得るほか、生命、身体に対する現実の侵害を避けるため、他に現実的にとり得る手段がないためやむを得ず行う必要最低限の支払については、緊急避難の要件を満たす可能性があるとされている。

(5) 職務に関する行為

ここにいう「職務」とは、刑法197条（収賄罪）の規定中の「職務」と同義であり、「職務に関する行為」とは、当該外国公務員等の職務権限の範囲内にある行為はもちろん、職務と密接に関連する行為を含むものであると解

---

[102] 経産省指針13頁注42。
[103] 経産省指針28-29頁。このような場合であっても、金銭等を外国公務員等に一度支払うと、それが慣行化し継続する可能性が高いことから、金銭等の要求を拒絶することが原則であるとされている。

されている[104]。公務員の「職務に関し」賄賂を収受・贈与することを規制する刑法の贈収賄罪においても、本来的な職務権限に属さない行為であっても、職務と密接に関連するものと認められれば贈収賄罪の成立を認めており、同様の解釈がとられている。

刑法の贈収賄罪では、職務密接関連行為とは、本来の職務行為以外の行為であって職務との関わりがあるために公務員により行われるもので、その性質上重要性、公共性が認められるもの、又は本来の職務行為ではないが本来の職務の公正さを確保する観点から公正さが要求されるものであればこれに当たるとされている[105]。

(6) （職務に関する行為を）させ若しくはさせないこと、又はその地位を利用して他の外国公務員等に（職務に関する行為を）させ若しくはさせないようにあっせんをさせること

外国公務員等の作為・不作為又は他の外国公務員等の作為・不作為のあっせんを目的とした金銭その他の利益の供与等であることが要件となっている。

「あっせん」については、金銭その他の利益を収受する外国公務員等の権限の範囲外の行為であっても、その地位を利用して、他の外国公務員等の職務に関する行為について、当該他の外国公務員等に対して行う「あっせん」が対象になるとされ[106]、外国公務員等以外の者に対する「あっせん」は対象とならないとされている。

(7) 金銭その他の利益

「金銭その他の利益」とは、公務員の職務に対する不法な報酬としての利益をいい、財産上の利益にとどまらず、およそ人の需要・欲望を満足させるに足りるものであればこれに該当するとされており、金銭や財物はもちろん、金融の利益、家屋・建物の無償貸与、接待・供応、自己の債務あるいは自己

---

104) 逐条解説 214-215 頁、経産省指針 29 頁。
105) 大塚仁ほか編『大コンメンタール刑法第 10 巻〔第 3 版〕』（青林書院、2021）45 頁以下〔古田佑紀＝渡辺咲子＝五十嵐さおり〕。
106) 逐条解説 215 頁、経産省指針 29-30 頁。

が保証している債務の返済、担保の提供・保証等の財産上の利益のほか、異性間の情交、職務上の地位等の非財産的利益を含む一切の有形、無形の利益がこれに該当すると解されている[107]。

(8) （外国公務員等に対し、）……供与し、又はその申込み若しくは約束をしてはならない

「供与」とは、賄賂を単に提供するにとどまらず、相手方である外国公務員等がこれを受け取ることをいう。

「申込み」とは、外国公務員等に賄賂の収受を促す行為であり、相手方がこれに対応する行為をすることを必要としないため、賄賂を提供したが相手方が受け取らなかった場合もこれに含まれる。

「約束」とは、贈収賄当事者間の賄賂の授受についての合意をいう。

不正競争防止法の文言上、上記の「供与」「申込み」「約束」の相手方は「外国公務員等」となっており、第三者供賄罪（刑法197条の2）のような規定もないことから、外国公務員等以外の第三者が利益供与等の相手方となる場合には、利益供与等を行った者は処罰されない。

ただし、利益供与等の相手方が形式的には外国公務員等以外の第三者であったとしても、当該第三者は単なる仲介者であって、供与等された利益が当該第三者からそのまま外国公務員等に移転しているような、実質的には外国公務員等が利益供与等を受けているのと同視できるような場合には、外国公務員等に対して利益供与等がなされたといえ、このような場合まで利益供与等をした者を処罰しないという趣旨ではないと解されている[108]。

この点について、経産省指針では、外国公務員等以外の第三者に対し金銭その他の利益を供与し、又はその申込み、約束をした場合であっても、①当該外国公務員等と当該第三者の間に共謀がある場合、②当該外国公務員等の親族が当該利益の収受先になっている場合等、実質的には当該外国公務員等

---

[107] 逐条解説215頁、経産省指針30頁。
[108] 刑法の贈収賄罪の解釈上も、第三者に利益の供与等がなされた場合であっても、当該第三者が公務員と通謀していた場合には（第三者供賄罪ではなく）単純収賄罪の共同正犯が成立するとされており、このような解釈は不正競争防止法に第三者供賄罪のような規定がないことと矛盾するものではない。

に対して利益の供与が行われたと認められる場合、③外国公務員等が第三者を道具として利用し、当該第三者に当該利益を収受させた場合については、外国公務員贈賄罪が成立し得るとされている[109]。

(9) 外国公務員等

「外国公務員等」については、不正競争防止法18条2項各号で、5つに分類して定義されている。

① 外国の政府又は地方公共団体の公務に従事する者（1号）

外国の行政府、立法府や司法機関に属する職にある者を指し、公務員の候補者は、不正競争防止法の対象とはされていない[110]。

② 公共の利益に関する特定の事務を行うために外国の特別の法令により設立されたものの事務に従事する者（2号）

外国の政府関係機関とは、公共の利益に関する特定の事務を行うために特別の法令によって設置された組織であり、日本でいう特殊法人・特殊会社等に相当するものを指しているとされる。特別の法令によって設立された組織とは、その機関を設立することを目的とする特別な法律が存在するような機関を対象としているものであり、公益法人や会社等一定の要件を満たせば設立できるような民事法規に根拠をもつ法人はこれに含まれないとされている[111]。

経産省指針では、外国政府機関の例として、米国の政府機関法人（government corporation）のテネシー河谷開発公社（Tennessee Valley Authority）、全米鉄道旅客輸送公社（National Railroad Passenger Corporation：通称Amtrak）、フランスの公施設法人（établissements publics）の国立図書館

---

109) 逐条解説213頁、経産省指針30頁。
110) 経産省指針32頁。なお、2024年の改訂前の経産省指針においては、不正競争防止法の対象とはされていない者として「政党職員」が記載されていたほか、同法の対象とされていない理由について「条約上外国公務員の定義に含まれないため」と記載されていたが、この改訂によってこれらの文言が削除されている。
111) 逐条解説220頁、経産省指針32頁。

（Bibliothèques nationales）、大学（universités）等が挙げられている[112]。

③　外国の公的な企業の事務に従事する者（3号）

本号は、外国の政府又は地方公共団体に支配される事業者のうち、当該政府等から特に権益を付与されている事業者の事務に従事する者を外国公務員等として定義しているものとされている[113]。

「公的な企業」とは、外国の政府又は地方公共団体が、(イ)議決権のある株式の過半数を所有している、(ロ)出資金額の総額の過半数に当たる出資を行っている、(ハ)役員の過半数を任命若しくは指名している、のいずれかに該当する事業者（公益法人等も含まれる）及びこれに準ずる者として政令で定める者とされている。これに準ずる者として政令で定める者は、外国の政府又は地方公共団体が、(i)総株主の議決権の過半数に当たる議決権を直接に保有している、(ii)株主総会での全部又は一部の決議について許可、認可、承認、同意等を行わなければ効力が生じない黄金株で支配している、(iii)間接的に過半数の株式を所有すること等により事業者を支配している、のいずれかに該当する事業者である[114]。これらの「公的な企業」のうち、その事業の遂行に当たり、外国の政府又は地方公共団体から特に権益を付与されているものの事務に従事する者が、不正競争防止法上の外国公務員等に該当する[115]。

④　公的国際機関の公務に従事する者（4号）

本号の「国際機関」とは、国家、政府その他の公的機関によって形成される国際機関に限られており、例えば、国際連合、UNICEF（国際連合児童基金）、ILO（国際労働機関）やWTO（世界貿易機関）等がこれに該当するとされている[116]。IOC（国際オリンピック委員会）等、民間機関により構成されている国際機関はこれに該当しない。

---

[112]　経産省指針32頁。
[113]　逐条解説220-221頁。
[114]　不正競争防止法施行令3条1項各号、経産省指針32頁。
[115]　経産省指針33頁には、「公的な企業」に該当する例が記載されているほか、逐条解説224頁にも、不正競争防止法施行令3条1項2号に該当する諸外国の例が記載されている。
[116]　経産省指針34頁。

⑤ 外国政府等から権限の委任を受けている者（5号）

外国の政府又は地方公共団体、国際機関から権限の委任を受けてその事務を行う者を指しており、外国政府等、国際機関が自らの権限として行うこととされている事務、例えば、検査や試験等の事務について、当該外国政府等から当該事務に係る権限の委任を受けて行う者を念頭に置いているとされる。公共事業を受注した建設会社の職員等、権限の委任なしに外国政府等が発注する仕事を処理するにすぎない者はこれに該当しないとされる[117]。

3　罰則その他の制裁

(1)　刑事罰

①　自然人に対する罰則

外国公務員贈賄罪に当たる行為を行った者は、10年以下の懲役若しくは3,000万円以下の罰金に処せられ、又はこれが併科されることとなる（不正競争防止法21条4項4号）[118]。

自ら外国公務員贈賄罪の構成要件に該当する行為（実行行為）を行った正犯ではなく、実行行為は行っていないが正犯と共謀した者についても、共謀共同正犯として行為者と同様に処罰される。また、教唆をした者についても、正犯と同じ法定刑の範囲内で処断される（刑法61条）。正犯を幇助した者については、正犯の刑を減軽した刑が科される（同法62条・63条）[119]。

②　法人に対する罰則

法人の代表者、法人の代理人、使用人、その他の従業員等が、業務に関し、外国公務員贈賄行為を行った場合、その法人に対して10億円以下の罰金刑

---

[117]　逐条解説225頁、経産省指針34頁。
[118]　2023年の法改正により、それまで5年以下の懲役若しくは500万円以下の罰金又はその併科とされていた法定刑の上限は本文のとおり大幅に引き上げられた。
[119]　刑法68条3号・4号により、拘禁刑及び罰金刑それぞれの上限及び下限の2分の1が減じられるため、5年以下の拘禁刑若しくは1,500万円以下の罰金又はその併科の範囲内で処断されることになる。

が科される（不正競争防止法22条1項1号）。外国法人も、会社法上の外国会社（会社法823条）については両罰規定が適用される。

　両罰規定は、従業員等の選任・監督その他違反行為を防止するために必要な注意を尽くさなかった事業主の過失を推定するものであり、無過失を理由とする免責が認められるためには、一般的、抽象的な注意を払ったのでは足りず、積極的、具体的に違反防止のための指示を与えるなどして、違反行為を防止するために必要な注意を尽くしたことが要求されると解されている[120]（最判昭和40年3月26日刑集19巻2号83頁）。そのため、法人として、刑事責任を負うリスクを極力避けるためには、外国公務員贈賄行為を防止するためのコンプライアンス体制の構築・運用や役職員等に対する教育等を十分に検討して実行することが必要不可欠といえる。

　また、前述の2023年改正によって新設された不正競争防止法21条11項の外国人国外犯の処罰規定を踏まえると、同法の両罰規定の適用に関して、外国公務員に対して贈賄を行った場合に行為者として処罰対象とされるのは、必ずしも雇用関係にある「従業員」に限られず、当該日本法人の「代表者、代理人、使用人その他の従業者」であることに注意が必要である。殊に、外国公務員に対する贈賄事案においては、ファシリテーターとして介入する現地のブローカーやエージェントなどの第三者が贈賄に及ぶことも少なくないが、上記改正規定により、当該行為者が日本法人の「代理人」と認められた場合には、その国籍にかかわらず、両罰規定により当該日本法人も処罰対象となる[121][122]。

　したがって、現地の代理人等を用いる場合には、海外支社や子会社の従業員に準じた統制及び贈賄行為の防止措置を講じることが重要である。

---

[120]　経産省指針36頁。
[121]　この「代理人」の該当性については、判例上、「事業主から行為者に与えられた権限の性質・内容、行為者の業務履行状況、事業主の関与状況その他の事情を総合して判断」して、「事業者が行為者の違反行為を防止できるような統制監督関係があること」が両罰規定における行為者となるべき法人等の「従業者」の要件であるとされており、事案ごとに個別事情を考慮して判断せざるを得ない（最決平成27年12月14日刑集69巻8号832頁）。なお、両罰規定における「代理人」とは、必ずしも民法上・委任契約による代理人に限られないと解され、同判例もそのことを前提としているものと解される（久禮博一「判批」ジュリスト1511号〔2017年〕110頁（同判例の最高裁調査官解説）のほか、同判批においても言及されている最決平成9年10月7日刑集51巻9号716頁参照）。

なお、不正競争防止法22条1項柱書の文言は、「行為者を罰するほか、その法人に対して当該各号に定める罰金刑を……科する」とされており、形式的には、行為者の処罰がその適用の前提となっているようにも読めるが、このような両罰規定の適用に関して、行為者である自然人の訴追及び処罰は必要ではなく、法人のみを両罰規定に基づいて処罰することも可能と解されている[123]。そのため、両罰規定の適用に関しては、行為者が訴追されない場合であっても、なお両罰規定の適用により法人のみが処罰対象となり得ることにも注意が必要である。

③ 日本国外において外国公務員に対する贈賄行為が行われた場合の処罰対象の整理

　上記①②及び2(2)における外国公務員贈賄罪の処罰対象・範囲に関する説明を踏まえて、日本企業が海外において展開する事業活動に関して、日本国外において外国公務員に対する贈賄行為が行われた場合について、刑事責任を問われ得る者の範囲を整理すると以下のとおりとなる。

---

[122] 日本企業の役職員等が、海外のブローカーやエージェントなどに指示して外国公務員に対する贈賄行為に及んだ場合、当該日本企業の役職員等と行為者である第三者との間に共謀が認められ、当該日本企業の役職員等は共謀共同正犯として刑事責任を問われる場合が多いであろうと思われる。両罰規定の適用が問題となり得るのは、日本企業（の役職員等）と行為者である海外のエージェント等の第三者との間に共謀（及び日本企業の役職員等の故意）が存在したとまでは認定できない場合である。そのような場合であっても、第三者による贈賄行為が日本企業の業務に関して行われ、当該第三者が両罰規定における「代理人」に該当するものであると評価されれば、両罰規定の適用により当該日本企業も処罰対象となり得る。

[123] 大塚ほか編・前掲（注85）146頁〔古田佑紀＝田寺さおり〕。もっとも、贈賄が日本国外のみで行われたという事案では、訴追のハードルは高いものとなる。すなわち、日本企業の外国人従業員が国外で贈賄を行った場合、当該外国人従業員を不正競争防止法違反の罪で訴追せずとも、両罰規定を適用して日本企業のみを訴追することは可能ではあるが、両罰規定の適用に当たっては、外国公務員贈賄罪の実行行為である、日本国外で行われた当該外国人従業員による贈賄行為の存在を立証しなければならないため、日本の捜査及び証拠収集の実務上、日本の捜査機関による立証には相当な困難を伴うことは否定できない。

(i) 外国公務員に対する贈賄行為又は共謀の全部又は一部が日本国内において行われた場合（国内犯としての処罰）

行為者の国籍や、日本企業又は海外子会社のいずれの役職員であるかを問わず、行為者のほか、共謀を行った[124]当該日本企業の役職員等はいずれも共謀共同正犯として処罰対象となり、両罰規定により当該日本企業も処罰対象となる。

(ii) 外国公務員贈賄罪の犯罪行為の全て（共謀を含む）が日本国外で行われた場合であって、行為者又は行為者と共謀した者が日本国民である場合（日本国民の国外犯処罰規定の適用）

日本企業の海外支店の役職員や日本の本社から海外子会社に出向した役職員が、海外支店や子会社の業務に関して贈賄行為を行ったり、外国人役職員による贈賄行為に関与した場合が想定される。このような場合、当該日本人役職員が贈賄行為又は共謀に加わっていれば、不正競争防止法21条11項の適用により日本国民の国外犯として外国公務員贈賄罪により処罰される。

親会社である日本企業の本社に両罰規定が適用されるか否かについては、当該日本人役職員と日本の本社との関係性によって判断が分かれ得る。当該役職員が、日本企業の海外支店の役職員であったり、出向先海外子会社の役職員であると共に日本の本社の役職員としての立場も兼ねていた場合等、本社の業務に関して贈賄を行ったと認められる場合には、本社は両罰規定の適用を受けることとなる。また、形式的には日本の本社とそのような雇用等の関係になかったとしても、当該役職員が通常行っている業務への本社の関与の度合い、当該役職員に対する本社の選任・監督の状況等の個別具体的な状況を踏まえて、当該役職員が実質的には日本の本社の「従業者」であると認められ、不正の利益の供与等が日本の本社の業務に関して行われたと認められる場合には、日本の本社に対して両罰規定が適用される可能性があると考

---

[124] 上記2(2)①のとおり、贈賄行為が日本国内で行われた場合には、教唆者及び幇助者はその国籍や場所を問わず教唆犯ないし幇助犯の国内犯として処罰対象となるほか、外国公務員贈賄罪の構成要件該当事実の全てが国外において行われた場合であっても、教唆又は幇助行為が日本国内で行われている限り、少なくとも当該教唆者及び幇助者は国内犯として処罰対象となる。

[125] 経産省指針36-37頁。

えられる[125]。

(iii) 外国公務員贈賄罪の犯罪事実の全てが日本国外で行われた場合であって、行為者及び行為者と共謀した者がいずれも日本国民ではない場合（日本国民以外の者の国外犯処罰規定の適用）

　日本企業の海外支店や海外子会社の外国人役職員等が、当該日本企業本社の指示等を受けず、独自に外国公務員に対する贈賄行為に及んだ場合が想定される。

　この場合、まずは行為者や共謀に加担した者と、日本の本社との関係性によって処罰範囲が異なる。行為者又は共謀に加担した外国人役職員が、日本企業本社の役職員である場合、2023年改正によって新設された不正競争防止法21条11項の規定により、外国公務員贈賄罪の適用を受けることになり、併せて、当該日本企業の本社も両罰規定により処罰対象となる。行為者又は共謀に加担した外国人役職員が、海外子会社の役職員であって、日本本社の役職員ではない場合、原則として、外国公務員贈賄罪は適用されないと考えられる[126]。

(iv) 海外の代理店やブローカー・エージェント等の第三者を通じて外国公務員に対する贈賄行為が実行された場合

　日本企業が海外において事業活動を行う際に、海外当局との許認可や事業の受注に関して現地ブローカーやエージェントなどの第三者が間に入り、当該第三者が日本企業から委託を受けた取引や交渉、事務処理において外国公務員に対する贈賄が行われる場合も少なくない。

　このような場合も、日本企業及びその役職員に対する外国公務員贈賄罪の適用については、不正競争防止法22条1項の両罰規定及び同法21条10項、11項の国外犯処罰規定により、上記(i)ないし(iii)に準じて考えることができる[127]。すなわち、外国公務員に対する贈賄行為又は共謀行為の一部が日本国内で行われている場合、(i)のとおり、当該第三者や日本企業において関与

---

126) この場合も、前記(ii)の場合と同様、外国公務員に対する贈賄行為に関与した海外子会社の外国人役職員が、形式的には日本企業の本社との間に雇用関係等を有していなかったとしても、実質的に見て本社の「代表者、代理人、使用人その他の従業者」に当たると認められた場合には、不正競争防止法21条11項により処罰対象となり得る。

した者の国籍にかかわらず、行為者及び共謀に関与した者並びに日本の本社は処罰対象となる。また、外国公務員贈賄罪の犯罪事実の全てが国外で生じていたとしても、日本企業の日本人役職員等が贈賄行為又は共謀に関与している場合、(ii)のとおり、日本国民の国外犯処罰規定に基づいて当該日本人役職員及び日本の本社が処罰対象となり得る。さらに、外国公務員贈賄行為の全てについて日本国外で行われ、日本国籍を有する者の関与も認められない場合には、不正競争防止法21条11項の規定が適用される限度において、すなわち当該第三者が日本企業の本社の「代理人」「その他の従業者」に該当し、かつ、当該日本企業本社の業務に関して贈賄行為を行ったと認められる限りにおいて、当該第三者及び日本本社それぞれが日本の不正競争防止法の適用により処罰されることとなる。

④　公訴時効

上記①及び②のとおり、2023年の不正競争防止法改正により外国公務員贈賄罪に係る自然人に対する法定刑が引き上げられ、懲役刑の上限が10年以下とされたことに伴い、自然人及び法人に対する公訴時効の期間も、従前の5年から7年へと伸長された[128]。

本改正以前から、作業部会は、日本においては、捜査の開始や捜査共助の申入れ等によっては時効の進行は停止しないことを指摘した上で、他の経済犯罪に対する時効期間には7年のものがあること、時効により捜査・訴追が行われなかった外国公務員贈賄事案が複数あること、執行機関への通報の遅れや捜査共助が可能となる正式な捜査開始の遅れがあり得ること等を指摘して、外国公務員贈賄罪について時効期間の延長や時効停止の導入を勧告しており、2023年改正法による法定刑の引上げは、このような作業部会の勧

---

127) 外国公務員贈賄行為に及んだ代理店やブローカー、エージェント等の第三者が、日本企業との関係において不正競争防止法21条11項及び22条1項にいう「代理人」「その他の従業者」に該当する者であることが前提となる。
128) 公訴時効期間は、刑事訴訟法250条2項により懲役刑の長期を基準として定められており、「長期15年未満の懲役又は禁錮に当たる罪については7年」(同項4号)、「長期10年未満の懲役又は禁錮に当たる罪については5年」(同項5号)とされている。法人については罰金刑が科されるが、不正競争防止法22条3項により、時効の期間については、(3年（刑事訴訟法250条2項6号）ではなく) 自然人についての時効の期間による。

告への対応としての時効期間の延長をも含むものであった[129]。

このような時効期間の延長により、過去に行われた外国公務員贈賄行為に対する捜査及び刑事訴追が行われる可能性のある期間が伸長することになったため、外国公務員贈賄のおそれのある外国において事業活動を行う企業としては、関連記録の保存や監査等の調査・監督業務についても、少なくとも公訴時効の期間を満了していない範囲については慎重に対応する必要がある。

(2) 行政機関による処分及びその他の措置等

企業としては、刑事罰のみならず、政府機関や政府が関係する企業や団体等による取引制限等の措置も相当程度のリスクとなるものと思われる。このような政府系機関からの措置の例としては、次のようなものが挙げられる[130]。なお、ここで紹介するものは、いずれも2024年3月時点において各機関等のウェブサイトに掲載されていた内容である。

① 株式会社日本貿易保険（NEXI）[131]
(i) 誓約及び申告書の受領

保険の申込みに際して、保険申込企業等が、申込みの対象となる取引に関して、不正競争防止法及び刑法に違反する贈賄行為に関与していないことを誓約すると共に、申込対象取引以外の取引についていずれかの国で贈賄を禁止する法令[132]に違反した罪により起訴等され又は過去5年間にかかる罪により有罪判決等を受けたことがあるかを申告する「贈賄防止に係る誓約及び

---

129) 前掲（注94）OECD勧告7(c)参照。
130) 本書で紹介している株式会社日本貿易保険及び株式会社国際協力銀行による措置は、公的輸出信用分野における贈賄防止に対する取組として、2006年12月にOECD理事会において採択された「公的輸出信用と贈賄に関する勧告（OECD贈賄勧告）」に基づいて実施されているものである。そのため、同様の外国公務員贈賄に対する規制は、OECD加盟国をはじめ世界各国の政府系機関においても実施されているものと考えられ、ひとたび日本においてかかる措置の対象となった場合、その影響は世界中の事業に及ぶ可能性がある。
131) 以下の記載内容は、NEXIウェブサイトの「OECDにおける社会問題への取組み」（https://www.nexi.go.jp/international/measures/index.html）に基づいている。
132) あらゆる国の法令に違反する贈賄行為が対象となり、当該国における国内公務員贈賄や民間間贈賄も含まれるとされる。

申告書」の提出を求める。

(ii) 代理人に関する情報の取得

NEXI が必要と判断した場合、保険申込対象取引に関連する代理人の素性及びそれらの者に支払った手数料等についての情報の開示を求める。

(iii) 厳格なデューデリジェンスの実施

保険申込企業等が、贈賄を禁止する法令の規定に違反した罪により起訴等され、又は過去5年間に有罪判決等を受けた場合、通常よりも厳格なデューデリジェンスを実施し、適切な内部の是正措置や予防措置がとられていること、その措置が維持されていること、文書によるルール化が行われていること等を確認する。これにより、再発予防策が適切にとられているなど保険の引受に問題ないと NEXI が判断するまで、保険の申込みはできない。

(iv) 贈賄に関与したことが判明した場合の取扱い

保険契約の対象となる取引において、贈賄に関与している疑いが判明した場合は、以下の対応を行う。この場合、OECD 贈賄勧告に基づき、必要に応じ捜査当局へ通知をすることがある。

〈保険契約締結前に判明した場合〉

保険契約の締結を保留し、保険の引受を謝絶するなどの適切な措置をとると共に、厳格なデューデリジェンスを実施し保険の引受に問題がないことが確認できるまで、新たな保険の申込みは受けない。

〈保険契約締結後に判明した場合〉

保険金支払について免責となり、支払済み保険金があるときは返還を求めるほか、保険契約の解除などの適切な措置をとる。

なお、保険契約締結後、保険申込企業等が、保険契約の対象となる取引に関して不正競争防止法又は刑法の贈賄に関する規定に違反した罪により起訴された場合、NEXI への報告が求められ、当該報告を行わない場合、約款に定める義務違反として、保険契約が解除される。

② 株式会社国際協力銀行（JBIC）[133]

貸付等の検討に際して、外国公務員贈賄等に関与していないこと及びビジ

ネス行為に係る贈賄行為の容疑により起訴等され又は過去5年間に有罪判決を受けていること等について、輸出企業等に誓約・確認を求める。

贈賄の疑いがあると判断される場合等には、通常よりも厳格なデューデリジェンスを実施するなどの適切な措置をとる。

贈賄行為への関与が認められた場合には、以下の対応を行う。

〈貸付等の実行前〉捜査当局への情報提供、融資の拒否、貸出停止、又は融資未実行残高の取消しなどの適切な措置をとる。

〈貸付等の実行後〉捜査当局への情報提供、強制期限前弁済などの適切な措置をとる。

③ 独立行政法人国際協力機構（JICA）

JICAが実施するODA事業において、不正行為等が発生した際の具体的対応策として、JICAは「措置制度」を設けている。これは、ODA事業に関する契約において、不正行為等に関与した者がいた場合、その契約をODA事業の対象から除外したり、JICAが定める一定期間、対象者をODA事業での契約から排除する制度とされている[134]。

具体的には、JICAが実施する資金協力事業において、贈賄行為を含む不正行為等に関与したと認定された場合[135]、最大36か月の措置の期間[136]、不正行為等に関与した者が機構による資金協力の対象となる調達契約（資金

---

133) 以下の記載は、JBICウェブサイト「贈賄防止への取り組み」（https://www.jbic.go.jp/ja/support-menu/export/prevention.html）に基づいている。

134) 詳細は、「独立行政法人国際協力機構が実施する資金協力事業における不正行為等措置規程」及び「独立行政法人国際協力機構が行う契約における不正行為等に対する措置規程」を参照。

135) 措置要件の認定方法については、独立行政法人国際協力機構が実施する資金協力事業における不正行為等措置規程5条1項において、①規程別表の措置要件の各号に記載された法令等に基づく容疑により、調達契約の受注者等又はその役員若しくは使用人が逮捕され、若しくは逮捕を経ないで公訴を提起された場合又は行政機関による処分を受けた場合、②調達契約の受注者等又はその役員若しくは使用人が別表中1号から同18号までのいずれかの措置要件に該当する不正行為等に関与したことを認めている場合、③機構が別表中1号から同18号までのいずれかの措置要件に該当する不正行為等について客観的な事実として認定した場合と規定されている。また、同条2項は、機構が、別表の措置要件の各号に記載された日本の法令の違反行為に相当する外国の法令等の違反行為を、当該日本の法令等の違反行為とみなして、前項の認定を行うことができるとしている。

協力事業に必要なものとして行う資機材、施設及びサービスの調達契約）の当事者となることを認めない、又は当該契約を資金協力の対象から除外するなどの措置をとるとされている。

また、JICA の行う契約に関し、所定の事故、腐敗等の不正行為等に関与したと認められる者に対し、一定の措置の期間、一般競争、指名競争、企画競争その他の契約競争に参加させず、現に指名されている場合は指名を取り消すほか、随意契約の相手方とせず、契約の下請人、完成保証人又は代理人となることを承認しないなど、同機構の契約競争から排除する措置を行うとされている[137]。

なお、JICA によるいずれの措置についても、減免制度が導入されており、企業が関与した不正行為について、外務省、JICA 又は公正取引委員会による措置や逮捕等の刑事手続の前までに当該企業が自主的に自己の不正行為を申告した場合、一定の要件の下[138]に措置の減免を認めている。

④ 外務省

外務省は、JBIC や JICA と連携して、企業に対し、外国公務員贈賄行為

---

[136] 贈賄に係る措置の期間は4か月以上18か月以内とされているが、「不正行為等に関与した契約の受注者等について、極めて悪質な事由があるため又は極めて重大な結果を生じさせたため、」「措置の期間の長期を超える措置の期間を定める必要があるとき」のほか、「機構が行う当該不正行為等の調査を妨害し又は正当な理由なくこれに協力せず、公正な措置の実施を妨げたとき」は、「措置の期間を当該措置の期間の長期の2倍（ただし、当該措置の期間の長期の2倍が36箇月を超える場合は36箇月）に延長することができる。」とされている。

[137] 措置の要件となる不正行為等の内容、認定方法、措置の期間などは、概ね上記のODA 事業に関する不正行為等に対する措置と同様である。詳細は、「独立行政法人国際協力機構が行う契約における不正行為等に対する措置規程」を参照。

[138] 減免措置については、JICA ウェブサイト上の「政府開発援助（ODA）事業における不正腐敗防止（再発防止策の更なる強化）Q&A」（https://www.jica.go.jp/about/organization/corp_gov/leniency_program.html）に記載されている。Q9 によると、①自己申告の前に JICA 又は外務省からの事実関係の照会を受けていないこと、公正取引委員会等の行政機関による処分を受けていないこと、又は逮捕若しくは公訴提起されていないこと、②自己申告した後に不正行為を行っておらず、今後も行わないことを誓約すること、③まだ契約が行われていない場合には不正行為の対象となった案件の入札プロセスから辞退すること、④自己申告から3週間以内に不正行為の再発防止に向けた適切な方策を策定し、措置の減免後にもその実施状況にかかる報告を行う旨の宣誓書を提出することが条件とされている。

等の不正行為を行った企業に対して一定期間ODA事業に参加させないようにする措置制度を設けている[139]。その制度の概要はおおむね上記JICAによる措置制度と同様であり、減免制度（リニエンシー制度）も導入されており、企業が関与した不正行為について、外務省その他の機関等による措置又は逮捕等の前までに当該企業が自主的に自己の不正行為を申告した場合、一定の要件の下[140]に措置の減免を認めている。

(3) 民事上の責任

取締役、執行役、監査役等は、違反行為に主体的・直接的に関与していた場合はもちろん、そうでない場合であっても、株主から任務懈怠責任（会社法423条）を問われる可能性がある（**第3章第1節2(4)参照**）。

(4) 自主開示の制度

不正競争防止法において、自主的に違反行為を申告した場合に処分が軽減されるような特別な自己申告制度は設けられていない。

もっとも、刑法上の「自首」（刑法42条1項）をすれば、刑が減軽され得る。ただし、刑法上の自首は、捜査機関に発覚する前に、自己の犯罪事実を申告し、その訴追を含む処分を求めた場合に成立し、違反行為の嫌疑が生じたにすぎない場合等犯罪事実がいまだ確定していない段階では、捜査機関に

---

139) 詳細は、「日本国のODA事業において不正行為を行った者等に対する措置要領」（https://www.mofa.go.jp/mofaj/gaiko/oda/kaikaku/f_boshi/201410_sochi.html）及び「自己申告による措置の減免制度（リニエンシー制度）に関するQ&A」（https://www.mofa.go.jp/mofaj/gaiko/oda/files/000178152.pdf）を参照。

140) 自己申告による措置の減免制度（リニエンシー制度）に関するQ&A問7、8等によると、正式に措置の減免に係る申告を行うには、不正行為等に係る申告書（関連資料を含む。）、申告書で申告した以外の不正行為等を把握していないこと及び今後は不正行為等を行わない旨の宣誓書、改善措置を策定・報告（不正行為等の申告から3週間以内）し、措置の減免後にもその実施状況に係る報告を行う旨の宣誓書を提出すると共に、不正行為等の申告から3週間以内に改善措置（再発防止策）の策定・報告をした上で、措置の減免後は、改善措置の実施状況に係る報告を最低年1回3年間行う必要があるとされている。また、理由なく実施状況に係る報告が行われないとき等は、措置の減免を取り消すとされている。

申告等を行っても、刑法上の「自首」とはみなされない。しかし、その場合でも、自主的に申告を行ったという事実は、検察官による終局処分及び求刑並びに裁判所の量刑において刑を軽減する方向に働く有利な情状として考慮される余地はある。

4　実例の紹介

　日本において、外国公務員贈賄罪が適用され、起訴されて刑事罰が科された事案は、2024年3月時点において確認できた限りでは12件である[141]。

　なお、日本は、これまでに4次にわたるOECD贈賄作業部会による条約審査において、同罪の適用事例が少なく条約の実施が不十分であることを繰り返し指摘され、執行強化に向けた勧告を受けており、2023年改正による外国公務員贈賄罪に係る罰則の強化・拡充も作業部会による条約審査の結果及び勧告を反映したものである[142]。

　このような作業部会による指摘及び勧告や、その後の不正競争防止法の改正の内容等に照らすと、捜査機関が外国公務員贈賄罪に対する捜査及び起訴を積極的に行っていくことが見込まれ、現に、下記のとおり、2023年改正以前から、外国公務員贈賄罪の訴追例は増加傾向にあり、捜査機関が事案の大小にかかわらず、外国公務員贈賄罪について積極的に立件、訴追しようとする姿勢が見てとれる。今後も、このような傾向は続いていくものと思われる。

　また、個別具体的な事件の処理に当たっても、上記のような作業部会による指摘・勧告及び外国公務員贈賄罪に対する法定刑の引上げの結果として、厳罰化が進むことが想定される。特に、第4次審査において懲役刑と罰金を併科された事案がないことや懲役刑につきいずれも執行猶予が付されていることが具体的に挙げられていることに鑑みると、自然人が外国公務員贈賄罪について有罪とされた場合、懲役刑については執行猶予が付されない実刑となり、かつ、高額な罰金刑が併科される可能性が高まることが予想される。

---

141)　以下の事例の紹介は、主として経産省指針41頁以下の記載に基づくものである。
142)　2019年に行われた第4次対日条約審査の報告書及び作業部会の勧告は、前掲（注94）のとおりである。

(1) フィリピン公務員に対する不正利益供与事案（福岡簡裁 2007 年 3 月）

2007 年 3 月 16 日、電気工事会社の社員 2 名が、外国公務員贈賄罪により略式起訴され、同日、社員のうち現地子会社での肩書が副社長であった者には罰金 50 万円、技術者には罰金 20 万円の略式命令が下された。社員 2 名は、フィリピンにおける自動指紋照合システム事業への参入をめぐり、現地子会社に出向中の 2004 年 4 月上旬、フィリピンの国家捜査局（NBI）の長官ら 2 名を日本に招いて接待し、その際、賄賂として計約 80 万円相当のゴルフセット等を贈ったとされる。

(2) ベトナム公務員に対する不正利益供与事案（東京地裁 2009 年 1 月及び 3 月）

2008 年 8 月 25 日、大手の建設コンサルタント会社の幹部 4 名及び会社が、外国公務員贈賄罪により公判請求され、2009 年 1 月 29 日、4 名のうち代表取締役以外の 3 名に対し、それぞれ 3 年間の執行猶予付きの懲役 1 年 6 月、懲役 1 年 8 月、懲役 2 年の判決が下され、会社に対しては罰金 7,000 万円の判決が下された。代表取締役に対しては、中国での遺棄化学兵器処理事業をめぐる経費を国に対して過大に請求して合計約 3 億円を詐取した罪についても起訴されており、同年 3 月 24 日、同罪及び外国公務員贈賄罪により、3 年間の執行猶予付きの懲役 2 年 6 月の判決が下された。

幹部 4 名らは、2003 年 12 月及び 2006 年 8 月、ベトナムにおける高速道路を建設する ODA 事業のコンサルティング業務を受注した謝礼等として、高速道路建設事業の契約締結等に関する権限を有していた管理局長に対し、合計 82 万米ドル（当時のレートで約 9,000 万円）を渡した。

会社は、本件により、外務省及び JBIC から 24 か月間の円借款事業及び無償資金協力事業に関する受注失格の処分も受けた。

また、会社は、JICA の登録コンサルタント名簿から削除された。

(3) 中国の地方政府幹部に対する不正利益供与事案（名古屋簡裁 2013 年 10 月）

2013 年 10 月 3 日、自動車部品メーカーの元専務が、中国の地方政府幹部に対する外国公務員贈賄罪により略式起訴され、罰金 50 万円の略式命令が下された。中国の現地工場の違法操業を黙認してもらうために、現金 3 万香港ドル（当時のレートで約 45 万円）と女性用バッグ（同約 14 万円）の合計約 60 万円相当を贈ったとされる。報道によれば、元専務は税関職員等数人に 5,000 万円以上の賄賂を渡したとみられるが、起訴内容以外の贈賄行為は公訴時効が成立していたとされている。

(4) インドネシア、ベトナム及びウズベキスタンにおける日本の円借款事業（有償資金協力事業）を巡る不正利益供与事案（東京地裁 2015 年 2 月）

2014 年 7 月 10 日、鉄道関連の建設コンサルタント会社の幹部 3 名が、ベトナムでの ODA 事業に関連して鉄道公社関係者等に現金を支払ったとして外国公務員贈賄罪により公判請求された。同年 8 月 1 日、インドネシア及びウズベキスタンに関する案件についても追起訴がなされた。2015 年 2 月 4 日、3 名に対し、3 年間の執行猶予付きの懲役 2 年、4 年間の執行猶予付きの懲役 3 年、3 年間の執行猶予付きの懲役 2 年 6 月の判決が下され、会社に対しては罰金 9,000 万円の判決が下された。

幹部 3 名らは、自社に有利な取り計らいを受けたいと考え、ベトナム鉄道公社のハノイ市都市鉄道建設事業に関し、同公社関係者に対して現金約 6,990 万円を、インドネシア運輸省鉄道総局のジャワ南線複線化事業に関し、同鉄道総局関係者に対して現金合計 15 億 3,725 万ルピア（当時のレートで約 1,500 万円）及び 500 万円を、ウズベキスタン鉄道公社の鉄道電化事業に関し、同公社関係者に対して現金合計 57 万 7,777.89 米ドル（当時のレートで約 5,477 万円）をそれぞれ支払った。

会社は、本件により、外務省から、36 か月間の無償資金協力への参加を排除する措置等の処分を、JICA から、36 か月間の資金協力事業（有償・無償）における調達契約の当事者となることを認めないなどの措置を受けた。

(5) タイ王国公務員に対する不正利益供与事案（東京地裁 2019 年 9 月及び最高裁 2022 年 5 月）

　横浜市に本店を置き、火力発電システム等に係る施設又は設備を構成するボイラー、ガスタービン等の機器及び装置の研究、開発、設計、調達、製造等に関する業務等を営む会社の執行役員兼調達総括部長、調達総括部ロジスティクス部長及び取締役常務執行役員兼エンジニアリング本部長の 3 名が、新たに接岸する船舶の種別の変更申請を行う等の正規の手続によらずに許可条件違反を黙認してはしけの仮桟橋への接岸及び貨物の陸揚げを禁じないなどの有利かつ便宜な取り計らいを受けたいとの趣旨の下に、現地の下請業者から派遣された者を介して、タイ王国の公務員に現金 1,100 万タイバーツ（約 3,993 万円相当）を供与した事案であり、後述する合意制度が適用された事案。

　自然人の被告人 3 名のうち、2 名に懲役 1 年 6 月（執行猶予 3 年）、1 名に懲役 1 年 4 月（執行猶予 3 年）が科された。一方、合意制度が適用された結果、会社は刑事訴追を受けていない。

(6) ベトナム公務員に対する不正利益供与事案（神戸簡裁 2019 年 12 月）

　ベトナム国籍を有する依頼者の日本国における在留資格取得等の支援事業を営んでいた日本在住のベトナム人が、ベトナム人の在留資格の申請に必要な書類を不正に交付してもらうために、在福岡ベトナム総領事館の領事計 15 万円を供与した事案。

　被告人に対しては、罰金 50 万円が科された。

(7) ベトナム税関職員に対する不正利益供与事案（名古屋簡裁 2020 年 1 月）

　電子機器製品の販売等を業とする会社の現地法人社長が、通関の違反をめぐる追徴金を減額させるなど有利な取り計らいを受けるため、ベトナムのハイフォン市税関局の幹部職員 2 人に 15 億ドン（約 735 万円相当）を供与したという事案。

　被告人には、罰金 100 万円が科された。

⑻　ベトナム公務員に対する不正利益供与事案（神戸簡裁 2020 年 6 月）

　ベトナム国籍を有する依頼者の日本国における在留資格取得等の支援事業を営んでいた日本在住のベトナム人が、婚姻届の提出に必要な添付書類を不正に交付してもらうために、在大阪ベトナム総領事館の領事に 10 万円供与すると共に、別途 10 万円の供与の約束をした事案。

　被告人には、罰金 50 万円が科された。

⑼　ベトナム公務員に対する不正供与事案（津簡裁 2020 年 7 月）

　ベトナム国籍を有する依頼者の日本国における在留資格取得の支援等の業務を営んでいた日本在住のベトナム人が、婚姻届の提出に必要な添付書類を不正に交付してもらうために、在大阪ベトナム総領事館の領事に計 14 万円を供与する約束をした事案。

　被告人には、罰金 50 万円が科された。

⑽　ベトナム公務員に対する不正利益供与事案（神戸簡裁 2022 年 8 月）

　富山県に本店を置く化学工業会社の代表取締役とベトナム現地法人の代表取締役 2 名が、行政違反に対する罰金の減免等の有利な取り計らいを受けたいとの趣旨の下、また、追徴課税の減免等の有利な取り計らいを受けたいとの趣旨の下に、ベトナム当局、税務局の職員に対し、それぞれ 8,000 万ドン（約 39 万円相当）、7 億ドン（約 329 万円相当）を供与した事案。

　被告人 3 名に対して、それぞれ罰金 100 万円、罰金 70 万円、罰金 40 万円が科された。

⑾　大使館職員に対する不正利益供与事案（長崎簡裁 2022 年 8 月）

　外国人招へい業務を営む会社の役員及び社員が、東京都内にある外国の大使館において、外国人招へいにかかる認証手続を迅速に実施してもらうために、大使館職員に 8 万円を供与した事案。

　被告人 2 名及び被告会社に対して、それぞれ罰金 30 万円が科された。

⑿　ベトナム税関職員に対する不正利益供与事案（東京地裁 2022 年 11 月）

　東京都に本店を置くプラスチック製品販売会社の代表取締役、執行役員兼経営企画部長、及びベトナム現地法人の代表者が、通関後検査における追徴課税の減免等の有利な取り計らいを受けたいとの趣旨の下、また、税務調査における追徴課税の減免等の有利な取り計らいを受けたいとの趣旨の下に、ベトナム税関局、税務局の職員に対し、それぞれ 20 億ドン（約 980 万円相当）、30 億ドン（約 1,380 万円相当）を供与した事案。

　被告人 3 名に、懲役 1 年（執行猶予 3 年）、1 年 6 月（執行猶予 3 年）、1 年 6 月（執行猶予 3 年）、被告会社に罰金 2,500 万円が科された。

　量刑の理由では、被告会社について、本件各犯行に関して第三者委員会を設置した上、検察庁に自主申告をして事案解明に協力しているほか、コンプライアンス体制を見直して再発防止の手段を講じたことが有利な事情として挙げられた。

5　日本版司法取引制度及び刑事免責制度の導入とその影響

　2018 年 6 月 1 日から、日本版司法取引制度である合意制度と、刑事免責制度が導入された。

⑴　日本版司法取引制度の概要

　日本版司法取引である合意制度とは、特定の財政経済犯罪と薬物銃器犯罪について、検察官と被疑者・被告人が、弁護人の同意がある場合に、被疑者・被告人が他人の刑事事件の解明に協力するのと引換えに、検察官が被疑者・被告人の事件について処分の軽減等をすることを合意するものをいい（刑事訴訟法 350 条の 2 〜 350 条の 15）、外国公務員贈賄罪（不正競争防止法 18 条 1 項）についても、その対象とされている（刑事訴訟法 350 条の 2 第 2 項 3 号、平成 30 年 3 月 22 日付政令 51 号 30 号参照）。

　外国公務員贈賄罪（不正競争防止法 18 条 1 項）で立件された事例について本制度が利用される場面としては

　①　関与した A 社の部長が、同じく関与した A 社の社長の関与について

協力する場合
② 関与したＢ社及びその役職員が、当時のＢ社社長の関与について協力する場合
③ 関与したＣ社及びその役職員が、同じく関与したＤ社の関与について協力する場合

等が考えられる。

「協力」することの具体的な内容としては、①を例にすると、Ａ社の部長がＡ社の社長の関与について、(イ)検察官の取調べで供述したり、(ロ)Ａ社の社長の公判で証言したり、(ハ)検察官に対して証拠を提出したりすることが挙げられる（刑事訴訟法350条の2第1項1号）。

その協力行為の引換えに得られる「処分の軽減等」の具体的な内容としては、①を例にすると、Ａ社の部長の刑事事件について、検察官が、(イ)公訴を提起しない、あるいは提起済みの公訴を取り消すこと、(ロ)軽い求刑をすること、(ハ)即決裁判手続や略式手続を利用すること等が挙げられる（刑事訴訟法350条の2第1項2号）[143]。

(2) 刑事免責制度の概要

刑事免責制度とは、裁判所が、検察官の請求により、証人に対し、その証言及びこれに基づいて得られた証拠を証人の刑事事件において不利益な証拠とすることができないという内容の決定をし、証人の自己負罪拒否特権（憲法38条1項）を失わせて証言を義務付けるものをいう（刑事訴訟法157条の2及び157条の3）。

例えば、外国公務員贈賄罪（不正競争防止法18条1項）に関与したＡ社の部長が、同じく関与したＡ社の社長の公判において証言するに当たり、自身が罪に問われる内容であっても証言が義務付けられる代わりに、その証言内容やこれに基づいて得られた証拠について、Ａ社の部長を被疑者・被告人とする外国公務員贈賄事件においては証拠とされないというものである。

---

[143] なお、協力行為をする被疑者・被告人が逮捕・勾留されていた場合、「処分の軽減等」として、逮捕・勾留を取り消すなどの措置を求めることはできない。

(3) 日本版司法取引制度及び刑事免責制度が導入されることによる影響

　日本版司法取引制度及び刑事免責制度が導入されてから 6 年が経過しているが、これまでに司法取引制度が利用された事件は 3 件にとどまり[144]、それらの事件においても、裁判所は合意の結果として得られた供述の信用性判断について慎重な態度を示しており、本執筆時点までに同制度が積極的に活用されるには至っていない状況にあるものと考えられる。

　一方、OCED 作業部会からは、上記のとおり外国公務員贈賄罪の積極的な執行と併せて、合意制度の活用も求められているところであり、合意制度を利用した第 1 号事件が上記 4 (1)⑤の外国公務員贈賄罪に係る事件であったことには一定の意義があったものとも考えられる。

　今後、捜査機関等が外国公務員贈賄罪について積極的に捜査、起訴を行っていくことが予想される中、合意制度の活用機会が増える可能性もあり、外国公務員贈賄事案に対して企業がとるべき方策を検討する上で、合意制度等の運用の推移を見ていくことで有益な示唆が得られる可能性がある。

---

[144]　法務省においては、有識者による「改正刑訴法に関する刑事手続の在り方協議会」が設けられ、合意制度や刑事免責制度を含む改正刑事訴訟法の現状や課題に関する協議が行われている（法務省ウェブサイト（https://www.moj.go.jp/shingi1/shingi06100001_00053.html））。

第4節　その他の国——フランス

1　概　要

　フランスでは、2016年に制定された「透明性、汚職防止及び経済活動の近代化に関する法律」（立法推進者の名から、通称「サパンⅡ法」。以下本節において、この通称を用いる）によって、外国公務員への贈賄行為に対する規制が大幅に強化された。

　サパンⅡ法によって、フランス国籍を有さない者であっても、常時フランスに居住している場合や、事業の全部又は一部をフランスで行っている場合には、フランス国外で行った外国公務員贈賄行為について罰せられることとなった。また、一定の規模を有するフランス企業の関連企業は、コンプライアンスプログラムの実施などを義務付けられることとなった。これらの規定は、日本企業にも大きな影響を及ぼす可能性がある。

　以下では、まずフランスの外国公務員贈賄罪がどのような場合に日本企業に適用されるかを述べ（下記 **2**）、次に、贈賄罪の構成要件（下記 **3**）及びエンフォースメント（下記 **4**）について説明し、最後に、サパンⅡ法が定めるコンプライアンスプログラムの実施義務等について紹介する（下記 **5**）。

2　適用範囲（域外適用）

　フランス法上、外国人（日本人や日本法人等、フランス国籍を有さない自然人・法人）による贈賄行為は、以下の場合に罰せられる。
　①　構成要件の少なくとも一部がフランス国内で実行された場合
　②　犯罪行為がフランス人（自然人又は法人）に対してなされた場合
　③　行為者が通常フランスに居住し、又は活動の全部若しくは一部をフラ

ンスで行っている場合[145]

　上記③の要件は、米国 FCPA や UKBA に倣って新設されたものであるが、その解釈には曖昧な点が残るため、フランスで何らかの活動を行う日本企業にとっては留意が必要である。

3　贈賄罪の構成要件

(1) 贈賄行為の類型

　フランス法の贈賄罪は、単純贈賄罪（Corruption）及びあっせん贈賄罪（Influence Peddling）から成る。

　単純贈賄は、公務員等（私人を含む）による不正な職務執行を目的として、当該公務員等に利益提供を申し出る行為であり、贈賄者と公務員等（収賄者）の二者間で行われる。フランス法の単純贈賄罪においては、フランスの公務員のみならず外国公務員、そして私人も客体に含まれている。

　これに対し、あっせん贈賄は、贈賄者が、公務員への影響力を有する中間者に対して利益提供を申し出る行為である。あっせん贈賄は、中間者に公務員への影響力を濫用させようとすることを違反とするものであり、中間者が公務員である必要はなく、賄賂が中間者を通じて公務員に提供される必要もない。あっせん贈賄の客体にも、フランスの公務員のみならず外国公務員が含まれるが、私人は含まれていない。

　以下、各類型の構成要件について詳述する。

(2) 単純贈賄（Corruption）

① 行　為

　単純贈賄罪は、贈賄者（下記②）が、公務員等（下記③(i)〜(iii)のいずれかに該当する者をいい、私人を含む。以下本節において同じ）に不正な職務執行を行わせる意図（下記④）をもって、正当な理由なく、直接又は間接に、当該公務員又は第三者に対し、申出、約束、贈物その他の利益を提供すること（以

---

[145]　刑法 435-11-2 条。

下本節において「利益提供」という）を申し出る場合に成立する。

処罰の対象となるのはあくまで「申し出る」行為であって、利益提供を実際に行うことは必要ない。実際に不正な職務執行が行われることも要件とはされていない。

また、公務員等から、不正な職務執行の対価として利益提供をするよう不法な要求を受けた場合に、これに従うことも単純贈賄罪を構成する。

② 贈賄者

贈賄罪の主体には、特に制限はない。ただし、外国人に対する適用範囲については、上記2で述べたとおりである。

③ 贈賄の客体
(i) フランスの公務員・司法関係者

単純贈賄罪の客体となる第1の類型は、フランスの公務員又は司法関係者である。

公務員には(イ)公的権限を有する者、(ロ)公的業務を行う者、及び(ハ)選挙により公職に就いた者が含まれる[146]。

司法関係者には(イ)裁判官、陪審員及び裁判所関係者、(ロ)裁判所書記官、(ハ)裁判所又は当事者により指名された専門家、(ニ)司法裁判所又は行政裁判所により任命された調停人、並びに(ホ)フランスの仲裁法に基づいて仲裁を行う仲裁人が含まれる[147]。

(ii) 外国公務員・司法関係者

単純贈賄罪の客体となる第2の類型は、外国の公務員又は司法関係者である。

外国公務員には、(イ)外国又は公的国際機関において公的権限を有する者、(ロ)公的業務を行う者、及び(ハ)選挙により公職に就いた者が含まれる[148]。

外国司法関係者には(イ)外国の裁判所及び国際裁判所（以下本節において

---

146) 刑法 433-1(1)条。
147) 刑法 434-9 条。
148) 刑法 435-3 条。

「外国裁判所」という）において司法権を行使する者、(ロ)外国裁判所の書記官、(ハ)外国裁判所又は当事者によって任命された専門家、(ニ)外国裁判所により任命された調停人、並びに(ホ)外国の仲裁法に基づいて仲裁を行う仲裁人が含まれる[149]。

(iii) 私 人

単純贈賄罪の客体となる第3の類型は、私人である。

私人とは、上記(イ)(ロ)の公務員以外の者であって、職業上又は社会生活上、自然人又は法人その他の組織に雇用され、又はこれらの組織の管理職の地位にある者をいう[150][151]。

④ 不正な職務執行（目的）

贈賄罪が成立するためには、贈賄の行為者において、贈賄の相手方が贈賄行為の見返りとして、当該公務員等の地位、義務、権限又は職務に関して一定の行為を行い若しくは行わないこと、又は贈賄者に便宜を与えること（以下本節において「不正な職務執行」という）を目的としている必要がある。あくまで行為者においてこうした目的が認められれば足り、実際に不正な職務執行が行われていなくても贈賄罪は成立する。

(3) あっせん贈賄（Trafic d' Influence）

あっせん贈賄とは、贈賄者が、公務員に対する現実の又は外観上の影響力を有する中間者に対し、利益提供を提案する行為であり、これによって、中間者に当該影響力を濫用させ、政府機関や公的機関から自己に有利な決定・地位・取引等を得ることを目的とするものである。また、中間者から影響力行使の見返りとして利益の提供を求められ、これに従う行為も同様に罰せられる。上記のとおり、違反が成立するためには、中間者が公務員である必要

---

[149] 刑法 435-7 条。
[150] 刑法 445-1 条。
[151] なお、本節の趣旨に照らし詳説はしないものの、このような贈賄の相手方となった私人については、フランス法の下では収賄罪が成立し得ることに留意が必要である（刑法 445-2 条）。

はなく、賄賂が中間者を通じて公務員に提供される必要もない。

　フランス刑法下では、フランスの公務員・司法関係者及び国際機関の公務員・司法関係者の職務に関するあっせん贈賄のみが規制対象とされている。これに対し、サパンⅡ法は、外国公務員の職務に関するあっせん贈賄も規制対象としている[152]。そのため、国内外問わずあらゆる公務員及び司法関係者（私人は含まない）に関するあっせん贈賄が処罰の対象となっている。

4　エンフォースメント

(1) 刑事制裁

　単純贈収賄を行った場合、フランス公務員又は外国公務員に関する場合は、10年以下の禁錮刑及び100万ユーロ（約1億2,690万円）以下の罰金又は贈賄金・収賄金の2倍の額の罰金が科される[153]。私人に関する場合は、5年間の禁錮刑及び50万ユーロ（約6,350万円）又は贈賄金・収賄金の2倍の額の罰金が科される[154]。

　あっせん贈収賄を行った場合、中間者がフランス公務員であれば、10年間の禁錮刑及び100万ユーロ（約1億2,690万円）の罰金又は贈賄金・収賄金の2倍の額の罰金が科される[155]。中間者が外国公務員、外国司法関係者又は非公務員である場合は、5年間の禁錮刑及び50万ユーロ（約6,350万円）の罰金又は贈賄金・収賄金の2倍の額の罰金が科される[156]。

　上記の制裁に加えて、違反者が自然人である場合は、一定の民法上の権利、違反行為と関係する職業上又は社会生活上の活動若しくは公務員になること等が制限され得る[157]。違反者が法人である場合は、裁判所による監督、違反に関連した部署等の閉鎖、入札への参加禁止等の制裁があり得るほか、サパンⅡ法導入後は、同法により創設された当局である反汚職庁（AFA：

---

[152]　サパンⅡ法20条。
[153]　刑法433-1(1)条、432-11(1)条、435-3条、435-1条。
[154]　刑法445-1条、445-2条。
[155]　刑法433-1(2)条、432-11(2)条。
[156]　刑法433-2条、435-2条、435-4条、435-8条、435-10条。
[157]　刑法432-17条、433-22条、435-14条、445-3条。

Agence Française Anticorruption）の監督下におけるコンプライアンスプログラムを実施しなければならない場合がある。

(2) ファシリテーション・ペイメント・贈答品等

　フランスにおいては、公務員に対する米国 FCPA のファシリテーション・ペイメントのように、公務員の非裁量的業務に関する円滑化のための少額の支払について適用を除外する旨の規定はない。また、公務員に対する少額の贈答品・接待を認める規定もない。したがって、円滑化のための少額の支払であっても、公務員贈賄罪を構成する可能性は否定できない。ただし、少額であるという事情は、執行において考慮される可能性がある。

(3) リニエンシー

　贈賄者又はその共犯者が、行政当局又は司法当局に通報し、これによって当局が犯罪を阻止し、又は他の贈賄者若しくは共犯者を特定できた場合には、通報者の刑罰が半分に減軽される。

(4) 公益司法取引

　サパンⅡ法は、贈賄等[158]を行った企業について、当該企業が検察官との間で一定の義務を内容とする合意を行い、その義務を履行した場合には刑事訴追を免責するという制度（Convention Judiciaire d'Intérêt Public）（以下本節において「公益司法取引」という）を定めている。これは、米国 FCPA や UKBA の訴追猶予合意の制度に類似するものである。この運用については、2023 年にフランス金融検察局（PNF）が公益司法取引の実施に関するガイドライン（以下本節において「公益司法取引ガイドライン」という）を策定している[159]。

---

158) 贈賄行為以外に、脱税、マネーロンダリングが取引の対象とされている（サパンⅡ法 22 条）。

① 公益司法取引の要件

(イ) 公益司法取引は、法人のみ利用可能な制度である。公益司法取引は、検察官がこれを提案した場合か、予審判事が検察官の同意を得てこれを提案した場合しか利用することはできない。

(ロ) 公益司法取引は、以下の義務を1つ以上含むものでなければならない。
・違法行為により得られた利益の額に応じて定められる罰金[160]の支払（ただし、罰金額は、違法行為が発覚した日から過去3年間の平均年間売上高[161]の30%以下とする）。
・AFAの監督の下でのコンプライアンスプログラムの実施又は改善。
・被害者に対する補償。

(ハ) 公益司法取引ガイドラインによれば、公益司法取引の提案を受けようとする場合、法人は、誠実に協力したことを示さなければならない。誠実な協力の要素としては、以下が例示されている。
・合理的な期間内に事実（特に検察官がまだ認識していない事実）を自発的に検察官に開示したこと。
・関連する事実及び個人について内部調査を行ったこと及び内部調査の報告書を検察官に提出したこと。
・サパンⅡ法上コンプライアンスプログラムの実施義務の対象外となる企業であっても、コンプライアンスプログラムを実施したこと。
・コンプライアンスプログラムの質及び有効性を強化するための再発防止策を速やかに実施したこと。
・経営陣を交代させたこと。
・被害者に対し事前に補償を行ったこと。

---

159) 参考訳として英訳が以下のサイトで開示されている（https://www.tribunal-de-paris.justice.fr/sites/default/files/2023-03/Guidelines%20on%20the%20implementation%20of%20the%20CJIP_PNF_January%2016%202023%20VD.pdf）。

160) 公益司法取引ガイドラインにおいて、罰金額算出の際の考慮要素が記載されている。これによれば、罰金は利益の吐き出しに対応する部分と制裁金の部分から成り、制裁金の部分については違法行為の再発、公序への深刻な侵害といった加重要素と、自発的開示、被害者への事前の補償、捜査への協力といった減軽要素を考慮して決定するものとされている（公益司法取引ガイドライン3.1.2～3.1.3）。

161) 公益司法取引ガイドラインにおいては、公益司法取引を行う法人の会計が連結会計に組み込まれている場合には、ここでの売上高は連結での売上高を指すとされている（公益司法取引ガイドライン3.1.1）。

② 公益司法取引の効果

　企業が検察官との間で公益司法取引に合意し、その有効性が大審裁判所の判事によって認められると、刑事訴追が延期される。その後、企業が取引義務を全て履行すると、当該企業は刑事訴追の免責を受けることができる。企業は、判事の認定を受けてから 10 日以内であれば、合意を撤回できる。企業が合意を撤回した場合、又は合意された義務の履行を怠った場合には、検察官はあらためて訴追をすることが可能となる。

　公益司法取引はあくまで刑事手続に関するものであり、これが成立したからといって、民事上被害を受けた私人からの損害賠償の請求を妨げるものではない。また、公益司法取引の存在は AFA のホームページ上で公表されるので、いずれにせよ企業への一定の不利益は避けられない。

　こうした公益司法取引の近時の例として、Airbus SE が複数国が関与する汚職に関し PNF との間で 2020 年と 2022 年に行った公益司法取引が挙げられる[162]。Airbus SE は 2020 年の公益司法取引では約 20 億ユーロを、2022 年の公益司法取引では約 1,600 万ユーロを、それぞれフランス政府に支払って和解している。

(5) 民事損害賠償

　贈賄行為によって損害を受けた者は、贈賄者に対して、民法上の損害賠償請求を行うこともできる。もっとも、損害を証明することは困難であることから、このような請求は実務上はあまり現実的でない。

---

[162] 2020 年の公益司法取引に係る合意書については英語版が AFA のウェブサイトにおいて開示されている（https://www.agence-francaise-anticorruption.gouv.fr/files/files/CJIP%20AIRBUS_English%20version.pdf）。

5 汚職の防止及び発見に関する規制

(1) 概　要

サパンⅡ法は、上記のような贈賄罪の処罰強化に加え、汚職の防止や発見を目的として、一定の規模を有する企業へのコンプライアンスプログラムの実施や、内部通報者の保護強化を義務付ける制度についても規定している。

(2) コンプライアンスプログラムの実施義務

① 適用対象

コンプライアンスプログラムの実施義務を負うのは、以下に該当する企業である。

(イ) 従業員数が 500 名以上で、売上高が 100 万ユーロ（約 1 億 2,690 万円）を超えるフランス企業

(ロ) 親会社がフランス企業であり、グループ全体の従業員数が 500 名以上であって、グループ全体の連結売上高が 100 万ユーロ（約 1 億 2,690 万円）を超える企業グループに属するあらゆる国籍の企業

また、上記の要件を満たさない企業であっても、刑法上の贈賄行為[163]を行った場合には、刑事罰として、AFA の監督の下、5 年間を上限とする同様のコンプライアンスプログラムの実施を義務付けられる可能性がある[164]。

② プログラム実施義務の内容

サパンⅡ法では、上記①の条件を満たす企業に対し、以下の 8 つの措置を含むコンプライアンスプログラムの実施を義務付けている[165]。

(イ) 贈賄罪に該当する可能性がある行為を規定した、行為規範の策定。

---

[163] 刑法 433-1 条、433-2 条、434-9 条、434-9-1 条、435-15 条、445-4 条。
[164] サパンⅡ法 18 条、刑法 131-39-2 条。
[165] サパンⅡ法 17 条 2 項。

(ロ) 従業員が行為規範に違反する事実を通報できるような、内部通報システムの構築。

(ハ) 自社の業種及び地理的状況に応じて、外部からの贈賄の誘惑のリスクを特定・分析し、優先順位をつけた、リスクマップの作成及びその更新[166]。

(ニ) 上記のリスクマップに照らして、顧客、サプライヤー、仲介業者等が贈賄を行うリスクを評価するための手続[167]。

(ホ) 会計帳簿、財務記録、会計処理が贈賄行為の隠蔽のために利用されないための、強度な会計統制手続。

(ヘ) 贈賄を行い得る立場にある管理職及び従業員に対する研修プログラムの実施。

(ト) 従業員が行為規範を遵守しなかった場合に適用される懲戒手続の策定。

(チ) (イ)～(ト)の各プロセスが実施されていることを監視し、コントロールするシステムの設置[168]。

なお、AFAは、これらの義務の具体的な履行方法についてガイドラインを公表している[169]。当該ガイドラインによれば、経営陣によるコミットメント、リスクマップの作成、リスク管理がこうしたコンプライアンスプログラム実施の3つの柱であるとされている。

③ 制　裁[170]

AFAは、企業によるコンプライアンスプログラムの実施を監督する。

AFAは、企業が法定のコンプライアンスプログラムを実施していないと判断した場合、当該企業に警告を発する。企業がこれに従わない場合、AFAの制裁委員会は、下記の制裁を科すことができる[171]。

(イ) AFAの推奨に従ったコンプライアンスプログラムを3年以内に実施

---

166) サパンⅡ法17条。
167) サパンⅡ法17条。
168) ただし、刑事罰としてコンプライアンスプログラムの実施が義務付けられる場合には、本(viii)の履行は義務付けられない。
169) フランス語版と英語版が公表されている（https://www.agence-francaise-anticorruption.gouv.fr/fr/lafa-publie-nouvelles-recommandations s）。
170) サパンⅡ法17条。

することを内容とする改善命令。
(ロ) 個人（社長、CEO、業務執行取締役、会社の執行委員会のメンバー等）に対する20万ユーロ（約2,540万円）以下の課徴金、及び企業に対する100万ユーロ（約1億2,690万円）以下の課徴金。

　AFAは、これらの改善命令及び課徴金賦課の決定を公表することができる。

　他方、刑事罰としてコンプライアンスプログラム実施義務を課された企業が必要な措置をとらなかった場合には、代表者に対する2年以下の禁錮及び5万ユーロ（約6,350万円）以下の罰金、又は企業に対する5万ユーロ又は贈賄額を上限とする罰金が科され得る[172]。

(3) 内部通報保護の強化

① 内部通報制度導入義務

　従業員数が50人以上のフランス企業は、従業員が内部通報を行うための手続を整備する義務を負う[173]。内部通報を行うための手続は、(イ)内部通報者が通報する際の手順や条件、(ロ)通報を受領したことを遅滞なく通報者に通知し、通報内容を適切に検討し、どのような措置がとられたかを通報者に通知する仕組み、(ハ)通報者の情報の秘匿等を内容とするものでなければならない。

② 通報者の保護

　ここでの内部通報者は、犯罪行為、重罪、フランスが適法に批准若しくは承認した国際合意への明白かつ重大な違反、公共の利益に対する重大な脅威若しくは危害のうち、自ら知るに至った事実を、個人的な利害なく、善意で告発する自然人を指す[174]。

　内部通報者を特定できるような秘密は厳に守秘することが求められ、これに違反して特定につながる情報を開示した場合には、2年以下の禁錮及び3

---

171) サパンⅡ法17条。
172) サパンⅡ法18条、刑法434-43-1条。
173) サパンⅡ法8条。
174) サパンⅡ法6条。

万ユーロ（約381万円）以下の罰金を科される[175]。また、使用者である企業は、内部通報者に対し、内部通報をしたことをもって、解雇、賃金減額その他いかなる不利益な取扱いを行うことも禁止される[176]。内部通報を妨げた者には、1年以下の禁錮及び1万5,000ユーロ（約190万円）以下の罰金が科される。また、内部通報者に対して悪質な中傷を行った者に対しては、3万ユーロ（約381万円）以下の民事罰が科される[177]。

　他方で、濫用的な内部通報から使用者を保護する規定も置かれている。すなわち、虚偽の通報を行った者に対しては、5年以下の禁錮及び4万5,000ユーロ（約571万円）以下の罰金が科される[178]。

---

175)　サパンⅡ法9条。
176)　サパンⅡ法10条。
177)　サパンⅡ法13条、フランス刑事訴訟法177-2条、212-2条。
178)　サパンⅡ法10条、刑法226-10条。

第3章

外国公務員贈賄規制への実務対応

第1節　贈賄防止コンプライアンス体制の整備

1　はじめに

　日本企業を含む海外企業に対して積極的な執行がなされている米国FCPAをはじめ、広範な域外適用の可能性のあるUKBA等、各国における外国公務員贈賄規制はグローバルに活動する日本企業にとって特に重要な規制である。これらの法律は、米国や英国と関係のない取引に対しても適用可能性があり、米国や英国に直接進出していなくとも、およそ海外展開をしている日本企業（経済活動がグローバル化した今日においては、海外展開と無縁な企業はむしろ少数であろう）は、外国公務員贈賄規制違反を防止するためのコンプライアンス体制を整備することが急務となっている。

　それでは、真に有効なコンプライアンス体制を構築するためにはどのようなポイントに注意すべきであろうか。各当局も指摘するように、あらゆる企業に適用できるコンプライアンス体制のテンプレートは存在せず、コンプライアンス体制を導入する際には、各企業の実態や事業内容に応じて個別具体的に贈賄リスク等を勘案した上で、コンプライアンス体制を構築・整備・運用することが必要である。以下では、外国公務員贈賄規制違反を防止するためのコンプライアンス体制を構築する際にどのような点に注意すべきかを中心に解説を行う。

　なお、適切なコンプライアンス体制の構築・整備に当たっては、各当局が発行しているガイドラインの内容を精査し、これを遵守することが必要不可欠となる。以下の解説においても、必要に応じて各当局が発行するガイドラインの内容等を紹介していく。

2　贈賄防止コンプライアンス体制の構築・整備の意義

まず、そもそも企業が贈賄防止コンプライアンス体制を構築・整備する意義はどこにあるのだろうか。

(1)　違反行為の未然防止

贈賄防止コンプライアンス体制を構築・整備することの主要な目的の1つとして、違反行為の未然防止が挙げられる。贈賄行為への厳罰化が進む現状において、贈賄規制違反を未然に防止し、高額の罰金等が科される事態を防止する必要性は高い。とりわけ、未然防止との関係では以下の観点が重要になる。

① 従業員に対して、どのような行為が贈賄行為として贈賄規制違反となり得るのか、違反行為に関与した場合に会社・個人に対してどのような制裁が科せられ得るのかについて正確な知識を与え、正しく法律を理解させること。例えば、従業員は「賄賂」を支払えば法律に違反することは理解していても、過剰な接待・贈答が贈賄行為になり得ることを理解していなかったり、少額の支払であれば全て許容されると誤解していたりするケースも多い。従業員に対しては、このような不正確な知識や誤解に基づき行動しないよう、十分に教育・啓蒙し、法律を正しく理解させることが重要である。

② 贈賄規制違反を抑止するための体制整備を行うこと。例えば、定期的な監査を行い疑わしい支出がないかなどをチェックする、必要に応じて内部通報制度や自主申告制度を整備するなど、違反行為が継続することを抑止するシステムを導入することが重要である。

③ 贈賄規制に違反した従業員に対しては厳しい懲戒処分を行うことを周知し、違反が発覚した場合には、実際に厳しく処分すること。米国FCPA指針においても懲戒処分の適切な執行が「企業のコンプライアンス文化を醸成する」[1]とされているなど、各当局もこの点を重視してい

---

1) 米国FCPA指針61-62頁。

るといえる。

(2) 違反行為の早期発見

いかに精緻に構築・整備された贈賄防止コンプライアンス体制であっても、100％違反行為を防ぐことは難しい。悪意を持った従業員が単独で実行し、精巧に隠ぺい工作を行っている場合等は、組織として止めようがなかったということもあり得る。

しかし、適切な贈賄防止コンプライアンス体制を構築しておけば、問題となる行為の早期発見につながり、企業が被る損害を最小限にとどめることが可能となる。違反につながる徴候を早期に発見できれば、大きな問題となる前に対処することが可能となる上に、違反の事実を発見した場合も、企業としてどう行動すべきか早い段階で検討することが可能となる。とりわけ当局が調査を開始する前に企業が違反行為を自主的に発見した場合には、当該違反行為について当局に自主申告するか否か、自主申告するとしてどの国の当局に申告すべきかなどを戦略的に検討し選択することが可能となり、この場合のメリットは大きい。

特に、米国においては、適切なコンプライアンス体制の構築により問題となる行為を早期発見した場合のメリットが大きい。FCPAの企業に対する執行に関するポリシー（FCPA Corporate Enforcement Policy）では、米国FCPA違反行為を自発的に自主開示し（voluntarily self-disclosed）、全面的に調査に協力し（fully cooperated）、適時に適切な改善措置を講じた（timely and appropriately remediated）企業は、違反行為の態様や悪質性に鑑みて処分を加重すべき要素がない限りは、原則として不訴追処分とすることとされている[2]。本ポリシーの内容については、**第3章第2節3(2)**も参照されたい。

このようなポリシーが存在する米国においては、FCPA違反行為が起きてしまった場合の被害の最小化という観点から、適切なコンプライアンス体制を整備しておく必要性は特に高いといえる。

---

2) ただし、企業は、不起訴処分の推定を受ける前提として、違反行為から不当に得た利得の返還、没収、補償等の支払を行わなければならない。

(3) 当局対応における利点

仮に違反行為が行われ、当局による調査が開始されたとしても、適切なコンプライアンス体制を構築・整備していた場合には、制裁が軽減され、場合によっては免除される可能性もある。

① UKBA

第2章第2節3(2)に述べたとおり、UKBAでは、企業の「関係者」（associated person）によって贈賄行為が行われた場合に、贈賄行為を防止するための適正な手続（adequate procedures）を講じていないと当該企業が責任を負うことになる（UKBA7条）。裏を返せば、贈賄行為防止のための適切なコンプライアンス体制を構築していた場合には、たとえ「関係者」（子会社など資本関係のあるものの場合もあれば、販売代理店など第三者も含まれる）が贈賄行為を行っていたとしても、当該企業は免責され得る。したがって、UKBAが適用され得る日本企業にとっては、同法の責任を免れるためには、適切なコンプライアンス体制を構築することが肝要である。

なお、**第2章第2節5(5)**に述べたとおり、英国ではUKBA7条違反により摘発が行われる事例が増えてきている。公表情報に基づく限り、日本企業がUKBAの執行の対象となった事例は存在しないが、贈賄行為防止のための適正な手続の懈怠が現実に執行の対象になり始めていることからすると、UKBAとの関係でも贈賄行為防止のための適切なコンプライアンス体制の構築の重要性は増していると考えるべきであろう。

② 米国FCPA

UKBAとは異なり、米国FCPA上は贈賄防止のコンプライアンス体制を構築・整備することが抗弁事由になるといった明文の規定は存在しない。しかし、米国執行当局は、下記の具体例のように、その裁量の範囲内で、違反行為を行った企業が有するコンプライアンスプログラムの内容を精査した上で、制裁の軽減や免除を行っている。

---

3) United States v. Peterson, 859 F.Supp.2d 477 (E.D.N.Y. 2012)

(i) モルガン・スタンレー事件[3]

　モルガン・スタンレー不動産取引グループの上海事務所が、上海地区において不動産投資を行うに当たり、モルガン・スタンレーのマネージング・ディレクターが現地国営企業の従業員に対して贈賄行為を行っていた。当該マネージング・ディレクターは、米国FCPA違反の罪でDOJと司法取引を行い、9か月の禁錮刑が科せられた。

　本件に関するDOJのプレスリリース[4]によれば、DOJは、モルガン・スタンレーに対する法執行について、同社が行為当時、従業員が贈賄行為を行っていないと合理的に信じるに足りるようなコンプライアンス体制を構築していたこと、DOJに本件違反行為を自主申告しDOJの調査に全面的に協力したことなどを考慮し、米国FCPA違反に基づく執行をしないと結論付けた。このように、行為当時に効果的なコンプライアンス体制を有していることは、たとえ違反行為自体は防げなかった場合であっても、制裁を免除又は軽減する方向の一要素として考慮されることになる。上記マネージング・ディレクターに対する略式起訴状（information）によれば、当時のモルガン・スタンレーにおけるコンプライアンス体制は、おおむね以下のとおりである。

(i) コンプライアンスのための十分なリソースの確保：2002年から2008年の間、コンプライアンスに専属的に従事するコンプライアンスオフィサーを500名以上確保し、コンプライアンスチームが直接取締役に報告する体制をとっていた。

(ii) 不適切な支出を防止するために、一定額以上の支出をする際には承認手続を経る必要があった。

(iii) 年中無休24時間対応、多言語対応のホットラインを設置していた。

(iv) 従業員に対する十分な研修（講義による研修のほか、E-ラーニング、贈賄規制の内容にかかるリマインダーの送付等の方法を含む）を行っていた。また、従業員に対して、毎年、贈賄防止ポリシーを含む行動規範（Code of Conduct）の遵守を誓約することを要求していた。

(v) 上記のようなコンプライアンスプログラムの実効性を定期的に確認していた。定期的なリスク評価を行い、外部カウンセルの協力を得て、毎

---

4) http://www.justice.gov/opa/pr/2012/April/12-crm-534.html

年贈賄防止ポリシーの再検討を行っていた。
(vi) 第三者との取引を行う際に、デューデリジェンスを行っていた。モルガン・スタンレーは、このようなコンプライアンス体制を構築した上で、本件において贈賄行為を実行したマネージング・ディレクターに対しても十分な研修を実施し贈賄防止ポリシーの遵守を誓約させていた。当該マネージング・ディレクターは、贈賄に関する支出についての社内承認を得る際に十分な情報を開示せずに承認を受けていた。また、モルガン・スタンレーは、当該中国国営企業との間で取引を行う際に、国営企業の支払履歴の確認等のデューデリジェンスを行っていた。

DOJ は、一般的なコンプライアンス体制の適切さに加え、当該違反行為を実行した行為者に対してもコンプライアンスの取組を実施していたにもかかわらず、当該マネージング・ディレクター単独の行為によって贈賄行為が起こったことを重視し、モルガン・スタンレーに対して制裁を科さなかったものと考えられる。

(ii) ブリヂストン事件[5]

違反行為時にはコンプライアンス体制が存在しなかった場合であっても、違反行為が発覚した後に徹底的な内部調査を行い、適切なコンプライアンス体制を構築することによって制裁が軽減された事案は多い。その一例としてブリヂストン事件がある。

株式会社ブリヂストンは、ラテンアメリカにおけるマリンホースの販売に関して入札談合を行った上、同地域における事業確保のために国営企業職員に対して賄賂を贈っていた（担当者であった日本人は、DOJ と司法取引を行い、米国独占禁止法及び米国 FCPA 違反により、2年の禁錮刑及び8万ドルの罰金刑を科された）。

ブリヂストンは違反行為発覚後、全世界的に内部調査を行うなど当局の調査に全面的に協力し、徹底した是正措置を講じた上、コンプライアンス体制の強化を行った。本件に関する DOJ のプレスリリース[6] によれば、DOJ は、

---

5) UnitedStatesv.BridgestoneCorp.,No.11-cr-.651（S.D.Tex.2011）
6) http://www.justice.gov/opa/pr/2011/September/11-at-1193.html

これらの事実を考慮し、制裁金の額を大幅に減額するよう勧告することとした。

(4) 会社法上の取締役の善管注意義務

近時、贈賄に限らず、日本企業によるさまざまな不祥事が明るみに出ているが、このような不祥事が起こった場合には、不祥事に主体的・直接的に関与した取締役に限らず、それ以外の取締役についても、仮に他の役職員の違法行為・不正行為を知り、又は知ることが可能であるなどの事情があるにもかかわらず、これを看過し、放置したような場合等には、日本の会社法上の善管注意義務違反に問われる可能性もある。

そのため、贈賄行為に関しても、適切な贈賄防止コンプライアンス体制を構築・整備し、これを適切に運用していくことで、善管注意義務違反に問われるリスクを回避又は低減させていくことが重要となる。

3 贈賄防止コンプライアンス体制を構築・整備する上での重要な視点

贈賄防止に有効なコンプライアンス体制を構築・整備する上で、企業が留意すべき視点にはどのようなものがあるであろうか。以下では、各当局が発行するガイドライン等の内容を踏まえ、特に留意すべき諸点について述べる。

(1) 経営トップの決意・姿勢・関与(Top-level commitment／Tone at the top)

経営トップが会社の方針として贈賄防止コンプライアンスを徹底することを表明し、社内外に周知徹底することにより、贈賄防止の企業文化を醸成していくことが極めて重要である。例えば、贈賄行為は、会社が大きな利害を有する重大なプロジェクトに関連して、会社の利益を確保するために行われることがある。このような場合、担当者は、コンプライアンス上の要請は認識しつつも、会社にとっては利益を確保することも重要であり、少々の違反はやむを得ないという心理状態に陥り、贈賄行為に手を染めてしまう可能性

がある。こうした事態を防止するためには、経営トップより、「贈賄行為等の違法行為は許容されず、コンプライアンスが、違法行為による利益獲得に、常に優先される」という明確なメッセージを発し、そのような大方針に基づきコンプライアンス体制を構築することが必要となる。

特に社内で売上・収益責任を有する営業部門の発言力が強く、法務・コンプライアンス部門が営業部門の行動に歯止めをかけられないような場合、そのような企業文化を根本から変えるためには、経営トップによる関与が必要不可欠となる。米・英当局も、ガイドラインにおいて、効率的なコンプライアンス体制構築のためには経営トップの関与が不可欠であることを明記している[7]。

UKBA指針では、経営トップによる関与の具体的方法について、以下の2点を挙げる。

① 贈賄行為を許容しないことを社内外に発信すること

以下のような内容を含む声明を社内外に発する必要がある。

(イ) 公平、誠実、オープンに事業を遂行すること
(ロ) 贈賄行為を全く許容しない(zero tolerance)こと
(ハ) 役員・従業員、その他の第三者が贈賄防止方針に違反した場合の結果を明確にすること
(ニ) 贈賄行為を許容しないことによるビジネス上の便益(レピュテーション、顧客やビジネスパートナーからの信頼等)
(ホ) 贈賄防止措置の内容(内部通報者の保護を含む)
(ヘ) 贈賄防止措置の策定・実施に関与する主要な部署・個人
(ト) 贈賄防止のための業界等における取組

② 贈賄行為の防止措置を確立する際に適切に関与すること

メッセージの発信と同時に、経営トップも贈賄行為の防止措置の構築・整備に責任を負い、適切に関与しなければならないとされている。関与の具体的方法については、企業の規模やガバナンス構造等に応じて、適切な関与方法を選択すればよいとされている。例えば、大規模なグローバル企業の場合

---

[7] 米国FCPA指針58-59頁、UKBA指針23-24頁。

であれば、取締役会が贈賄防止方針を決定し、経営陣に対してそれに基づく具体的な贈賄防止措置を設計・運営・モニターすることを要求し、これらの贈賄防止方針・贈賄防止措置を定期的に見直すことが求められる。これに対し、小規模な企業の場合であれば、経営トップ自ら、具体的な贈賄防止措置の策定・導入や、贈賄に関する重要な意思決定に関与する必要が生じる場合もある。

　ただ、いずれにせよ、経営トップによる贈賄防止措置への関与は、以下のような要素が含まれる必要があるとされている。

- (イ) 贈賄防止措置を指揮するシニアマネージャーの選定と研修
- (ロ) 行動規範等の重要な措置におけるリーダーシップをとること
- (ハ) 全ての贈賄防止に関する書類の承認
- (ニ) 従業員、子会社、関係者等への贈賄防止方針・贈賄防止措置の効果的な浸透を図るため、組織全体にわたる、意識向上や透明性のある対話の奨励におけるリーダーシップをとること
- (ホ) 組織の方針を明確にするため、関連する関係者や、業界団体やメディア等の外部団体とのエンゲージメント
- (ヘ) 重要な意思決定への具体的な関与
- (ト) リスク評価の保証
- (チ) 贈賄防止措置違反の全般的な監督と、コンプライアンスレベルに関する取締役会等へのフィードバック

(2) リスクに応じた適切な体制構築（Risk-based approach）

　コンプライアンス体制は、その企業が直面する贈賄リスクや企業規模に応じて、実行可能なものでなければならない。あらゆる企業に共通するコンプライアンス体制のテンプレートは存在しない。例えば、賄賂の授受が珍しくない国で事業展開しようとする場合や、公務員と密に接触して入札に参加する場合等、高い贈賄リスクが想定される場合には、より厳格なコンプライアンス体制を整備し厳しく実行することが求められる。また、「厳しく実行」する際にも、全分野について機械的に同レベルで行うのではなく、リスクが高い分野に焦点を当てることにより、効率的かつ効果的な対応が可能となる。

　このように、個々の企業が直面する具体的なリスク等に即したコンプライ

アンス体制を構築することが重要となる。

① リスク評価（risk assessment）の手法
　リスクに応じたコンプライアンス体制を構築するためには、まず、当該企業が直面するリスクを正しく評価する必要がある。それでは、贈賄リスクを適切に把握するためにはどうすればよいのであろうか。米国FCPA及びUKBA指針では、細かな内容は異なるものの、大要以下のようなリスクを特定・評価すべきであるとしている[8]。

(i) カントリーリスク
　贈賄行為等の腐敗行為が横行・蔓延している国において事業を行う場合には、事業を行う上で賄賂の要求を受ける可能性が高く、企業側もそれに応じてしまう危険性がある。したがって、当該企業が事業を行う国における贈賄リスクを特定することが重要となる。贈賄リスクの特定に当たっては、**第1章でも紹介したトランスペアレンシー・インターナショナルが公表している腐敗認識指数が参考になる**[9]。これは、各国・地域の公共セクターにおける腐敗度を0点～100点（0点が最も腐敗が進行していることを示す）で評価したものであり、2022年版においては180か国・地域を対象としている。2022年版におけるデータによると、主にアフリカ地域、ラテンアメリカ地域、東欧地域、中東地域、アジア地域における腐敗認識指数が低く、これらの地域における贈賄リスクが相対的に高いことを示している[10]。

(ii) 業界リスク
　業界の特性上、他と比べて相対的にリスクが高いとされる業界が存在する。例えば、インフラ業界、エネルギー業界、資源業界は、新興国における政府が関与するプロジェクトを取り扱う機会が多く、他の業界に比較して、過去の違反事例が多い。また、医薬品・医療機器業界も、政府が出資する病院（国立病院や公立病院）の医師と接点を持つことになり、病院が使用する医薬

---

8) 米国FCPA指針58-60頁、UKBA指針23-24頁。
9) https://www.transparency.org/en/cpi/2022。
10) UKBA指針26頁。

品、医療機器の選択・決定に一定の権限を有する医師に対し、不当なキックバックの支払や便宜供与等が行われる場合があるとされる。

　このように、違反行為が行われやすい環境にあり、過去実際に違反事例が存在するような業界においては、より厳格なコンプライアンス体制の構築及びその運用を行う必要がある。

(ⅲ)　取引リスク

　また、取引の種類によってはリスクが高いものも存在するため、取引の種類に応じたリスクを特定することも必要となる。例えば、許認可の取得等が必要な取引や公共事業等政府調達に関する取引においては、公務員がその裁量を行使する場面も多く、一般にリスクが高いといえる。

(ⅳ)　事業機会リスク

　企業にとって重大なビジネスであればあるほど、確実に事業を確保したいというインセンティブが働き、贈賄行為が行われる可能性が高まる。また、重大事業においては多数の関係者が関与することが多く、自社のコントロールが及ばないところで贈賄行為が行われる可能性もあるので、注意が必要である。

(ⅴ)　事業提携先リスク

　海外でビジネスを行うに当たり、当該国のビジネス状況等に精通したコンサルタントや地元企業等の第三者による助力を得る場合がある。贈賄リスクが相対的に高い国において第三者を関与させる場合は要注意であり、適切なデューデリジェンスを行うなどの対応が必要である。UKBA指針では、「公務員との取引において第三者を関与させる場合」や「コンソーシアムやジョイントベンチャーの場合」を事業提携先リスクの例として挙げている。例えば、当該国の事情に詳しい地元企業との間で合弁企業を設立し当該地元企業が合弁企業のオペレーターとして事業遂行をするような場合には、実務を取り仕切る地元企業によって贈賄が行われるリスクが生じ、仮にこのリスクが顕在化した場合には、当該地元企業を起用した企業もその責任を負うこととなる可能性がある。

(ⅵ)　政府関連リスク

　企業が事業を行うに当たり、政府、国営企業等とどの程度かかわりがあるのか、当該事業にかかる政府による規制（事業の許認可以外にも、税関や入管等も含む）が存在するか、存在するとしてどの程度厳しいものなのか、等を特定する必要がある。仮に当該企業が政府、国営企業等とほとんどかかわりがない、又は当該事業にかかる政府による規制もないということであれば、そもそも贈賄が行われ得る場面が限定的であるといえる場合もある。反対に、公共入札等政府が発注者となることが多い場合、事業を行う際に許認可の取得が必要となり、許認可を取得するのには時間がかかるなどといった状況がある場合等には、贈賄が行われやすい状況が存在するといえ、リスクは相対的に高まる。

②　リスク評価の手続

　UKBA指針では、リスク評価において、以下のような手続を行うことが望ましいとされている[11]。
　(イ)　経営トップによるリスク評価手続への適切な関与
　(ロ)　リスク評価のための適切な人的リソースの確保
　(ハ)　リスク評価を可能とする社内外の必要情報の特定
　(ニ)　第三者に対するデューデリジェンス
　(ホ)　リスク評価手続及びその結論を記録化すること

　さらに、上記のような贈賄リスクは、当該企業の事業の発展状況（新規市場への進出を含む）、マーケットや業界全体の動向等により、常に変化する。このような変化に対応するため、贈賄リスクを定期的に評価し、コンプライアンス体制を定期的に見直すことが肝要である。

(3)　**人的リソースの確保**

　形式的にコンプライアンス体制を構築したのみでは十分ではなく、それを継続的かつ効果的に運用するために、当該企業の規模、贈賄リスクの高低に応じて適切な人的リソースを確保することが必要である。具体的には、一定

---

11)　UKBA指針25頁。

以上の支出に係る事前承認手続や、定期的な監査を実施することはコンプライアンス体制の典型的な運用であるところ、そのためには、これらの業務に従事する人的リソースを確保することが必要となる。

(4) 内部・外部コミュニケーションの確保

① 従業員に対する研修

コンプライアンス体制の内容を従業員等に対し周知・徹底する手段のためには、従業員等に対しては、贈賄規制の内容や贈賄防止措置の内容を周知・教育する研修を行うことが必要となる。研修は、外部・内部、講義形式・ディスカッション形式、多人数・少人数、部門別・階層別・年次別、対面・E-ラーニング、スポット・継続等の方法を組み合わせることが考えられる。

研修においては、いかなる場合も贈賄行為を許容しない、というトップからの明確なメッセージを各従業員等に対して伝えることが重要である。同時に、聴衆である従業員等の属性に応じて、個々の実務に落とした具体的な対応策を提示したり、実際の事例をもとに対応策を提示したりするなど、従業員等に自分事として自己の業務に関する具体的な留意点を理解させることが重要である[12]。グローバルに活動する企業の海外子会社等においては、研修の対象となる従業員等の理解を十分なものとするため、日本語や英語に加えて現地語で研修を行ったり、現地特有の状況を踏まえて研修内容を工夫したりするなどの配慮を行うことが考えられる。

② 業務上のレポートラインを通じた報告・内部通報制度・アンケート等

従業員に対する研修だけでなく、従業員側からの情報発信がしやすい環境を整備することも重要である。事業活動に従事している従業員からの情報を適時に取得することは、違反行為の早期発見に資するなど、効果的なコンプライアンス体制の運用に不可欠である。

また、通常の業務上のレポートラインを通じた情報発信が期待しづらい場合であっても、従業員が利用しやすい内部通報制度の整備を行うことで、違反行為又は違反であることが疑わしい行為を直接コンプライアンス担当に通

---

12) 米国FCPA指針60-61頁参照。

報できる仕組みを整えることが必要である。海外子会社の従業員からも通報が可能な内部通報制度を構築することも考えられる。その際、海外子会社の所在する各国の現地語による通報を可能とすることも考えられる。また、違法行為の積極的な報告を促す観点からは、自己の関与した贈賄行為を自主申告ないし調査に協力すれば、その状況に応じて、人事処分上有利に扱う、といった社内リニエンシー制度を導入することも考慮に値する。

　また、積極的に従業員から違反行為を申告させるという観点からは、贈賄行為に関するアンケートを実施することも考えられる。贈賄リスクの高い部門・拠点に対して実施することや、実際に贈賄行為が確認された場合にそれ以外の贈賄行為が存在しないか確認する目的で実施することが考えられる。

③　従業員との間のその他のコミュニケーション

　上記のほか、ビジネスの実務を担当している従業員と密にコミュニケーションを行うことも重要である。例えば、コンプライアンス体制の構築に当たってのリスク評価の際に、各事業の内容・実務を適切に把握することが必要であり、また、コンプライアンス体制施行後も、実際に従業員からのフィードバックを継続的に受け、リスク評価やコンプライアンス体制の再検討を行うことが必要となる。コンプライアンス部門は、事業部門の従業員に対してコンプライアンスルールを一方的に「押し付ける」のではなく、従業員とのコミュニケーションを通じて相互に協力しながらより良いコンプライアンスを模索していくという姿勢で臨むべきであろう。また、海外子会社の従業員とのコミュニケーションに際しては、日本語や英語による口頭でのコミュニケーションが難しい場合には、可能な限り現地語を用いたり、又はメールや書面等による質問・報告等の手段も有効に活用するなどして、円滑なコミュニケーションを確保するよう配慮することが考えられる。

④　対外的なコミュニケーション

　従業員に対するコミュニケーションのほか、対外的なコミュニケーションも求められる。特に、取引関係にある第三者（UKBA上の「関係者」に該当し得る者を含む）に対して、企業の贈賄防止方針、違反した場合の帰結（契約終了、損害賠償の請求等）を明確に伝えるこが重要である。

　また、グローバルに活動する企業、贈賄リスクに直面する可能性が高い企

業においては、自社の贈賄防止方針、贈賄防止措置の内容を公表することも考えられる[13]。会社として方針を公表することにより、全社的に贈賄防止にコミットしていることを対外的に示すことができ、実務上、担当者が賄賂の供与を求められるなど困難な状況に直面した場合であっても、「会社として禁じられている」ということを示すことで、違反行為の抑止に資する。

(5) 適切なデューデリジェンスの実施

① 第三者選定の際のデューデリジェンスの必要性

第2章第1節3(3)及び**第2章第2節4(4)**のとおり、米国FCPA、UKBAにおいては、第三者による贈賄行為の責任を負うことがある。これを防止するためには、業務委託先、販売代理店、コンサルタント等、自己のために業務を行う第三者を選定する際に、当該業務に関して贈賄行為を行うリスクがないことを十分確認する必要がある。適切なデューデリジェンスを行うことにより、第三者による贈賄行為が行われるリスクを低減し、また、万一当該第三者による贈賄行為が行われたとしても、適切な対応をとっていたことを示すことで制裁を免れる可能性がある。

② M&A取引におけるデューデリジェンスの必要性

上記のような贈賄リスクにかかるデューデリジェンスは、M&A取引においても必要となる。M&A取引において、買収者は、取引を実行するか否か、また、買収価格を含む取引条件を決定するために、買収対象会社の事業・財務の状況や当該会社が抱えるリスクについて情報を正確に把握する必要がある。上記のような情報を正確に把握し、企業として適切な意思決定を行うために、買収対象会社に対するビジネス、法務、財務、税務等の各種の買収監査（デューデリジェンス）を実施するのがM&A取引の実務となっている。このようなデューデリジェンスの一環として、買収対象会社における贈賄リスクの特定を行うケースも増えている。

なぜM&A取引を行うに際して贈賄リスクにかかるデューデリジェンスが必要なのだろうか。それは、買収対象会社に贈賄行為が存在した場合に、

---

13) UKBA指針30頁。

当該対象会社を買収したり、事業の一部を承継したりする買収者が、以下のようなリスクを負うためである。

第1に、買収前に対象者が行っていた贈賄の責任が買収企業に承継されるリスクが存在する。米国FCPA上、会社が他の会社と合併し、又は他の会社を買収した場合、承継会社は、被承継会社の米国FCPAに基づく責任を引き受ける可能性がある（いわゆるsuccessor liability。詳しくは**第2章第1節3(5)を参照**）。

次に、買収対象会社の企業価値の毀損リスクが挙げられる。企業買収に際して、買収者は、実施したデューデリジェンスの結果を踏まえ、買収対象会社の企業価値を算定することが一般的であるが、買収対象会社に贈賄リスクが潜んでいることを看過して価値算定が行われ、買収後に、買収対象会社が贈賄行為にかかる多額の罰金の支払を迫られるなど、リスクが顕在化した場合、買収対象会社の企業価値は毀損し、買収者は結果として損害を被ることになる。また、対象会社が見かけ上大きな売上を達成していたとしても、売上の多く又は一部が贈賄行為によって達成されており、実際の事業としての収益力が低かった場合には、そもそもの企業価値の評価が誤りであったことになり、見込んでいた収益が得られないというリスクがある。

また、買収会社の役員の善管注意義務違反の問題もある。買収に当たって十分な事前調査を行わず、買収後に買収対象会社に深刻な贈賄に関する問題が存することが判明した場合、買収会社の役員が買収の意思決定に当たり、善管注意義務を果たしていないとして、損害賠償請求等の責任追及を受けるおそれがある。

このように、買収対象会社に贈賄問題が存在した場合、買収会社に深刻なリスクが発生し得ることから、事前のデューデリジェンスにおいて、可能な限り贈賄行為を探知・把握するよう努め、贈賄リスクを最小化することが必要となる。

(6) 監査の実施

贈賄行為が違法な行為であり、社内でコンプライアンス体制が存することも十分認識していたとしても、いざ目の前に社運を賭けた大規模プロジェクトがあり、発注者サイドの担当者から「賄賂を渡さなければ発注しない」

などといわれた場合、従業員が「発覚の可能性は低いだろう」と考え贈賄行為を行ってしまうケースがあり得る。こうした事態を防止するためには、従業員に贈賄行為に対する制裁の厳しさを伝えると共に、「贈賄行為は、必ず発覚するものである」と思わせるだけの十分な贈賄防止コンプライアンス体制を整備しておく必要がある。この観点から重要なのが、監査である。監査が適切に行われれば、違反行為の発見に役立ち、また、その抑止にもつながる。

監査の方法としては、定期的な監査はもちろん、抜き打ち的な監査を実施することも考えられる。また、内部監査だけでなく、場合によっては外部監査を活用することも有益である。実際の監査においては、関連する従業員に対するインタビューで事実関係を聴取するだけでなく、社内文書等の客観的な資料についても調査すべきである。例えば、会計帳簿、金銭支出の際の帳票類の調査を行い、不審な金銭の流れがないかを調査すると共に、リスクの大きい分野であれば、当該事業においてキーとなる従業員の電子メール等をチェックすることも検討に値する。

(7) 人事制度との連携

人事上の処分を厳格に実施することにより従業員による贈賄行為を抑止することも重要である。各国の当局は、厳格かつ現実に執行される人事制度を導入することが、効果的なコンプライアンスの一要素であるとしている[14]。いかなる場合であっても贈賄行為は許されず、違反者は厳重に処分されることを事前に十分周知し、違反者が出た場合には実際に厳格な処分を実行することが重要である。

また、反対に、贈賄規制やコンプライアンスを遵守する行動をしたことを人事評価等に積極的に反映させることも検討に値する。米国FCPA指針では、米国当局は「積極的なインセンティブを与えることが、コンプライアンスに寄与すると認識している」と述べ[15]、従業員のコンプライアンスを遵守する行動に対して、人事評価・昇進・報奨・表彰等のインセンティブを与え

---

14) 米国FCPA指針61-62頁。
15) 米国FCPA指針62頁。

ることが合理的であると考えられている。

4 コンプライアンス体制の構築・運営に当たっての具体的な論点

　上記3では、コンプライアンス体制を構築・整備する上での重要な視点について述べたが、以下では、実際に体制の構築・運営の段階でよく問題となる具体的な論点を紹介し、考え方を示す。既に述べたとおり、各国当局は、定型のコンプライアンス体制といったものは存在しないとし、企業の実情に即した内容とする必要性を強調している。以下で取り上げる具体的な論点についても、1つの決まった回答があるわけではなく、当該企業が直面するリスクや社内の状況などによって自ずと回答内容が変わってくるものである。これを前提に、以下では、各問題に関してどのような点に注意すべきかを中心に述べる。

(1) 社内規程の策定

　コンプライアンス体制構築の最初のステップは社内規程の策定である。社内規程をどのように定めるかは、他の社内規程との平仄等もあり会社によって異なる部分が大きいが、①贈賄防止の大枠の方針を規定した贈賄防止指針、②禁止行為を具体的に規定し各種手続の詳細を規定する贈賄防止規程、及び③各種手続等の詳細を規定するガイドラインという2段階ないし3段階の規定を置くことが多いと思われる。また、上記のとおり、経営トップによる明確なメッセージを従業員に伝えるために、社内イントラネット等のトップページに社長等経営トップからのメッセージを贈賄防止指針として伝達する例もある。

　以下では社内規程を策定する際によく問題となる論点について解説をする。

(2) 問題となることが多い論点

① 贈賄の相手方の範囲

　贈賄防止規程において、贈賄の相手方の範囲をどのように規定するかは、同規程が適用される取引を画する上で重要な点である。

米国 FCPA や日本の贈賄規制においては、「公務員」又はその機能を有するものに対する利益の供与が贈賄行為として捕捉される。他方、英国のUKBA においては対象を公務員に限られず民間人に対する利益の供与も違反となり得る。また、中国やベトナム等においても公務員のみならず民間人に対する利益供与が違反となり得る。そして、**第2章第2節3**のとおり、UKBA においては広範な域外適用の可能性が存在し、例えば、日本企業によるアジアにおける贈賄行為であっても対象となり得るのである。さらに、日本においても、会社の役員等に対する贈賄罪が存在し、また民間人に対する利益供与であっても場合によっては背任罪に該当することがあり得る。

これらの点を考慮すると、贈賄コンプライアンス体制を導入するに当たっては、原則として、公務員又はそれに類する者に限らず、民間人を含めて規定することも検討すべきである。ただし、公務員等に対する利益の供与に比べると、民間人に対する利益の供与が摘発されるリスクは相対的に低いといえることから、公務員等に対するルールとそれ以外のものに対するルールを区別して規定することもあり得る。例えば、接待・贈答に関するルールにおいて金額基準を採用するような場合（下記②(i)）には、公務員等における金額基準を民間人に比して厳格にすることも考えられる。

また、外国公務員等本人のみならず、その親族の採用や関連企業（本人やその親族が支配又は経営する企業等）との取引に関する手続等を明確にすることも考えられる。

② 接待・贈答等のルールについて

接待・贈答等は、ビジネス上の儀礼や販促活動の一環として幅広く行われている行為であり、現金又はその同等物（金券等）の供与に比べれば賄賂性は小さいといえる。しかし、贈賄規制上、何らかの価値のあるもの、何らかの利益を公務員に対して供与した場合には贈賄行為に該当することになり、接待や贈答も例外ではない。したがって、接待・贈答等など現金又はその同等物の供与に当たらない利益の供与であっても、社会通念上適切と認められる範囲内で行われる必要がある。そして、接待・贈答等の行為は状況、相手方等により多種多様であるから、これらをいかに的確に整理・把握してコントロールしていくのかは、制度設計をする上で重要な検討事項である。そこで、以下では、ルールを置く際の基本的な考え方を中心に論じていく。

(i) 接待・贈答等に金額基準を設けるべきか

　海外において事業を行うに当たり、当該国における公務員等や民間人に対する接待を行う機会は多々あると思われ、リスクがあるからといってこれを全面的に禁止してしまうと、事業の妨げになるだけでなく、隠れて接待が行われることとなりかねず、かえって違反のおそれのある過度な接待を抑止できないこととなりかねない。したがって、一定の場合に接待・贈答等を許容することとし、これを適切にコントロールするためのルールを贈賄防止規定に置くことが一般的である。

　許容される接待・贈答の範囲をどのように規定するかは、さまざまな方法が考えられる。

(a) 事前許可を得たものについて接待・贈答を認める方法

　接待・贈答が贈賄行為に該当するか否かについては、接待・贈答の額をはじめ、接待・贈答の対象となる公務員の地位、当該企業の事業と当該公務員の職務の関係等、さまざまな要素を総合的に勘案し、営業上不正な利益を得るための利益の供与であると認定されるか否かを検討し、判断するのが原則である。このような判断をするためには、全ての接待・贈答について事前許可にかからしめ、接待・贈答行為ごとに上記のような事情を総合的に勘案した上で判断をすることが考えられる。

　このような方法は、事案に即した贈賄リスクの適切な判断を可能にする一方、明らかに問題のないような接待・贈答についても一律に事前の判断が必要となり、膨大なリソースが必要となる。特に、多角的な事業展開をしているような企業においては、各事業における全ての接待・贈答について事前に許可権限者が判断しなければならないこととすると、各事業ごとに相当なリソースを割く必要があり、負担は重い。

(b) 一定の金額基準を設け、基準以下の接待・贈答等を一律で許容する方法

　上記のとおり、接待・贈答等が違法な贈賄であるかは、金額のみで一律に判断することができるものではないが、少額の接待・贈答等であれば、ビジネス上不正な利益を得るために行われたという認定がなされるリスクは相対的に低い。したがって、合理的な金額基準を設けた上で、当該基準を下回る金額の接待・贈答については審査を行うことなく一律に許容するという方法も考えられる。

また、国によっては、贈賄規制において一定金額以下の利益の供与は贈賄には該当しないこととしている場合もある。そのような場合には、法律に規定される基準以下の接待・贈答であれば違反となることはない。このような各国規制を検討した上で、国ごとの金額基準を設けることができれば、リスクに応じた適切なコンプライアンス体制となる。ただし、グローバルに活動する企業においては、全ての国における贈賄規制を把握することが難しい場合もあり、また、各国の規制は改正される可能性もある。さらに、ある国では違反とされない金額の接待・贈答等であっても、他の国では違反とされ、それが域外適用される可能性も皆無ではない。したがって、国ごとの基準を置くのではなく、グローバルに適用される基準や地域ごとに適用される統一基準を置くことも検討に値する。

　以上のように基準金額以下の接待・贈答については無条件に許容するとしても、金額の多寡にかかわらず贈賄規制法上問題となる可能性は否定できないことから、事後的な検証を可能にしておくことが重要である。接待・贈答に関する領収書等の帳票を保存し、いつ、誰に、どのような接待・贈答をしたかを記録しておく必要があろう。

(c)　金額基準を設けつつ、基準を超過した接待・贈答等については個別に事前許可を得る方法

　上記のとおり、金額基準を採用することには一定の合理性が存在するが、金額以上の接待・贈答を一律に禁止してしまうと不都合が起こる可能性がある。金額基準はあくまで一般的な場合を想定している場合が多いので、例えば、この基準を国家の要職の接待に適用した場合には、儀礼上問題が生じる可能性がある。

　したがって、合理的な金額基準を設けた上で基準以下の接待・贈答については審査を行うことなく許容し、基準を超えた接待・贈答については、事前の許可にかからしめるという方法も考えられる。

　なお、同一の対象者に対して複数回行われた接待・贈答等をどのように評価するかについても検討をする必要がある。1回の金額が少なかったとしても、同一対象者に対する回数が多くなればそれだけ当該対象者に対する利益供与の度合いが強くなり、不正目的を推認される可能性が高まる。したがって、特定人に対する複数回の接待・贈答等については、合計して金額基準を下回るようにするよう求めることが望ましく、金額基準の適用に当たっては、

一定期間内に複数回の接待・贈与等を行った場合には、金額を合算した上で金額基準を適用することが適当であろう。また、同様の観点から、合算した金額にかかわらず、一定期間内の接待・贈答等の回数の制限を設けることも必要である。なお、例えば中国のように、贈賄の起訴金額基準において複数回の接待・贈答等はこれを合算した上で基準を適用することが明記されている国も存在するところ、このような国において事業を行っている企業においては複数回の接待・贈答等の金額を合算した上で金額基準を当てはめる必要性が高い。

(ii) 許可権限を誰に付与すべきか

接待・贈答等を事前に許容するか否かの判断権を誰に付与すべきかは実務上よく問題となる。

まず、当該事業における責任者（事業部長等）を判断権者にすることが考えられる。事業責任者は、事業の内容を熟知していることから、総合的な判断の際に適切な判断が行われることが期待できるというメリットがないわけではない。しかし、事業の責任者は当該事業の収益責任を有している場合が多く、収益に結びつくような過剰な接待・贈答行為を認めてしまうインセンティブがある。また、事業責任者は贈賄規制法やコンプライアンス体制についての知識・経験が十分でない場合が多く、適切な判断がなされない可能性もある。

このような懸念があることから、原則として、法務部門等の事業に収益責任を持たない間接部門に許可権限を付与すべきであろう。間接部門による一律管理により、判断の統一が図られ、経験の蓄積による判断の妥当性の確保が期待できる。

さらに、グローバルに活動する企業にとって、全ての接待・贈答等の適否を本社が判断するか、ある程度海外子会社において自主的に判断させるか、自主的に判断させる場合の範囲についても検討の必要がある。本社が全ての接待・贈答を統一的に判断する場合、子会社に対して適切なガバナンスを効かせることができ、違反行為の未然防止に資することになる。海外子会社には法務部門のリソースが十分でない場合には、本社が統一的に全ての接待・贈答を統一的に判断することが適切であると考えられる。他方、本社が全ての接待・贈答の検討・判断をすることは、本社の法務・コンプライアンス部

門のリソースとの兼ね合いで現実的でないこともある。その場合には、ある一定金額基準以下の案件については各海外子会社において判断し、基準額以上の案件については本社が判断するという方法や贈賄リスクがより高いと考えられる海外子会社とそれ以外の海外子会社で金額基準等に差異を設ける方法も考えられる。また、地域統括会社が存在し、法務部門が存在するということであれば、当該地域統括会社に許可権限を委ねることも検討に値する。

なお、判断に当たって微妙なケースが出てきた場合には、弁護士等の外部専門家の意見を聞くことも重要である。

③　旅費等の経費負担のルール

取引先である国営企業等から、日本にある工場を見学したいといった要請を受けることがある。このような要請を受けて、外国公務員等を日本に招聘し、その際の旅費を負担することは、当該取引を成功させるために合理的に必要な経費であれば、通常は贈賄問題を惹起することはない（**第2章第1節3(6)②**のとおり、ビジネス活動に付随して合理的かつ善意に支払われる支出〔reasonable and bona fide expenditure〕であれば米国FCPA違反になることはない）。

しかし、例えば、外国公務員等本人に加えて家族の旅費を支出したり、外国公務員等が来日した際の遊興費を負担したりした場合には、合理的な経費支出とはいえず、贈賄行為に該当する可能性がある。過去の米国FCPAの執行事例の中でも、外国公務員等の旅費を繰り返し負担していたことによる違反事例も多数存在する[16]。

以上から、外国公務員等にかかわる旅費等の経費負担をする場合には、事前の許可を得なければならないとの規定を置くことが一般的である。接待・贈答等とは異なり、旅費の負担は金額で一律に考えられるものではない。例えば、アフリカ諸国の公務員を招聘するのと欧米諸国の公務員を招聘するの

---

[16]　例えば、オランダ企業が、外国公務員に対してスポーツイベント参加のための旅費等を支給したり、高級車を提供するなどの賄賂行為を行っていた事例（United States v. SBM Offshore, N.V., No. 17-cr-686,（S. D.Tex.2017））や、中国の国有通信企業との事業機会を獲得するため、中国政府関係の公務員等に対して約20年間にわたり不適切な旅費等の支出を繰り返していた事例（United States v. Telefonaktiebolaget LM Ericsson,No. 19-cr-884（S.D.N.Y）,ECF.No.3（December 6, 2019））等がある。

では自ずと必要な経費額が異なるが、仮に一定程度高額になったとしても、必要な範囲であれば経費支出は許容される。したがって、一律の金額基準を採用することは困難であり、必要な範囲の支出であるか否かを個別のケースに即して判断することが必要となる。

　許可に際しては、業務に関連のない支出が含まれていないか、過剰な支出となっていないかを確認する必要がある。例えば、以下のような点を事前に確認すべきであろう。

　㈱　招聘にかかる旅費は招聘者のレベルに相応といえるか（例：担当者レベルにファーストクラスの旅費を支払ってないか、高級旅館への宿泊をさせていないか）

　㈹　招聘対象者に業務との関連で不必要な者が含まれていないか（例：担当者の家族・親戚の旅費を負担していないか）

　㈻　業務とは関係ない遊興のための費用支出が含まれていないか（例：空いている日の富士山観光の費用を負担していないか）

　㈼　旅費の前払を要求されたりしていないか（原則として、会社側がアレンジするか、実費の後払清算の形で旅費負担を行い、贈賄であると疑われることを防ぐべきである）

　なお、許可権者を誰にするかについては、接待・贈答等の際と同じ議論が当てはまるので、上記②を参照されたい。

④　第三者選定の際のルールについて

　上記のとおり、第三者による贈賄行為によって責任を負う可能性を避けるためには、第三者選定の際にデューデリジェンスを行う必要があり、社内の贈賄防止規定においても、どのような場合にデューデリジェンスを行う必要があるか、どのような事項を調査すべきかなどを規定しているケースが多い。以下では、第三者選定にかかるデューデリジェンスの際によく問題となる点について述べる。

　⒤　対象となる「第三者」をどのように画定するか

　デューデリジェンスの対象となる「第三者」の範囲をどのように画定すべきかがよく問題となる。上記のとおり、UKBAにおける「関係者」の範囲はかなり広範に定義されており、当該企業に役務を提供する企業である限り、

関係者には該当し得る。これら「関係者」に該当するような第三者については原則としてデューデリジェンスの対象とすべきであろう。

しかし、各国当局はデューデリジェンスにおいてもリスクベースアプローチをとるべきであるとしており、公務員との関係がほとんど想定されないような取引先等、贈賄リスクが限定的である第三者については調査項目を基本的な事項に限定し、リスクが高いと思われる分野にリソースを注力することは合理的な対応であると考えられる。

(ⅱ) どのような事項をどこまで調査すべきか

(i)のとおり、各国当局は、デューデリジェンスの実行においてもリスクベースアプローチをとることが適切であるとしており、第三者のデューデリジェンスをどこまで行うかは、当該企業が直面する贈賄リスクの高低によって異なる。例えば、許認可等が不要で官需もほとんどないような相対的にリスクの低い会社においては、第三者に関する公表情報や簡単なインタビュー等のみであっても適切なデューデリジェンスと評価できる一方で、高リスク業界において海外事業を展開するような場合には、第三者選定の際には公表情報のみならず、信用会社を利用した調査や、当該第三者の帳票の閲覧等、より詳細な調査を行い、贈賄行為に関与するリスクを適切に評価する必要がある。

確認を要すべき事項についても業界の取引慣行や会社の状況に応じて検討しなければならないが、例えば以下のような事項が考えられる。

(ⅰ) 当該第三者と外国公務員等との関係（役員の中に公務員が含まれているか、親族に公務員がいないか、主要な取引先が政府であるかなど）

(ⅱ) 当該第三者が実態を備えており、業務を提供する能力があるか

(ⅲ) 要求された報酬の決定方法が明確であるか、要求された報酬が相場に比べて不相当に高額でないか（報酬の決定方法は、第三者に贈賄のインセンティブを与えてしまう可能性のある成功報酬に比べ、実際に当該第三者が行った業務に応じた決定方法（タイムチャージ制）が望ましいといえる）

(ⅳ) 第三者が過去に贈賄行為又は疑わしき取引を行ったことがあるか十分なデューデリジェンスを行うことに加えて、実際に第三者との間で契約を締結する際には、第三者に対して、現在までに贈賄行為を行っていないことを表明保証させ、契約業務に関して贈賄行為又はそれを疑わせる

ような行為を行わないこと及び場合によっては当該会社の贈賄防止規定を遵守することを誓約させることが重要となる。そして、表明保証・誓約事項の違反をした場合には即時解除及び損害賠償が可能である旨を規定することが望ましい。

また、契約締結後も当該第三者が実際に贈賄行為を行っていないことを継続的に確認することが望ましく、そのための規定を契約に盛り込むことが重要である。具体的には、定期的に又は不正行為の疑いが生じた場合に関連事項の報告を義務付けることや、関連する従業員や関連資料へのアクセスを認めさせること等が挙げられる。

ただし、契約の条件については相手方があることであり、場合によっては第三者から強硬に反対される可能性がある。例えば、帳簿等の関連資料の開示については抵抗を示す第三者も多いのではないかと思われる。その場合には、当該第三者による贈賄リスクを総合的に勘案した上で、対応を検討することになる。

⑤ ファシリテーション・ペイメントの取扱いについて

ファシリテーション・ペイメントの取扱いについては、各国法制度における取扱いが異なっており、贈賄防止規定においてどのように規定するかは悩みどころではある。

UKBAや日本の不正競争防止法において少なくとも明文上の例外が存在しないこと、米国FCPAにおけるファシリテーション・ペイメントの例外が非常に限定的に解釈されていること等も考慮し、ファシリテーション・ペイメントであっても贈賄行為に該当し得るため、禁止することも考えられる。なお、ファシリテーション・ペイメントについては、難しい判断を含む場合が多く、必要に応じて弁護士等の外部専門家の意見を聞いた上で判断をすることが望ましい。

⑥ 寄付・政治献金等のルールについて

公益的な観点から、政府その他公益団体に対する寄付を行うことがある。会社による寄付行為は、真に公益目的、慈善目的であれば、贈賄行為には該当しない。しかしながら、寄付を隠れみのとして、不正な目的で金銭の供与を行う場合には、贈賄行為に該当し得る。**第2章第1節3(2)**で述べたとお

り、例えば、米国FCPA指針では、寄付の目的は何か、寄付を行う企業の社内規程に従った寄付であるか、寄付の相手方と外国公務員との関係などの諸要素を考慮して違法性を判断すべきとしている[17]。このような点を考慮すると、寄付行為については事前許可制をとることが望ましいと考えられる（許可権限者についての議論は上記②を参照）。

　また、政党に対する寄付（選挙活動に対する役務の提供等の金銭以外の利益供与も含まれる）については、日本における政治資金規正法に類する特別な規制が置かれている場合もあることから、事前許可制を採用し、申請を受けた責任者は当該国における政治資金規制等を含めて十分検討した上で判断を行う必要があろう。

---

17) 米国FCPA指針16-19頁。

第2節　問題発見時の対応

1　違反行為を発見したらどうするか

(1)　違反行為の発見

　企業が違反行為の可能性につき認識するきっかけはさまざまである。当局からのコンタクトにより認識する場合もあれば、内部監査により認識する場合もある。どのような場合に、どの程度の調査を行い、企業としてどのような対応を行うべきかは、一概に述べることは難しく、実際に違反行為が存在する可能性の大小や、違反行為が認められる場合の違反の程度の深刻さなどを総合考慮した個別具体的な判断を要する。

　ただ、当局からのコンタクトにより違反行為を認識した場合は、企業に与える影響がとりわけ深刻であり、迅速かつ慎重な対応が求められることはいうまでもない。例えば、米国の当局からサピーナ（罰則による強制力を有し、証人の証言又はその他の証拠の提出を命令する正式な文書）の送付を受けたり、他の当局から情報提供要請を受けたりしたような場合には、既に当局が何らかの情報を有していることが合理的に推測されることから、しっかりとした内部調査を迅速に行い、企業として、当局調査に協力をするか否かを早期に決定する必要がある。

　この点、当局による調査・捜査の端緒もさまざまなものがあり、例えば①役職員等による通報、②他の関係者からの自主開示や通報、③外国当局による調査・捜査、④他の調査案件の過程で得られた情報、⑤メディア報道等が考えられる。

　まず、①役職員等による通報により、当局の調査が開始される場合がある。この点、米国においては、2010年に制定されたドッド・フランク法（Dodd-

Frank Act of 2010）において、自主的に米国 SEC に対して、最初に情報を提供し、それに基づいて米国 SEC が 100 万米ドル（約 1 億円）以上の制裁金の支払を受けることができた場合、米国 SEC が、その 10％ から 30％ を当該情報提供者に支払うことができると定められている[18]。2023 年度に米国 SEC が受領した通報は 1 万 8,354 件にも及び、そのうち 237 件が米国 FCPA に関連するものであったと報告されている[19]。

通報者に対する報復措置の禁止については、米国ではサーベンス・オクスリー法（Sarbanes-Oxley Act of 2002）及びドッド・フランク法に定められており、日本でも公益通報者保護法に規定がある。

②同一案件に複数の企業や個人が関与している場合には、そのうちの 1 社や 1 個人が当局に違反行為を自主開示し、そこから調査が始まる例もある。米国の当局は 1 社の違反行為を検知した場合、当該業界のほかの企業に米国 FCPA 違反に関する情報提供を求め、そこで得られた情報を元に調査・捜査を開始するといういわゆる Industry Sweep と呼ばれる調査・捜査方法を活用しているともいわれている。また、競合他社が、他社の問題行為を当局に通報し、そこから調査・捜査が始まる例もあるといわれている。

米国内のみならず、③当該企業に対して外国当局が調査・捜査を開始し、それが契機となる場合もある（例えば、過去最大の罰金を支払ったドイツのシーメンスの例では、まずミュンヘンの検察官がドイツのシーメンスに対して外国公務員に対する贈賄等の嫌疑で強制捜査を行い、その後にシーメンスが米国 DOJ 及び米国 SEC に対して自主開示を行ったとされている）。

④他の調査案件の過程で得られた情報の例としては、例えば、独禁法違反案件の調査の過程で外国公務員贈賄の事案が発覚するという場合が考えられる（2011 年のマリンホースの例では、ブリヂストンは米国の独占禁止法違反と併せて米国 FCPA 違反の罪を認め、司法取引を行っている）。

⑤メディア報道をきっかけに、当局が興味を持ち調査に乗り出すことがある。特に新興国では、政府高官と関係の深いコングロマリットが大きなビジネスを行っている例も多く、政権交代や政争の場面で、違反行為につながる

---

18) 15 U.S.C. § 78u-6(b)(1)
19) Securities and Exchange Commission Office of the Whistleblower, Annual Report to Congress for Fiscal Year 2023（https://www.sec.gov/files/2023_ow_ar.pdf）

情報がメディアで報道される場合がある。

(2) 証拠保全

　いかなる端緒により発見されたかにかかわらず、違反行為が行われた可能性が高いと認められる場合、まずは、証拠の保全を行い、証拠が散逸しないような措置をとることが重要である。サピーナの発出により違反行為を知るに至った場合は、証拠保全は法律上の義務となるためこれを行うことは必須であるが、そうでない場面であっても、企業としての対応方針を決定するためには、証拠に基づき事実確認を行うことが必要となるため、証拠が散逸しないための保全措置をとることが重要である。

　逆に、このような場合に証拠隠滅・破棄等の行為に及んだ場合、それ自体が刑事罰の対象となってしまうことに十分留意をする必要がある。

　証拠の保全に際しては、少なくとも違反行為に関与したと思われる役職員やその上司・部下などの関係者に対し、電子メール、紙媒体、携帯電話等、媒体の種類のいかんを問わず、証拠を保全すべき義務があることを速やかに通知し、必要な証拠については、実際に確保することが重要となる。関係者や保全する証拠の範囲については、事案に応じた個別具体的な判断となるが、一般的には、保全の段階では、広めに保全をすることが望ましい。また、多くの企業では、一定期間経過後に電子メールや電子データが自動的に削除されるなどの措置をとっているが、かかる措置も速やかに停止し、必要なデータが失われないよう適切な措置を講じる必要もある。

　特に贈賄の事案においては、供与した賄賂につき、簿外で作出した資金が原資となっていたり、会計帳簿上異なった費目で処理されていたりすることが多く、簿外で処理されたり、会計処理を偽ったりしている事実それ自体が重要な証拠となり得る。また、コンサルタント費用、寄付金、旅費や接待費等も問題となることが多い。したがって、このような財務・経理資料や、第三者との契約に関する資料等も合わせて保全を行う必要がある。

　なお、国によっては、企業が役職員の保有する情報を取得するに際し、役職員の承諾を要する点にも留意が必要である。

2　対応方針の検討

　違反行為が行われた可能性が高いと認められる場合、企業としてどのように対応するのかを検討する必要がある。企業としては、まず、どのような体制で内部調査を実施し、その結果を踏まえ、いかなる方針で当局対応を行うのかについて、検討する必要がある。

(1)　体制の構築

　方針を検討するに際しては、まず、企業として、どのような体制で内部調査を行うかを決定する必要がある。一般的には、①企業の役職員及び②法律事務所や会計事務所がチームを組み、必要に応じて③フォレンジック業者なども調査に関与させる例が多いと思われる。

①　企業内では、経営陣（社外役員を含む）を筆頭に、法務・総務・経理・IT部門の役職員が実務を担うことになろう。当然ながら、違反行為に関係のある者は利益相反のおそれがあるため、チームに入れず、情報の遮断を図るなどして調査の公正が図られるよう留意する必要がある。

②　違反行為の調査・対応方針を検討するに際しては、下記(2)に詳述する秘匿特権の保護に留意する必要があり、複数国の法令の検討が必要となるため、外部の法律事務所を起用する場合が多い。また、財務・経理の調査を行うに際しては、会計事務所の協力を得ることが有用な場合もあろう。

③　フォレンジック業者とは、情報の収集・分析を専門に行う業者であり、電子データを含むデータの収集・選別等の役割を果たす。フォレンジック業者を起用するかどうかは、事案の重大性や電子データに重要な証拠が含まれる蓋然性等を考慮して判断することになろう。

　こうした体制の構築に際し、どの程度専門性、独立性の高い体制を作るかという点については、調査の難易度、独立性が要求される度合い等を総合的に考慮して判断することになると思われる。いずれにしても、調査のプロセスについては、後に当局から質問を受けたときに、きちんと報告ができるよう書面化するなどして客観的資料を残して記録化しておくことが望ましい。

また、贈賄事案で多くみられるように、海外子会社や支店が違反行為に関与していると疑われる場合に、誰がどのように調査を進めるのかという点は実務的に検討すべき問題となることが多い。こうした場合に、海外子会社や支店に任せきりにするのは適切ではない。日本の本社が調査を主導し、現地の弁護士とも緊密に連絡をとり、適切な調査が行われる体制を構築する必要がある。

(2) **内部調査**

① 内部調査の目的

内部調査の目的としては、①対応方針の決定のため、②当局の調査に協力をする場合の協力義務を果たすため、③関与者の社内処分の検討のため、④違反行為に関連して提起された民事訴訟に対応するため、⑤再発防止策の構築のため等さまざまな目的が存在し、目的に応じて調査の手法や重点の置き方は変わってくることになる。

不十分・不合理な調査の結果、企業の損害が生じた場合には、取締役の善管注意義務違反の問題となり得ることにも留意が必要である。

② 内部調査の方法

内部調査の方法としては、収集した文書等のレビューを行い、関係者に対してインタビューを行うことが基本となる。実際に収集し保全した文書等のどの範囲のものにつきレビューを行うか、また、どの範囲の関係者にインタビューを行うべきかについては、調査を行うに至った経緯（例えば当局からのサピーナに対応するためであれば、サピーナで要求された範囲は最低限必要となる。内部通報による場合には、通報の内容にどこまで信憑性が認められるのかといった点も考慮に入れる必要があろう）や、難易度、要する費用や時間等を考慮に入れて判断することになる。最初に全てのスコープを決めるのではなく、まずは初期的な調査を行い、そこで得られた情報を元に、第2次、第3次の調査を行うことも合理的である。

収集した文書等のレビューを行う際には、文書等の量にもよるが、全てをレビューするのではなく、関係すると思われる用語で検索をかけ、それにヒットした文書等のレビューを行うことが多い。そのサーチタームを合理的

に設定するためにも関係者に対する初期的なインタビューを行うことも有益である。このように、内部調査は、何段階かに分けて文書等のレビューとインタビューを行うことが合理的な場合が多い。1つの考えられるフローとしては、以下のようなものがある。
　① 関係者に対する初期的なインタビュー
　② ①の結果に基づきサーチタームを決定し、文書等のレビュー範囲を決定
　③ ②で設定した範囲の文書等のレビュー
　④ ③の結果に基づき関係者に対し、追加インタビュー
　⑤ ③④の結果に基づき、追加調査の必要性・範囲について検討。必要に応じ、②～④のプロセスを繰り返す。

　また、場合によっては、調査対象となっている違反行為のほかに、類似の違反行為が存在しないかを把握する観点から、上記①から⑤のフローと並行して、類似の違反行為についての情報提供受付窓口（いわゆるホットライン）を設置することも考えられる。ホットラインをどの範囲の役職員らに告知するかは、類似の違反行為が生じ得る範囲がどの程度であるかという観点から検討する必要があるが、調査対象となっている違反行為が生じたとされている法人の役職員とすることも一案である。

　これらの調査は、弁護士依頼者間の秘匿特権の保護を受ける観点から、外部の法律事務所の弁護士が行うことが望ましい。弁護士依頼者間の秘匿特権（attorney client privilege）とは、①弁護士・依頼者間の、②弁護士の法的助言を得るための、③秘密に行われたコミュニケーションについては、当局による文書提出令状や民事訴訟における証拠開示（discovery）の義務の対象外とすることができる特権である。弁護士成果物（attorney work product）も、同様に証拠開示義務の対象外となる。

　日本法の下では、刑事事件における弁護人と依頼者との間の秘密交通権による文書等の捜索差押に対する制限や証言拒絶事由はあるものの、その範囲は限定的であり、令状に基づく捜索差押えや裁判所での証言を拒んだりその対象を限定する秘匿特権の概念は存在しない。しかしながら、贈収賄に関する違反調査は、日本法のみならず米国、英国その他の国で問題となることも想定されることから、内部調査の過程で得られた情報が、不必要に後に証拠開示の対象とならないよう、弁護士依頼者間の秘匿特権で保護されるように

適切に調査を進める必要がある。

　具体的には、関係者のインタビューを行う場合には、弁護士が行うべきであり、また、米国では、調査結果を社内で報告する際も、弁護士が資料を作成して報告するなどの措置をとることが求められる。弁護士以外の会計事務所やフォレンジック業者が調査に関与する場合も、秘匿特権の保護を受けるためには、弁護士が法的助言を行う必要から起用した専門家として採用し、かつ、重要な連絡事項は弁護士を通じて実施することが必要である。

　また、役職員に対してインタビューを行う場合に、その記録を（当該役職員ではなく）企業が保有する秘匿特権の対象とするためには、インタビューを行う弁護士が、以下を内容とする、いわゆるアップジョーン警告と呼ばれる内容の説明を行う必要があるとされている。したがって、違反行為が米国で問題となる可能性がある場合には、この警告をインタビュー前に行うことを検討すべきである。

　㈲　（当該弁護士は）企業の代理人であり、インタビュー対象の役職員個人の代理人ではないこと
　㈹　インタビューは、企業に対して法的アドバイスを行うために行うものであること
　㈺　インタビューにて話をした内容は、弁護士依頼者間の秘匿特権の保護の対象となるが、かかる特権は、企業に帰属するものであり、インタビュー対象者に帰属するものではないこと。したがって、企業は独自の判断で、特権を放棄し、インタビューの内容を第三者に開示することができること
　㈻　弁護士依頼者間の秘匿特権の保護を受けるためには、インタビューの内容は守秘される必要があり、インタビュー対象者の弁護士以外にそれを話してはならないこと

③　内部調査の際の留意点

　上記のとおり、アップジョーン警告は、秘匿特権の概念が発達した、特に米国において用いられている警告であるが、それを異なる背景を有する役職員のインタビューに際して、そのまま用いるかどうかという点は、個別具体的事案に応じて検討する必要がある。例えば、秘匿特権について全く知識のない日本の役職員に対し、上記②の㈲から㈻の内容をそのまま、何らの前置

きもなく伝えると、不必要に警戒させ、誠実な供述を引き出せなくなる可能性もある。特に日本の役職員の場合は、役職員と企業は一体という意識が強いことも多く、いきなり企業の代理人と個人の代理人は異なるものであり、自分は企業の代理人である旨伝えると、企業から見捨てられたかのような感覚を持ってしまうおそれもある。したがって、このような警告を行う場合の説明の仕方については、細心の注意を払う必要がある。

インタビュー内容の守秘性については、秘匿特権保護の観点だけではなく、調査の独立性・客観性を担保するためにも必要とされる。これについても、通り一遍の説明ではなく、なぜそれが必要なのか、どのような行為をしてはいけないかという点を含め、説明が必要とされる。真面目に調査に協力しようと思う役職員ほど、インタビューで聞かれた質問に答えられない場合に、他の役職員と話をしたり、過去の資料を自ら紐解いて回答を探そうとしたりする傾向があるからである。

贈賄案件では、調査対象が複数国に及び、調査対象文書やインタビュー対象者の母国語が複数言語に及ぶ場合も数多くある。また、行為を秘匿するためにわざとわかりづらい符丁や用語を使っているような場合もみられる上、証拠文書の記載をどのように解釈するのかという点が案件の方向性を決めるに際して決定的な影響を与える場合もある。したがって、文書の内容の解釈や、翻訳の正確性が案件の帰趨に大きな影響を与える場合があるということを念頭に置いて、質の高い翻訳者及び現地語を解する現地の弁護士を確保することは非常に重要である。

同じことは通訳を介したインタビューの際もいえる。通訳を介するインタビューは、言語の問題及び文化の問題が障壁となり、難易度が高くなる。質の高い通訳を確保することはもちろん、インタビュー対象者からいかに話を聞き出せるかという観点から、いろいろな工夫を行うことが必要となろう。

また、インタビューやホットラインを通じて提供される情報には、個人情報も含まれる。特にオンラインで日本国外の役職員から話を聞いたり、日本国外の役職員も利用可能なホットラインを開設したりする場合には、個人情報の国外移転の問題が生じることがあり得る。そうした国外の役職員の個人情報の取り扱いについては、就業規則や雇用契約などに定めが置かれている場合が多いと考えられる。そうした定めにおいて、違法行為の社内調査目的での個人情報の取得、利用、移転（国外移転含む）等について明示されてい

ない場合、どのような手続が必要となるかは各国の個人情報保護法の定めにより異なり得るため、現地の弁護士を交えて検討することが推奨される。

(3) 内部調査の結果に基づく法適用の検討

　上記のような内部調査で把握した事実を基に、違反行為の有無・違反の程度、予想される弁解の内容、どの国の法令のどの条項が問題となるのかなどにつき検討することになる。贈収賄は、どの国においても、多くの場合、行為者の主観的要件（日本の不正競争防止法であれば「営業上の不正の利益を得る目的」、米国FCPAであれば「汚職の意図」）の認定が必要であり、事案ごとの個別具体的な判断が求められるため、成立要件の該当性の判断が難しいことが多い。また、社会的儀礼の範囲内の贈与かどうか、「合理的かつ善意に行われる支出」として許される余地がないかどうかも事案ごとの個別具体的な判断が必要となる。

(4) 方針の検討

　検討の結果、違反事実が認められる可能性が高く、排斥が困難な弁解も想定されない場合には、関係者の処分や、コンプライアンス体制の見直しが必要となることはいうまでもない。それに加えて、より積極的に関係当局への開示を自主的に行うか、また、既に調査が始まっている事案の場合には調査協力をするか否かは別途の判断が必要となる。

① 自主開示を行うかどうか

　米国FCPAにおいてもUKBAにおいても、違反行為を発見した場合、自主開示を行うことが推奨されており、自主開示を行ったことは、制裁を軽減する1つの要素となっている。例えば、下記3(2)で触れるが、米国においては、FCPA違反行為について検察官はFCPAの執行に関するポリシー（FCPA Corporate Enforcement Policy）に沿って、起訴の適否や、起訴する場合において裁判所に対し罰金額についてどのような推奨を行うかを検討するが、同ポリシーの下では、米国FCPA違反行為を自主的に開示したかや、その自主開示が違反行為の嫌疑が生じてから直ちになされたかなどが、上記

検討の考慮要素の1つとなっている。日本法の下でも、自主開示を行い、それが自首に該当すれば、刑の減軽が受けられる可能性がある（刑法42条1項）ほか、検察官による処分及び求刑並びに裁判所の量刑において刑を軽減する方向に働く有利な情状として考慮される余地がある。また、違反行為の嫌疑が生じたものの犯罪事実が確定していない段階では、捜査機関に申告したとしても自首には該当しないものの、やはり上記同様に有利な情状として考慮される余地はあるため、情報提供という形で捜査機関に対し報告を行うことは珍しくはない。

　このように、早期に自主開示を行うことにより、制裁が軽減される可能性があることからすれば、自主開示を行うかどうかは、案件の早期の段階で検討をする必要がある。

　他方、違反事実の認定や、抗弁の存否は解釈に幅のある微妙な判断となることも多く、自主開示を行い、違反認定がなされた場合のインパクトを考慮すると、自主開示を行うべきか否か迷う事案も存在する。日本をはじめ、贈収賄事案の自主開示をした場合に、軽減が受けられるか否か、また受けられるとしてもその範囲については完全に当局の裁量に委ねられているような国も多い。こうしたことから、自主開示を行うことが企業にとって本当にメリットがあるのかという点に疑義を呈する意見も存在する。他方、2014年の丸紅による有罪答弁では、同社が自主開示をせず調査協力も行わなかったことが、効果的なコンプライアンスの不存在等の事情と共に、罰金額の考慮に影響を与えたとされており、自主開示を行わなかったことが罰金額を高額にする一事情として考慮されたことがうかがわれる。

　このように、自主開示を行うかという点については、一義的な答えはなく、個別具体的な事案ごとの判断にならざるを得ない。結局は、自主開示を行った場合と行わない場合のそれぞれのメリット及びデメリットを比較して判断することになろうが、その際には、①違反事実の有無・範囲・違反の程度、②問題となる法域、③関係当局により立件される可能性・立件された場合に想定される制裁の範囲、④その他のリスク、⑤自主開示により制裁が軽減される見込み・その範囲等を総合的に考慮して、自主開示を行うかどうか、行うとしてどの国で行うべきかを判断することになろう。

② 調査協力を行うかどうか

　自主開示するかという問題と類似した問題として、当局調査が係属している場合にどこまで調査に協力すべきかという問題もある。自主開示はしなくとも、当局調査が開始した場合には調査協力は行うという方針もあり得る。

　調査協力を行うか否かの判断も、上記①で述べた自主開示を行うかという点についての考慮要素を検討することが必要になる。また、それに加え、当局調査が既に開始している場合には、当局が他の情報源から既に情報を得ている可能性が高いことから、どのような内容の情報を当局が保有しているのか、それにより起訴等の可能性にどのような影響を及ぼすのかという点も考慮することが必要になると思われる。

　協力を行うとしても、どの範囲で協力を行うのか（どの範囲で文書等を提出するか、当局からのインタビューに応じるのかなど）、また、協力を行いつつも、責任範囲を狭める抗弁等について主張していくことは可能か、そうした場合に軽減措置が受けられるのかという点も問題となるが、これらについても、個別具体的な事案に応じた検討が必要となる。

3　当局対応における留意点

　端緒がいかなるものであれ、当局が調査・捜査を開始した場合、企業としては、なるべく刑事処分や起訴がなされないよう、また、起訴等された場合でも、その対象の範囲や刑罰の程度を最小化し、影響を最小限にとどめるための防御活動を行っていくことになると思われる。

　本項では、日本における主たる当局対応として想定される警察・検察による捜査、起訴及び刑事裁判の各手続のほか、当局による処分や起訴がなされた場合の影響が特に大きい米国DOJ及び米国SECによる捜査・調査手続の概略、当局による処分の基準、当局との取引等による事案の収束方法、司法取引及びその他当局対応における留意点につき概説する。

(1) 日 本

　日本において外国公務員贈賄を規制する不正競争防止法は、その規制・防止手段として刑事罰のみを定めており、民事・行政上の手続は規定されてい

ない。ただし、外国公務員贈賄を行った企業等に対しては、外務省等の政府機関により、公共調達からの除外等の処分が行われ得る。

そこで、以下、刑事手続の概要と各段階における対応上の留意点について述べた上、外務省による処分を例に行政上の制裁その他の手続について説明する。

① 刑事手続

日本の刑事手続においては、原則として警察が第一次捜査機関として事件を認知して捜査を遂げた上、検察官に事件を送致し、検察官が起訴・不起訴を決定する。起訴がなされた場合には、刑事裁判において、起訴された犯罪事実の存否及び有罪の場合の量刑が審理されることになる。ただし、関係者や証拠が国外に存在したり、犯罪収益に係る資金の流れが多国間にまたがったりして、他国の捜査共助を得て国際捜査を行う必要があるなど複雑困難な企業犯罪については、検察庁[20]が独自に、又は捜査の初期的段階から警察と協同して捜査を行う場合もあり、外国公務員贈賄罪についても、過去、検察庁が独自捜査を行った事案がある。

(i) 捜　査
(a) 捜査の端緒

捜査機関が外国公務員贈賄事件についての捜査の端緒を得る方法はさまざまである。

代表的なものとして、他事件の捜査の過程で得られた証拠（書類や供述）から端緒を得る場合がある。通常、賄賂として供与された金銭等を会計・税務上適切に処理することは困難であり、簿外処理や有価証券報告書・計算書類の虚偽記載など何らかの不適正な処理を伴うため、租税事件など企業が捜査対象となる事件において、預貯金口座や帳簿の会計・財務に関する資料の精査分析が行われた結果、そのような不適正処理が端緒となって外国公務員贈賄の嫌疑が生じることが考えられる。また、別件の捜査過程における役職

---

[20] 東京、大阪、名古屋の各地方検察庁に置かれている特別捜査部による捜査が代表的であるが、各地方検察庁の検察官がその管内の事件について独自に捜査を行う場合もある。

員等の関係者の供述も、捜査機関が外国公務員贈賄の嫌疑を抱く端緒となり得る。収賄側の外国公務員が当該外国当局に検挙され、当局間同士の情報提供によって捜査が開始されることも考えられるほか、企業内外からの通報・情報提供、さらには報道等の公開情報が捜査の端緒となることもある。

　企業側としては、捜査機関が捜査の端緒をつかむ前に、潜在的な外国公務員贈賄事案の有無を把握し得る体制を構築し、当局の捜査に先行し又はこれに遅れることなく対応をとることが必要となる。

　(b)　任意捜査

　捜査機関は、捜査の端緒をつかんで犯罪の嫌疑を抱くと、任意処分として、他の公的機関、民間の事業会社等のさまざまな団体に対して捜査関係事項照会等を行い、捜査上必要な情報・客観的資料の提供を受けたり、捜索差押許可状（令状）の発付を得て、金融機関や通信会社等に対して捜索差押えを行い、預貯金口座の取引明細や税務情報、通話記録や電子機器の通信記録等の情報・資料を収集したりして、それらの分析を進める。

　外国公務員贈賄の捜査においては、通常、これらの基礎捜査により、賄賂として供与された資金等の流れや関係者の動きが明らかになる。そして、このような基礎捜査を経て犯罪の嫌疑が深まると、刑事事件として正式に立件され、より本格的な捜査へと移行する。この段階になると、捜査対象となっている企業や関係先に対して、資料の任意提出や役職員等に対する任意の事情聴取（取調べ）などが行われ、捜査を行っていることが対象企業等に覚知され得る状況になるほか、事案によっては報道等によって犯罪事実が公にされることもある。

　企業側としては、捜査機関が水面下で行っている捜査を覚知することは困難であり、通常は、任意聴取の要請等により当局の捜査を把握することが多いと思われる。任意捜査においては、その応対が捜査機関による強制捜査実施の要否及び範囲の判断に影響するため、正確な状況の分析及びその後の見通しを踏まえた慎重な判断を要する。また、捜査の対象となった役職員個人と企業との間には利害関係の対立が生じる場合もあるため、弁護士への依頼や相談についても役職員個人と企業との間の利益相反に注意しなければならない。一方、任意捜査、特に事情聴取の過程で、捜査機関が抱いている犯罪の嫌疑の内容や捜査対象者、捜査の焦点などの情報を得ることができる場合もあり、企業における内部調査にも資するところがあるほか、捜査対象とさ

れた個々の役職員と企業の防御方針が一致する場面も少なくないと思われる。そのため、企業側としては、事案の全体像及び焦点と捜査機関の動きを早期に把握し対応方針を立てることが重要となる。

(c) 強制捜査（捜索差押、逮捕・勾留）

日本の刑事訴訟法は、任意捜査を原則としており（刑事訴訟法197条1項）、捜査機関は、上記のとおり、まず関係者の協力を得ながら任意捜査によって証拠の収集及び事案の解明を進める。しかし、捜査機関は、任意捜査のみによっては更なる事案の解明が困難であると判断した場合には任意捜査を経て、又は、捜査対象が反社会的勢力であったり、罪証隠滅が図られたりするなど、当初から関係者の協力が得られる見込みが低いと判断した場合には、任意捜査を経ずして、捜索差押、被疑者の逮捕・勾留等の強制捜査を実施する。その後、押収した証拠品の分析と共に、被疑者等に対する集中的な取調べが行われ、起訴・不起訴の判断に向けた詰めの捜査が行われる。警察が捜査を行っている場合、警察は、基本的な捜査を遂げた段階で、被疑者を逮捕した上で事件を身柄付きで検察庁に送致するか、在宅のまま検察庁に送致（いわゆる書類送検）することとなる。

嫌疑の内容や捜査対象者、捜査の進捗、強制捜査の時期及び範囲等は、任意捜査の過程で得られる情報のほか、報道等の周辺事情からある程度予測することが可能である場合が多い。この点、強制捜査、特に被疑者の逮捕・勾留は、罪証隠滅及び逃亡のおそれの程度と、逮捕勾留の必要性・相当性を考慮して判断されるが[21]、とりわけ、被疑事実に対する認否をはじめ、任意捜査における協力の程度や事情聴取における供述の内容、証拠の隠匿・破棄や口裏合わせなどの罪証隠滅行為の有無が特に重要な要素となる。そのため、任意捜査の段階から、企業側において事実関係を正確に把握し、認否をはじめ防御の方針を定めると共に、証拠の保全と捜査協力に努めることが極めて重要となる。特に、証拠の保全に関しては、いわゆるLitigation Holdなど諸外国における外国当局対応の観点からも、故意はもとより不注意や通常業務に伴う証拠資料の廃棄を防止する措置を講じることのほか、内部調査におけるインタビュー等を通じて役職員に口封じや口裏合わせを行ったとの疑いを生じることがないよう留意する必要がある。

---

21) 刑事訴訟法60条、87条。

(ii) 起訴不起訴その他の処分

　日本の刑事手続においては、起訴不起訴の判断は、原則として検察官の専権とされ、検察官が諸般の事情を総合考慮して決定することとされており[22]、諸外国における起訴の法定や、起訴基準などは存在しない。

　検察官による起訴には、通常の刑事裁判による審理を求める「公判請求」のほか、公開の法廷における審理を求めず裁判所の書面審理により比較的軽微な刑罰のみを科す「略式命令請求」[23]がある。

　また、不起訴処分にも、検察官が、「犯人の性格、年齢及び境遇、犯罪の軽重及び情状並びに犯罪後の情況により訴追を必要としない」と判断して公訴を提起しない「起訴猶予」のほか、犯罪事実を立証するに足る証拠がないことを理由とする「嫌疑不十分」などがある。

　外国公務員贈賄罪について捜査を受けた企業及び役職員としては、外国公務員贈賄罪の成立を争う主張がある場合には、検察官に当該主張を理解させて犯罪の成立を立証することは困難であるとの心証を抱かせるため、捜査に協力しつつ、取調べにおける供述及び資料の提出等を通じて適切かつ十分に主張を尽くす必要がある[24]。ただし、虚偽や客観的な証拠・事実に反する供述、主張は、かえって悪情状として重い処分、量刑を基礎付ける事情と評価されかねないため、ここでも正確な事実関係及び証拠の把握が重要となる。

　なお、外国公務員贈賄罪については、OCEDによる条約審査において日本の当局による執行の数の少なさがつとに指摘され、執行の強化が繰り返し勧告されているところであり[25]、起訴が猶予されることは期待し難いことが予想される。そのため、当局による捜査及び検察官による起訴不起訴の判断

---

22) 起訴独占主義（刑事訴訟法247条）、起訴便宜主義（同法248条）。
23) 略式命令においては100万円以下の罰金又は科料のみ科すことができる（刑事訴訟法461条）ため、拘禁刑が科されることはない。
24) 刑事弁護においては、弁護人が被疑者に対し黙秘を勧める例も少なくないが、黙秘権を行使しながら十分な捜査協力を行うことは困難であり、検察官及び裁判所において捜査協力の事実が有利な事情として十分に斟酌されないおそれがあるばかりか、被疑者側に有利な主張を尽くす機会も放棄することになるといった可能性があることも十分考慮に入れて方針を決する必要がある。
25) OCED作業部会による第4次対日条約審査の報告書及び勧告において、外国公務員贈賄罪についての執行の強化が求められている（https://www.mofa.go.jp/mofaj/files/000510321.pdf）。

の段階においては、略式手続による罰金、又は公判請求された場合において
も検察官の求刑及び裁判官による宣告刑の軽減を求めていくことになる。

(iii) 刑事裁判及び量刑

外国公務員贈賄罪について起訴、公判請求された場合、公開の法廷における裁判所の審理を経て、裁判所の判決により有罪無罪の判断及び科される刑が宣告される。

一般的な事件の公判においては、起訴から1か月半ないし2か月程度で第1回公判期日が開かれ、被告人が起訴事実を認めて争わない場合、1回ないし2回の公判審理を経て、起訴から2、3か月程度で判決が言い渡される。起訴事実に争いがある場合、3回以上の公判期日が開かれて証人尋問等の証拠調べが行われ、半年から1年以内に判決に至る事件が多い[26]。

裁判所が有罪と判断した場合の量刑についても、裁判所が自由な心証に基づいて判断することができ、米国における量刑ガイドラインのような基準は存在しない。**第2章第3節3**のとおり、外国公務員贈賄罪についての法定刑は、自然人について10年以下の拘禁刑若しくは3,000万円以下の罰金又はその併科、法人について10億円以下の罰金とされており、その範囲内で刑が宣告される。

これまでに外国公務員贈賄等で起訴された12件の事例[27]のうち、8件については、行為者である自然人の被告人12名のいずれも略式命令により20万円ないし100万円（略式命令による罰金の上限額）の罰金が科され、他の4件については、行為者である自然人の被告人12名に対してそれぞれ執行猶予付き懲役刑が宣告されると共に、うち3件について、法人にも2,500万円ないし9,000万円の罰金が科された[28]。このように、これまで、自然人につ

---

26) 証拠の数量が膨大であったり事実関係が複雑な事件、争点が多岐にわたる事件などについて、検察官及び弁護人が裁判所と非公開で協議を行って争点及び証拠の整理を行う公判前整理手続に付されることがある（刑訴法316条の2以下）。この場合、公判前整理手続が終結するまで第1回公判期日は指定されないものの、公判期日は連続的、集中的に開かれ、第1回公判から判決までの期間は短くなる。

27) 「外国公務員贈賄防止指針（令和6年2月改訂版）」41頁以下の記載に基づくものである。

28) 残る1件については、合意制度（いわゆる日本版司法取引）の適用により、法人である企業は不起訴となっている。

いて懲役刑の実刑及び罰金併科を宣告した判決はないが、前記**第 2 章第 3 節 3** のとおり、2023 年改正により法定刑が引き上げられたほか、OCED 対日審査においても自然人に対する実刑及び罰金併科を宣告した事例がないことが指摘されており[29]、今後、厳罰化が進む可能性があることに留意しなければならない。

(ⅳ) 合意制度及び刑事免責について

合意制度及び刑事免責制度の概要については**第 2 章第 3 節 5** において記載されているが、以上の刑事手続の概要を踏まえて、各制度の活用を検討すべき段階とその効果について付言する。

合意制度は、被疑者・被告人による捜査協力（犯罪事実に関する真実の供述・証言又は証拠の提出）と引換えに、検察官が特定の犯罪事実について不起訴処分又は特定の犯罪事実による起訴若しくは特定の求刑をすることを合意するものである（刑事訴訟法 350 条の 2）。

この制度において、当事者となるのは被疑者・被告人とされる者であり、外国公務員贈賄罪においては行為者である役職員等のほか、両罰規定により刑事責任を問われる可能性のある法人も当事者となり得る。通常、被疑者・被告人側としては、最も有利な不起訴処分の合意を求めることになると思われるところ、その場合には、起訴前の捜査段階で合意及びそれに向けた交渉が行われることになる。また、合意制度は、捜査機関に対して犯罪事実の証拠を提供するものであるため、当該犯罪事実を認め、合意内容によっては有罪判決を受けることが確定する結果となる。そのため、早い段階で捜査機関が把握している事実・証拠関係を正確に把握し、処分・量刑の見立てをもっておかなければならない。なお、この合意制度が適用された日本初の事例においては、企業の役職員らが外国公務員贈賄罪の行為者であった事例で、当該企業が検察庁との間で合意制度を適用し、捜査機関に対する捜査協力を行う見返りに法人である企業を不起訴処分とする旨の合意を行い、他方役職員らは有罪判決を受けている。このように合意制度が採用される場面では必ずしも役職員らと企業の利害が一致するとは限らない。特に日本の役職員の場

---

[29]　OECD, *PHASE 4 REPORT: JAPAN*（2019）（https://www.oecd.org/corruption/OECD-Japan-Phase-4-Report-ENG.pdf）P37 .

合は、役職員と企業は一体という意識が強いこと、両罰規定のある犯罪類型は、役職員が利欲的な動機に基づかず、企業の利益のために犯行に及んでいるケースが多く、企業がその刑責を免れるために合意制度を利用することには社会の心理的抵抗も少なくないことも踏まえると、合意制度を利用するに当たっては、こうした事情を踏まえた慎重な検討が必要となる。

　一方、刑事免責制度は、他人の刑事裁判において証人とされた者が、その証言を当該証人自身に対する有罪の証拠とされないことを条件に、証言拒否権をはく奪されて証言を強制される制度である（刑事訴訟法157条の2）。裁判所の決定により一方的に付与され、証人が自発的な協力ではなく証言を強制されるものである点のほか、対象者は他人の公判における証人である点や、公判段階でのみ用いられる点など、日本版司法取引と呼ばれる上記の合意制度とは全く異なる制度である。

　外国公務員贈賄罪、殊に企業による事案において、刑事免責の適用が想定されるのは、法人としての企業や上位の役職員の公判において、贈賄行為に関わった役職員等が、証人として証言を求められた場合である。当該証人が、証言を求められた内容は当該役職員等自身に対して不利な証拠として用いられる可能性があることを理由として証言を拒否した場合に、刑事免責を与えることにより、証言を強制させるという形で用いられることが想定される。外国公務員贈賄の嫌疑を受けている企業側としては、捜査協力を拒んだ場合や、法人としての企業又は一部の役職員と、贈賄行為に関わった他の役職員等との間で主張に争いがある場合などに、検察官の請求により証人となった役職員等に刑事免責が付与されて、被告人である企業や役職員等に不利な事実が法廷に検出される結果となることが予想されることから、防御戦略を構築するに当たって念頭に置く必要がある。

② 行政機関その他政府系機関による措置等

　上述のとおり、外国公務員贈賄を規制する不正競争防止法には刑事罰以外の制裁等は置かれておらず、諸外国のように政府当局から行政又は民事上の制裁が科されることはない。

　しかしながら、一部の省庁は、外国公務員贈賄を含む不正行為を行った企業等を国の事業や入札等から除外する措置を講じる制度を設けており、同様の制度を設けている政府系機関も存在する。

例えば、**第2章第3節3**(2)④のとおり、外務省は、ODA事業に関連して不正行為等を行った企業に対し、一定期間ODA事業に参加させないようにする措置制度を設けており、JICAや政府からの出資を受けている株式会社日本貿易保険や国際協力銀行などの政府系金融機関も、同様に契約の相手方や競争入札から除外する制度を設けている。その他の行政機関や地方公共団体も、不正行為を行った企業等を入札参加資格の停止や調達契約の相手方から一定期間除外する措置を講じることとしている。

このような措置が講じられた場合、企業は、外国公務員贈賄が行われた国・地域のみならず、日本国内においても、国や地方公共団体、政府系機関からの事業受注や製品・サービスの提供が困難となる事態に陥り、企業活動に深刻な影響を及ぼしかねない。そこで、措置の発動前の時点で[30]、自主申告による減免措置（リニエンシー）[31] がある場合にはその申請を検討するほか、これらの措置の発動要件となっている外国公務員贈賄罪等による逮捕や公訴提起を回避するよう努めることになると思われる[32]。

(2) 米 国

米国FCPA違反の罪を企業が犯した場合、DOJはこれに対する刑事の制裁及び国内関係者（domestic concerns）らに対する民事の制裁を、SECは発行者（issuer）及びその役職員について今後の違反を防止するための差止請求や制裁金といった民事の制裁をそれぞれ管轄する[33]。以下、それぞれの手続及び留意点について簡潔に説明する。

---

30) 国や地方公共団体による競争入札への参加資格や調達からの除外については、行政処分ではなく、行政手続法や訴訟等による不服申立ては困難であると考えられる。指名停止の行政処分性を否定した裁判例として、東京高判平成24年2月28日公刊物未登載。
31) 減免制度については、**第2章第3節5**を参照されたい。
32) 外務省をはじめ、国や地方公共団体による指名停止等の措置の要件として、外国公務員贈賄等の不正行為による逮捕又は公訴提起を定めている場合がある。外務省、「日本国のODAにおいて不正行為を行った者等に対する措置要領」第2、別表第2。また、各機関が独自に外国公務員贈賄等の不正行為を認定することは困難であり、刑事手続による事実認定を措置の前提とする場合が多いと思われる。
33) 「発行者」「国内関係者」の定義については、**第2章第1節3**(1)を参照されたい。

① 刑事手続——DOJ
(i) 捜査手続

米国は連邦制をとっているため、連邦と州のそれぞれが刑事法を制定し、その法を執行する権限を有している。米国 FCPA は連邦法であるため、以下は連邦の刑事手続を前提に述べる。

連邦捜査局（FBI）などの捜査機関が連邦の事件について捜査の端緒を得た場合、犯罪の捜査を行う。

検察官は、こうした捜査により得られた情報を基に、起訴の当否を判断する。このとき、重罪に当たる行為を起訴するには大陪審（grand jury）[34]の設置が要請されるところ（合衆国憲法修正第5条）、FCPA 違反は重罪に当たるため、FCPA 違反の罪で起訴を行う場合には大陪審を設置しなければならない[35][36]。

そのため、検察官は FCPA 違反の罪の嫌疑について捜査を行い起訴が必要と判断する場合には、大陪審の設置を裁判官に要請することとなる。このような罪については、大陪審が証拠調べを行い、最終的に正式起訴状（indictment）を発することにより、起訴がなされる。

大陪審にはこのために、サピーナ（subpoena〔召喚令状ともいう〕）の発出権限が付与されている。サピーナの送付を受けた場合、米国所在の企業及び個人は、それに従い出頭、証言、書類その他の証拠物の提出を行う法律上の義務を負うことになるが[37]、提出する文書の範囲や、証言を行うタイミング等については、合理的な範囲で米国 DOJ と交渉することが可能な場合がある。

---

34) 刑事事件において起訴を相当とするに足るだけの証拠があるかどうかを審理する陪審。16～23名の市民から成る（Fed. R. Crim. P. 6(a)(1)）。
35) 合衆国憲法修正第5条により、死刑事件その他の重罪については大陪審による告発又は正式な起訴によらなければ審理されないとされている。連邦刑事手続規則上、ここでの重罪は1年を超える拘禁刑又は死刑に処される可能性のある犯罪とされている（Fed. R. Crim. P. 7(a)(1)）。FCPA 違反の量刑については**第2章第1節5(1)**を参照されたい。
36) 被告人が大陪審による起訴を放棄した場合には検察官による起訴（information）により手続を進めることが可能である（Fed. R. Crim. P 7(b)）。
37) Fed. R. Crim. P 17(c)(1)

なお、こうした米国 DOJ のサピーナは、日本企業の米国子会社に対して送達されることが多いが、米国子会社のみならず、米国外の日本本社や、第三国所在の子会社に対しても、直接サピーナが送達される場合もある。米国の主権は米国外には及ばないため、これに応じなかったとしても直接的な影響はないものの、将来的に米国内において法廷侮辱罪等の制裁を受ける可能性があることに留意する必要がある。

また、サピーナの有無にかかわらず、捜査に協力する場合には、協力の一環として、日本所在の文書等を任意に提出することや、米国外に所在する証人に対する DOJ のインタビューに任意に応じることなども考えられる[38]。

(ii) 起訴等の基準

上記のとおり、米国 FCPA 違反の罪について検察官が起訴を行う場合、検察官は大陪審の設置を要請し、証拠を提示し正式起訴状の発行を求めることになるが、この一連のプロセスにおいて検察官は裁量を有しているものの、完全な自由裁量が与えられているわけではない。連邦法に基づく刑事事件について、検察官が起訴をするかどうか、どのような求刑を行うかなどについては、司法省マニュアル（Justice Manual）に定められている連邦訴追原則（Principles of Federal Prosecution）[39] に従って判断されることとなっており、連邦検察官は、FCPA 違反の罪について起訴するか否かなどをこれに基づいて判断することになる。

同原則によれば、被疑者の行為が連邦法に基づく犯罪を構成し、証拠能力ある証拠により有罪を得ることが可能と十分に認められる場合、検察官は起訴を推奨し、これを行わなければならないとされている[40]。

---

38) このように任意にインタビューに協力する場合であっても、一旦米国に入国すると、米国の主権が及ぶことになるため、その場で証人が身柄を拘束されたり、所持品を押収されたりするリスクがある。したがって、米国外に所在する証人に対する米国 DOJ のインタビュー要請に応じる場合には、通常、該当期間中に身柄拘束、文書の送達、所持品の押収等をせず、安全に米国を離れることを確約する旨の合意を米国 DOJ から取り付ける必要がある（通常、Safe Passage Letter と呼ばれるレターが米国 DOJ から出される）。

39) Justice Manual, Title 9: Criminal, 9-27.000 - Principles of Federal Prosecution (https://www.justice.gov/jm/jm-9-27000-principles-federal-prosecution)

40) Justice Manual, Title 9: Criminal, 9-27.220 - Grounds for Commencing or Declining Prosecution

ただし、①起訴により連邦政府の実質的な利益が達成されない場合、②当該被疑者が他の法域において有効に起訴されている場合、また③起訴以外の、非刑事の選択肢が存在する場合には、この限りではないとされる[41]。このうち、①の「連邦政府の実質的な利益」の有無の判断に際しては、連邦法のエンフォースメントの優先順位、犯罪の性質及び重大性、起訴による抑止効果、被疑者の有責性、被疑者の前科前歴、他者に対する捜査及び起訴に関する被疑者の協力意欲、被疑者の属人的な事情、被害者の利益及び被疑者が有罪となった場合に想定される刑等の全ての関連する事情を考慮する必要があるとされている[42]。

また、企業犯罪に関しては、企業に対する連邦訴追原則（Principles of Federal Prosecution Of Business Organizations）が規定されており、連邦検察官が、犯罪の嫌疑のある企業に対して捜査を行うか、起訴するか、そして答弁取引・合意その他の取引・合意を行うかなどを判断するに際しては、以下の要素を検討すべきとされている[43]。

(イ)　犯罪の性質及び重大性（公共に被害が及ぶリスクを含む）
(ロ)　当該企業における違反行為の広がりの程度（企業経営陣による違反行為の共謀又は黙認を含む）
(ハ)　当該企業の類似の違反歴（過去の国内外における刑事、民事、行政の執行を含む）
(ニ)　当該企業の協力意思（捜査の対象となっている違法行為に関与した現在及び過去の役職員や代理人その他の個人及び法人による行為に関するものを含む）
(ホ)　違法行為及び起訴不起訴の判断時点における当該企業のコンプライアンスプログラムの適切性及び実効性
(ヘ)　当該企業の適時かつ自発的な違反行為の開示
(ト)　当該企業の再発防止策（適切かつ効果的なコンプライアンスプログラムの実践、既存プログラムの改善、担当経営陣の交代、違反行為者の懲戒又は

---

41)　Justice Manual, Title 9: Criminal, 9-27.220 - Grounds for Commencing or Declining Prosecution
42)　Justice Manual, Title 9: Criminal, 9-27.230 – Initiating and Declining Charges—Substantial Federal Interest
43)　Justice Manual, 9-28.300 - Factors to Be Considered

解雇、違法行為への制裁としての金銭支払、賠償支払を含む）
- ㈏　付随的な結果（株主、年金受給者、従業員及びその他個人的に責任がない者に対する不均衡な被害の有無、及び起訴により公共に与える影響を含む）
- ㈐　国内外における民事又は行政による執行などの救済措置（当該企業が当局に協力することにより得られる救済を含む）の適切性
- ㈑　企業の違反行為に責任のある個人を訴追することの適切性
- ㈒　被害者の利益

　このうち、㈡の協力の内容としては、調査に有用な文書等の提出や証人のインタビューが一般的であり、米国当局からも要請されることが多い。他方、例えば内部調査の結果を弁護士が企業のために整理したメモ等は、弁護士依頼者間の秘匿特権により保護されるものであるが、こうした秘匿特権の対象となるコミュニケーションにつき、調査協力の一環として、当局側が調査対象者に対して特権を放棄することを要請し、それを量刑上考慮することの当否については、長年にわたって議論がなされてきた。従前は、秘匿特権を放棄した場合にはそれを量刑上有利に扱うという実務が広く行われてきたが、かかる実務は秘匿特権を侵害するものと批判されてきた。現在の司法省マニュアルにおいては、米国DOJが、量刑上有利に取り扱うことを条件として、秘匿特権の放棄を求めることは適切ではないとされている[44]。もっとも、この点は個別具体的な事案ごとに、慎重な検討が必要とされる。

　また、FCPAの企業に対する執行に関するポリシー（FCPA Corporate Enforcement Policy）においても、米国FCPA違反の罪の起訴の当否に関する定めがある。同ポリシーの下では、米国FCPA違反行為を自発的に自主開示し（voluntarily self-disclosed）、全面的に調査に協力し（fully cooperated）、適時に適切な改善措置を講じた（timely and appropriately remediated）企業は、違反行為の態様や悪質性に鑑みて処分を加重すべき要素がない限りは、原則として不訴追処分とすることとされている[45]。加えて、違反行為の態様や悪質性に鑑みて処分を加重すべき要素があったとしても、

---

[44]　Justice Manual, Title 9: Criminal, 9-28.710 - Attorney-Client and Work Product Protections
[45]　ただし、企業は、不起訴処分の推定を受ける前提として、違反行為から不当に得た利得の返還、没収、補償等の支払を行わなければならない。

①違反行為の嫌疑が生じてから直ちに自主開示を行い、②違反行為及び自主開示のいずれの時点においても、企業が効果的なコンプライアンスプログラム及び会計内部統制システムを有しており、それにより違法行為の特定と自主開示がなされ、かつ、③企業が米国DOJの調査に並外れた（extraordinary）協力を行いかつ並外れた改善措置を行った、という3つの要件全てを満たすことが証明された場合には、なお、検察官が、不起訴処分を適切と判断することも許容されるとされている。加えて、起訴された場合でも、違反行為を自主的に開示し、全面的に調査に協力し、適時に適切な改善措置を講じた企業については、米国DOJは、量刑ガイドラインに定める罰金の幅の下限から50～75％の減額をすることを推奨するとされている。

(iii) **公判手続**

FCPA違反の罪について起訴がなされた場合、まず、罪状認否の手続（arraignment）が行われる。これは、公開の法廷において、起訴状に基づき公訴事実を被告人に告げた上で、被告人の答弁（plea）を求める手続である[46]。被告人は無罪か、有罪か、争わないかを答えることになる[47]。ここで無罪の答弁を行った場合は、事実審理（trial）の手続に進む。事実審理の手続においては、陪審[48]により[49]証拠調べがなされ、陪審員の全員一致で有罪の評決がなされた場合[50]、量刑手続に移る。被告人が有罪答弁を行った場合には、事実審理は行われず、公訴事実が認められることを前提として、量刑手続に移行することになる。量刑手続には陪審は関与せず、裁判官が職権で量刑を決定することとされているが、米国の裁判官は、日本の刑事裁判官のように法定刑の範囲内であれば自由に刑を決定できるわけではない。米国では、量刑ガイドライン委員会が制定する量刑ガイドライン・マニュアル及びその付属文書（以下本節において「量刑ガイドライン」と総称する）が存在し[51]、裁

---

46) Fed. R. Crim. P. 10(a)
47) Fed. R. Crim. P. 11(a)
48) 選挙人名簿をベースに作成された陪審員候補者名簿から選ばれた12人の市民から成る。正式起訴状の発行の可否を判断する大陪審とは別の機関である。
49) アメリカ合衆国憲法修正6条により陪審による裁判を受ける権利が保障されている（ただし、判例により、軽微な犯罪で起訴された場合にはこの権利は保証されないとされている）。
50) Fed. R. Crim. P. 31(a)

判官は原則としてこれに沿って量刑を行うこととなる。

(iv) 制裁・解決

米国 FCPA 違反の罪の嫌疑の対象となった企業にとっては、上記(iii)に記載した刑事手続を経て有罪と判断され制裁を科せられることはなるべく回避したいと考えられる。実際、多くの事案が、起訴されて判決を宣告されるまで至らずに、司法取引により解決されている。以下、DOJ との関係で、上記(ii)(iii)に記載したもののほか、米国 FCPA 違反の罪についてどのような帰結があり得るかにつき説明する。

(a) 有罪答弁合意（Plea Agreement）

有罪答弁合意は、検察官と、被告人の弁護人の間で、被告人が一定の犯罪事実について有罪答弁を行うのと引換えに、検察官が、例えば他の訴因については被告人を起訴しない若しくは起訴を取り下げること、特定の量刑若しくは量刑の幅が適当であること等について裁判官に推奨を行う又は被告人の意見に異議を唱えないことなどを合意するといった譲歩を行う手続である[52]。有罪答弁合意による司法取引は、最終的には裁判所による有罪判決を受けることになる点で、後述する訴追猶予合意や不訴追合意と異なる。

(b) 訴追猶予合意（Deferred Prosecution Agreement）

訴追猶予合意（Deferred Prosecution Agreement）は、一般に DPA と呼ばれる。米国 DOJ は、行為者との間で DPA を締結すると、裁判所に対して起訴状を提出するが、同時に訴追が一定期間（3 年程度が一般的）猶予されるべきことを要請する。行為者がその期間内に、合意において定められた義務を遵守した場合、米国 DOJ は裁判所に対して起訴を却下することを求める[53]。DPA は裁判所に提出され、また、米国 DOJ は DPA をウェブサイトで公表している。

一般的に DPA により定められる義務としては、罰金の支払、時効の利益の放棄、政府に対する協力、関連する事実を認めること、コンプライアンス

---

51) ガイドラインは頻繁に改正されるため最新版を常に確認する必要がある。ガイドラインは量刑ガイドライン委員会のウェブサイトで公開されている（https://www.ussc.gov/guidelines）。
52) Fed. R. Crim. P. 11(c)(1).
53) こうした一連の手続については FCPA 指針 75-76 頁で解説されている。

及び是正措置の導入（コンプライアンス監査人の選任が含まれることもある）等がある。DPAに定められた期間が無事に経過しても支払った罰金は戻ってこない。しかし、有罪答弁合意の場合と異なり、行為者が有罪判決を受けることはないため、それに伴う入札資格停止処分等を避けることが可能であり、また、有罪判決を受けるという重大なレピュテーションリスクも避けることができるという点で、行為者にとっては有罪答弁合意よりもDPAのほうが有利である。

(c) 不訴追合意（Non Prosecution Agreement）

不訴追合意（Non Prosecution Agreement）は、一般にNPAと呼ばれ、NPA上の義務を履行した場合には、米国DOJは当該被疑事実については訴追しないことを約束するものである。NPAにより訴追対象者に課される義務はおおむねDPAと同様であり、罰金の支払、時効の利益の放棄、政府に対する協力、関連する事実を認めること、コンプライアンス及び是正措置の導入等が含まれる。NPAの場合には、起訴状が裁判所に提出されることもなく、裁判所の関与がない点がDPAとは異なる（ただし、米国DOJは、米国FCPA違反に関連する事案については、NPAをウェブサイトで公表している）[54]。刑事訴追も受けないという点で企業にとってはDPAよりも有利といえる。

(d) 不起訴処分（Declination）

いうまでもなく企業にとって一番望ましいのが不起訴処分（Declination）であろう。不起訴処分となった事実は原則として当該企業の同意がない限り公表されることはないので、実際にどのような事例において不起訴処分が下されているかについて詳らかにすることは難しいものの、米国FCPA指針では、対象会社名を匿名として不起訴処分の実例を紹介している[55]。これによれば、不起訴処分とした事情として、企業が米国DOJ及び米国SECに対して自主開示を行ったことや、米国DOJ及び米国SECの調査に対して企業が協力したこと、既存の内部統制システムが十分であったこと、事後的に適切な是正措置が実施されたこと等が考慮されている。

上記で述べた有罪答弁合意、DPA、NPAといった司法取引に際しては、それが「取引」であり、交渉の結果であることに留意し、戦略的に進める必

---

54) こうした一連の手続についてはFCPA指針76頁で解説されている。
55) 米国FCPA指針79-81頁。

要がある。基本的な枠組みとしては、個別具体的な事案の内容に従い自らに有利な主張を行っていくことになるが、どの段階で、どのような内容を、どのような方法で主張するかといったことは、慎重に検討を行う必要がある。過去の事例等も参照しながら主張をすることも有益である。

　また、民事訴訟に与える影響についても、念頭に置いておく必要がある。有罪答弁合意やDPA、NPAで認めた事実の内容は公表され、後の民事訴訟で原告側から、責任を自認した証拠として使われる可能性が高いからである。そのため、当局との交渉段階で、可能な限り認める事実の範囲を限定することが望ましい。

② 　民事制裁金——SEC
(i) 　調査手続

　上記(2)冒頭記載のとおり、米国FCPA違反の罪について、発行者[56]やその役職員に対する民事上の制裁は米国SECの管轄となる。SECには、民事制裁金を科すことや、将来の米国FCPA違反行為を防止するための差止請求等を行う権限が付与されている。FCPAの執行に関するポリシーにおいて、SECはDOJと協働して、これらのエンフォースメントを行うものとされている[57][58]。

　調査の結果、米国SECが制裁を科そうとする場合には、通常、いわゆるWells Processと呼ばれる手続を経ることになる。同プロセスでは、米国SECがまず、調査対象者に対し、Wells Noticeと呼ばれる通知を出す。同通知には、米国SECのスタッフがコミッションに対して、特定の証券法違反該当行為につき、調査対象者に対する手続を開始するよう勧告することを決めたこと、及び調査対象者がそれに対する意見を提出できることが記載されている。

(ii) 　起訴等の基準

　米国SECも執行マニュアル（Enforcement Manual）を公表しているが、

---

56) 　「発行者」の定義については、**第2章第1節3**(1)を参照されたい。
57) 　Justice Manual 9-47.130 - Civil Injunctive Actions
58) 　米国FCPA指針54頁。

そこでは、米国 SEC が調査を開始するか否か、また執行が正当化されるか否かに関し、以下を含む多数の要素を考慮するとされている[59]。

① 違反の可能性のある法令
② 違反の悪質性
③ 違反の程度
④ 被害者が特に脆弱又はリスクに晒されているか
⑤ 違反行為が継続しているか
⑥ 違反行為の調査が効率的にかつ時効期間内に行えるか
⑦ 連邦・州の政府機関・規制当局等他の当局による調査のほうがより妥当か

加えて、SEC は、執行を行うか否かについて、捜査への協力の有無や程度を考慮するとされている。特に、企業に対する執行に関しては[60]、以下の事情が考慮要素として挙げられている[61]。

① 効果的なコンプライアンス手順を確立し、経営陣が適切な態度で臨むことを含め、違法行為が発覚する前にこれを自主的に取り締まること
② 違法行為が発見された場合に自主申告を行うこと（違法行為の性質、程度、原因及び結果について徹底的な検証を行うこと、並びに違法行為を迅速、完全かつ効果的に公衆、監督機関及び自主規制機関に開示することを含む）
③ 違法行為に関与した者の解雇又は適切な懲戒処分、不正行為の再発を防止するための内部統制及び手続の修正・改善、及び悪影響を受けた人々への適切な補償を含む、是正措置を取ること
④ 違法行為及びこれに対する是正の努力に関連する全ての情報を SEC に提供することを含む、法執行当局への協力を行うこと

米国 FCPA 違反の嫌疑により調査が開始された場合、企業としては、個別具体的な事案に上記の要素を当てはめ、捜査の開始が適切ではないことや、

---

59) 米国 FCPA 指針 53-54 頁。SEC Enforcement Manual 2.3.1
60) 個人に対する執行に関しての捜査協力の考慮については米国 FCPA 指針 56 頁以下を参照。
61) Report of Investigation Pursuant to Section 21(a) of the Securities Exchange Act of 1934 and Commission Statement on the Relationship of Cooperation to Agency Enforcement Decisions (2001) 及び米国 FCPA 指針 55 頁。

執行の対象とすべきではないことなどについて、最大限の主張を行っていくことになる。

(iii) 制裁・解決

FCPA違反行為についてのSECとの関係での帰結については、以下のようなものが想定される。

(a) 民事上の措置

冒頭記載のとおり、SECは裁判所に対し、将来の違法行為を防ぐための民事の差止命令を求めることができる。加えて違法行為を行った者がこれにより利益を得ている場合には、SECはその利益の吐き出し（disgorgement）及び民事制裁金を科すことができる。また、SECはこれに加え、コンプライアンスコンサルタントによる監督などさまざまな民事上の措置を命じるよう裁判所に求めることができる。

(b) 行政上の措置

また、SECは資格停止などの行政上の措置を求めることもできる。この行政上の措置の手続の中で、利益の吐き出しと民事制裁金を求めることも認められている。この措置についてはSEC administrative law judgeにより判断され、これに対する不服申立てはSECに対し行うこととなる。

(c) DPA等

DOJの場合と同じく、DPA、NPAをSECとの間で締結することも可能である。また、上記(ii)の基準に照らしSEC側の調査担当者が執行手続を取ることを不適当と判断した場合には、担当者はSECに対し、調査を終結し、執行を行わないことを推奨することになる。

(3) その他の留意点

① 個人責任

上記のとおり、米国FCPA違反により、企業のみならず役職員個人も刑事及び民事の制裁を科される可能性がある。企業と個人、及び複数の個人間では、事実についての主張に離齬が生じるなど、利益相反の問題が生じる場合があり、そうした場合には、企業の代理人とは別に、個人を代理する弁護士を起用する必要がある。個人弁護士を起用する場合、誰が費用を支出する

のか、企業のそれまでの調査結果をどの範囲で個人の代理人に共有し、調査に関してどの範囲で情報共有をするのかなど、さまざまな論点が発生することになる。

　違反行為に関与した役職員の社内処分も、難しい問題である。企業として違反行為は許さないという姿勢を示すためには、社内処分を適切に行うことが望ましい。他方、社内調査で事実をしっかり確定した後でなければ、そもそも処分の判断は難しく、性急な処分を行うことにより、その後の調査協力が得られなくなるおそれもある。タイミングに加え、どのような基準で誰を処分するのか、関与した役職員の間での公平性が維持されているのかという点も慎重な検討が必要となる。

② 世銀等による調査手続・制裁

　各国当局による処分以外にも、違反行為に対しては、さまざまな政府系機関から処分を受ける可能性がある（日本の政府系機関に関するものについては、**第2章第3節3(2)参照**）。世銀等の国際金融機関による汚職防止ポリシー及びそれを執行するメカニズムについては、特に留意が必要である。これらの金融機関は各国の当局のように制裁金等を科す権限はないものの、将来にわたり当該金融機関が関与するプロジェクトへの受注資格停止（debarment）等の措置をとることが可能であり、ビジネスに多大な影響を与える可能性があるからである。世銀グループ[62]は2006年に、他の国際開発金融機関（Multilateral Development Banks）[63]との間で、制裁対象となる違反行為の類型について合意し、かかる行為類型について統一的な定義を使うことを合意している。それに加え、2010年4月には、アフリカ開発銀行、アジア開発銀行、欧州復興開発銀行、米州開発銀行及び世銀グループの間で、1つの銀行により1年以上の受注資格停止の決定がなされた場合、他の銀行が特

---

62) IBRD（International Bank for Reconstruction and Development）, IDA（International Development Association）, IFC（International Finance Corporation）, MIGA（Multilateral Investment Guarantee Agency）を指す。

63) 主要な銀行としては、アフリカ開発銀行（African Development Bank）、欧州復興開発銀行（European Bank for Reconstruction and Development、米州開発銀行（Inter-American Development Bank Group）がある。

にそれを執行しないと決定しない限り、他の銀行のプロジェクトについても受注資格が停止されるという受注資格停止共同措置（cross debarment）についても合意がなされている[64]。このように違反行為があった場合の制裁は広範囲に及ぶことに留意が必要である。以下では、こうした各国際金融機関の汚職防止メカニズムのモデルとなっている世銀の反汚職ガイドライン、調査手続、制裁、及び自主開示プログラムについて概略を述べる。

世銀の反汚職への取組は非常に活発であり、例えば2023年度に受注資格停止処分を受けている企業は88社にも及んでいる[65]（例えば2022年には日本企業が、世銀が融資をしていたプロジェクトに関連する不適切な支払等を理由に、世銀より、当該日本企業及びその子会社（一部を除く）について3年間の受注停止処分を受けた例がある[66]）。

(i) 世銀の反汚職ガイドライン

世銀は、幅広い内容の反汚職ガイドラインを策定しており、世銀が融資を行う場合には、契約書で、かかるガイドラインが引用され、融資の借り手や受益者は、不正（fraud）及び汚職（corruption）を防止し、それと戦う義務を負うことになる。制裁対象となる違反行為は、(a)腐敗行為（corrupt practice）[67]、(b)不正行為（fraudulent practice）[68]、(c)共謀行為（collusive practice）[69]、(d)強要行為（coercive practice）[70] の4つである。また、これに

---

64) Agreement for Mutual Enforcement of Debarment Decisions
65) こうした受注資格停止処分を受けた法人及び個人のリストが世銀のウェブサイトにおいて開示されている（https://www.worldbank.org/en/projects-operations/procurement/debarred-firms）。
66) Sanctions Case No. 758, IDA Credit Number 4734-BD（Bangladesh Chittagong Water Supply Improvement and Sanitation Project）。
67) 腐敗行為（corrupt practice）とは、直接又は間接的に、価値あるもの（anything of value）を他方当事者に影響を与えるために、申出、供与、収受又は要請する行為を指す。実際に相手方がそれを受け取ったか否か、目的が達成されたか否かは問わない。また、調達プロセス中の行為に限らず、契約を実施する段階の行為も禁止されている。
68) 不正行為（fraudulent practice）とは、経済的又は他の利益を得る、ないし義務を免れるために、故意又は軽率に当事者を欺く又は欺こうとする作為又は不作為の一切（不実の表示を含む）を指す。
69) 共謀行為（collusive practice）とは、複数当事者間の不適正な目的を達成するための行為（他当事者の行為に対して不適正な影響を与える行為を含む）を指す。

加え、世銀による調査を妨害する行為は、妨害行為（obstructive practice）として制裁の対象となる[71]。

(ii) 反汚職ガイドラインに従った制裁の手続

上記の違反行為の嫌疑が生じた場合、Integrity Vice Presidency（INT）が調査（investigation）を行う。INTが調査の結果、制裁対象となる違反行為が存在すると信じるに足りる証拠を得た場合には、裁定（adjudication）手続に移行する[72]。

裁定手続は、2段階に分かれている[73]。1段階目では、Chief Suspension and Debarment Officer（SDO）又はEvaluation and Suspension Officers（EO）が[74] INTの提出した証拠を精査する。SDO又はEOが違反行為の十分な証拠が存在すると認めた場合、対象者に対し、INTによる主張内容及び証拠が添付され、制裁についてのレコメンデーション等について記載された制裁手続通知（Notice of Sanction Proceedings）を発出する。対象者は、それに異議がある場合、同通知の受領から90日以内に、世銀の制裁ボードに対して反論を提出することができる[75]。

対象者が反論を提出した場合、2段階目のプロセスとして、当該案件は世銀の制裁ボード（World Bank's Sanctions Board）で審査されることになる。制裁ボードによる決定は、制裁可能な違反行為が、証拠の優越（preponderance of evidence）の基準により証明されている場合に行われる。制裁ボードによる決定は最終であり、即座に効力を生じる。

---

70) 強要行為（coercive practice）とは、直接又は間接的に、他の当事者の行動に不適正に影響を与えるために、当該当事者又は当該当事者の財産に損害を与え、又は損害を与えると脅迫することを指す。
71) Paragraph 7, Guidelines on preventing and combating fraud and corruption in projects financed by IBRD loans and IDA credits and grants（English）
72) 調査段階でINT及び対象者の間で和解（settlement）がなされることがあり、このときは裁定手続に移行しない。
73) 2012年4月15日付けWorld Bank Sanctions Procedure参照。
74) IBRD又はIDAが関与する融資案件についてはSDOが、IFC若しくはMIGAが関与する融資案件又はIBRD若しくはIDAの関与する保証若しくはカーボンファイナンス関連案件についてはEOがそれぞれ手続を担当する。
75) 対象者が反論を提出しない場合にはこの段階で制裁が行われる。また、対象者とINTの間で和解が成立する場合には、SDO又はEOは和解条件のレビューを行う。

(iii) 制　裁

制裁には以下の5つの類型がある。

①　解除条件付受注資格停止（Debarment with Conditional Release）：世銀グループが融資を行っているプロジェクト等につき、一定期間、受注資格が停止されるが、違反行為者が一定の条件を満たすことを条件として、当該期間経過後はかかる措置は解除される。

②　受注資格停止：無期限又は一定の定められた期間、世銀グループが融資を行っているプロジェクト等につき、受注資格が停止される。

③　条件付受注資格不停止（Conditional Non-Debarment）：違反行為者が、一定期間内に定められた条件を満たした場合には、受注資格は停止されないが、条件を満たせない場合には定められた期間受注資格が停止される。

④　戒告（Public Letter of Reprimand）：戒告通知の送付。

⑤　補償（Restitution）：違反行為により得た不法な利得を政府又は被害者に補償すること。

制裁を受けた当事者名及び制裁の内容は公開される。

(iv) 自主開示プログラム

世銀では、自主開示プログラム（Voluntary Disclosure Program, VDP）を策定しており、完全な協力と引換えに、違反行為者はdebarmentを回避し、また、かかる事実が公表されることを回避できる。このプログラムでは、違反行為者は、①将来、違法・不正行為を行わないこと、②違反行為についての内部調査結果を世銀に対して報告すること、及び③包括的なコンプライアンスプログラムの実施を約束する必要がある。③のコンプライアンスプログラムは、世銀により承認されたコンプライアンスモニターにより3年間、モニターされる。

第4章

Q&Aで考える外国公務員贈賄規制

168　第4章　Q＆Aで考える外国公務員贈賄規制

　本章では、外国公務員贈賄に関して、日本企業が海外において頻繁に直面し得るケース（設例）を 24 例取り上げ、それぞれの論点や対処法等について、実務的な視点から分析・解説する。なお、本章で取り上げる各設例については、**Q1** を除き、日本の不正競争防止法や米国 FCPA といった特定の法律の適用の有無を検討するのではなく、これらの法律の適用があり得ることを念頭に、実務上留意すべき点を検討している。

Q1　各国の贈賄防止規制の適用可能性

　日本のメーカーである X 社は、米国のメーカーである Y 社との間で、新興国 A 国においてアルミニウムの製造・加工を行う合弁事業を立ち上げることになり、Y 社との共同出資により、A 国法人である合弁会社 Z 社を設立した。Z 社の従業員である B（A 国民）が、A 国で工場の操業を開始するのに必要な認可を得ようと A 国当局に申請をしたところ、当局の担当者である C から賄賂の要求があった。その報告を受けた X 社と Y 社の幹部は B と電話会議を持つこととし、三者はそれぞれ日本、米国、A 国から参加した。電話会議において、X 社と Y 社の幹部は、早期の操業開始を重視して C の要求に応じることを合意し、B に対して Z 社の預金口座から 100 万円相当の現地通貨を引き出して C に提供するよう指示した。電話会議の翌日、B はこれを実行した。
　この場合、X 社及び X 社の幹部について、いずれかの国の贈賄防止規制の違反が認められるか。

1　問題の所在

　本設例では、A 国の公務員に対する贈賄行為が、A 国内で、A 国の企業である Z 社の従業員 B（A 国民）により行われている。しかし当該行為は Z 社に共同で出資している X 社と Y 社の幹部の指示の下で行われているため、行為者である B やその雇用主である Z 社だけでなく、日本に所在する X 社の幹部個人、さらに X 社に対しても、外国公務員贈賄規制が適用されないかが問題となる。

2 検討

本設例において、日本企業であるX社やX社の幹部については、下記のとおり、少なくとも日本の不正競争防止法や米国FCPAの適用対象となる可能性がある。

(1) 日本法（不正競争防止法）の適用可能性

不正競争防止法18条の外国公務員贈賄規制違反に対する罰則（同法21条4項4号、18条1項）は、贈賄行為が日本国内で行われた場合（属地主義・刑法1条）及び日本国民が国外において贈賄行為を行った場合に適用される（属人主義・不正競争防止法21条10項、刑法3条）。

本設例では、贈賄の実行行為が行われたのはA国内であり、日本国内ではない。また、A国の公務員に賄賂を提供したBはA国民であり、日本国民ではない。したがって、Bによる贈賄の実行行為だけをみれば、不正競争防止法の適用対象ではないようにみえる。

しかし、Bによる上記贈賄行為は、X社・Y社の幹部とBが参加した電話会議における協議と、そこでX社とY社の幹部がBにした指示に基づいて行われており、X社とY社の幹部は、実行犯であるBとの関係では、共謀共同正犯（刑法60条）ないし教唆犯（同法61条1項）であると解される可能性も否定はできない。その場合、X社の幹部は贈賄行為の日本国内における共犯者として、又は日本国民であるX社の幹部が贈賄行為を行ったものとして、不正競争防止法21条4項4号が適用され、その結果、X社についても同法22条1項の両罰規定が適用される可能性が考えられる（**第2章第3節2**(2)参照）。

(2) 米国FCPAの適用可能性

本設例では、X社が米国上場企業であるかは明らかではない。しかし、上記のとおり、本設例では、X社の幹部は、米国に所在するY社の幹部と共にBとの電話会議を行い、贈賄行為を協議し、その実行をBに指示してい

る。この場合、X社の幹部は米国民ではないが、米国の電話回線を利用して（すなわち州際通商の手段を利用して）米国との接点を持ち、Bを通じて間接的に贈賄行為を行った（すなわち米国で贈賄行為の一部を実行した）者として、あるいは米国で贈賄行為の一部を実行した米国人であるY社の幹部と共謀した者として、米国FCPAの贈賄禁止条項の適用対象となる可能性が考えられる。その場合、X社についても同法の適用対象となる可能性が考えられる。実際、**第2章第1節**にて紹介したナイジェリアのLNGプロジェクトに係る贈賄事件では、日本企業が、米国企業・米国人が参加するJVの一員として、実行行為の一部が米国内で行われた贈賄行為について共謀犯又は教唆・幇助犯として米国FCPAに基づき刑事責任を追及されている。

(3) その他の留意点

上記のほか、BやZ社に対してはA国法の適用も問題となるところ、同法はその内容によってはX社やX社の幹部に対しても適用される可能性があるので、注意が必要である。また、米国FCPAと同様に広範な域外適用の可能性のあるUKBAについては、本設例の事実関係のみからは適用の有無は判断できないが、関係事業や関係者が英国に関連を有する場合には検討が必要である。

3 対応の方向性

本設例では、贈賄の実行行為自体は新興国において現地の者により行われているが、これに何らかの形で関与した日本国民や日本企業については、日本法や米国法をはじめとする各国の腐敗防止規制の適用対象となる可能性がある。そのため、日本企業としては、各国の腐敗防止規制を念頭に置いたグローバルなコンプライアンス体制を構築し、新興国等の海外における事業活動について十分な注意を払うことが重要である。

Q2 通関の手続を迅速に行うための少額の現金の支払を求められたらどうすべきか？

日本企業X社は、新興国A国に対して自動車部品を日本から輸出している。通常、A国の通関に要する日数は1～2日程度であるところ、ある日、A国の通関手続において、必要書類に不備があることを理由として、手続に10日以上の日数がかかると伝えられた。X社の担当者が、顧客への部品の納期が迫っており、一刻も早く通関手続を完了させてほしいと要請したところ、現地通貨で1,500円相当の手数料を支払えば、すぐに手続をすることができるという。X社は手数料を支払ってもよいか。

1 問題の所在

第1章4(1)①で述べたように、各国の外国公務員贈賄規制では、外国公務員に対して何らかの利益を供与している場合には、その金額の多寡にかかわらず、規制の対象となることが原則である。ただし、米国FCPAにおけるいわゆるファシリテーション・ペイメントの規定に代表されるように、一定の場合には例外的に外国公務員贈賄規制の適用を免れる可能性もあり、また、仮に外国公務員贈賄罪の構成要件を充足するとしても、その訴追を免れる可能性もある。そこで、本設例における1,500円相当の支払が、外国公務員贈賄規制による処罰の対象となるのか否かが問題となる。

2 検 討

第2章第3節2(4)や、第2章第2節4(3)⑥で述べたように、日本の不正競争防止法やUKBAにおいては、米国FCPA上のファシリテーション・ペイメントに関する例外規定のような明文上の規定は置かれておらず、原則として外国公務員贈賄罪が成立し得る。これに対して、米国FCPAでは、ファシリテーション・ペイメントを処罰の対象から明示的に除外しており、具体的には、公務員が裁量を有しない機械的な業務の遂行を円滑化するための少額の支払について、この例外が認められるとされている。米国FCPA

指針は、本設例のような通関の場面について、通関を早めるための謝礼の支払はファシリテーション・ペイメントに該当し得るものとして例示しているものの[1]、税関職員に対する支払であっても、本来輸入できない物品について輸入許可を得る場合や、関税額を本来の金額より減額してもらうために金銭を支払う場合等、支払の対象が単なる機械的な業務の範囲を超える場合には、ファシリテーション・ペイメントとは認められないとしている[2]。

本設例の場合、一般的には、通関手続は、裁量がない日常的な公務ということができ、また、支払う額も1,500円相当と比較的少額であるということはできる。しかし、A国の通関制度を確認し通関手続を完了させることが当該公務員において不正な権限の行使に当たらないことを検討することは必要である。

例えば、X社は「必要書類に不備がある」との指摘を受けているが、かかる指摘が正当なものであるかを確認する必要がある。仮に本当に必要書類に不備があるにもかかわらず、これを見逃してもらうために金銭を支払うのであれば、それは公務員による不正な権限の行使に当たるとして、日本の不正競争防止法等に違反しており、米国FCPAの下でも、ファシリテーション・ペイメントの例外規定の適用が認められないと解される。他方、必要書類に実際には不備がなく、単なる機械的な業務の範囲内で処理を迅速に行ってもらうために上記の金額を支払うことは、米国FCPAの下では、ファシリテーション・ペイメントとして例外的に処罰の対象外とされる可能性があると考えられる。これに対し、日本の不正競争防止法に関しては、外国公務員贈賄防止指針において、こうした合理性のない差別的な不利益な取扱いを回避することを目的とする支払であっても、そのような支払自体が「営業上の不正の利益を得るため」の利益提供に該当し得るものである上、金銭等を外国公務員等に一度支払うと、それが慣行化し継続する可能性が高いことから、金銭等の要求を拒絶することが原則であり、支払要求の更なる助長を防止する観点から、自社単独で又は現地日本大使館・領事館や現地商工会議所等を経由して拒絶の意思を明らかにすることが望ましいとされている[3]。

---

1) 米国FCPA指針25頁注165。
2) 米国FCPA指針25頁。
3) 経産省指針29頁。経産省Q&A・Q6も参照されたい。

3　対応の方向性

　以上の検討を踏まえると、X社としては、まず不備がある必要書類が具体的にどのような書類であるかを確認し、そのような不備の指摘がA国の法律に照らして正当なものであるかを確認する必要があろう。その上で、実際に法律要件に照らして不備があるのであればこれを訂正して改めて申告を行うべきである。その上で不備がないこと、又はそれが解消されたことを税関が認めたにもかかわらず、それでもなお迅速な処理のために上記のような手数料の支払を求められる場合においても、経産省指針の指摘等を踏まえると、支払を拒絶するのが原則的な対応であり、自社単独での拒絶が難しい場合には現地大使館等に相談することも検討すべきであろう。

> **Q3**　警察官から、スピード違反の罰金としてその場で多額の現金の支払を求められたらどうすべきか？
>
> 　商社である日本企業X社の従業員Yが、出張先の新興国A国の公道において、急ぎ取引先のZ社に向かうためレンタカーを運転していたところ、制限速度が時速80kmの道路を時速110km超の速度で走行してしまい、警察官に停止を命じられた。警察官によると、Yの行為はA国の道路交通法違反であり、現地通貨で10万円相当の罰金をその場で支払えばすぐに手続が終了するが、支払わなければ逮捕されてA国からの出国を禁止され、A国の裁判手続に付されるという。Yはどうすればよいか。

1　問題の所在

　各国の外国公務員贈賄規制においては、それぞれ定義に一定の差異はあるものの、基本的に「外国公務員」に対して利益を提供することが規制の対象とされており、外国政府に対する利益の提供は必ずしも規制の対象とされていない。そのため、本設例においては、警察官に対する10万円相当の支払が「外国公務員」に対する支払とされるのかが問題となる。また、各国の外

国公務員贈賄規制においては、何らかの不正の利益を得る目的や「汚職の意図」が主観的要件として要求されるところ、本設例における警察官に対する10万円相当の支払がこのような主観的な要件を満たすのかについても問題となる。

2 検討

まず、仮に①10万円相当の罰金の支払がA国の法令に基づくものであり、A国の刑事手続に則って適正に要求されているものであれば、その支払の相手方はA国であり、「外国公務員」（すなわち支払を要求している警察官）に対する支払とはいえず、またこれを支払うことはA国の法令に基づくYの義務であるから、かかる支払を行うこと自体は、何らかの不正の利益を得る目的や汚職の意図をもって支払われたものとはいえないものと考えられる。

他方で、仮に②そのような金銭が、当該警察官に個人的に支払われるものである場合は、「外国公務員」に対する支払となり、また、それがA国の国内法に基づく処罰を免れるために支払われる場合には、不正の利益を得る目的又は汚職の意図に基づく支払であると判断される可能性が高い。

警察官に対する支払が上記の①の場合に当たるというためには、まず、10万円相当の罰金という処罰がA国の実体法（ここでは道路交通法）において規定されている刑罰であること、また、現場の警察官の判断でこれを課し、その場で支払を完了させるという手続がA国の手続法（刑事訴訟法等）に適合していることが必要となる。さらに、当該金銭が警察官個人に対してではなく、A国法上の罰金としてA国に対して支払われるものであることが必要となる。

3 対応の方向性

上記のとおり、警察官の行為がA国の実体法、手続法に則ったものであるかが重要なポイントとなるため、まず、警察官に対して速度超過の違反事実や、罰金の内容及び手続に関する根拠法規について説明を求めるべきである。さらに、勤務先や現地の弁護士等に連絡をとり、A国の刑事法及び刑事手続法について確認することが望ましい。

仮に警察官の要求がA国の国内法に適合したものであれば、その場で罰金の支払に応じることも1つの選択である。この場合、Yが当該警察官に金銭を支払ったこと及びそれが罰金として支払われたものであることを事後的に証明するために、支払の事実及び警察官の氏名を明示する領収書等を発行するように依頼し、これを保管しておくことが望ましい。

他方で、警察官の主張がA国の国内法に適合しない場合は、法に基づく手続を行うように求め、金銭の支払を拒むことが必要である。なお、仮にそのような主張をした場合に、警察官からの物理的な脅迫等が行われた場合には、やむを得ず一時的に支払を行うことも考えられる。この場合、各国の外国公務員贈賄規制の適用が免除される可能性もあるので[4]、後に脅迫等の事実を明らかにできるよう、警察官の氏名等を確認すると共に、現場でのやり取りを記録する録音やメモ書きを残しておくことが望ましい。

> **Q4** 警察官から、警護の対価の支払を求められたらどうすべきか？
>
> 電子部品メーカーである日本企業X社の担当役員らは、新興国A国の顧客Y社と重要な商談をするためにY社の本社を訪問しようとしている。しかし、Y社は都市の中心部から外れた場所にあり、周辺地域は、近年、特に外国人の誘拐を含む悪質な犯罪が多発している。そこで、訪問先のY社に安全確保について相談したところ、Y社のアレンジにより、現地の地方警察署の警察官が、車を随行させる形で空港とY社の往復に同行してくれることになった。しかし、当該警察官は、警護の対価として、現地通貨で1万円相当の支払を求めているという。X社は警察官に対して警護の対価を支払ってもよいか。

---

[4] 例えば、米国FCPA指針28頁では、健康や安全に対する差し迫った危害への対応として行われた支払はFCPA違反に当たらないとされている。また日本の経産省指針29頁や経産省Q&A・Q7でも、生命・身体に対する危険の回避を主な目的として、やむを得ず行った利益供与等は、「不正の利益」を得る目的がないと判断される場合があり得るとしている。

1　問題の所在

各国の外国公務員贈賄規制においては、それぞれ定義に一定の差異はあるものの、基本的に「外国公務員」に対して利益を提供することが規制の対象とされており、外国政府に対する利益の提供は必ずしも規制の対象とされていないため、本設例においては、警護の対価として1万円相当を支払うことが「外国公務員」に対する支払とされるのかが問題となる。また、各国の外国公務員贈賄規制においては、何らかの不正の利益を得る目的や「汚職の意図」が主観的要件として要求されるところ、本設例において、警護の対価として1万円相当を支払うことが、このような主観的な要件を満たすのかについても問題となる。

2　検　討

まず、A国の行政府が行政サービスとして身体の警護を行っている場合、その対価として正当に要求される手数料等[5]の金銭をA国の行政府に対して支払うことは正当な支払であり、「外国公務員」に対する対価とはいえず、また、何らかの不正の利益を得る目的や汚職の意図をもって支払われたものともいえないと考えられる。

もっとも、必ずしもA国の行政府が組織としてそのようなサービスを正式に提供しているとは限らず、場合によっては、警察官個人にそのような警備を依頼する必要が生じる場合もあると考えられる。この場合は、何らかの不正の利益を得る目的や汚職の意図があるといえるかが問題となり得る。しかし、治安の悪い地域において身体の安全を保護するという目的は一般的にやむを得ないものであるとも考えられ、具体的事情によっては、必ずしも不正の利益を得る目的や汚職の意図があるということもできないように思われる。なお、米国FCPAにおいては、警察官への警護の対価の支払はファシ

---

[5]　これに対し明らかに高額の支払をしているような場合等、契約に藉口して不当な利益を供与している場合には「不正の利益」の供与に当たると考えられている（経産省指針28頁注75参照）。

リテーション・ペイメントの適用例として明示されている[6]。もっとも、対価として交付される額が現地の相場と比較して非常に高額である場合等、実質的に警護以外の目的があるものと推測される場合には、不正の利益を得る目的や汚職の意図があると判断されるリスクも高まることになる。

3　対応の方向性

　まず、当該警察官による警護が、A国において正式に提供されている行政サービスの一環であるのか否かをY社に確認し、あわせて、現地の弁護士等にも照会して当該サービスの有無等を確認することが考えられる。その上で、警察による行政サービスの対価として警察組織に対価を支払う場合には、当該警察組織に領収書を発行するよう依頼し、これを保管しておくことが望ましい。

　他方、警察官個人に依頼する場合であって、治安の悪い地域において身体の安全を保護する目的上、やむを得ず支払う場合であっても、1万円相当という対価が往復の警護代として相当なものであるかを事前に確認する必要があろう。その上で、対価を支払った際には、上記同様、支払の事実及びその相手方を証明する領収書を可能な限り取得し、また記録を残しておくべきである。

> **Q5**　外国公務員から特定の代理店を使うことを要求された場合にどのように対応すべきか？
>
> 　X社は世界各国でダム建設工事を行う日本企業である。X社が新興国A国における官公庁発注のプロジェクト（以下本Qにおいて「本プロジェクト」という）に参加するに当たって、発注官庁の担当者Bが、「本プロジェクトに必要な資材の調達に当たっては、入札者は全て販売代理店としてY社のみを使わなければならない。同社を使わない場合には入札に参加させない」と通告してきた（なお、正式な入札要綱においてはそのような入札要件は付されていない）。このような場合、当該担当者の意向に沿ってY社を使ってもよいか。Y社を使う場合に留意すべき点はあるか。

---

6)　米国FCPA指針25頁。

1 問題の所在

各国の外国公務員贈賄規制においては、規制に抵触する利益の提供が行われた場合には、仮に自ら提供行為自体は行わず、第三者を通じて間接的な利益提供等を行った場合であっても、そのことのみでは直ちに規制の適用を免れることはできないと考えられている。

そのため、本設例では、X社が販売代理店としてY社を使うことにより、Y社を通じて何らかの利益が外国公務員Bに提供されることになるとすると、外国公務員Bに対する当該Y社を通じた間接的な利益供与に該当し、X社に対して外国公務員贈賄規制が適用される可能性があるのではないかという点が問題となる。

2 検討

本設例では、X社を含む本プロジェクトの入札者は、A国の発注官庁の担当者であるBから、資材調達に当たって販売代理店Y社のみを使うことを求められているが、そもそもBがなぜ販売代理店としてY社を指定しているのかを確認する必要がある。

本プロジェクトの資材を販売する販売代理店として、別途A国において入札が行われており、その結果Y社が選定されてA国との間で独占的な販売契約が締結されているのであれば、Bが販売代理店としてY社のみを指定したことは、A国とY社との間の上記契約に基づく措置であるといえる。

また、特定の資材の販売に特殊な許認可が必要であり、当該許認可を取得している業者がY社しか存在しないのであれば、販売店をY社に限定することは、(当該資材に限っては) A国の法令上やむを得ないとも考えられる(ただし、当該許認可を取得している業者がY社しか存在しないという状況自体に問題がないか、留意が必要である)。

他方で、例えばY社がB又はその親族等の経営する会社であるなど、Bが本プロジェクトにおけるY社の売上を通じて個人的な利益を得るためにY社を販売代理店として指定しているような場合には、X社とY社との契約締結がY社を通じてBに利益をもたらし得ることから、当該行為が外国

公務員Bに対する利益の供与に該当し、X社に対して外国公務員贈賄規制が適用される可能性がある[7]。

3 対応の方向性

　Y社がB個人と利害関係を有する会社であることが疑われる場合には、X社としては、可能であれば、入札前にY社に対するデューデリジェンスを行って、Bとの利害関係の有無を調査すべきである。ただし、入札前にY社に対するデューデリジェンスを行うことが現実的でない場合には、落札後であっても、実際にY社との契約を締結する前段階でデューデリジェンスを行うことが望ましい。

　十分なデューデリジェンスを行うことができない場合には、Bの指示に従わず、Y社を販売代理店として利用しないことも検討すべきであるが（次段落も参照）、それでもなおY社の利用が避けられない場合には、リスクを軽減させるために、Y社との間の契約等において、Y社が本プロジェクトに関係するA国の公務員と利害関係を有しないこと等を表明保証させ、その違反があった場合には、Xが契約を直ちに解除し、違反に伴い生じた損害の補償を受けることができる旨を規定するなどの対応をしておく必要がある（ただし、これらはあくまで最低限の対応であり、仮にY社がBと利害関係を有していた場合に、X社がY社を通じ贈賄を行ったのではないかと疑われ、X社にも調査が及ぶことを回避できる保障はない）。

　他方、仮に、事前にデューデリジェンスが実施され、Y社がB個人と利害関係を有する会社であることが明らかになった場合には、上記のとおりX社に対して外国公務員贈賄規制が適用される可能性があることから、販売代理店としてY社を起用することは避け、Y社以外の販売代理店を起用することも検討すべきであろう。本設例においては、Y社を販売代理店として利用するということは入札要綱には記載されておらず、あくまで担当者Bによる事実上の通告にすぎないため、落札した場合にY社以外の販売代理店

---

7) なお、経産省指針27頁及び経産省Q&A・Q11では外国公務員等の関係する企業をエージェント、コンサルタントとして起用することは「営業上の不正の利益」を得るための支払と判断される可能性が大きいと考えられる行為の一例に挙げられている。

を利用することは不可能ではないとも考えられる。もっとも、この場合には、少なくとも担当者Bの通告を無視することになるため、その後、紛争が生じる可能性や手続がスムーズに進まない可能性、さらにはその後の別の入札等において不利益を被る可能性も想定される。そのため、Y社以外の販売代理店を利用することが現実的であるかについては慎重に検討する必要があると思われる。その結果、やはりY社以外の販売代理店を利用することは難しいと考えられる場合には、入札自体を断念せざるを得ないという場合も考えられる。

> **Q6** 外国公務員からの旅費等の負担要請に対してどのように対応すべきか？
>
> 　日本企業X社が、新興国A国の政府に対して業務用のパソコンを販売する内容の契約を締結しようとしたところ、A国政府が、契約書に「3か月に1度、A国政府担当者が製品を製造する工場の視察をすることができ、A国が視察に必要であると判断する一切の費用はX社の負担とする」という内容の規定を追加した。このような規定を契約書に盛り込む場合、あるいは、このような規定に定める義務を履行する場合に、どのような点に留意すべきか。

1　問題の所在

　第1章4(1)に記載のとおり、各国の外国公務員贈賄規制は、現金の供与に限らず、何らかの利益を供与する行為に広く適用される。したがって、本件のように、工場等の施設を視察させることを目的として外国公務員を招聘し、旅費や宿泊費等を負担する行為も、各国の外国公務員贈賄規制において違反行為の要件とされる「利益の供与」に該当し得る。

　しかし、**第1章4(1)**に記載のとおり、各国の外国公務員贈賄規制は、「利益の供与」が不正な利益を得ることを目的としていること、あるいは、贈賄者が「汚職の意図」を有していることを要件とするなど、何らかの形で、贈賄者の主観的要件を定めている。企業が、通常の事業活動の一環として、外国政府等との間の契約の締結ないし履行に関連して合理的な範囲で外国公務

員に対して視察旅行等を供与し、その費用を負担する場合には、かかる主観的要件が充足されないものとして、各国の外国公務員贈賄規制において違反行為とならない可能性があることから、本設例ではこの点が問題となる。

2 検 討

　上記のとおり、外国政府等が契約の相手方である場合に外国公務員に対する視察旅行等の供与ないしその費用の負担が許容されるか否かは、利益を供与する者の主観、すなわち、どのような目的・意図をもって当該行為がなされるかによる。

　利益を供与する者にどのような主観的要件があれば違反となるかは、各国の外国公務員贈賄規制によって若干の差異はあるものの、例えば、外国公務員による工場の視察等は単なる名目にすぎず、企業が当該旅行の旅費や宿泊費を負担し、あるいは、負担する旨を約束することによって、外国公務員の職務に関して不当に影響を与え、事業上の便宜を図るよう求めることを目的としていた場合等には、不正な利益を得る目的等の主観的要件が充足されると判断されるであろう。

　不正な利益を得る目的等の主観的要件を充足するか否かは、事案ごとに具体的事情を総合して判断されるが、本件のような旅費や宿泊費の負担に関するケースにおいては、特に以下の要素が考慮されるべきである。なお、外国公務員の出張旅費等の負担に関して米国FCPA指針が列挙する考慮要素も参照されたい（第2章第1節3⑹②）。

⑴　視察旅行・旅程・回数等に関して、合理性・必要性が認められるか

　調達する製品の品質を維持するために、調達先の工場や製造施設等を視察し、品質管理が適正に行われているか、製造工程が正確で効率的なものであるかなどを確認することは、通常のビジネスにおいても一般的に行われており、当該視察の費用を調達先が負担することもあろう。しかし、当該製品やその製造工程の性質によっては、そのような視察を行う必要性がない場合もある。そもそも外国公務員による視察旅行が必要であるような類の契約であるか、必要であるとしてもどの程度の頻度で視察がなされるべきかを合理

的・客観的に検討する必要がある。また、実際の視察旅行の旅程が、目的と直接的に結びついていなければならない。視察旅行と称しているにもかかわらず、企業の施設見学等はごく一部の日程のみで行われ、大部分の旅程は観光地めぐりに終始していた場合等には、視察旅行の合理性・必要性が認められず、不正な利益を得る目的等の主観的要件を充足すると判断される可能性がある。

(2) 合理的な範囲内の負担にとどまるか

例えば、視察旅行に参加する公務員の役職にもよるが、特段の事情もないのに、ビジネスクラスではなくファーストクラスの航空券代を負担することは、合理的な範囲内の負担ではなく、不正な利益を得る目的等の主観的要件を充足すると判断される可能性もあろう。また、旅費・宿泊費等の費用は、実際に発生した費用のみを負担することとすべきであり、実費の合計金額を超える金額を一括して支払ったり、外国公務員等に対して旅費・宿泊費等以外に、何らかの追加的な手当を支払ったりする場合には、不正な利益を得る目的等の主観的要件を充足すると判断される可能性がある。

(3) 正確な会計処理が行われているか

外国公務員の旅費や宿泊費の負担について、実際とは異なる名目で帳簿に計上されるなどの不適切な会計処理が行われた場合、社内の適正な承認手続を踏まずに支出が行われた場合等には、不正な利益を得る目的等の主観的要件があったとの疑いが生じやすい。また、**第2章第1節3**に記載のとおり、当該支出が、実際とは異なる内容で帳簿上に計上され、あるいは、内部統制システムの下で要求される適切な社内承認等の手続を踏まずに実行された場合には、米国FCPAの会計・内部統制条項の違反とされる可能性もあることに留意が必要である。

3 対応の方向性

本件では、契約書に「3か月に1度、A国政府担当者が製品を製造する工

場の視察をすることができ、A国が視察に必要であると判断する一切の費用はX社の負担とする」という内容の規定を入れることを求められているが、上記2(1)のとおり、X社としては、そもそも本件契約においてA国政府担当者に工場の視察をさせる合理的な必要性があるか、「3か月に1度」という頻度は妥当なものであるかを、製品の性質や当該業界のビジネス慣行に照らして注意深く検討する必要がある。その上で、合理的な必要性がないと認められる場合には、契約書にかかる条項を設けることはできない旨をA国政府担当者に伝え、あるいは、頻度や視察の範囲等を合理的な範囲に絞るための交渉をすべきである。各国の公務員贈賄規制においては、利益の供与を「約束」しただけで違反行為が既遂となるとされていることも多く、そのような場合には、実際に費用負担をしていなくても契約を締結しただけで違反行為とされるおそれがあることから、契約締結段階において十分に検討・交渉を行う必要がある。X社による受注が実質的に確定していない段階における契約交渉であれば、A国政府担当者に対して強い態度をとりにくいであろうが、そのような場合は特に、A国側の要求を受け入れることにより受注を確定させようとしていたのではないか、つまり、不正な利益を得る目的があったのではないかとの推測が働きやすいことから、毅然とした態度で交渉をする必要がある。

　また、上記規定では「A国が視察に必要であると判断する一切の費用」をX社が負担することとされているが、上記2(2)のとおり、X社が負担する費用は、合理的・客観的に考えて必要な範囲の費用に限るべきであり、必要性の判断をA国政府の調達担当者に委ねることは危険であることから、このような規定は受け入れるべきではない。

　実際にX社がA国政府担当者を招聘して旅費や宿泊費を負担する際には、上記2(2)のとおり、必要な範囲の費用に限って負担することを徹底するために、個別の支出につき領収書の写しを交付するよう要請し、実際に支出がなされた金額及び当該支出が合理的・客観的に考えて必要な金額であることが確認できた範囲においてのみ負担するべきである。また、A国政府担当者が個人的な利益を得ることがないよう、出張の手配及び旅行会社等への支払を直接X社が行うか、あるいは、費用は一旦A国政府機関において立替払をさせ、X社が支払を行う際の振込先はA国政府担当者個人ではなく、A国政府機関とすべきである。また、X社が、当該負担を帳簿上、正確に記録す

べきであることも、上記2(3)のとおりである。

> **Q7** 外国公務員の派遣受入れ、寄付の要請に対してどのように対応すべきか?
>
> 　日本企業Ｘ社が新興国Ａ国政府の下水道関連のインフラプロジェクトを受注するに際し、当該プロジェクトを担当する官庁より、①同省の職員を日本企業の現地子会社で派遣職員として受け入れ、給与を負担してほしいといわれた。また、同省に対して、②同省が行っている環境基金へ寄付をしてほしいといわれた。それぞれ、どのように対応すべきか。

1　問題の所在

　①外国公務員を派遣職員として受け入れ、給与を負担すること、及び、②外国政府が行っている基金へ寄付をすることについては、まず、利益の供与を受ける主体が外国政府であるのか、外国公務員であるのかが問題となる。米国 FCPA を含む多くの外国公務員贈賄規制は、「外国公務員」に対する利益の供与を禁じているが、「外国政府」に対する利益の供与は禁じていないからである。また、これらが外国公務員に対する利益の供与であるとしても、企業が、通常の事業活動の一環として、不正な利益を得る目的や「汚職の意図」を有さずにこれらの行為を行った場合、各国の外国公務員贈賄規制が定める主観的要件を充足しないものとして、これらの行為が許容される可能性もあることから、不正な利益を得る目的等の主観的要件が認められるかも問題となる。

2　検　討

(1)　利益の供与を受ける主体

　上記のとおり、一般に、米国 FCPA を含む多くの外国公務員贈賄規制は、外国公務員に対する利益の供与を禁じているが、外国政府に対する利益の供

与は禁じていない。したがって、本件に適用される国の法令を確認する必要はあるが、利益の供与を受ける主体が外国公務員ではなく、外国政府であると判断される場合には、違反行為とならない可能性がある。ただし、外見上は外国政府に対する利益の供与という形をとっていても、事実上、外国公務員個人がそこから利益を得ている場合には、実態を重視して違反行為であると判断される可能性があることに注意する必要がある。

この点、①外国公務員の派遣職員としての受入れについては、給与を外国政府に支払うのではなく、外国公務員に対して直接支払を行う場合には、利益の供与を受ける主体が外国公務員であると判断される可能性が高い。一方、②外国政府の基金への寄付については、外国公務員個人に対する利益の供与という形式をとっていないことから、違反行為とならない可能性がある。ただし、外国政府が行う基金への寄付という形式をとりながら、事実上外国公務員個人が当該資金を流用するなどの方法により何らかの個人的な利益を得ている場合には、外国公務員に対する利益の供与であるとして違反行為であると判断されるリスクもある。そのため、寄付に先立ち、例えば外国公務員個人に対する寄付金の還流がないかなど、寄付金の使途等については十分に確認をする必要がある。

(2) 利益を供与する者の主観的要件

利益を供与する者にどのような主観的要件があれば違反となるかは各国の外国公務員贈賄規制によって若干の差異はあり、また、不正な利益を得る目的等の主観的要件を充足するか否かは、事案ごとに具体的事情を総合して判断されるが、本件の①外国公務員の派遣職員としての受入れ、及び、②外国政府の基金への寄付の各ケースにおいては、特に以下の要素が考慮されるべきである。なお、寄付に関しては、経産省指針の解説や(**第2章第3節2(4)**)、米国FCPA指針が列挙する考慮要素も参照されたい(**第2章第1節3(2)**)。

(a) 合理性・必要性が認められるか

①について、当該外国政府の公式の方針・政策に基づき、日本企業から技術援助を得て人材を育成するなどの正当な目的の下で、外国政府内部で正規の手続を経て外国公務員を日本企業に派遣しようとしており、かつ、日本企

業の側でも外部からの人材受入れに関する正規の手続を経て受入れをする場合には、当該派遣に合理性・必要性が認められやすいといえよう。一方、技術援助・人材育成等の正当な目的がない場合や、当該派遣が外国政府としての公式の方針や政策とは無関係に外国公務員個人からの要求に基づくものである場合等には、日本企業への派遣について合理性・必要性が認められず、不正な利益を得る目的等の主観的要件を充足すると判断される可能性がある。

②については、企業の慈善活動の一環として、あるいは、地域全体の長期的な発展及び市場の活性化の一助として金銭的支援をするという正当な目的がある場合には、合理性・必要性が認められやすい。基金の使途・目的、及び、基金への寄付がどのような流れをたどって当該使途・目的に使われるかについてA国政府に資料を提出させることにより、寄付金が適切に用いられることを確認する必要がある。また、当該基金への寄付が当該企業における寄付の慣行・社内規程等と整合しているか否かを検討する必要もあろう。

(b) プロジェクト受注の要件となっているか

①②が、当該日本企業によるプロジェクト受注の要件となっている場合には、不正な利益を得る目的等の主観的要件を充足すると判断される方向に働く。また、①について、当該日本企業に対して取引等を発注するか否かの決定権を持つ外国公務員自身が派遣の対象となる場合、②について、当該日本企業に対して取引等を発注するか否かの決定権を持つ外国公務員自身が同時に基金の運営等にも関与している場合も同様である。

(c) 支出が合理的な範囲内にとどまるか

①について、派遣される外国公務員の給与を日本企業が負担する場合において、必要最小限の生活費等の範囲を超える過大な給与を支出する場合には、合理的な範囲内の負担ではなく、不正な利益を得る目的等の主観的要件を充足すると判断される可能性が高まる。

②についても、当該企業が行う通常の寄付の金額に比して過大な寄付が行われた場合には不正な利益を得る目的等の主観的要件を充足すると判断される可能性が高まる。

(d) 正確な会計処理が行われているか

①②にかかる費用負担について、実際とは異なる名目で帳簿に計上されるなどの不適切な会計処理が行われた場合、社内の適正な承認手続を踏まずに支出が行われた場合等には、不正な利益を得る目的等の主観的要件があったとの疑いが生じやすい。また、**第2章第1節3**に記載のとおり、当該支出が、実際とは異なる内容で帳簿上に計上され、あるいは、内部統制システムの下で要求される適切な社内承認等の手続を踏まずに実行された場合には、米国FCPAの会計・内部統制条項の違反とされる可能性もあることに留意が必要である。

3 対応の方向性

X社としては、上記2(1)及び(2)(a)(b)の諸要素を考慮して、A国政府からの要請を受け入れることができるか否かを検討し、仮に受け入れる場合には、上記2(2)(c)のとおりX社による支出の範囲を合理的な範囲にとどめると共に、上記2(2)(d)のとおり正確な会計処理を行うべきである。

特に本件では、下水道関連のインフラプロジェクトを受注するに際し、当該プロジェクトを担当する官庁より、①A国政府職員の派遣職員としての受入れ、及び、②環境基金への寄付が要請されており、タイミングから考えて、これらの要請を受け入れることがプロジェクト受注の要件であったとの疑いを招く可能性が高い[8]ことから、慎重な検討が必要になる。プロジェクト受注とは無関係であることを、A国政府とのやり取り等を通じて慎重に確認し、①②の要請の背景やA国政府側・X社側双方における実質的な意図・目的に照らして、A国公務員個人に対する利益の供与であると解されず、かつ、X社側において不正な利益を得る目的等の主観的要件が認められないと判断されるときに限って、①②の要請を受け入れるべきであろう。また、後日違反行為の嫌疑をかけられる可能性があることを考慮して、A国政府とのやり取りやX社内における検討プロセス等は詳細に記録に残しておく必要がある。

---

8) 経産省指針27頁でも、物品等の金額や経済的価値にかかわらず、入札直前の時期における支払は、「営業上の不正の利益」を得るための支払と判断される可能性が大きい行為の一例に挙げられている。

Q8 外国公務員に対してプロモーションのための贈答品を配布してよいか？

自動車メーカーである日本企業Ｘ社は、新興国Ａ国における製品展示会に参加し、Ｘ社のロゴの入ったＴシャツや文房具等のグッズ、日本のお菓子やお茶等を来場者に無料で配布することを予定している。展示会には、Ａ国政府の担当者や政府系企業の担当者のほか、近隣国であるＢ国、Ｃ国の政府担当者も来場することが予定されている。Ｘ社は、外国公務員に対して、プロモーションのためのグッズや飲食を供与してよいか。

1　問題の所在

　製品展示会において、外国公務員に対して販売促進（プロモーション）のためのグッズや飲食を供与することについては、**Q6**及び**Q7**と同様に、各国の外国公務員贈賄規制において違反行為の要件とされる「利益の供与」に該当する可能性があるが、企業が、通常の事業活動の一環として、不正な利益を得る目的や「汚職の意図」を有さずにかかる行為を行った場合、各国の外国公務員贈賄規制が定める主観的要件を充足しないものとして、許容される可能性もある。したがって、どのような場合に不正な利益を得る目的等の主観的要件が認められるかが問題となる。

2　検　討

　販売促進（プロモーション）や宣伝のためのグッズ等を無料で顧客及び潜在的な顧客に供与することは、ビジネスにおける企業活動の一環として、ごく一般的に行われている。したがって、外国公務員に対してグッズや飲食を供与する場合、かかる行為が、通常の販売促進・宣伝を目的とする企業活動の一環なのか、あるいは、不正な利益を得る目的等の主観的要件を充足する違反行為であるかを検討する必要がある。

　利益を供与する者にどのような主観的要件があれば違反となるかは各国の外国公務員贈賄規制によって若干の差異があり、また、不正な利益を得る目

的等の主観的要件を充足するか否かは事案ごとに具体的事情を総合して判断されるが、特に本件のような場合においては、以下のような事情を考慮して判断すべきであろう。

(1) グッズや飲食の無料提供は、公務員や政府系企業担当者のみならず、来場者全員に対して公平に行われているか

特定の公務員や政府系企業担当者だけにグッズや飲食を無料供与する場合には、不正な利益を得る目的等の主観的要件を充足するものとの判断がされやすくなる。逆に、潜在的な顧客となり得る来場者全員に対して供与されているのであれば、販売促進（プロモーション）や宣伝を目的とするグッズや飲食であり、不正な利益を得る目的等の主観的要件を充足しないとの判断に傾きやすいといえよう。

(2) 無料提供されているグッズや飲食物は、通常のビジネス慣習に照らして、合理的な金額のものであるか

通常のビジネス慣習に照らして合理的な金額とはいえない高価な物品が供与される場合には、不正な利益を得る目的等の主観的要件が認められる可能性が高くなると考えられる。

なお、米国FCPA指針も、以下のような行為は、米国FCPAの贈賄禁止条項違反の要件の1つである「汚職の意図」がない常識的な範囲の支出であると説明しており、参考になる。

① トレードショーでブースを出して、会社のロゴの入ったペン、帽子、Tシャツその他の販促品を配布し、コーヒー等の飲料やスナックを供与している企業が、ブースを訪れた外国公務員に対しても同様の販促品や飲食物を供与する行為

② 企業が、トレードショーに参加した顧客（潜在的な顧客を含む）を会場外の食事会に招待し、高額ではない飲食代を負担したところ、招待客に外国公務員が含まれていた場合

なお、仮にこれらのグッズや飲食の無料供与に各国の贈賄禁止条項が適用されない場合であっても、費用の支出が、実際とは異なる内容で帳簿上に計

上され、あるいは、内部統制システムの下で要求される適切な社内承認等の手続を踏まずに実行された場合には、**第 2 章第 1 節 3** に記載のとおり、米国 FCPA の会計・内部統制条項の違反とされる可能性もあり、適切な会計処理を行う必要があることに留意が必要である。

3　対応の方向性

本件では、X 社は、製品展示会において、外国公務員だけではなく、来場者に公平にグッズや飲食を供与することを予定しており、また、供与するグッズや飲食も高価なものとはいえない。したがって、適用がある法令ごとに検討する必要はあるものの、一般的には、X 社の行為が贈賄行為として禁じられる可能性は高くないといえよう。X 社としては、実際に製品展示会におけるグッズや飲食の供与を実行する場合には、①開放的な会場設定を心がける、②グッズや飲食の供与は実際に来場者全員に対して公平に行う、③適切な会計処理を行うなどの点に留意すべきである。

> **Q9**　外国公務員から生命・身体を脅かすような脅迫行為が行われた場合にどのように対応すべきか？
>
> 日本企業 X 社が、発展途上国 A 国で建設工事を行っていたところ、突然、A 国の警察官を名乗る複数の男性が近づいてきて作業員らに銃を突きつけ、この場所は立入禁止区域内であり、今すぐ現地通貨で 5 万円相当を支払えば解放するが、応じなければどうなるかわからないと通告してきた。作業員らはどのように対応すればよいか。

1　問題の所在

特に発展途上国等においては、まれに、公務員（あるいは公務員を名乗る者）が暴力的な言動により金品を要求するようなケースがあり得る。このような場合に、とっさの判断としてどのように対応すべきかが問題となる。

2 検討

　多くの国の公務員贈賄規制は、生命・身体への危害が切迫しているような場合において、危害を免れるためにやむを得ず公務員に対して利益を供与したとしても、そのような行為を処罰しないものとしている。

　例えば、米国FCPAの下では、**第2章第1節3(6)記載のとおり**、生命・身体に対して危害を加える旨の差し迫った脅迫による要求がなされた場合、このような要求を受けた公務員に利益を供与したとしても、このような場合には「汚職の意図」ないし「営業上の利益を得る目的」が認められないことから、かかる行為は米国FCPAの贈賄禁止条項違反とはならないとされている。

　また、UKBAにおいても、自己の生命・身体・自由を守るために支払をせざるを得ない状況が生じた場合には、強要の抗弁が成立し、罪が成立しない可能性が非常に高いと解されている[9]。

　日本の不正競争防止法でも、生命・身体への危害が切迫しているような場合に公務員に利益を供与したとしても「営業上の不正の利益を得るために」という目的要件が存在しないとして、違反行為とならない、あるいは、緊急避難（刑法37条1項）により、違法性が阻却されることが期待できる[10]。

3 対応の方向性

　本件では、X社の従業員らは現に銃を突きつけられて金員の支払を要求されており、生命・身体に対する差し迫った危険がある状況といえる。このような状況においては、従業員らの生命・身体の安全を確保することが最優先事項であるから、従業員らとしては安全を確保するために必要であると判断すれば要求された額の支払を直ちに行うべきである。2において述べたとおり、かかる支払につき、従業員ら又はX社が各国の公務員贈賄規制により処罰対象とされる可能性は極めて低く、また、仮に何らかの法的リスクがあ

---

9) UKBA指針パラグラフ48。
10) 経産省指針29頁、経産省Q&A・Q7参照。

るとしても、生命・身体の安全を確保するために必要であれば、現場の判断を優先すべきである。

X社がとるべき事後的措置として、①従業員らに当該状況を直ちに報告させ、書面化するなどして証拠化すること、②事件が起こった国に所在する日本大使館や現地警察等適切な公的機関に報告すること等が考えられる。

ただし、仮に各国の公務員贈賄規制において規制対象とされないとしても、かかる支払を実際とは異なる目的で計上した場合には**第2章第1節3**に記載のとおり、米国FCPAの会計・内部統制条項の違反とされる可能性もあることから、従業員らが支払った金額及びその目的については、X社の帳簿等において正確に記録する必要がある。

> **Q10** 政府が45％の株式を保有する民間企業の担当者からキックバックを要求されたらどうするか？
>
> 鉄道車両メーカーである日本企業X社は、新興国A国に鉄道車両の輸出をするために自社の鉄道車両を売り込んでいる。A国では、もともと国営だった鉄道事業が数年前に民営化され、現在は、A国政府が45％の株式を保有する民間企業である鉄道会社Y社1社により、独占的に鉄道事業が行われている。X社は、Y社において鉄道車両の発注決定権限を有する担当者Zから、Z個人に対して200万円を支払えば、X社に鉄道車両を発注するよう取り計らうと伝えられた。X社はどのように対応すべきか。

1 問題の所在

本設例では、収賄者Zの属するY社が、政府が45％の株式を保有する民間企業であるため、その従業員であるZが、各国の公務員贈賄規制が定める「公務員」に当たるかが問題となる。

また、民間人に対する贈賄行為、いわゆる商業賄賂が規制対象となる国においては、「公務員」の定義如何にかかわらず、違反行為となる可能性があることから、適用される国の法令において、商業賄賂が規制対象とされるか否かを検討する必要がある。

2 検　討

(1) 各国の公務員贈賄規制における「公務員」の定義

「公務員」ないし「外国公務員」に該当するか否かの基準は、各国の公務員贈賄規制により異なることから、適用される法令における「公務員」ないし「外国公務員」の範囲を検討する必要がある。

例えば、**第 2 章第 1 節 3 (2)③**に記載のとおり、米国 FCPA の贈賄禁止条項においては、「外国公務員」は、非常に広く定義されており、ある企業が外国政府の「機関（instrumentality）」に当たる場合には、その役職員も外国公務員に当たるとしている。米国 FCPA 指針によれば、ある企業が外国政府の「機関」に該当するか否かは、当該企業等の保有、支配、機能等の実態により個別に判断される。

なお、米国 FCPA 指針は、2014 年の第 11 巡回区連邦控訴裁判所の裁判例を引用し、「機関」を、「政府又は外国政府によって支配されている事業体で、かつ、当該政府がそれ自体の行為として取り扱う機能を履行する事業体」と定義している。その上で、外国政府による支配の判断の考慮要素の例として、下記を挙げている[11]。

① 外国政府による当該企業等の正式な指定
② 外国政府が当該企業等の過半数の株式等を保有しているか
③ 外国政府が当該企業等の代表者を選解任する権限を有しているか
④ 当該企業等の利益が直接的に外国政府の財源となる程度、及び当該事業体の赤字に対して外国政府が支援する資金の程度
⑤ 上記の期間が継続した期間の長さ

加えて、上記定義のうちの、当該政府がそれ自体の行為として取り扱う機能を履行しているか否かの判断の考慮要素としては、下記が挙げられている。

① 当該事業体が、その遂行するための機能を独占しているか
② 外国政府が事業体により提供される役務に係る費用を補助しているか
③ 当該事業体がその国において広く公衆に役務を提供しているか

---

11) 米国 FCPA 指針 20 頁、United States v. Esquenazi, 752 F.3d 912, 925 (11th Cir. 2014).

④ その国の公衆や政府が、当該事業体が政府の機能を履行していると認識しているか

　米国 FCPA 指針は、実務上は、外国政府が当該事業体の過半数の株式等を保有又は支配していない場合には、その事業体は「機関」に当たる可能性は低いとしており[12]、したがってその役職員が外国公務員であると判断される可能性も低いと解される。しかし、同指針は、外国政府による保有割合が 50％未満であっても、重要な支出や事業上の決定等に関して拒否権を持つ種類株式を保有している場合等、外国政府が当該企業に実質的な支配を及ぼしている場合には、その役職員が外国公務員と認められる可能性がある旨を説明している[13]。

　また、日本の不正競争防止法における「外国公務員等」には、外国政府が過半数の株式を保有している企業のほかに、外国政府が株主総会での全部又は一部の決議について許可、認可、承認、同意等を行わなければ効力が生じない又は当該決議の効力を失わせることができるとされている企業や、外国政府が役員の過半数を任命若しくは指名している企業等も含まれるとされている（不正競争防止法18条2項、不正競争防止法施行令3条1項各号）。

(2) 商業賄賂

　第2章第2節4(1)②において述べたとおり、UKBA においては、民間企業の役職員に対する贈賄行為、いわゆる、商業賄賂についても処罰の対象となる可能性があることから、UKBA が適用される場合には、公務員の定義如何にかかわらず、民間企業の役職員に対する贈賄が違反行為とされる可能性がある。

3　対応の方向性

　上記のとおり、「公務員」ないし「外国公務員」の定義、及び、民間企業の役職員に対する商業賄賂を処罰するか否かが国によって異なることから、

---

[12]　米国 FCPA 指針 21 頁。
[13]　米国 FCPA 指針 21 頁。

まずは、本件に適用される法令を確認する必要がある。現地法はもちろんのこと、米国FCPA、UKBA、及び日本の不正競争防止法のように域外適用の可能性がある法令について、個別に適用の有無を確認すべきである。

仮に本件に適用される法令において、民間企業の役職員に対する商業賄賂を処罰することとされているのであれば、本件の行為は処罰対象となる可能性が高いであろう。

本件に適用される法令において商業賄賂を処罰しないこととされているのであれば、公務員贈賄規制の「公務員」ないし「外国公務員」に該当するか否かを検討することになる。本設例では、A国政府のY社株式保有比率は45%であり、過半数未満であることから、適用される法令によっては、Y社の役職員は「公務員」ないし「外国公務員」に該当しないと判断される可能性もあろう。もっとも、米国FCPAのように株式保有比率が過半数未満であっても、保有、支配、機能等の実態により個別に判断する贈賄規制もあれば、日本の不正競争防止法のように拒否権や過半数の役員指名権の有無で判断される場合もあることから、本件に適用される公務員贈賄規制における「公務員」ないし「外国公務員」の定義及び解釈について個別に検討を行う必要がある。

なお、仮に本件に米国FCPAが適用される場合、Y社が、数年前に国営事業が民営化されたことにより設立されたという経緯、鉄道（インフラ）が事業目的であること、独占的に鉄道事業を行っており事実上の排他的権限を有していること等は、Y社の役職員が「外国公務員」であると判断する方向に働く要素である。米国FCPA指針に挙げられているようなその他の事情も総合的に考慮して、慎重に検討すべきであろう。

仮に、適用される法令において、商業賄賂が規制対象とならず、また、Y社の役職員が「公務員」ないし「外国公務員」に該当しないことから、贈賄規制の違反とならないとしても、キックバックの支払を実際とは異なる目的で計上した場合には、**第2章第1節3**に記載のとおり米国FCPAの会計・内部統制条項の違反とされる可能性もあることから、支払金額及びその目的については、X社の帳簿等において正確に記録する必要がある。

Q11 民間企業の担当者から個人的な利益の供与を要求されたらどうするか？

家庭用電器製品のメーカーである日本企業 X 社は、新興国 A 国で大型家電量販チェーンを運営する Y 社に対して自社の製品を販売している。Y 社は政府との間で一切出資等の関係を有していない民間企業である。ある日、Y 社担当者 Z から連絡があり、現在、X 社の製品は売場の隅のほうにあるが、これを全店舗において、売場の中心に移動させ、かつ、X 社製品の売場面積を広げたい、そのようなレイアウト変更をするための人件費等として 30 万円を支払ってほしいとの連絡があった。レイアウト変更により X 社の収益向上が見込まれることから、ぜひ応じたいと考えていたところ、Y 社担当者 Z から指定された振込先口座は、Z 個人名義の口座であった。どのように対応したらよいか。

1 問題の所在

政府との間で一切出資等の関係を有していない民間企業である Y 社の従業員に対して、一定の利益を享受するために金銭等を交付することが、贈賄防止に関連する法令又はそのほかの法令に抵触するか否かが問題となる。米国 FCPA や日本の不正競争防止法をはじめとする外国公務員贈賄規制は、公務員に対する贈賄行為を禁止しており、民間企業の従業員に対する贈賄行為を規制の対象としていない。一方、例えば UKBA 等、民間人に対する贈賄行為を禁止する法制もあることから、本件に適用される法令の下で贈賄罪が成立するか否かを検討する必要がある。

2 検討

1 において述べたとおり、民間人に対する贈賄行為、いわゆる商業賄賂については、各国の法令によって規制の有無ないし構成要件が異なることから、事案ごとに適用される法令において商業賄賂が規制されているか否かを検討する必要がある。本件では、まず現地 A 国における規制の有無を検討すべきである。

また、X社にUKBAが適用される可能性がある場合には、UKBA上の贈賄罪が成立するか否かも検討する必要がある。**第2章第2節4(1)**において述べたとおり、UKBAの贈賄罪は、受贈者が公務員か民間人かによってその適用の有無を区別しておらず、民間人に対する贈賄であっても、贈賄者が、①受贈者の権限又は活動に関連する「不正な職務執行」(improper performance) を行わせることを誘発することを意図している場合、若しくは、その対価とすること等を意図している場合、又は、②当該利益を受贈者が受け取ること自体が、受贈者の権限又は活動との関係で「不正な職務執行」であると知っていた、若しくは、信じていた場合には、UKBA上の贈賄罪が成立し得る。

　UKBAの贈賄罪の構成要件である「不正な職務執行」については、UKBA上に定義が存在し、受贈者の有する公的な権限、ビジネス上の権限、従業員としての権限又は第三者（法人化されているかを問わない）のために行う権限との関係で、信義誠実に行動する、公平中立に行動する、当該地位に付随する信頼に基づき行動する、といった受贈者に対する期待を裏切るような行為をいうとされている。当該受贈者に対してどのような期待が存在するかを判断するに当たっては、合理的な英国人が当該受贈者の地位に対してどのような期待を有するかを基準に判断するとされており、外国における職務執行が問題となった場合であっても、当該外国における慣習・慣行に関係なく判断されるとしている。

　本設例について検討すると、Y社担当者Zは、「レイアウト変更をするための人件費等」であると説明して、X社に対して30万円の支払を要求している。これだけの事情であれば、X社にとっては、自社に有利となるようなレイアウト変更をY社にさせる代わりに、レイアウト変更に要する費用を負担するという通常のビジネスにおける取引であるように思われる。しかし、Y社担当者Zが30万円の振込先として自己の個人名義の口座を指定してきたことから、かかる30万円をZが受領することが、Zの権限又は活動との関係で「不正な職務執行」に該当するのではないか、X社がこれを意図し、あるいは、知っていたと判断されるのではないかという疑問が生じる。仮にZの権限行使が正当なものであり、実際に30万円がレイアウト変更のための人件費に用いられるのであれば、Y社の会社名義の口座に30万円を振り込むよう要請されるのが通常であり、担当者個人の口座に振り込むのは一般

的ではないからである。

　なぜ会社名義の口座ではなくZの個人名義の口座に振り込む必要があるのか、本当に30万円がレイアウト変更のための費用に用いられるのか、Zはレイアウト変更に関して判断権限を有しているのかなどの背景事情をY社に対して詳細に確認し、Zの権限又は活動との関係で「不正な職務執行」に該当するような事情がないか、慎重に検討する必要があり、仮に「不正な職務執行」に該当すると疑われるような事情がある場合には、X社としては、かかる金銭の支払を行うべきではない。例えば、30万円の一部又は全部がレイアウト変更のための費用に用いられず、Zの個人的な利益につながる場合、レイアウト変更がZの独断に基づく権限行使であり、Y社の会社としての判断とも合致しない場合（すなわち、Zの従業員としての権限との関係で、Zに対する期待を裏切るような行為である場合）等は、「不正な職務執行」に該当する可能性があると考えられる。

　なお、1で述べたとおり、UKBAとは異なり、米国FCPAの贈賄禁止条項は、外国公務員への支払を規制しており、民間企業の従業員に対する贈賄行為を規制していない。もっとも、米国上場企業等の証券発行体として、会計・内部統制条項の適用を受ける企業については、たとえ民間人への贈賄であったとしても、その支払を別項目で計上していたような場合等には、会計・内部統制条項違反となるため、注意が必要である。

　また、日本の不正競争防止法上も、民間人に対する贈賄は禁止の対象とされていないが、例えば、X社の担当者が、Zの個人的な利益を図り、X社に損害を加える目的で、自己の任務に背いて30万円の支払を行ったような場合には、背任罪（刑法247条）等の刑法犯に該当する可能性もある。

3　対応の方向性

　2において述べたとおり、X社としては、Y社に対して事実関係を確認し、Zの権限又は活動との関係で「不正な職務執行」に該当するような事情がないかを慎重に検討する必要がある。具体的には、①30万円がレイアウト変更のための費用に用いられ、Zの個人的な利益につながらないことを確認するために、Y社に費用の使途を明らかにさせる、②レイアウト変更がZの独断に基づく権限行使ではなく、Y社の会社としての判断とも合致すること

をZより上位の役職を有するY社の役職員に対して確認する（メール等、記録が残る形でやり取りをするべきである）などの方法が考えられる。また、会社間の取引であるにもかかわらず、Z個人名義の口座に対して30万円を振り込む合理的な理由は通常ないものと考えられることから、原則としてZ個人名義の口座への振込は避けるべきである。

また、2において述べたとおり、A国の法制で民間人に対する贈賄が規制されている可能性も考えられるため、かかる法制について調査しておくことも必要となろう。

> **Q12** 外国政府との取引に際してコンサルタントを使う場合にどのような点に留意すべきか？
>
> 日本企業X社は、新興国A国におけるトンネルの建設関連プロジェクトをA国政府から受注するために、現地の事情に詳しいコンサルティング会社Y社とコンサルティング契約を締結することを考えている。しかし、A国の建設関連ビジネスではしばしば贈収賄行為が横行しているといわれており、また、Y社は、特に政府出身者が多いなど、政府との結びつきが強いことをアピールしている。Y社との契約締結に当たって、留意すべきことはあるか。

1 問題の所在

各国の外国公務員贈賄規制において、（それぞれ解釈に若干の違いはあるものの）仮に第三者を通じて贈賄行為がなされた場合であっても、一定の場合には責任を問われることになっている。本設例では、コンサルタントに供与された利益が外国公務員に対して支払われた場合、当該コンサルタントのみならず、依頼者である日本企業X社についても贈賄行為に関与しているとして責任を問われる可能性があるか否かが問題となる。また、かかる責任に問われることを防ぐためにどのような対応をとるべきかが問題となる。

2　検　討

本設例のように、コンサルタントを通じた賄賂の支払が問題となることは多い。

これについて、例えば、**第2章第1節**に記載のとおり、米国FCPAの贈賄禁止条項は、第三者を通じて行われる贈賄行為についても適用され得る旨が明示されており、企業が外国公務員への賄賂の供与を当該第三者に対して委託したような場合に限られず、企業が、第三者に支払う手数料等の一部が外国公務員に賄賂として供与されることを「知りながら」(knowing) 支払った場合も禁止の対象に含まれるとされている。

米国FCPA指針22頁によれば、ここでいう「知りながら」(knowing) の意義については、コンサルタント等の第三者が外国公務員に対して賄賂を支払うことを実際に知っている場合に限られず、賄賂の供与が行われる可能性が高いことを認識していたか、認識すべき状況があったにもかかわらず意図的に無視した場合 (purposefully avoid actual knowledge) も含まれると解されている。米国FCPA指針には、コンサルタント等の第三者が外国公務員に対して賄賂を供与する可能性が高いことを示唆する状況が挙げられており、特に注意が必要とされている[14]。

また、**第2章第3節2**(8)に記載のとおり、日本の不正競争防止法においても、利益供与等の相手方が形式的には外国公務員等以外の第三者であったとしても、当該第三者は単なる仲介者であって、供与等された利益が当該第三者からそのまま外国公務員等に移転しているような、実質的には外国公務員等が利益供与等を受けているのと同視できるような場合には、外国公務員等に対して利益供与等がなされたといえ、このような場合まで利益供与等をした者を処罰しないという趣旨ではないと解されている[15]。

---

14)　米国FCPA指針22-23頁。
15)　経産省指針30頁。

3　対応の方向性

　本設例のような業務委託先等の第三者に対するデューデリジェンスの実施については、全ての取引先について網羅的かつ精緻に監査することは容易ではなく、また必ずしも効率的であるともいえない。そのため、適切なリスク評価に従い、高リスクのコンサルタント等はデューデリジェンスを重点的に行うといったリスクベースアプローチをとることが考えられる。しかし、本設例では、A国の建設関連ビジネスではしばしば贈収賄行為が横行しているという事情があること、問題となる取引もA国政府が相手方であること、Y社は政府との結び付きが強いことをアピールしていること等からすれば、リスクは相当程度高いと考えられ、やはりY社に対するデューデリジェンスを実施することが必要であると考えられる。

　Y社のデューデリジェンスに際しては、**Q15**や**Q16**の設例におけるデューデリジェンスと類似するが、当該Y社の評判・適性・過去の不祥事等の有無、政府出身者の過去の経歴や政府機関との関係等、Y社のコンプライアンス体制等を調査することが必要となる。こうしたデューデリジェンスの結果実際にY社をコンサルタントとして起用する判断をする場合には、Y社の起用の理由、Y社の資質・適正、報酬の妥当性等について十分な検討を行ったことを記録化することが好ましい[16]。

　また、Y社との業務委託契約書の締結に先立ち、例えば、費用に関する見積りを提出させたり、報酬を成功報酬ではなくタイムチャージ制にしたり、想定される報酬金額が委託業務の内容に比して不合理に過大ではないかなどを確認すること等により、Y社からの使途が曖昧な金銭の支出を抑止することが考えられる。

　さらに、Y社との間の業務委託契約書においては、Y社による贈賄行為の抑止に向けて、例えば、以下のような条項を設けることも検討すべきである。
① 　贈賄規制の違反がないことの表明保証条項
② 　贈賄規制の違反行為を行わないことやX社のコンプライアンス体制を理解しそれを遵守することを誓約させる条項

---

16)　経産省指針14頁注44参照。

③　Y社が公務員から贈賄を要求されるなど一定の事象が生じた場合にX社への報告を義務付ける条項

④　X社に、Y社によるこれらの義務の遵守に関連し、Y社に対する調査・監督権を与えたり、Y社に（業務遂行に要した費用の請求書等の）一定の情報提供義務を課す条項

⑤　これらの条項に違反した場合の解除・損害賠償条項

そして、実際に契約締結後においては、かかる調査・監督権を適切に行使して、調査や監督を行うほか、費用の支払に際しては、詳細な請求書を提出させ、その明細を確認する（タイムチャージ制にした場合には、その使用時間と内容を確認する）ことも重要である。

なお、A国の法律において、第三者を通じた贈賄行為に関する法制がある場合も考えられるため、かかる法制について調査しておくことも必要となろう。

Q13　直接の契約関係のない自社製品のユーザーに違反行為の嫌疑が生じた場合、どのように対応すべきか？

　日本企業X社は、新興国A国において、現地の医療機関に対し、資本関係のない現地の代理店を通じ、医療検査機器の販売を行っている。X社は、機器のユーザーである医療機関とは直接の契約関係はないが、機器のメンテナンスや新製品の紹介を代理店と一緒に行うなど医療機関とは接点が多く、自社の製品がどの医療機関に納入されているかはほぼ把握している。今般、ユーザーであるA国の医療機関Yについて、Yが医療検査料の見直しに関連してA国の監督官庁の役人に賄賂を渡していた嫌疑があると地元紙が報道した。報道の真偽は明らかでなく、X社が確認した限りでは、Yによる贈賄行為はX社の医療検査機器のビジネスとは直接関係がない様子である。YはA国では有力な医療機関グループであり、X社のA国ビジネスにとって重要な供給先であるだけでなく、Yへの供給を取りやめることはA国の医療にも悪影響が想定されるため、X社としてはYへの製品の供給を継続することを考えているが、問題ないか。また、継続する場合に留意すべき点は何か。

1 問題の所在

本設例のように、新興国では、現地の取引先等に汚職の疑惑がかけられ、現地のさまざまなメディアによる報道の対象となることが珍しくない。日本企業としては、自らこうした疑惑に関与しないことはもちろん、これに巻き込まれないようにすることも重要であり、日頃から現地で情報収集をする必要がある。本設例では、A国において直接契約関係にない取引先について贈賄の嫌疑が報じられた場合に日本企業X社としていかなる対応をすべきかが問題となっている。贈賄行為が自社製品と関係がなければ取引を継続してもよいのか、嫌疑に巻き込まれないようにするために留意すべき点がないかを検討する必要がある。

2 検 討

Q12記載のとおり、各国の外国公務員贈賄規制はいずれも、外国公務員に対する賄賂の供与等を自ら行った場合だけでなく、第三者を通じて行った場合にも違反が成立し得ることとなっている。X社にとって、Yは直接契約関係はないが医療検査機器の間接的な取引先であり、医療検査機器のメンテナンスや新製品の紹介を代理店と一緒に行うなど事実上の接点も有している。こうしたYとの関係から、X社としては、Yを通じて贈賄行為に関与したとみられるおそれがないかに留意する必要がある。万一、そのようにみられるようなことがあれば、X社がYに医療検査機器の供給を継続することは、贈賄への関与を継続しているとみなされ、制裁が重くなるおそれもある。

本設例において、Yは医療検査料の見直しに関して贈賄の嫌疑が報じられているところ、X社がYを通じて贈賄行為に関与したとみられ得る場合として、例えば次のような場合が考えられる。医療検査料が引き下げられて医療機関が医療検査機器を利用した検査をした場合の収入が減少することは、医療検査機器の販売業績が減少することにつながる可能性があり、医療検査料の見直しについて、医療機関と医療機器メーカーとは共通の利害を有しているとみられる可能性がある。このような場合、Yによる贈賄行為は、Yのためだけでなく、X社のためにもなっているとみられる可能性も否定できな

い。もちろん、これだけでは直ちにX社に贈賄への関与が認められる可能性が高いとまではいえないが、例えばX社の従業員等がYによる贈賄を知っていながらこれを止めなかった場合等には、X社が贈賄に関与したとみられるおそれは大きくなる。

また、YがA国において捜査の対象となったことにより、Yについて、報じられているのとは別の贈賄行為が発覚することもあり得る。X社としては、それに自社が関係していないか否かも確認することが望ましい。

X社は、Yによる贈賄の嫌疑が報じられたことを受け、報じられている贈賄行為が自社のビジネスとは直接関係がないことを確認しているが、確認の際にはこのようなリスクにも注意し、自社の贈賄への関与の有無を慎重に検討することが望ましい。その結果、Yによる贈賄がX社のビジネスとは無関係であり、X社が巻き込まれるおそれもないことが明確に確認できれば、取引を継続したとしても法的な問題はないと考えられるが、贈賄の嫌疑のあるYとの取引を継続することはX社の評判に影響を与える可能性も否定できないため、ビジネスの観点を含む広い目配りが重要と思われる。

3　対応の方向性

以上のとおり、本設例では、X社自らがYを通じて贈賄に関与したとみられることがないよう事実関係を十分調査すると共に、Yとの取引継続の是非についても慎重に検討することが望ましい。

具体的には、まず、本設例にあるように報じられている贈賄がいかなる利益に関係するものであるかについて可能な限り情報収集をし、X社の医療検査機器と関係があるか否かを確認すべきである。かかる確認に当たっては、現地の有力な法律事務所や調査会社等に照会することが有益な場合もある。

次に、Y向けの医療検査機器の取引について、X社と代理店、代理店とYとの取引の条件（取引契約書）や取引状況について確認し、X社が間接的に贈賄に関与したとみられるおそれがないかを確認すべきである。その際には、医療検査機器のメンテナンスや新製品の紹介等を通じた、X社の関係者とYとの接触状況についても確認すべきである。

これらの検討により、X社が贈賄の嫌疑に巻き込まれるおそれが小さいと判断できる場合には、Yの取引先としての重要性や取引停止によるA国の

医療への影響等に鑑み、さしあたり即座に取引を停止しなくても不合理ではないと判断できる場合もある。もっとも、Ｙとの取引を継続するとしても、Ｘ社としては、Ｙに贈賄行為を行わない旨の宣誓書面等を提出させる（Ｘ社と代理店、代理店とＹとの取引契約書において、贈賄行為を行わない旨の誓約条項が含まれていることも確認する）など、贈賄の嫌疑に巻き込まれないための措置を検討すべきである。

これに対し、Ｘ社が贈賄の嫌疑がある取引先との取引を許容しない旨のポリシーを定めている場合には、たとえ贈賄の嫌疑に巻き込まれるおそれが小さいと判断できる場合であっても、即座に取引を停止すべきことも考えられる。また、さしあたり即座に取引を停止しないという判断をした場合であっても、その後も現地における情報収集は継続し、状況変化があれば臨機応変に対応すべきであるし、Ａ国内外のほかの取引先等からＹとの取引について否定的な反応が寄せられていないかなど、取引継続がＸ社の評判に悪影響を与えていないか否かにも目配りすることが望ましい。

> **Q14** 取引先から違反行為の有無を調査するための資料開示や違反行為を行っていないことの保証を求められた場合に、どのように対応すべきか？
>
> 日本の医療機器販売代理店であるＸ社は、外資系医療機器メーカーＹ社の総代理店としてＹ社の製品を日本において独占販売している。今般、Ｙ社との契約を更新する際に、Ｙ社から、Ｘ社が公務員等に対して賄賂を供与していないことを確認するため、帳簿書類等幅広い資料の提出を求められ、Ｘ社が公務員等に対して賄賂を供与していないことを保証する内容の書面を提出するよう求められた。Ｘ社としては当然賄賂を供与したことはないが、手間のかかる資料供与はしたくないし、書面での保証も可能な限り避けたいと考えている。Ｘ社はどのように対応すべきか。

1 問題の所在

外国公務員贈賄規制の下では、企業は、取引相手（第三者）が実行した贈

賄行為に関しても責任を問われる可能性があるため、取引相手の贈賄行為リスクの把握・管理は非常に重要となる。そのために、取引相手から、自社に対するデューデリジェンスの実施や、一定の資料の提出等が求められる場合がある。他方、そうした資料の提出等を要請された企業としては、どこまでそうした要求に応じるべきか、問題となる。

2 対応の方向性

(1) 資料開示

　取引相手の贈賄行為に関しても責任を問われる可能性があることを考慮すると、一定の資料の開示要求には、合理性が認められ、X社としても、開示に応じていくことが要請されると思われる。このような要求があった際、すぐに対応できるように、普段から、書類等をきちんと整えておくことも重要である。

　他方、あまりにも幅広い資料の提出を求められると、X社としても、資料の準備及び供与に相当程度の労力を要したり、自社の機密情報を自社外に開示することにもつながるため、そのような場合には、必要性及び範囲につき、Y社との間で協議を行い、合理的な範囲で資料を開示するという対応をとることが考えられる。

　例えば、X社としては、Y社に対して、日本の腐敗認識指数は、他国と比較して相対的に高いこと、X社が贈賄行為防止のためのコンプライアンス体制を整備していること、過去に贈賄行為に関する違反事例が存在しないこと等を説明した上で、Y社が具体的にどのような懸念を有しているのか確認を行い、Y社の懸念事項に関連する資料を提出することが考えられる。

　また、資料の提出を行う際も、営業秘密にもかかわる可能性のある機密性の高い情報が含まれている資料については、当該箇所をマスキングしたり、支障のない範囲で内容を口頭で説明したりというように、開示の方法についても協議を行うことが考えられる。

(2) 書面での保証

近年、贈賄行為防止に関する意識が高まっていることに鑑みれば、違反行為を行っていないことを保証する旨の書面の提出を拒むことは難しくなっていると考えられる。したがって、提出を求められている書面の内容が、過度に広範な内容である場合には格別（例えば、X社が全くコントロールを及ぼすことができない行為者に関しても違反行為をしていないことを保証する内容を含んでいるような場合には、協議をして内容を変更することが考えられる）、そうでない限りは、書面を提出していくことが要請されると考えられる。

Q15 新興国でジョイントベンチャーを開始する場合に、そのパートナーの贈賄関連コンプライアンスはどのように調査すべきか？

> 日本において通信ネットワークを提供するX社が、新興国A国において、現地の財閥系企業Y社と共にジョイントベンチャー（JV）を開始しようとしている（X社が49％、Y社が51％出資する形で合弁会社を設立する）。X社は、A国では賄賂の授受が珍しくないと聞いているため、Y社のコンプライアンス体制を確認したいと考えている。確認の際はどのような点に注意したらよいか。仮にY社が協力的でない場合には、どのように対応したらよいか。

1 対応の視点

現地企業とのジョイントベンチャー（以下「JV」という）は、日本企業が新興国に進出する手段として活用されているが、JVのパートナーにおいて贈賄防止のコンプライアンスが不十分であると、合弁会社が贈賄に関与するおそれがある。特に、本設例のようにJVのパートナーが過半出資をする場合や、JVのパートナーが現地の有力企業であるなどの理由によりJVのパートナーが合弁会社のオペレーションに深く関与する場合には、JVのパートナーのコンプライアンス体制が合弁会社に強く影響を与えると共に、日本企業側のモニタリングが及びにくくなるため、そのリスクは高まること

になる。

　合弁会社又はJVのパートナーが贈賄行為を行った場合には、たとえ日本企業が当該合弁会社を支配していなかったとしても、日本企業側にも責任追及が及ぶ可能性は否定できない。例えば、日本企業が合弁会社による不適切な金銭の供与等を助長する行動をとった場合や、そのような積極的な行動はとらなくても、合弁会社による贈賄行為の可能性について認識しつつ、それを防止するための適切な手段をとっていないような場合等には、日本企業も責任を問われる可能性がある。

　そこで、JV契約を締結する前に、JVのパートナーに対するデューデリジェンスを実施し、贈賄リスクを精査する必要がある。なお、設例とは異なり、既存の会社の株式を一部取得、又は既存の会社に一部追加出資する形で、既存の株主と共にJVを開始するような場合には、JVのパートナーとなる既存株主に対するデューデリジェンスに加えて、JVの対象会社に対するデューデリジェンスも並行して行うべきである。対象会社のデューデリジェンスを行う際に調査すべき項目等については、**Q16**を参照されたい。

2　対応の方向性

(1)　どのような観点でデューデリジェンスを行うべきか

　JVのパートナーに対し、贈賄リスクの精査という観点で行うべきデューデリジェンスの内容は、JVの対象会社に関するそれとほぼ共通するが、特に以下のような項目に着目すべきである。

① JVのパートナーの属性（国有企業・国営企業又はそのほかの政府系機関・企業であるか否か）

② JVのパートナーの関係者の属性（JVのパートナーの役職員又は親族・知人等に、政府、国有企業・国営企業又はその他の政府系機関に影響力を行使できる立場にある者がいるか否か。特に、政府調達に係る契約締結又はライセンスの付与業務等に関与していないか否か）

③ 三者以上の当事者によるJVであるなど、自らが選定していない当事者がJVのパートナーになる場合、当該JVのパートナーが選定された理由（政府、国有企業・国営企業とのつながりを期待された者でないか、な

ど）
④　JVのパートナーのコンプライアンス体制（贈賄防止に係るコンプライアンス規程の整備状況や、経費等の支出に係る社内手続の実施や定期的な監査の実施の有無等の運用状況）
⑤　JVのパートナー又はその関係者に係る過去の不祥事の有無とその内容

　デューデリジェンスの結果、Y社のコンプライアンス体制が不十分であり、贈賄リスクが高いと考えられる場合には、JVの開始を断念することを考えなければならない。また、贈賄リスクが高いとはいえJVを開始する判断をする場合でも、通信ネットワーク事業は規制業種であり政府との接点が多いこと、A国では賄賂の授受が珍しくないことなどを踏まえると、下記(2)にあるような契約上の手当てをすることも検討すべきである。

(2) JVのパートナーが協力的ではない場合の対応方法

　JVのパートナーがデューデリジェンスに対して協力的ではない場合、それ自体が贈賄リスクを窺わせることもあり、そのまま漫然とJVを開始することがないように注意すべきである。その場合の最低限の方策として、JVのパートナー（JV開始後には合弁会社も含む）に関するコンプライアンスリスクについて、JV契約等において一定の手当てをすることが考えられる（ただし、JV契約等において手当てを行ったとしても、合弁会社が贈賄行為を行った場合において自社への責任追及を回避できる保障はないことに留意する必要がある）。X社がJV契約において行うことが考えられる契約上の手当てとしては、以下のようなものが挙げられる。
①　Y社が贈賄規制について、これまで全て遵守してきており、違反は存在しないことを表明保証にて規定し、今後も贈賄行為を行わないことを誓約する条項を設けると共に、これらの条項に違反した場合には、JV契約を解除できる又はX社が被った損害について損害賠償を請求することができるよう規定しておく。
②　（JV契約締結前に十分な協力が得られなかった場合）JV契約締結後、クロージングまでの間に、Y社のコンプライアンス体制についての追加的なデューデリジェンスを実施し、X社がその結果に満足することをク

ロージングの前提条件とすることが考えられる。また、それでも十分な調査ができないと考えられる場合には、クロージング後に速やかにデューデリジェンスを実施することとし、JVのパートナーにはこれに協力する義務を負わせ、このデューデリジェンスにおいて贈賄リスクが検出された場合には、一定の期間を置いて是正することを義務付けることも考えられる。

③ JV開始後の合弁会社のコンプライアンスとの関係では、以下のような条項を設けることも検討すべきである。
   (イ) 合弁会社のコンプライアンス体制に関する基本原則を合意する。可能であればX社のコンプライアンス体制に準じた体制を構築することを義務付ける。
   (ロ) 合弁会社のコンプライアンス体制の決定・変更について、マイノリティ株主であるX社に拒否権を与える。
   (ハ) X社に、合弁会社のコンプライアンス体制に関する調査権限や監査権限を与える。
   (ニ) 合弁会社の役職員が公務員と接触する場合には、X社に対して事前に通知する、又は承認を得ることを義務付ける。

ただし、これらの契約条項を十分な内容で規定できるか否かは、あくまでJVパートナーとの交渉次第であり、仮に十分なデューデリジェンスが実施できず、また、十分な契約条項も規定できないような場合等、リスクが大きいと判断される場合には、当該JVの開始を断念することを含めて検討する必要があろう。

Q16 買収前のデューデリジェンスにおいて何を調査すべきか？

日本企業X社が、新興国A国の政府から太陽光発電プラントの建設業務を受託しているY社を買収しようと考え、デューデリジェンスを行っているが、コンプライアンスに関する質問をしても、「全く問題ない。心配ない」の一点張りでそれ以上調査が進まない。このままでは心配なので、何とか調査を進めたい。どういった書類をどのように確認すればよいか。

1 総論

　ある企業が、M&Aにより他の企業の全部又は一部を買収・吸収するなどして、その権利義務を承継した場合、当該他の企業が犯した贈賄行為に係る刑事責任及び民事責任も承継してしまう可能性がある（米国FCPA指針は、買収者による米国FCPA違反にかかる責任の承継について具体的に言及している。**第2章第1節**を参照されたい）。また、当局等が贈賄行為について調査を行う場合には、往々にして、贈賄行為が疑われる当該子会社・事業のみならず、親会社や会社全体、さらには会社グループ全体についても、調査の対象とすることがある。M&Aの対象会社・事業が負担すべき責任を、買収・吸収した当事者が承継・負担することとなること自体、大きな金銭的ダメージとなるが、これに加えて買収・吸収した当事者のグループ全体に調査対応等の負担が波及することになれば、その人的・物的負担は膨大なものとなる。

　M&Aによる責任の承継の有無は、会社・事業の全部を買収するのか、それとも合弁により一部出資するにとどまるのか、といった具体的な状況に左右される面もあるが、重要なのは、M&Aの対象会社・事業に贈賄のリスクがあるか否かを可能な限り早い段階で把握しておくことである。そのためには、買収前に適切なデューデリジェンスを行うことが重要である。もっとも、通常のM&A取引では、限られた時間の中でデューデリジェンスや契約交渉が行われるため、具体的な懸念がないにもかかわらず買収前のデューデリジェンスにおいて買収対象会社を贈賄リスクの観点から網羅的に調査することは、現実的ではない。そのため、現実的には、まずは一定の方法により贈収賄問題の端緒の有無や贈収賄リスクが存在する可能性の高さ等を確認することを目的とした調査を行い、その上で、端緒となる事実が確認された場合や贈賄リスクが高いと考えられる場合には、より本格的な調査を実施するといった、リスクベースで効率的なデューデリジェンスを行うことが重要である[17]。

---

17)　米国FCPA指針においても、このようなリスクに応じた検討（risk-based approach）を行うことが推奨されている。米国FCPA指針30頁以下参照。

2　対応の視点

買収対象会社の贈収賄問題の端緒や贈賄リスクを調査するに当たって、設例のように、買収対象会社の担当者に対し、問題がないかという抽象的な質問を行っても、問題ないといった回答しか得られず、調査が奏功しない場合が多い。このような場合には、例えば、買収対象会社のビジネスフロー及びコンプライアンス体制を把握し、買収対象会社の構造上、贈賄リスクが発生しやすい取引や部署等を確認した上で、ポイントを絞った具体的な質問をすることにより、贈賄リスクの端緒を発見できる場合がある。

例えば、ビジネスフローについては、①どの国で（場所）、②どのような取引先（取引主体－特に政府系機関や政府系企業の有無）と、③どのような取引を行っているか（取引内容）といった点を確認することが考えられる。また、コンプライアンス体制については、贈賄防止に係るコンプライアンス規程の整備状況や実際の運用実績等、社内の意思決定プロセス、監督機関の有無、監査の実施の有無等について確認することが考えられる。

上記のほか、買収対象会社自身又は買収対象会社の同業他社の過去の贈賄規制の違反事例を確認することも有効である。

並行して、買収対象会社において政府機関等との取引がある場合には不自然な支出等がないかを確認することも重要であり、財務デューデリジェンス担当者と連携して確認に当たることが考えられる。

3　具体的な対応例

Y社のビジネスフロー及びコンプライアンス体制を確認するために、買収対象会社に対し初期的に請求すべき資料の例として、以下のようなものが挙げられる。

① Y社の組織図
② Y社の社内規程（コンプライアンスに関する内部規程、支払処理に関する規程、職務権限規程、稟議規程等）
③ 内部監査に関する資料（監査報告、コンプライアンスに関する会議体の議事録）

④ コンプライアンス通報制度を利用した通報内容がわかる資料
⑤ A国政府からの業務受託に当たりエージェントやコンサルタント等の第三者を起用している場合は、当該第三者との間の契約書
⑥ A国の監督官庁との間で取り交わされた文書

また、上記のような資料を確認した上で、Y社のマネジメント責任者やコンプライアンス責任者に対するヒアリングを実施し、以下のような点について質問・調査等を行うことが考えられる。

① Y社がA国政府から建設業務を受託する方法（入札か随意契約か等）
② A国政府からの建設業務受託に係るY社内の意思決定プロセス
③ Y社の担当者とA国政府の担当者との間の建設業務委託に係る直接のやり取りの有無
④ A国政府からの建設業務受託に当たり、第三者（エージェントやコンサルタント等）を利用しているか否か
⑤ Y社のA国以外における事業の概況
⑥ Y社における贈賄防止に係るコンプライアンス規程の整備状況・運用実績等
⑦ コンプライアンス規程の遵守に関する監査の実施状況

これらを確認することにより、当該企業の贈賄リスクがどの程度高いか、仮に贈賄行為が行われているとしたら、どの部署が、どのような取引で行っている可能性が高いかといった点について、相応の見当をつけることが可能となる。その上で、リスクが高いと思われる取引や部署があれば、その担当者に個別にインタビューを実施したり、リスクが高いと思われる取引に関連する書類を集中的に確認するといった方法でデューデリジェンスを進めていくことが考えられる（**Q17** 参照）。

以上のような方法を採っても買収対象会社が非協力的な場合や、十分な調査ができない場合もあり、その場合には、買収契約締結前のデューデリジェンスだけではなく、買収契約締結後買収実行前にもデューデリジェンスを実施したり、それでも不十分な場合には買収後直ちに監査を実施することにより、リスクの回避・低減を図ることになる。そのため、買収に係る交渉においては、売主に十分な調査が実施できるよう求めることはもちろん、買収時の契約において、表明保証や補償規定等を定めることにより金銭的なリスク

の回避・低減を図り、かつ、買収後にX社が監査を行うに際して売主が協力する旨の義務規定を定めておくことも考えられる。さらに、買収後に適切なガバナンス体制やコンプライアンス体制を迅速に整えられるよう、買主が要求する体制への変更を買収実行の前提条件及び売主の誓約事項として買収契約に規定するよう交渉していくこと等も考えられる。なお、買収契約に関する実務上の工夫については、**Q18**も参照されたい。

> **Q17** 買収前のデューデリジェンスにおいて疑惑が生じた場合にどのように調査を進めるか？
>
> 　日本企業X社は、医薬品の治験受託事業を世界的に展開するY社を買収するために、デューデリジェンスを行っていたところ、新興国A国の国立大学が中心となって実施する治験プロジェクトの受託業務に関連して、Y社が複数のエージェントに多額の報酬を支払っていることを示す記録が見つかった。

1　総　論

　初期的な調査の結果、贈賄行為が行われた可能性があることが確認され、それでもなおM&Aを実行しようとする場合には、これに関連する資料の開示を請求すると共に、買収対象会社の取引の実務担当者に対するヒアリングの実施等を検討することが考えられる。M&A取引では、デューデリジェンスの開始前に、デューデリジェンスの期間を決めるのが一般的であるが、追加の調査に時間を要することが見込まれる場合には、あらかじめデューデリジェンス期間の延長を申し入れることも必要である。

2　対応の視点

　仮にデューデリジェンス期間の延長について、買収対象会社から承諾を得ることができた場合であっても、限られた時間の中で調査を行わなければならず、網羅的な調査を行うことが困難な状況であることには変わりがない。そのため、発見された事実に関連する適切な資料の請求及びヒアリング対象

者の選定が重要となる。具体的には、問題があることが疑われる取引に関する契約書、会計帳簿、社内決裁資料や、場合によっては担当者間のやり取りに関するメールデータや書面等を確認し、不正な利益の供与が行われた形跡がないかを調査することが考えられる。また、これらの資料を確認した上で、買収対象会社における当該取引の実務担当者にヒアリングを行うといった対応をとることも考えられる。

3　具体的な対応例

　設例では、A国の国立大学の治験プロジェクトの受託業務に関連して、Y社が複数のエージェントに多額の報酬を支払っていることを示す記録が発見されていることから、まず、Y社と各エージェントとの間の契約書を請求し、当該エージェントのどのようなサービス・成果に対して、どのような算定方法によって報酬が支払われることになっているかを確認すべきである。エージェントやコンサルタントといった第三者を経由して賄賂を支払うケースは多く見受けられるところ、このようなケースでは、エージェント等の第三者が提供すべきサービスや挙げるべき成果等について具体的な記載がされていない場合もあるため、上記のような点を確認することが肝要である。仮に契約書が締結されていない場合には、サービス・成果の内容や、報酬額の算定根拠等について、以下で述べる担当者へのヒアリングにおいて確認すべきである。

　また、報酬の支払額、時期等の情報が記載されたY社の会計帳簿、エージェントが発行した報酬の領収書といった、利益供与の証拠となる資料についても開示を請求すべきである。

　さらに、A国の国立大学の治験プロジェクトへの参入、各エージェントとの契約の締結、報酬の支払等に関するY社における社内決裁資料、会議体の議事録等の資料を請求することも必要である。場合によっては、治験プロジェクトの受託業務に関与しているY社の従業員のメールデータや担当者間のやり取りがなされた書面等の開示も要求し、入念な調査を行うことも考えられる。

　以上のような資料の開示を受け、X社において確認を行った上で、Y社の取引の実務担当者等の関係者に対して、ヒアリングを実施し、A国の国立大

学の治験プロジェクトへの参入の経緯、エージェントやＡ国の国立大学との関係性、各エージェントと契約を締結した経緯・理由、各エージェントの詳細、実際に各エージェントから受けたサービス・成果の内容、各エージェントの報酬が高額となった理由を含む報酬の合理性、類似する事案がないか等について質問を行うべきである。資料の開示・確認に時間を要する場合には、先行してヒアリングを行うことも考えられるが、十分な情報がないままヒアリングを実施しても、実効的なヒアリングが実施できない可能性も高いことから、時間の許す限りにおいて、事前に資料を確認することが望ましい。

上記以外にも、Ｙ社の取引に関与しているエージェントに関する情報を収集することも必要である。情報収集は容易でない場合も多いと思われるが、エージェントに関する公開情報（ウェブサイト等）や第三者調査機関を通じて、どのようなエージェントか（例えば、政府系機関のOB等が関与していないか、過去に不祥事を起こしていないか等）を確認することが考えられる。

> **Q18** 買収前のデューデリジェンスにおいて問題が発覚した場合に買収に踏み切るべきか？
>
> 日本企業Ｘ社は、新興国Ａ国において物流サービスを提供するＹ社を買収するためのデューデリジェンスを行っているが、その過程でＹ社は、納税申告の際に税務当局の担当官に金銭を渡して納税額を低くするという対応をしてきたことが判明した。Ｘ社はこの状況にどのように対処すればよいのか。

1 対応の視点

買収前のデューデリジェンスにおいて贈賄行為が発覚した場合、買収者としては、**第３章第１節３(5)②**に記載のように、買収者が承継する責任、買収対象会社の企業価値に与える影響といったリスクを分析した上で、買収に踏み切るべきかを判断する必要がある。なお、想定されるリスクには、買収対象会社又は買収者自身の評判の悪化（レピュテーションリスク）もあるところ、これは常に金銭による評価になじむものではないため、十分な考慮が必要である。

また、買収の判断に当たっては、贈賄リスクに関し、どのような手当てを行うことが実務的に可能かという点についても検討し、考慮に入れる必要がある。手当ての方法としては、①買収対象会社の売主との間の契約において手当てをする方法、②買収後に手当てをする方法（買収対象会社のガバナンス等の変更、当局への自主申告等）の大きく2つが考えられる。

2　具体的な対応例

　X社が、Y社の売主との間の契約において手当てをする方法としては、まずは、買収前にかかる贈賄行為を全て止めることを売主に誓約させ（誓約条項）、かつ、かかる贈賄行為が停止されたことがX社の満足のいく形で確認できることを買収の前提条件とすることが考えられる。ただし、仮に贈賄行為を買収前に止めたとしても、既に行われた贈賄行為により生じるリスクを排除することはできないため、当該リスクに対応するための特別の補償条項を規定し、Y社の贈賄行為について、当局から罰金処分等があった場合に、売主からX社に対し、一定の金員を支払うべき旨規定しておくことが考えられる。このような条項を定めることにより、X社は、Y社の贈賄問題が顕在化した場合に、一定の金銭的補償を受けることができる。

　もっとも、このような規定を定めていたとしても、実務上は、売主が何らかの理由をつけて、補償の全部又は一部の支払を拒絶するケースも多い。このような場合、買主としては、裁判等により請求を行わざるを得ず、想定していた補償を受けるために、多くの時間及び費用を要することになる。そのため、X社としては、例えば、Y社の売買代金の一部を後払とし、一定期間内に、当局からY社の汚職行為に関する処分等があった場合には、後払部分の支払を免れる建付けとすることを提案することも考えられる（又は、いわゆるエスクローを利用し、当該売買代金の一部をエスクロー口座に支払うようにすることも一案である）。これにより、一定の期間内であれば、X社は、迅速に補償を受けることが可能になり、補償額等を争う負担を売主側に転嫁することが期待できる。ただし、これらの対応は、あくまで金銭的な補償を受けるためのものにすぎず、金銭的な問題にとどまらないレピュテーションリスクの問題や、贈賄行為を止めることによって買収後のビジネス展開がどのように影響を受けるか、買収対象会社の全社的なコンプライアンス状況と

いった点を加味し、買収に踏み切るべきか慎重な判断を要する。

　上記に加え、X社としては、買収対象会社のガバナンスやコンプライアンス体制等の変更、規制当局への自主申告等、買収後に手当てをする方法についても検討する必要があるが、買収後の対応については、**Q19**を参照されたい。なお、これら規制当局への自主申告や再発防止体制の構築等を買収実行の前提条件及び売主の誓約事項として買収契約に規定するよう交渉していくことも考えられる。

> **Q19**　買収実行後に問題が発覚したら、どのように対処すべきか？
>
> 　日本企業X社は、新興国A国において重機メーカーY社を買収し、Y社の取締役を引き続き取締役として選任したが、買収後1年ほど経った時点で、過去に当該取締役が会社の資金を個人の口座に送金し、Y社のさまざまな営業活動に利用していたことが判明した。その使途は不明であるものの、A国政府による重機の調達案件の獲得に用いられた可能性も否定できない。しかし、このような個人口座への送金は、買収後は行われていなかった。X社は、この状況にどのように対処すればよいか。

1　対応の視点

　買収実行後に、買収対象会社において贈賄に関する問題が発覚した場合、買主としては、まず、事実の把握のために適切な調査を迅速に行うことが重要である。その上で、買収対象会社のガバナンス等の変更、当局への自主申告等の手当てにより、リスクの最小化、贈賄問題の再発防止を図ることになる。**Q16**で検討したように、買収実行前における、買主による買収対象会社へのアクセスは限定的であるのに対し、買収後は、買主が、買収対象会社の支配権を有することから、必然的に実施可能な調査の深度は深まり、また、体制構築にも注意を配る必要が生じる。

　また、上記のほか、買収契約上の条項に基づき、売主に対して何らかの請求ができないかという点についても検討すべきである。

2 具体的な対応例

(1) 内部調査

まず、X社としては、Y社の取締役の個人の口座に送金された資金が、A国政府による重機の調達案件の獲得に用いられた形跡があるかを調査すべきである。調査に際しては、関連する資料を直ちに保全し、精査する必要があり、具体的な資料としては、Y社の会計帳簿、当該取締役の個人口座の入出金記録、A国政府との取引の記録、A国政府との取引に係るY社内の意思決定に係る資料（決裁資料、議事録）、Y社の営業関係者のメールデータ等が考えられる。

また、関係者のヒアリングを実施する。ヒアリングの対象者としては、当該取締役以外にも、経理担当者、コンプライアンス担当者、A国政府との取引の担当者等が考えられ、資金流出の経路や取締役の行為に対するモニタリングの状況、A国政府との取引の状況等について確認を行うべきである。内部調査の方法については、**第3章第2節2(2)**のほか、**Q23**も参照されたい。

(2) X社への責任波及の防止

このような調査の結果、贈賄行為が明らかとなった場合には、X社は、当該贈賄行為に係る責任をX社が承継しないための方策を検討する必要がある。Y社の親会社となったX社としては、Y社における問題を発見した以上は直ちにそれを取り止めさせる必要があるが、問題が終了していることが確認できた場合にそれ以上何もしなくてよいかは検討が必要である。問題が終了していたとしても、時効にかかるまでの間はY社は当局による執行のリスクを抱えており、仮に当局がY社への調査を実施した場合には、その責任追及は親会社であるX社にも及ぶ可能性がある。こうした事態を避ける方策としては、規制当局への自主申告がある。自主申告の制度は国によってさまざまであるが、米国FCPA違反に関する事例では、企業の買収に際して、買収対象会社の違反行為を自主的に開示し、是正措置を講じ、米国DOJ及び米国SECの調査に協力した企業に対しては、処分がなされなかっ

たケースがある。自主申告をすべきか否かの判断は容易ではなく、弁護士等の外部専門家の意見を求めることが望ましい。自主申告等に関しては**第3章第2節2(4)**も参照されたい。

(3) ガバナンス等の見直し

X社への責任波及の防止とも関連するが、X社としては、子会社となったY社における贈賄問題の再発を防止するために、ガバナンス体制やコンプライアンス体制等の変更等について検討を行う必要がある。X社としては、調査により、Y社の既存のガバナンス体制・コンプライアンス体制の問題点を把握した上で、贈賄行為について、適切なモニタリングを行うことができるような体制を構築すべきである。なお、贈賄リスクは、企業の置かれている状況により変動し得ることから、X社は、当該体制構築後も、定期的にガバナンスやコンプライアンスプログラムの見直しを行うことが求められる。

(4) 売主への責任追及の検討

上記の対応に加え、Y社の贈賄行為によりX社が被ることとなる損害等について、売主に請求することができないかを検討することも重要である。買収に際してX社と売主との間で締結された契約を検討し、Y社やその取締役が法令違反を犯していないことに関する表明保証条項や、Y社が贈賄等の違法行為を行わない旨の誓約条項等があれば、売主への請求の根拠とすることが期待できる。

Q20 海外子会社にグローバルに適用される接待・贈答ルールは導入可能か？

グローバルに事業を展開し、新興国を含む各国に子会社を有する日本の衣料品メーカーX社は、海外子会社を含むグループ全体に適用されるコンプライアンス規定を策定し、その中で、公務員に対する接待・贈答に関するルールを定めようと考えている。一定金額以下での接待・贈答については一律に

問題ないという整理にしようと考えているが、そのようなルールの定め方に問題はあるか。また、このような金額基準を導入する際の留意点は何か。

1 問題の所在

グローバルに事業を展開する企業では、事業を行う各国における贈賄リスクに適切に対応するためのコンプライアンス規定を策定することが必須である。現地子会社が法令違反を犯した場合、親会社である日本企業の責任が問われる可能性や、親会社の取締役の善管注意義務違反が問われる可能性も考えられる。そのため、コンプライアンス規定は、グループ企業全体に適用させるようにする必要がある。

公務員に対する接待・贈答については、各国の慣習上、ある程度は社会儀礼として取り扱われ、許容される場合もある一方で、行き過ぎた接待・贈答は贈賄規制に違反すると解される。そのため、コンプライアンス規定において、一定のルールを設定して管理することが一般的である。近時は贈賄防止に特化したコンプライアンス規定を定める例も多い。

それでは、グローバル企業において接待・贈答を適切に管理するためにはどのような規定を策定すべきであろうか。特に、本設例のように一定の金額基準を採用した場合に想定されるリスク及びそれに対する対策をどのように講じるべきであろうか。

2 検 討

(1) コンプライアンス規定として金額基準を設ける意義

公務員に対して行う接待・贈答は、贈賄行為と評価される類型的なリスクの大きさから、これを一律に禁止することも考えられる。しかし、金銭やその同等物（例えば金券等）を供与する場合と異なり、金額の小さい一度限りの接待・贈答に賄賂性が認められる可能性は、各国の法制度によるものの必ずしも高くないと考えられる。それにもかかわらず、これを一律に禁止して

しまうと、国・地域によってはビジネスの円滑な遂行が困難となり、現場では禁止が遵守されず、本当にリスクのある高額の接待・贈答が行われようとするのを発見・抑止することができなくなりかねない。このように、一律禁止とすることによりかえって贈賄リスクを高めてしまうのは得策ではない。そこで、接待・贈答については、各国・地域における慣習・社会儀礼を考慮して一定の金額基準を設け、これを下回る接待・贈答は通常賄賂とは認められないものとして、実施を許容するという規定を採用することが有効であると考えられ、実際にこのような規定を採用している企業も多いと思われる。

コンプライアンス規定として金額基準を設けた場合、基準が明確となるために決裁権者や接待・贈答を行おうとする者の判断が容易になるという利点がある。他方で、この場合、社内において一定の金額基準を下回る接待・贈答は常に適法であるという誤解が役職員に生じるおそれがあることに留意する必要がある。たとえ少額の接待・贈答であっても、それが公務員の職務権限の行使ないしは不行使を期待して行われた場合(いわゆるスモール・ファシリテーション・ペイメントの場合も含む)には贈賄規制に違反する可能性がある。そのため、そのような目的を有する接待・贈答は金額の多寡を問わず厳禁とすることを同時に周知徹底する必要がある(すなわち、設例のように、一定金額以下での接待・贈答については一律に「問題ない」と定めてしまうことは適切ではない)。また、金額基準以下の接待・贈答についても、記録化し、定期的に監査の対象とする等、事後的に適正なものであったかを確認する体制を整える必要がある。

(2) 金額基準を各国別に設けることのメリット及びデメリット

金額基準を採用する場合、グローバルに適用される一律基準を採用するか、各国別に金額基準を定めるかを検討する必要がある。各国別に基準を定めるメリットとしては、各国の法令や社会通念に適合した運用が可能となり、各国の贈賄リスクに合わせた実効的な運用が可能となる点が挙げられる。各国の経済状況、通貨価値、慣習は当然異なり、これらの状況を踏まえた基準を国ごとに設けることは有効であるといえる。なお、公務員だけではなく、私人に対する一定の接待・贈答をも禁止する法制を有する国に拠点がある場合や、取引先がある場合には、いずれにせよ、その国について個別のルールを

設ける必要がある。

　他方、各国別に金額基準を設ける以上、実際上の運用が難しくなるというデメリットもある。また、外国公務員への贈賄が問題となる局面においては、複数の国の規制が関連する場合もあり、その場合、いずれの国の基準を参照すべきか不明確になることも考えられる。いずれにせよ、必要に応じて地域統括会社又は本社の管理部門に判断を仰ぐようにするなど、適用可能性のある国における贈賄規制を広く遵守するための体制作りが重要となる。

3　対応の方向性（金額基準導入の際の留意点）

　金額基準を採用した場合の主な留意点としては、以下のような事項が考えられる。

① 金額基準を下回る場合であっても（スモール・ファシリテーション・ペイメントを含め）贈賄となるリスクがあることを従業員に周知し、疑義があれば法務部その他コンプライアンス担当部署に相談させる体制を整える。また、金額基準以下の接待・贈答についても、事後的に適正なものであったかを確認する体制を整える（接待・贈答の記録の徹底、定期監査の実施等）。

② 各国別金額基準を採用する場合、複数の国にまたがる問題、複数の国の規制が適用される可能性のある問題が発生した場合の確認体制を明確にする。また、各国における法律改正や法執行の動向を注視し、必要に応じて基準をアップデートしていく。

Q21　海外子会社の実情に応じたコンプライアンスプログラムを構築するためにはどうすればよいか？

　近年、新興国に多く進出している日本の建設会社Ｘ社が、海外子会社も含めたグローバルなコンプライアンスプログラムを構築することとし、公務員に対する金銭の供与、接待、贈答等を一切禁止する旨の条項を策定した。当該案文を各国子会社に配布したところ、各国子会社から、「厳しすぎて守れるわけがない。接待や贈答は円滑にビジネスを行うためには不可欠だ。本社は

何もわかっていない」といった不満が続々と届いている。どのように対応すればよいか。

1 問題の所在

　贈賄リスクに対処するために最も簡明な方法は、金銭やその同等物の供与はもちろんのこと、接待・贈答についても金額の多寡を問わず一切禁止することである。それが現実に可能であればそうするのが理想的といえる。しかし、対象となる国・地域にもよるものの、これを徹底することが現実には困難な場合も少なくない。このような現実に目を向けずに一律禁止をしてしまうと、贈賄防止に向けたコンプライアンス体制が形骸化し、隠れて贈賄行為が行われてしまうリスクを高めることとなりかねない。本設例のような現地法人の不満に直面した際、どのように対応すればよいかが問題となる。なお、一定の金額を超えない接待・贈答を許容する社内規定を定める際の留意点や、メリット・デメリットについては、**Q20**を参照されたい。

2　検　討

(1) 実態に即した規定の策定

　上記1のとおり、贈賄リスクを排除するためには、公務員に対しては接待・贈答を全面的に禁止するという方法を採るのが理想的ではあるが、そのような社内規定を設けることにより、従業員が規定の遵守を諦め、会社が把握しないところで接待・贈答等が行われてしまう状況は避けなければならない。
　そこで、贈賄防止のコンプライアンス規定を策定する際には、まず、適用対象となる海外子会社等におけるビジネスの実態を十分に把握することが必要である。本設問のように、コンプライアンス規定について各国子会社から不満の声が上がっている状況は、当該規定が各国におけるビジネスの実態を踏まえずに策定されたことを窺わせ、これを放置してはせっかく策定した規

定が遵守されない事態を招きかねない。こうした状況の下では、各国子会社における公務員との付き合い等の状況を十分に確認・把握し、実態に即した規定に改めることを検討すべきである。実態を確認する際には、各国子会社における経費の支出状況を参照し、可能な限り従業員にヒアリングをするなどして、検討対象となる公務員の属性、経費支出の頻度、趣旨、金額等を押さえておく必要がある。その上で、規定を見直す際には、次のような点を考慮するとよいと思われる。

① 行為の種類（金銭やその同等物の供与、接待、贈答、旅費等の負担等）ごとに異なる管理の仕方にするか否か

② 具体的な管理方法（全面禁止とするか、一定の場合を許容するか。一定の場合を許容する場合には、どのような手続を経て、どのような基準で許容するか）

上記①について、公務員に対する金銭やその同等物の供与は、一般的には贈賄とみなされるリスクが高いと考えられるため、全面的に禁止することが望ましいといえる。ただし、冠婚葬祭の際に社会儀礼の範囲内で金銭を供与することも一律に禁じるか否かは別途検討を要する。また、接待、贈答旅費等の負担については、（贈答の場合には、贈答品の換金性の高低も考慮が必要ではあるが）金銭又はその同等物の供与と比較すれば贈賄とみなされるリスクは大きくないと考えられるものの、その金額、回数・頻度（特に同一人に対して）、趣旨等を管理・検証できるようにする必要がある。

上記②について、公務員に対する金銭やその同等物の供与、接待、贈答、旅費等の負担等につき、一定の場合を許容するのであれば、どのような手続を経て、どのような基準で許容するかも重要である。

どのような手続を経て許容するかについて、1つの方法としては、権限のある者から個別に事前承認を得た場合にこれを許容するという方法があり得る。この場合、権限のある者をだれに設定するかという観点では、日本の本社（法務部等の管理部門が望ましい）が一元管理をする枠組みも、各国子会社それぞれにある程度の裁量を与え、当該裁量の範囲を超える場合にのみ、本社（や地域統括会社等）が判断する枠組みも、いずれも考えられる。前者の枠組みであれば、グループ会社間における判断の統一性を確保することができる。この場合各国子会社から多数の申請が行われることも想定されるため、必要なリソースを確保し、必要に応じて弁護士等の外部専門家にアクセスで

きる体制を構築する必要がある。後者の枠組みにも、各国の社会通念やビジネス慣行がさまざまであることや、ビジネスの場においては判断の迅速性も求められることからすれば、一定の合理性がある。なお、その場合、各国子会社における判断権者は、営業に直接携わらない者とすることが望ましく、また、贈賄防止について十分な研修を受けた者であることが必要である。こうした枠組み検討の過程でもリスクベースアプローチの考え方を採用することが有益であり、例えば後者の枠組みを採用する場合でも、例えば一定の金額基準を設けて、基準を超えた場合に本社の判断事項とするといった対応や、特に贈賄リスクの高い国の子会社においては、判断権者を子会社の代表者等の経営層に引き上げるといった対応[18]もあり得る。なお、いずれの枠組みをとるとしても、許容の可否を判断した経緯や結果については記録化し、一定期間保管すべきである。

　どのような基準を許容するかについて、画一的な基準を全ての子会社に適用するのは適切ではないが、判断権者において贈賄リスクの高低の観点からの考慮要素としては、贈与の目的・必要性、公務員との関係（事業上必要な許認可の承認権者等、利害関係がある場合は承認しないなど）、時期（入札に近い時期であれば承認しないなど）、品目や金額、頻度（小さな金額でも頻度が高く合計額が大きくなる場合は承認しないなど）といった事項があり、これらを踏まえた目安が策定されることが好ましい。なお、**Q20**でも述べられているとおり、公務員の職務権限の行使ないし不行使を目的として行われるような場合は、たとえ金額が小さくや頻度が少なくても許容されないのは当然である。

(2) 贈賄防止意識の醸成

　単に規定を定め、これを形式的に遵守させるというばかりでなく、会社として、贈賄防止に向けた明確なメッセージを発することが重要である。具体的には以下のような手法が考えられる。
　① 企業としてコンプライアンスを徹底するという経営トップからの明確なメッセージの発信

---

18) 経産省指針19頁注57参照。

②　現地採用を含む各国子会社従業員に対する徹底した研修（当該従業員が理解できる言語で行う）
③　本社による定期監査（各国子会社に往訪し、従業員に対する面談、帳簿の確認を実施するなど）

3　対応の方向性

　本設例のように、コンプライアンス規定について各国子会社からの不満が聞けるということは、グループの風通しがよく、規定を遵守しようという意識があることの表れでもある。こうした声によく耳を傾け、実効性の高い規定とすることが重要である。実態をよく把握した上で、会社の組織体制、子会社管理体制、法務リソース等の事情を総合的に考慮し、贈賄リスクを実効的に管理できる方法を採用し、定期的に見直していくことが重要である。

> **Q22**　グローバル企業における内部コミュニケーション手段（研修制度・内部通報制度を含む）はどのように構築すべきか？
>
> 　日本の商社X社では、日本国内では内部通報制度を完備しているが、全世界にある20社以上の子会社については、言語や時差の問題があるため、必ずしもタイムリーに内部通報を受け付けたり、コンプライアンス制度の運用に必要なコミュニケーションを取ったりすることのできる体制になっていない。多数の拠点があり、日本語も英語も話せない従業員が多数いるようなグローバル企業において、コンプライアンス制度を構築する際の留意点はあるか。

1　問題の所在

　海外子会社をカバーしたコンプライアンス体制の構築が重要であることは繰り返し触れたところであるが、策定したコンプライアンス体制を実効的なものにするためには、本社と海外子会社との間の内部コミュニケーションが極めて重要である。慣習や社会通念の違い、物理的距離、言語の違い、時差

等の障壁を乗り越えて適切に内部コミュニケーションを行うにはどうすればよいかが問題となる。

2　検　討

(1)　海外子会社と本社との間の日々のコミュニケーションの重要性

　海外子会社と本社とのコミュニケーションにおいては、言語や時差の障壁が存在するが、常日頃から両者のコミュニケーションを円滑化する取組を行うことが重要であり、そのことが個々の具体的なコンプライアンス制度の構築及び運用にも資する。

　例えば、内部通報制度を創設する場合、①海外子会社ごとに窓口を設ける方法と、②全社共通の窓口を設ける方法が考えられるが、②の方法を選択した場合には、本社と海外子会社との間のコミュニケーションが不十分だと制度を構築しても機能しない可能性が高い。本社の通報窓口を全社共通の通報窓口とする場合においては、海外子会社の従業員の立場に立って、そのような通報窓口の利用が容易といえるかについて十分検討する必要がある。もし日々のコミュニケーションの実態に照らし、利用を躊躇させる事情（例えば言語の違い）がある場合には、それを取り除く方策（例えば特定の言語に対応できる担当者の配置等）を講じる必要がある。また、海外子会社の従業員の心理にも配慮することが必要である。日頃から本社と海外子会社の従業員との間で活発なコミュニケーションがあり、本社との関係が良好であれば、従業員の本社窓口に対する通報への心理的ハードルは下がるであろう。他方、日頃から本社との間のコミュニケーションが乏しい場合には、従業員が通報を躊躇することは想像に難くない。

(2)　内部通報制度・研修制度における具体的な留意点

ⓐ　内部通報制度

　全社共通の窓口を設ける方法を導入する際には、通報フォームの多言語化や、窓口の24時間・多言語対応といった制度を構築する必要がある点に留意する必要がある。このような対応を行うためには、法律事務所等外部業者

を利用することも考えられる。

(b) 研修制度

　国内外の子会社を含めて本社と同一のコンプライアンス研修を行う必要性は高い。実施に当たっては、言語の壁に配慮する必要がある。そこで、多言語の研修プログラムを準備するほか、本社において研修を受けた現地語での対応が可能な従業員が、現地従業員に対してその内容を伝達するというような仕組みを導入することも考えられる。

3　対応の方向性

　個々のコンプライアンス制度が実効的に機能するためには、常日頃から本社と海外子会社との間のコミュニケーションを円滑化する取組を行うべきである。本社は、海外子会社への定期監査や海外子会社の従業員との面談等を定期的に行うことで、海外子会社との積極的なコミュニケーションを図る必要がある。さらに、内部通報制度や研修制度の構築の際に、言語や時差等、本社と海外子会社との環境の違いに配慮した制度を設ける必要がある。

　海外子会社のコンプライアンス体制としては、現地語及び英語を理解することができる、コンプライアンス担当者（local compliance officer）を置いた上で、当該担当者を中心として本社とのコミュニケーションを図るという組織体制が理想である。もっとも、各国子会社にこのような人材を確保することが困難である場合もあろう。そのような場合には、現地の法律事務所に依頼をして、コンプライアンス業務のアウトソースを行うことも考慮に値する。

Q23 違反行為の嫌疑が生じた場合の内部調査でどのような点に留意すべきか？

　化学薬品メーカーである日本企業Ｘ社では、本社の営業部門の定期監査時に、海外のコンサルタント会社に対する不透明な支払があることがわかった。担当者に確認したところ、現地では通常のコンサルタント料であり問題はないと主張している。しかし、その内訳には不明瞭な点が多いことから、本社

の監査部門が主体となって内部調査を行うことになった。社内調査をどのように行うべきか。

1 問題の所在（検討の視点）

　本設例は、日本企業による海外のコンサルタント会社に対する不透明な支払が問題となっている事案である。米国DOJによる執行事例においても、コンサルタント会社やエージェント等の第三者を通じて外国公務員に対する贈賄行為が行われたケースは多い。本設例では、コンサルタント会社を通じて、外国公務員に対し、金銭が支払われているか否かを調査する必要があるが、具体的にはどのように進めていくべきであろうか。

2 検　討

(1) コンサルタント会社との関係についての確認

　被疑事実それ自体を調査する前に、当該コンサルタント会社の基本的情報、当該コンサルタント会社との間の契約関係、報酬額、報酬の支払状況、業務内容の実態等を調査し、背景となる事実関係を把握しておくことが有用である（なお、このような調査は本来コンサルタント会社起用の際のデューデリジェンスにおいて行われるべきものであるが、具体的な疑いが生じた場合には、改めてより詳細な調査を行う必要があろう）。

(2) 証拠保全及び証拠の精査
　本格的な社内調査を行う場合、証拠保全の方法を検討する必要がある。第**3章第2節**1(2)においても述べたとおり、書類、PCのサーバー及び電子メール等の保全措置を迅速に行うことが必要となる。
　また、これらの証拠の精査を行い、当該コンサルタント会社との間で贈賄に関するやり取りがなかったか、金銭の支払に関するやり取りに不自然な点がないかなどを、客観的な証拠に基づき確認していく必要がある。フォレン

ジックサービスを利用した証拠の精査、会計事務所を利用した会計帳簿確認等、各種専門家によるサービスを利用することも、効率的・効果的な調査の観点から検討に値する。

(3) 関係者に対するヒアリング

客観的な証拠を精査した段階で、自社関係従業員に対するヒアリングを行う必要がある。メール、会計帳簿等の証拠はあくまで断片的なものであり、これらの意味を解明するためには関係者による説明が不可欠である。本件の場合、既に担当者は「通常のコンサルタント料であるから問題はない」と賄賂性を否認しているが、上記(2)で収集した客観的証拠に照らして不自然・不合理と思われる点を具体的に質問するなどして実態の解明に努める必要がある。

第三者を介した支払の場合、①実際に当該第三者から公務員等に対して何らかの支払がなされていたか、②仮に支払がなされていたとして、自社担当者がその事実を認識していたかが重要であり、その観点からヒアリングを行うことが必要になろう。

(4) コンサルタントに対する調査

さらに進んで当該コンサルタント会社の担当者等に対して資料徴求やヒアリングを行うかは慎重に検討する必要がある。

まず、そもそも当該コンサルタント会社が任意の調査に応じるかが問題である。契約条項においてX社に対して一定の調査権限が与えられているような場合には調査に応じることもあろうが、契約上の権利がない場合は調査に応じない可能性も高い。

仮に契約上の権利が存在したとしても、実際の調査を行うか否かは慎重に検討する必要がある。コンサルタント会社に対する直接調査を行わなければ公務員への支払の有無という実態を解明することは容易ではないが、調査を行おうとすると、コンサルタント会社側に証拠隠滅の契機を与えることになり、後の当局調査等に支障を来す可能性もある。当該コンサルタントによる協力姿勢・証拠隠滅の可能性等を考慮しながら慎重に検討する必要がある。

(5) 外部弁護士の関与の必要性

欧米における調査が行われる可能性が高い案件では、弁護士依頼者間の秘匿特権（Attorney-Client Privilege）の確保の観点から早い段階で外部弁護士を関与させるべきである。また、膨大な証拠の精査や長時間にわたるヒアリングを行う必要が出てくるため、リソースの確保という観点からも、外部の法律事務所を関与させたほうが適切であることが多い。詳細は**第 3 章第 2 節 2**(2)を参照されたい。

(6) 違反事実が発見された場合

仮に違反事実が発見された場合には、関連する国において自主開示を行うべきかを検討する必要がある。詳細は**第 3 章第 2 節 2**(4)を参照されたい。

3 対応の方向性

贈賄関係の社内調査は、当該事案の特徴に応じて柔軟に対応する必要があり、個別案件では、上記 2 で記載したような観点を念頭に置きつつ、外部弁護士等の専門家と緊密に相談しながら進めていくことが望ましい。

Q24 贈賄被疑事実について各国当局、国際機関（世界銀行等）による調査が並行して行われた場合、会社としてはどのように対応すべきか？

世界銀行グループの一員である国際金融公社（IFC）によりファイナンスされている新興国 A 国のインフラプロジェクトの入札に際して、日本の土木設計会社 X 社は、外国企業とコンソーシアムを組成して入札に参加し、プロジェクトを受注した。ところが、本プロジェクトに関連して現地で贈賄疑惑が持ち上がり、X 社の米国子会社は米国司法省（DOJ）からサピーナ（召喚状）を受領し、同じ頃、IFC からも調査に応じるようにとの要請が来た。X 社が初歩的な内部調査をしたところ、コンソーシアムのメンバーである米国

企業が、A国において、発注責任者であるA国の政府高官に対して多額の接待をしており、X社の担当者（日本国民）もそれを認識していたことが判明した。このような状況において、X社はどのような点を考慮して当局対応をすべきか。

1 問題の所在

　外国公務員に対する贈賄が問題となった場合、複数の国・地域の当局が調査を実施することも珍しくない。また、国際的な開発プロジェクト等では世界銀行グループや開発銀行のような国際金融機関が融資をしている場合も多く、贈賄が問題となった場合には、当局だけでなく、これら機関も、融資関連契約や自己が定めるポリシー等に基づいて調査を行う場合がある。贈賄が認められた場合、当局による刑事罰に加え、国際金融機関による融資凍結や受注資格停止等の対応が、進行中のプロジェクトに致命的な影響を与え、事業の存続そのものにも重大な影響を与えることとなりかねない。本設例のように当局と国際金融機関（以下「当局等」という）が同時に調査を開始した場合、プロジェクトや事業への影響を最小化するため、いかなる対応が適切であるかが問題となる。なお、問題発見時の対応全般については、**第3章第2節**も参照されたい。

2 検　討

(1) 事実確認・証拠保全

　当局等による調査が開始された場合、最初に必要なのが、関係する証拠を保全し、事実を確認することである。事実関係を正確に把握していなければ当局等に対する適切な対応方針を策定することができないし、万一証拠が破棄されてしまえば事実確認がおぼつかないばかりでなく、当局や国際金融機関から調査妨害・非協力と判断され、処分が加重されるおそれも想定されるからである（なお、刑事事件である外国公務員贈賄について、証拠の破棄が行われた場合には、そのこと自体が別個の刑事処分を招くおそれもある）。特に、複

数の企業によるコンソーシアムが問題の舞台となっている場合には、当局や国際金融機関による調査は自社だけでなく他のコンソーシアムメンバーにも及んでいると考えるべきであり、対応には注意を要する。例えば、贈賄に関係するコンソーシアムメンバー間の連絡記録等は重要な証拠となり得るが、これを他社が当局等に提出しているにもかかわらず、自社が発見・提出することができなかった場合には、自社における違反成否の判断が十分かつ適切になされないばかりでなく、当局等に悪心証を与えるおそれもある。そうならないためには、迅速な証拠保全と事実確認が重要である。

本設例では、既に初期的な内部調査が実施されており、かかる調査が誰によってどの程度詳細に行われているかにもよるが、証拠を保全し、事案の全体像を十分に把握できているかを確認する必要がある。

(2) 弁護士の起用

次に、適用可能性のある法域の法律事務所を選定する必要がある。対応する弁護士によって案件の帰趨が左右されるので、贈賄関連の案件について豊富な経験を有する弁護士を選定することが不可欠である。また、本設例においては、世界銀行グループからの調査要請がなされていることから、世界銀行グループに対する対応をどこの国の弁護士に依頼するかという点についても検討する必要がある。

(3) 適用法令・ルール等の検討

弁護士の選定の際にも考慮が必要であるが、関係し得る法域・機関を特定し、適用可能性のある法律・ルール等を早期に把握する必要がある。事案によっては、各国法律の域外適用を争う余地があるかなどの検討が必要となる場合もある。

本設例においては、現に米国DOJからサピーナが送付されており、初期的な内部調査においても米国企業が贈賄行為を行っている可能性が認識されているため、米国FCPAの適用可能性はまず念頭に置くべきである。また、IFCがファイナンスしている案件であり、IFCから調査要請を受けている以上、IFCとの融資に関係する契約や世界銀行グループのルール等を検討

する必要もある。さらに、A国におけるA国公務員に対する贈賄行為が問題となっているため、A国の法令への抵触可能性、そして日本企業であるX社及びその担当者については、日本の不正競争防止法への抵触可能性も検討する必要がある（**Q1**も参照されたい）。

(4) 複数の当局による調査手続における留意点

複数当局による調査が同時に行われた際の対応は、事案ごとに多種多様であり一般化することは困難であるが、本設例との関連で留意すべき点としては以下の留意点が挙げられる。

① １つの当局に対する対応が、他の当局等の調査・協議等に影響し得る点に留意する必要がある。本設例では、X社が仮に米国DOJとの間で司法取引を行った場合には、他の当局やIFCとの間でも、当該司法取引においてX社が自認した事実関係を前提として調査が進行する可能性がある。したがって、例えば、米国DOJとの間では、司法取引の対象となる贈賄行為の対象、期間等を十分に確認・協議していく必要がある。

② 近年では海外当局間の執行協力、情報交換が活発になっており（世界銀行グループから米国DOJ等に情報提供がなされる可能性も否定できない）、各当局に対して提出する情報に齟齬がないかを十分留意する必要がある。

③ **第３章第２節３(3)(ii)**で述べたとおり、世界銀行グループは、同グループの出資案件において「腐敗行為」や「不正行為」が行われた際には、融資や受注資格停止措置をとり、さらに世界銀行グループが出資するプロジェクトへの参加を一定期間拒否することがあり得る。実務上、世界銀行による受注資格停止の期間が長期間に設定されることもあり、違反企業にとってみると罰金の支払よりも重大な帰結を招く可能性もある。また、世界銀行グループと他の国際金融機関が、受注資格停止について共同措置をとる合意をしていることも**第３章第２節３(3)(ii)**のとおりである。各国政府の調査対応に重点が置かれがちであるが、上記のとおり、国際金融機関による調査についても経験を有する弁護士を起用し、違反認定の回避又は認定範囲の縮小、制裁措置の軽減等に向けた交渉を積極的に行う必要がある。

3　対応の方向性

　上述のとおり、複数の当局等による調査が開始された際には、適用法令を整理の上、各当局等への対応を行っていくことになるが、その場その場の対応に終始するのではなく、全体的な対応戦略（違反事実そのものや域外適用を争っていくのか、司法取引や和解をするか否か及びその範囲、時期等）を策定し、生じる可能性のあるダメージの全体像を把握し、それを可能な限り限定できるよう適切な対応を心がける必要がある。

第5章

アジア・新興国における贈賄規制

第1節　インド

1　インドにおける贈収賄行為の実情は？

インドにおいては、従来からしばしば贈収賄行為が行われてきたといわれている。トランスペアレンシー・インターナショナルが公表する2022年度腐敗認識指数において、インドは180か国中93位と芳しい結果を得られていない。

もっとも、インド政府も対策を講じてこなかったものではなく、汚職の撲滅を標榜し（Zero tolerance against corruption）、入札手続等の電子化の施策を進めており、また、インドが議長国を務めた2023年のG20サミットにおける腐敗対策閣僚会合でも、汚職撲滅に対するインド政府の姿勢が強調された。

インドにおいて公務員に対する贈賄行為を取り締まる基本的な法律は、1988年汚職防止法（Prevention of Corruption Act, 1988）（以下本節において「汚職防止法」という）であるところ、従前は、公務員が賄賂を受け取る収賄行為に焦点を当てて処罰規定を設けており、贈賄行為自体は明文上は処罰対象とされていなかった。しかし、2018年汚職防止法改正法（Prevention of Corruption（Amendment）Act, 2018）（以下本節において「2018年汚職防止法改正法」という）により、贈賄行為自体も処罰対象とすることが明記された。

なお、インドにおいて、下記2の汚職防止法の下で外資系企業のインド子会社も捜査対象となっている例が存在することに注意が必要である。

2　インドにおける公務員贈賄規制の概要は？

インドにおいて公務員に対する贈賄を取り締まる汚職防止法は、何人にも

適用され、ある者が、他者に対して、公務員等（public servant）に不適切に公務を遂行させる意図、又は当該公務員等による不適切な公務の遂行に対する褒賞の意図で、不当な利益（undue advantage）を供与し、又は供与を約束することを禁じる（同法8条1項）。汚職防止法上、贈賄行為を行った者には、7年（常習違反者に対しては最長10年まで伸長され得る）以下の禁錮若しくは罰金（上限なし）、又はその両方が科せられる可能性がある（同法8条1項、14条）。従前、贈賄行為自体は、明文上は処罰対象とされていなかったが、上記のとおり、2018年汚職防止法改正法により贈賄行為自体が処罰対象とされた。

その他、2010年外国献金規制法（Foreign Contribution (Regulation) Act, 2010）（以下本節において「外国献金規制法」という）上、公務員が外国企業から献金等を受領することが禁止されており、かかる規定に反して献金等を受領した者やそれを幇助（assist）した者には、5年以下の禁錮及び罰金（上限なし）が科せられる可能性がある。さらに、贈賄行為そのものが、インド刑法（Indian Penal Code, 1860）（以下本節において「刑法」という）における背任罪（criminal breach of trust）を構成する場合があり得る。

インドにおける贈賄行為の取締りとしては、上記以外に2013年ロクパル・ロカユクタ法（Lokpal and Lokayuktas Act, 2013）（以下本節において「ロクパル・ロカユクタ法」という）がある。ロクパル・ロカユクタ法においては、贈収賄と疑われる行為について、政府から独立したロクパル（Lokpal）と呼ばれる機関に調査権限が付与されている。また、同法は、各州が、州レベルにおいて同様の役割を果たすロカユクタ（Lokayukta）と呼ばれる機関を設置する義務を規定している。なお、同法では、公務員は同法に基づき自らの財産及び負債（配偶者及び扶養する子の財産及び負債を含む）を申告することが求められる。

上記のとおり、インドでは、2018年汚職防止法改正法によって贈賄行為自体が明文上処罰対象とされたこともあり、贈賄行為についての取締りが強化されていく可能性がある点に注意が必要である。

3　公務員贈賄罪の要件は？

インドでは、汚職防止法において公務員贈賄罪が定められている。同法で

は、個人による公務員贈賄罪（同法8条）と、法人等（commercial organization）による公務員贈賄罪（同法9条）が規定されている。

(1) 個人による公務員贈賄罪

汚職防止法8条1項によれば、ある者が、他者に対し、①公務員等に不適切に公務を遂行させる意図、又は当該公務員等による不適切な公務の遂行に対する褒賞の意図で、②不当な利益（undue advantage）を供与し、又は供与を約束した場合に、公務員贈賄罪が成立する。

①　公務員等

汚職防止法において、公務員等（public servant）とは次のとおり定義される（同法2条(c)）。

① 公務に関する権限を行使することに対し、政府から給与や報酬として対価を得ている者
② 地方政府において就業し、又は地方政府から報酬を受けている者
③ 中央政府法、地方政府法又は州政府法（Central, Provincial or State Act）の下に設立され、又は政府若しくは政府系企業（government company）によって所有され、支配され、援助を受けている企業に就業し、又は当該企業から報酬を受けている者
④ 裁判官（法律によって単独で又は合議体の一員として司法権を行使することが認められている者を含む）
⑤ 裁判所によって司法権の行使に関して職務を遂行する権限を与えられている者（当該裁判所から任命された清算人、保全管理人、委員会を含む）
⑥ 裁判所や権限ある官公署による判決又は報告において引用されている事項に関与した仲裁人等
⑦ 選挙人名簿を準備し、作成し、維持し、変更する権限、選挙の一部又は全部を実施する権限を有する官公庁に勤務する者
⑧ 公務を行うことが認められ、又は求められる地位にある者
⑨ 農業、工業、商業や金融業を営む登録協同組合で、中央政府や州政府又は中央政府法、地方政府法又は州政府法（Central, Provincial or State Act）の下に設立された企業から援助を受けている、又は受けていた組

織において就業する者
⑩ 名称の如何を問わず、サービス委員会（Service Commission 又は Service Board）の長、構成員又は職員及びこれらの組織のために試験や選抜を行うことを目的に任命された選抜委員会の構成員
⑪ 名称の如何を問わず、大学の学長、運営委員会の構成員、教授、助教授、講師その他の教員又は職員である者、及びその者の業務が大学及びその他の試験の実施に関する公的機関によって利用される立場にある者
⑫ 名称の如何を問わず、教育、科学、社会、文化、その他の機関の職員、従業員であって、中央政府、州政府、地方政府、その他の公的機関から、経済的助成を受けている、あるいは受けてきた者

なお、最高裁判所は、中央調査局（Central Bureau of Investigation）及び銀行証券詐欺室（Bank Securities and Fraud Cell）対ラメシュゲリ（Ramesh Gelli）事件（AIR 2016 SC 1063）において、民間銀行の役員の職務が性質上公共性を有することに鑑み、汚職防止法における公務員等に民間銀行の全ての役員を含むとし、同法における公務員等の範囲を拡大した。

② **不当な利益（undue advantage）**

汚職防止法において、不当な利益（undue advantage）とは、適法な報酬（legal remuneration）を除く、およそあらゆる利益（gratification）をいう（同法2条(d)）。

ここでいう利益（gratification）は、金銭上の利益や金銭に換算できる利益に限定されない。また、適法な報酬（legal remuneration）は、公務員等に支払われる報酬に限定されず、公務員等が従事する政府や機関によって受領を認められたあらゆる報酬を含むものとされている。

(2) **法人等による公務員贈賄罪**

汚職防止法では、上記のとおり、法人等による公務員贈賄罪も規定されている。すなわち、同法9条1項によれば、法人等に関係する者（associated person）が、①当該法人等が業務を獲得若しくは保持する意図で、又は当該法人等が業務の遂行において利益を獲得若しくは保持する意図で、②公務員等に対し、③不当な利益（undue advantage）を供与し、又は供与を約束し

た場合に、法人等による公務員贈賄罪が成立する。法人等には、インド国内で設立された法人及びインド国外で設立され、インド国内にて事業を行う法人が含まれる。また、法人等に関係する者には、法人等のため、又は法人等に代わって役務を提供する者が含まれるとされている（同法9条3項）。

法人等による公務員贈賄罪が成立し、当該贈賄行為が、法人等の取締役、マネージャー、秘書役、その他の役員の同意又は黙認によって実行された場合、当該取締役、マネージャー、秘書役、その他の役員についても公務員贈賄罪が成立する（同法10条）。

上記により、日本企業のインド子会社も贈賄罪の主体となり得ることとなり、贈賄行為を同意又は黙認した当該インド子会社の取締役等の役員も処罰対象となる点に注意が必要である。

4 公務員贈賄罪の適用が除外される場合とは？

インドの贈賄防止規制においては、米国FCPAのファシリテーション・ペイメントのように、公務員等の機械的業務に関する円滑化のための少額の支払について汚職防止法の適用を除外する旨の規定はない。したがって、円滑化のための少額の支払であっても、上記3において述べた構成要件に該当する可能性がある。

もっとも、汚職防止法上、ある者が、不当な利益の供与を強要された場合で、その者が、当該不当な利益の供与を行った日から7日以内に、政府当局又は捜査機関に対して贈賄の事実を報告した場合は、公務員贈賄罪の適用が除外される（同法8条1項）。また、政府当局又は捜査機関に対して贈賄の事実を報告した者が、報告後に、政府当局又は捜査機関による捜査に協力する目的で、不当な利益を供与し、又は供与を約束する行為を行う場合も、公務員贈賄罪の適用が除外される（同法8条2項）。

なお、外国献金規制法や刑法には、伝統や慣習、文化的理由による少額の贈答等に関する例外規定は設けられていない。

5 ①外国法人・個人による贈賄行為、②外国公務員に対する贈賄行為、③外国における贈賄行為に公務員贈賄罪が適用されるか？

①について、外国法人・個人による贈賄行為は、当該行為がインド国内において行われた場合にのみ、汚職防止法の適用対象となる（同法1条2項）。ただし、外国法人については、インド国内で事業を行っている場合には、汚職防止法の適用対象となる可能性がある（同法9条3項(a)）。

②について、外国公務員に対する贈賄行為には汚職防止法は適用されない。

③について、外国における贈賄行為は、インド国民によって行われた場合に限り、汚職防止法の適用対象となる（同法1条2項）。

6 公務員贈賄罪の罰則その他の制裁は？ 法人に対する制裁、海外の親会社に対する制裁は？

汚職防止法上、個人による公務員贈賄罪については、①7年以下の禁錮若しくは②罰金（法令上は上限の規定なし）、又は③その両方が科せられる（同法8条1項）。また、法人等による公務員贈賄罪が成立し、当該贈賄行為が、法人等の取締役、マネージャー、秘書役、その他の役員の同意又は黙認によって実行された場合、当該取締役、マネージャー、秘書役、等その他役員については、①3年以上7年以下の禁錮若しくは②罰金（法令上は上限の規定なし）、又は③その両方が科せられることとなった（同法10条）。さらに、贈収賄が常習的である場合には、収賄側と贈賄側共に、①5年以上10年以下の禁錮若しくは②罰金、又は③その両方が科せられる（同法14条）。

法人等による公務員贈賄罪については、当該法人等に対して罰金が科せられる（汚職防止法9条1項）。もっとも、法人等が、インド政府が定めたガイドラインに従って、同法人等に関係する者（associated person）が贈賄行為を行うことを防止するための適切な手続（adequate procedure）を設けていた旨の証明は、法人等による公務員贈賄罪の抗弁となり得る（同法9条1項ただし書）。ただし、本執筆時点、インド政府はかかるガイドラインを公表していない。

海外の親会社に対する制裁については、汚職防止法においては、海外の親会社がインド子会社の贈賄の法的責任を負う旨の明文上の規定は存在しない。ただし、汚職防止法では、法人等の定義には、インド国外で設立され、インド国内にて事業を行う法人も含まれる（同法9条3項(a)(ⅱ)）。そのため、インド国内にて事業を行っている外国の親会社も汚職防止法に違反した場合には、汚職防止法の制裁の対象となり得る点に留意が必要である。

7　第三者を通じた贈賄行為が処罰される場合とは？

汚職防止法の下では、利益が直接的に提供されるか、第三者を介して提供されるか否かにかかわらず、公務員贈賄罪は成立するとされている。したがって、エージェント、仲介者、代理人等の第三者を通じて、間接的に公務員等に対する贈賄行為が行われた場合には、公務員贈賄罪は成立する（同法8条）。

また、公務員贈賄罪を教唆・幇助（abet）した場合、①3年以上7年以下の禁錮若しくは②罰金（法令上は上限の規定なし）、又は③その両方が科せられる（同法12条）。

8　公務員贈賄罪はどのような手続を経て執行されるか？　自主報告により制裁が軽減される制度はあるか？　時効期間は？

インドにおいて、公務員贈賄罪は、一定階級以上の警察（specified echelons）によって捜査され、嫌疑があると判断される場合に検察官が地方裁判所に訴追し、特別判事（Special Judge）が審理し、判決を下すことにより執行される。かかる特別判事はインド政府によって任命される。また、特別判事は、訴追されていない嫌疑であっても、審理し判決を下し、公務員贈賄罪を処罰することが認められている。

また、ロクパル・ロカユクタ法によれば、政府から独立したロクパル（Lokpal）は汚職防止法に規定されている公務員贈賄罪について、警察を利用した捜査を含む調査を行うことができ、嫌疑があると判断した場合には、特別判事（Special Judge）の法廷に対して訴追を行うことが認められている。

外国人が違反行為を行った場合も、インド国民が違反行為を行った場合と

手続に特段の違いはない。なお、上記のように外国人がインド国外で行った贈賄行為は処罰対象ではない。

汚職防止法では、特別判事は、違反行為に直接又は間接的に関与した人が、自らが認識している贈賄行為に関する状況及び関係者について完全かつ真実の開示をした場合、贈賄者及び収賄者の区別なく、証拠を得る目的で当該人の刑罰を減免することが認められている。

なお、公務員贈賄罪には時効の適用はない。

9　民間企業の役職員に対する賄賂・リベート供与は処罰対象となるか？

インドの公務員贈賄罪は、民間企業の役職員に対する賄賂・リベート等には適用されない。しかし、上記のとおり、刑法における背任罪（criminal breach of trust）に該当する可能性はある。背任罪の要件は、一定の物を信託され、若しくは占有を任されている者が、①かかる物を横領若しくは自己の物にする場合、又は、②法律上若しくは契約上の義務に反し、かかる物を自ら若しくは第三者に使用処分させることであり、法定刑は3年以下の禁錮若しくは罰金（上限なし）、又は、その両方とされている（業務上の義務を負っている者、公務員や銀行員、エージェントによって行われた背任罪についてはより重く処罰される可能性がある）。

10　コンプライアンスプログラム等に関する規制・ガイドライン等はあるか？

インドでは、公務員贈賄を防止するためのコンプライアンスプログラム等に関する規制等は特段存在しない。なお、上記6のとおり、汚職防止法では、適切な手続（adequate procedure）に関しインド政府の定めるガイドラインが言及されているが、本執筆時点では同ガイドラインは公表されていない。

第2節 インドネシア

1 インドネシアにおける贈収賄行為の実情は？

インドネシアにおける贈収賄行為は、外国投資家がインドネシアにおいてビジネスを行う際の懸案事項として広く認識されている。10年前と比して、全体的な状況は改善しつつあるものの、いまだに裁判官による不正も横行しているともいわれており、多くの日本企業もこの対応に苦慮している。

インドネシア政府は、かかる事態を改善するために、2002年30号汚職撲滅委員会法（Law No. 30 of 2002 on Corruption Eradication Commission. その後の改正を含み、以下本節において「KPK法」という）に基づき、汚職事件の捜査、摘発及び起訴を一括して行う汚職撲滅委員会（Corruption Eradication Commission/Komisi Pemberantasan Korupsi.）（以下本節において「KPK」という）を設置し、贈収賄行為を含む汚職事件の取締りを行っている。

また、2016年第10号大統領令（Presidential Regulation No. 10 of 2016）に基づき、インドネシア政府は中長期の国家戦略として汚職撲滅を目標として掲げており、公務員に対して、国家及び地方レベルでの許認可付与手続の透明性の向上を図ること等の汚職撲滅のための活動を推奨している。

(1) KPKによる贈収賄事件の取扱件数

KPK発表の統計[1]によれば、2014年から2023年までのKPKによる贈収賄事件の取扱件数は以下のとおりである。

---

1) http://www.kpk.go.id/id/statistik/penindakan/tpk-berdasarkan-jenis-perkara

年	2014	2015	2016	2017	2018	2019	2020	2021	2022	2023
件数	20	38	79	93	169	119	55	65	100	85

なお、統計は存在しないものの、KPK以外に警察にも贈収賄事件の捜査権限があること、及び、実際には摘発に至らない事件も相当数あることからも、インドネシアにおける贈収賄事件の全体の件数は相当程度多いといわれている。分野としては、税金負担を軽減する目的で行われる税務当局関係者が関与する贈収賄、インドネシア国内におけるプロジェクト開発に関連した政府関係者が関与する贈収賄、有利な判決を取得する目的で行われる裁判官が関与する贈収賄等が多いといわれている。

(2) KPKによる贈収賄事件の取扱件数の推移とKPK法の改正

上記(1)のKPK発表の統計期間のうち、2014年から2019年の期間は、ジョコ・ウィドド大統領政権の第1期政権の期間であり、2019年から2023年の期間は、同大統領による第2期政権の期間である（インドネシアの大統領は任期が5年間であり、2024年で現職のジョコ・ウィドド大統領の任期は満了し、2024年10月からは新大統領政権が誕生する）。

上記統計の推移を見ると、ジョコ・ウィドド大統領政権の第1期政権の下では、KPKによる取締りが活発化していたことがうかがえるが、同第2期政権の下では、取締り状況が従来よりも減速していることがうかがわれる。

上記統計の動きについては、2019年に施行されたKPK法の第2次改正（以下本節において「2019年KPK法改正」という）の影響が否定できない。2019年KPK法改正により、①KPKは、従前、独立性が担保された大統領直属の機関であったところ、国家の一行政機関に組織変更をされたほか、②KPKを監督する機関としての評議会の設置、③KPKに従来付与されていた捜査権限の一部縮減（通信傍受や差押え等について評議会の事前承諾、予備調査段階における捜査権限の大幅なはく奪）といった改正がなされている。2019年KPK法改正は、KPKの位置付けや権限を従来に比して弱体化せしめるものであり、同改正については、憲法裁判所においても違憲審査請求の

形で争われ、2021年に憲法裁判所による一部違憲判決が下されている。

2021年の憲法裁判所による一部違憲判決においては、2019年KPK法改正のうち、一部の条項が無効と判断されており、例えば、KPKの位置付けについて、単に国家の一行政機関でなく、「独立性の担保された」国家の一行政機関と読み替えること、捜査権限について、通信傍受や差押え等について評議会の事前承諾が必要とされていた点を無効とし、通信傍受については事後の評議会への報告、差押え等については事前の評議会への通知、という形に変更する判断がなされている（もっとも、予備調査段階における捜査権限については、2019年KPK法改正のとおり、引き続き大幅にはく奪されたままである）。

憲法裁判所による判断により一定程度是正はされているものとはいえ、KPKは引き続き一行政機関としての位置付けを維持され、捜査権限も、従来より縮減したことは否めない。

上記KPK統計の動きについては、2019年KPK法改正とその後の憲法裁判所における違憲審査請求訴訟の流れを踏まえると理解できる統計結果ともいえる。

また、トランスペアレンシー・インターナショナルが公表する腐敗認識指数において、インドネシアは、腐敗認識指数が40ポイントで過去最高であった2019年は85位であったところ、2022年の腐敗認識指数は34ポイント、順位は110位まで後退している。近時は、元通信情報大臣などの主要閣僚による汚職事案や最高裁判所判事の汚職事案なども相次いで発覚しているほか、KPK委員長に対して、強要罪に関する疑惑に基づく警察による捜査が行われ、同委員長が2023年12月21日に辞表を提出する事態にも至っている（なお、同辞表は、同月28日に正式に受理されている）。

このように、近時の汚職関連事案の取締りについては、KPKの機能不全が憂慮されるが、2024年に入ってからは、インドネシアはOECD加盟に向けた協議を正式にOECD加盟国と開始していることもあり、今後、OECD加盟に向けた動きの中で、汚職関連事案に対する法執行を適切ならしめるための法改正等が行われることを期待したい。

(3) 日系企業の関与事案

　過去には、日系企業が贈収賄事件に関与した実例も存在し、2011 年には、ある日系企業（商社）の従業員が、インドネシア政府から中古鉄道車両の販売を受注するために、当時の運輸省鉄道局長に対し、日本におけるゴルフ接待旅行を行った嫌疑があるとして、現地従業員が KPK の取調べを受けている。インドネシアにおいて、元鉄道局長は収賄の容疑で処罰されているが、日本人現地従業員に対する刑事訴訟は提起されていない。

　また、実際に外国人が処罰された例として、2012 年に、ある日系企業（製造業）の日本人社長が、現地従業員の大量解雇に関する労務訴訟で会社側に有利な判決を得るために、現地スタッフを通じて裁判官に対して贈賄を行ったと認定され、第 1 審では、禁錮 3 年、罰金 2 億ルピア（当時のレートで約 180 万円）の実刑判決が下され、控訴審では、量刑を禁錮 4 年に引き上げる実刑判決が下されている（罰金については変更なし）。

2　インドネシアにおける公務員贈賄規制の概要は？

　インドネシアにおける贈賄行為を取り締まる基本的な法律としては、インドネシア刑法（以下本節において「刑法」という）のほかに以下の法律が存在する。

① 1999 年第 31 号汚職撲滅法（Law No. 31 of 1999 on Eradications of Crimes of Corruption, as lastly amended by Law No. 20 of 2001.）（以下本節において「汚職撲滅法」という）

② 1980 年第 11 号贈収賄禁止法（Law No. 11 of 1980 on Criminal Acts of Bribery.）（以下本節において「贈収賄禁止法」という）

　汚職撲滅法は、公務員が関与する贈収賄行為に係る贈収賄行為の成立要件及び処罰に関する規定を定めており、刑法の規定よりも優先適用される。ただし、贈収賄行為に関連する横領行為等について、別途刑法の規定が適用される余地がある点には留意が必要である。汚職撲滅法については、過去数年にわたり、改正が議論されているが、国会及び大統領の承認を経るに至っておらず、改正の見込みは立っていない（改正案の内容は現時点で未公表である）。もっとも、同法の処罰に関する規定の一部については、2023 年 1 月 2

日に公布され、2026年1月2日に施行予定の刑法に関する2023年第1号（Law No.1 of 2023 on criminal code. 以下本節において「改正刑法」という）において改正される予定である。

贈収賄禁止法は、公務員が関与する贈収賄行為に関する規定を定めると共に、公務員に関する贈収賄行為に限らず、インドネシアの公共利益に関連する私人に関する贈収賄行為についても適用される可能性がある法律である。

贈収賄禁止法と汚職撲滅法とで規定が重複する場合には、汚職撲滅法の規定が優先適用されるため、公務員が関与する贈収賄行為については、汚職撲滅法の規定を検討すればよいことになる。

3　公務員贈賄罪の要件は？

汚職撲滅法は、①公務員に対し、その義務に反してその職務に関連する特定の作為又は不作為をさせる目的をもって、物を供与すること又は供与を約束すること、及び、②公務員に対し、その職務に基づいてなされたか否かを問わず、その義務に反する行為に関連して、物を供与することを禁止する（汚職撲滅法5条1項）。以下、「公務員」、「物」の要件、及びその他の要件について説明する。

(1) 公務員

汚職撲滅法5条2項は、規制の対象となる公務員は、civil servant及びstate apparatusであると定めている。

① civil servant

civil servantは以下の者を指す（汚職撲滅法1条2項）。

(イ) 2014年第5号公務員法（Law No. 5 of 2014 on State Civil Apparatus）に定義する、特定の要件を充足し、政府において永続的な地位を有する国家公務機構職員（State Civil Apparatus Servant）として任命されている者

(ロ) 刑法上定義されているcivil servant、すなわち(i)一般の法令に基づく選挙により選出された者及びそれ以外の理由により立法機関、行政機関

又は政府により若しくは政府のために組織された市民代表団体の構成員となった者、公的な水道機関の構成員、インドネシアの先住民代表、並びに外国人（アジアの国に限る）団体の代表者で法的な権限を有する者（ただし、現行法上該当する団体は存在しない）、(ii)仲裁人、(iii)軍に所属する者（刑法 92 条）
(ハ) 国家又は地方政府の資金から給与の支払を受けている者
(ニ) 国家又は地方政府の資金から支援を受けている企業から給与の支払を受けている者
(ホ) 国家又は社会の資本又は設備を用いているその他の企業から給与の支払を受けている者

② state apparatus

state apparatus は、1999 年第 28 号汚職、癒着及び縁故主義のない公務員に関する法律（Law No.28 of 1999 on State Apparatus who is Free from Corruption, Collusion and Nepotism）において、行政、立法若しくは司法上の権能を有する政府職員、又は適用ある法令上国家の運営に関する権能及び義務を有する政府職員と定義されており、以下の者が含まれるとされる（同法 2 条）。
(イ) 最高次の国家機関の政府職員（ただし、現行法上該当する機関は存在しない）
(ロ) 高次の国家機関（大統領及び副大統領、国民議会（DPR）、国民協議会（MPR）、最高裁判所等）の政府職員
(ハ) 大臣
(ニ) 長官
(ホ) 裁判官
(ヘ) 適用ある法令上の他の政府職員
(ト) 適用ある法令上国家の運営に関する戦略的機能を有するその他の政府職員

(2) 物

汚職撲滅法上、贈賄の対象物自体についての定義は設けられていないが、

公務員の職務に関連して、またその義務に反して供与された利益（gratification）は、賄賂であるとみなされる（汚職撲滅法 12B 条）。上記利益には、金銭、物、値引、謝礼、無利子貸付、旅行券、宿泊、旅行、無償での医療その他の便宜が含まれ、インドネシア国内で供与されたか否か、及び電子機器を通じて供与されたか否かを問わないとされている（汚職撲滅法 12B 条解説）。

どれくらいの金額の物を供与すれば賄賂に該当するかといった金額に関する基準は汚職撲滅法上設けられていないため、金銭的価値にかかわらず、公務員の職務に関連して、またその義務に反することをさせる目的で供与された利益は賄賂として取り扱われることになる。利益に係る賄賂性の立証は検察官が行うことになるが、利益の価値が 1,000 万ルピア（約 9 万 5,000 円）以上の場合は、当該利益を受領した公務員側に、利益が賄賂でないことの立証責任が転換される。

(3) その他の要件

また、汚職撲滅法 5 条では、賄賂の成立につき、上記 3 冒頭の①の類型では「公務員に対し、その義務に反してその職務に関連する特定の作為又は不作為をさせる目的をもって」、同②の類型では「公務員に対し、その職務に基づいてなされたか否かを問わず、その義務に反する行為に関連して」という要件を追加的に要求している。

4　公務員贈賄罪の適用が除外される場合とは？

(1) ファシリテーション・ペイメント

インドネシアにおいては、米国 FCPA のファシリテーション・ペイメントのように、公務員の機械的業務に関する円滑化のための少額の支払について汚職撲滅法の適用を除外する旨の規定はない。したがって、円滑化のための少額の支払であっても、汚職撲滅法の構成要件に該当する可能性がある。

(2) KPK への報告

　汚職撲滅法上、公務員は、利益を受領してから30営業日以内にKPKに報告を行うものとされている。KPKは、報告を受けた場合、当該利益が社交儀礼上の利益であったかどうかについて、報告を受けてから30営業日以内に判定を行うこととされている。KPKが社交儀礼上の利益であると判定した場合には当該利益は公務員の所有となり、KPKが社交儀礼上の利益でないと判定した場合には当該利益は国庫に帰属する（汚職撲滅法12C条）。社交儀礼上の利益と判定されたものについては、賄賂とはみなされず、当該利益を公務員に供与した者が処罰されることはない。ただし、社交儀礼上の利益か否かの明確な判定基準は設けられていないため、公務員に利益を供与する場合には十分に留意する必要がある。

　なお、婚約、結婚、出産、洗礼、割礼、その他の伝統的・宗教的儀式に関連する贈答品の受領であって、供与者1人当たり1,000万ルピア（約9万5,000円）を超えない場合には、当該利益の受領は原則として賄賂とはみなされず、KPKへの報告も不要とされている（2019年KPK規則第2号（KPK Regulation No. 2 of 2019 on Gratification Reporting）2条3項及び4項）。

5　①外国法人・個人による贈賄行為、②外国公務員に対する贈賄行為、③外国における贈賄行為に公務員贈賄罪が適用されるか？

　①について、インドネシアの公務員贈賄罪は、インドネシア国外で設立された法人やインドネシア国籍を有しない個人に対しても適用される。

　②について、インドネシアの公務員贈賄罪は、当該贈賄行為がインドネシアの公務員に対して行われた場合にのみ適用され、外国公務員に対する贈賄行為には適用されない。

　しかし、2006年第7号国連の汚職防止条約の批准に関する法律（Law No. 7 of 2006 on ratification of the United Nations Convention against Corruption, 2003）は外国公務員に対する贈賄行為を禁止している点、留意が必要である。現時点で、当該法律の施行規則は未制定であり、そのため外国公務員に対する贈賄に関する規定を執行することはできないが、上記のとおり過去数

年にわたり汚職撲滅法については改正が議論されており、改正案にかかる規定が盛り込まれる可能性もある。

③について、インドネシアの公務員に対して行われた贈賄行為である限りは、当該贈賄行為の行為地がインドネシア国外であったとしても、公務員贈賄罪が成立し得る（汚職撲滅法16条）。

6　公務員贈賄罪の罰則その他の制裁は？　法人に対する制裁、海外の親会社に対する制裁は？

汚職撲滅法が定める公務員贈賄罪の罰則は、個人につき、公務員に対して、①職務に反する行為を行わせる目的で又は職務に反する行為に関連して贈賄が行われた場合には、1年以上5年以下の禁錮及び／又は5,000万ルピア（約45万円）以上2億5,000万ルピア（約240万円）以下の罰金（同法5条）、②職務権限を濫用させる目的で利益や支払が供与された場合には、3年以下の禁錮及び／又は1億5,000万ルピア（約140万円）以下の罰金とされている（同法13条）[2]。

また、法人の代表者又は従業員等が、当該法人の業務として違反行為を行った場合、当該法人及び／又はその取締役も処罰の対象となり得る。なお、法人に対する罰則は罰金のみであるが、法人に科される罰金の上限は個人の罰金額の3分の1増しとされている（汚職撲滅法20条）。

さらに、贈賄資金がマネーロンダリングに関連するものである場合には、2010年第8号マネーロンダリング防止法（Law No. 8 of 2010 on Prevention and Eradication of the Crime of Money Laundering）が適用され、その場合は、法人の罰金の上限は1,000億ルピア（約9億6,000万円）とされている。

また、法人による贈賄行為について、2016年12月29日に、法人犯罪に対する訴追手続に関する2016年第13号最高裁判所規則（the Supreme Court of Republic of Indonesia Regulation No. 13 of 2016 on Procedures on the

---

[2] 改正刑法の施行後は、職務に反する行為を行わせる目的で又は職務に反する行為に関連して贈賄が行われた場合には、1年以上6年以下の禁錮及び／又は5,000万ルピア（約45万円）以上5億ルピア（約450万円）以下の罰金（改正刑法605条1項）、職務権限を濫用させる目的で利益や支払が供与された場合には、3年以下の禁錮及び／又は2億ルピア（約180万円）以下の罰金となる（改正刑法606条1項）。

Handling of Criminal Offenses by Corporation）（以下本節において「2016 年第 13 号最高裁判所規則」という）が制定され、訴追手続が整備された。さらに、改正刑法においても、法人や法人格を持たない団体が贈賄を行った場合には、2 億ルピア（約 200 万円）以上 500 億ルピア（約 5 億円）以下の罰金が科されることが予定されている。

　インドネシア国内の現地子会社の従業員が違反行為を行った場合において、インドネシア国外に所在する親会社の責任が問われるか否かについては、従前から親会社の責任が問われる場合があると解釈されていたが、2016 年第 13 号最高裁判所規則において、親会社も責任を負い得る旨が明確化された（「親会社」に外国会社が含まれるか否かについては明確な規定はないが、外国会社が除外されていない以上、含まれ得ると考えられる）。すなわち、2016 年第 13 号最高裁判所規則においては、法人による違法行為が、親会社や子会社その他の関連会社の関与のもと行われた場合には、親会社や子会社その他の関連会社も、それぞれの役割に応じて責任を負う旨が規定された。

　このため、親会社が違反行為を行うことを子会社に命令したり、違反行為が親会社の利益のためになされたなど、親会社が子会社による違反行為に関連して一定の役割を担っている場合には親会社も、果たした役割に応じて責任を問われるものと考えられる。これに対し、親会社が何らの役割も果たしておらず、違反行為が純粋に子会社自身の利益のために行われたような場合には、親会社が責任を問われる可能性は高くないものと思われる。

7　第三者を通じた贈賄行為が処罰される場合とは？

　汚職撲滅法において、第三者を通じた贈賄行為について規制する個別の規定は定められていない。しかし、法人を贈賄罪の主体として捉えている同法 20 条を広範に解釈すると、法人の利益のために当該法人と労使関係又はその他の関係（代理店、エージェント、ブローカー、コンサルタント、業務提携先等の関係を含む）を有する個人が単独で又は共同して違反行為を行った場合、当該法人はかかる第三者が行った違反行為につき責任を負うこととなり得る（汚職撲滅法 20 条 2 項）。

8　公務員贈賄罪はどのような手続を経て執行されるか？　自主報告により制裁が軽減される制度はあるか？　時効期間は？

インドネシアでは、2009年第46号汚職事件裁判所法（Law No. 46 of 2009 on the Court of Corruption Criminal Offenses.）（以下本節において「汚職事件裁判所法」という）に基づき、公務員贈賄罪の審理については汚職事件裁判所（Court of Corruption Criminal Offenses）が専属的な管轄を有する。汚職事件裁判所は、KPK法により設置されたが、同法の下では、KPKに指名された検察官によって公訴提起された事件についてのみ審理する権限があった。KPK法下では、（KPKに指名された者ではない）一般の検察官によって公訴提起された汚職事件については一般の刑事裁判所によって審理されていたことから、汚職事件裁判所法の制定前は、汚職事件について異なる2系統の裁判所に分かれて審理されるという状況が生じていた。この状況は、汚職事件裁判所法の制定により解消され、KPK又は検察庁いずれの取扱事件であるかにかかわらず、汚職事件裁判所が専属的に審理を行うこととなった。

公務員贈賄罪の事件処理の一般的な手続は、主に1981年第8号刑事訴訟法（Law No. 8 of 1981 on the Criminal Procedure.）（以下本節において「刑事訴訟法」という）及びKPK法に定められており、その概要は以下のとおりである。

(1)　照会・予備調査（inquiry/preliminary investigation）

KPK又は警察により、汚職事件として捜査を開始することが可能か否かを判断するための照会及び予備調査がなされる（刑事訴訟法1条4項及び5項、KPK法6条e項及び同8条a項）。

従来は、KPKに対して、予備調査段階での広範な捜査権限が認められていたが、2019年KPK法改正により、当該権限行使については、捜査段階においてのみ認められる旨の改正がなされている。2019年KPK法改正の下で、KPKが予備調査段階で行うことができることは、予備調査の指揮及び通信傍受に限定されている（KPK法12条1項及び2項）。

(2) 捜査 (investigation)

KPK又は警察により、当該汚職事件発生の事実を裏付ける証拠の収集及び被疑者の特定が行われる（刑事訴訟法1条1項及び2項、KPK法6条e項及び8条a項）。

(3) 訴追 (prosecution)

KPKによって指名された検察官又は検察庁の検察官により、刑事訴訟法に定められた手続に従い、当該汚職事件について公訴提起がなされる（刑事訴訟法1条6項・7項及びKPK法51条）。

上記の手続に従って公訴提起された事件は、汚職事件裁判所によって審理される。汚職事件裁判所は、汚職事件裁判所法上、職業裁判官（career judges）及び臨時裁判官（ad hoc judges）から成る3名から5名の裁判官によって構成される。実務上、かかる臨時裁判官としては、学者や弁護士が就任するのが一般的である。

第1審の審理では、裁判所に事件が係属した日から120営業日以内に判決が下される。控訴審では、控訴申立書が高等裁判所に受領されてから60営業日以内に判決が下される。また、上告審では、上告申立書が最高裁判所に受領されてから120営業日以内に判決が下される。さらに、最高裁判所の判決に対して再審の申立てがなされた場合、審理及び判決は、再審請求書が最高裁判所に受領されてから120営業日以内に行われる。一般的に、汚職事件裁判所は上記各期限を忠実に守るよう努めているが、実務上の処理として、訴訟手続のうちいくつかの手続については上記日数に算入されないものもあり、判決に至るまでの実際の期間はより長期に及ぶ場合がある。

なお、インドネシアの法令は、上記手続について、被疑者・被告人がインドネシア人であるか外国人であるかを区別していない。したがって、外国人の被疑者・被告人についても、上記手続が適用される。

インドネシアには、贈収賄罪について、自主的な申告による刑罰の減免制度は存在しない。しかし、裁判所は、その裁量により、同趣旨の措置を与えることができる。なお、前述の利益受領時のKPKへの報告制度も同趣旨の制度といえる。

また、汚職撲滅法上、公務員贈賄罪の時効について、特段の定めはない。したがって、刑法の定める一般の時効が適用され、①罰金、拘留又は3年以下の禁錮が科される犯罪について6年間、又は、②3年超の禁錮が科される犯罪について12年間が適用されることになる（刑法78条）。

9　民間企業の役職員に対する賄賂・リベート供与は処罰対象となるか？

インドネシア法上、純粋な民間企業の役職員に対する贈賄罪は特段規制されていない。しかし、贈収賄禁止法上、公共の利益に関係する権限又は義務（公共の福祉や公共資金に影響を及ぼすものを含む）を有する者（例えば、資源・インフラ関連の公共工事を受注している会社の役員等）に対し、一定の作為又は不作為をさせることにより当該権限又は義務に違反させる意図をもって一定の金品を授与した者は贈賄罪として、また、かかる金品を受領した者は収賄罪として、5年以下の禁錮及び1,500万ルピア（約14万円）以下の罰金が科される（贈収賄禁止法2条）。

また、直接的に上記贈収賄罪に該当しないとしても、民間企業の役職員への不適切な金品の供与は、刑法における犯罪に別途該当する可能性がある。すなわち、①贈賄側については、横領（embezzlement）や詐欺／不正行為等に該当する可能性があり、②収賄側については、盗品等の受領（receiving object obtained through crime）や詐欺／不正行為（fraud）等に該当する可能性があり、これらの犯罪の法定刑は4年以下の禁錮[3]である。

しかし、現状、インドネシアにおけるほとんどの贈賄事件は汚職撲滅法上の公務員に対する贈賄事件であり、民間人に対する贈賄事件が、贈収賄禁止法上の贈収賄罪として又は刑法上のその他の犯罪として立件される例は極めて少数である。

---

3)　改正刑法においては、4年以下の禁錮又は一定の罰金刑が規定されている。横領、詐欺及び不正行為等については2億ルピア（約180万円）、盗品等の受領については5億ルピア（約450万円）以下の罰金とされている。

10　コンプライアンスプログラム等に関する規制・ガイドライン等はあるか？

　公務員のコンプライアンスへの取組として、インドネシア政府は、2016年第10号大統領令に基づき、国家戦略として、汚職の防止及び撲滅に向けた取組を行っている。

　また、KPKは、2014年1月、2014年第33号贈賄罪防止への民間事業者参加に関する指導通知（Guidance Letter No. B-33/01-13/01/2014 on Private Sector Participation in the Prevention of Corruption Criminal Offenses. 以下本節において「贈賄防止指導通知」という）を出し、民間事業者に対し、一定の報告等を行うよう求めている。

　贈賄防止指導通知は、贈賄罪を防止し、贈賄、贈答及びファシリテーション・ペイメントの供与が贈賄罪に該当するという意識を高めるために、民間企業のトップ（Head of Private Sector and Corporations）等に対し、主に以下のことを要請している。なお、ここでいう「トップ」とは会社については代表取締役のみを指すが、贈賄防止指導通知上、当該代表取締役はその会社の従業員その他の構成員に対しても当該通知を送付するよう要請しており、間接的にそれらの者に対しても指導を及ぼすこととしている。

① 　贈賄、贈答又はファシリテーション・ペイメントの供与等形式を問わず、公務員に対し、その地位に関連してその義務に違反させる目的で金品の供与を行わないこと
② 　一定の状況下において、贈賄、贈答又はファシリテーション・ペイメントの供与等を強いられた場合、KPKに対し、当該金品が、いつ、どこで、誰に対し、どのような形で供与されたのかを報告すること
③ 　政府の役人や国内又は海外企業等に対し、業務上の利益を得る目的で、贈賄、贈答又はファシリテーション・ペイメントの供与等を命令又は指示しないこと

　なお、以上の要請は、あくまでもガイダンスにとどまり、法的な拘束力はない。

　また、贈賄防止指導通知上、民間企業（Private Sector and Corporations）には、国内企業のみならず外国企業も含まれる。

Column

賄賂撃退法？

　インドネシアにおいてビジネスを行う上で、不幸にも公務員から賄賂を要求される場面に直面することは否定できない。

　そのような事案に遭遇した場合の現場での対応策としては、万能策というわけではないが、検討する価値のあるものも存在する。例えば、公務員も全ての公務員が汚職の意図を有しているわけでは決してなく、末端の公務員が賄賂を要求しているだけのような場面はあり得る。そのような場合は、賄賂を要求された公務員の身分証明書を提示してもらい、当該公務員の所属する官公庁に問合せを行うことを提案すること等は1つの現場での対応策としては考えられる。賄賂要求者がそもそも正当な権限を有する公務員であるかの確認も兼ねて確認を行いたい旨を説明すると、当該公務員も賄賂を要求したことが組織内で発覚することを恐れて、公務員のほうから手を引く場合もあり得る（門前払いをできる可能性はあるかもしれない）。もっとも、公務員になりすました反社会的勢力の者であることもあり得、その場合は身体の安全に危険が及ぶことはあり得るし、このような対応をとると、公務員側の態度を硬化させてしまい、不当な身柄拘束等を受ける可能性もあるので、その場において現実的に可能な範囲での対応にとどめる必要はある。

　また、将来における再発予防という観点では、例えば、労働局から監査が入り、違反事実を指摘された場合にそれを見逃す目的で賄賂を要求されるような場面において、公務員から法令の違反事実自体は正当な主張を受けているような場合には、反論が難しいのは事実であるので、インドネシアにおいても可能な限り、子会社が行う主要事業に密に関連する法令を中心に、正確な法令理解と共に当局の法令遵守の執行状況等の情報収集に努めることが重要である。また、当局からの思わぬ訪問者は、外国企業においてはまま起こる事象ではあるが、実際には現従業員又は退職従業員等が会社の待遇等について不満を持ち、報復として当局に通報していることも可能性としてはあり得るため、今後同種の事案に遭遇しないための予防も兼ねて真の原因を振り返ることも重要である。

第3節 タ イ

1 タイにおける贈収賄行為の実情は？

　タイでは従前から贈収賄が蔓延しており、トランスペアレンシー・インターナショナルが公表する腐敗認識指数において、タイは、2020年は180か国中104位だったところ、2021年には110位まで順位を下げ、2022年も101位にとどまっている。アジア太平洋諸国の中では31か国中19位である。

　2014年5月の軍事クーデターにより発足したプラユット暫定政権は、「汚職の撲滅」を重要政策の1つとして掲げており、2015年7月及び2018年7月に反汚職法（Organic Act on Counter Corruption）（以下本節において「反汚職法」という）を順次改正し、汚職防止法制の強化を試みている。しかし、このような試みは、大きな成果には結びついていないようである。タイの政府機関の中には、公共サービスの一部をオンラインプラットフォームに移行し、国民と公務員の直接の接触を減らすことで、このような状況に対処しようと試みているものもあるが、公共サービスの中には公務員の裁量に大きく依存せざるを得ないものもあり、一定の分野では、なお汚職が発生し得る。

　憲法及び反汚職法に基づき設立された独立機関である国家汚職防止委員会（National Anti-Corruption Commission）（以下本節において「NACC」という）の事務局が発表した2021年の年次報告書によれば、2021年にNACCが処理した贈収賄事件は179件、その他の政府機関が処理した贈収賄事件は149件である。また、これらの贈収賄事件には、複数の政府プロジェクトが関わっており、全プロジェクトの総額は110億3,300万バーツ（約461億2,000万円）に上るとされている。

2 タイにおける公務員贈賄規制の概要は？

タイにおいて公務員に対する贈賄を取り締まる基本的な法律は、タイ刑法（以下本節において「刑法」という）及び反汚職法である。また、政府系機関への入札についての違反行為に関する法律（Act on Offenses Relating to the Submission of Bids to State Agencies. 以下本節において「談合防止法」という）においても、入札に関する贈賄が規制されている。

刑法及び反汚職法の適用関係を簡潔にまとめると以下のとおりとなる。

図表5-1　刑法及び反汚職法の適用関係

行為	適用条文	法定刑
公務員（国会議員、地方議員を含む）に対する贈賄	刑法144条	①5年以下の禁錮 ②10万バーツ（約42万円）以下の罰金 ③上記①②の併科
司法官[4]に対する贈賄	刑法167条	①7年以下の禁錮 ②14万バーツ（約58万円）以下の罰金 ③上記①②の併科
公務員、外国公務員、国際機関の職員に対する贈賄	反汚職法176条1項	①5年以下の禁錮 ②10万バーツ（約42万円）以下の罰金 ③上記①②の併科
法人処罰	反汚職法176条2項・3項	反汚職法176条1項の罪により生じた損害又は当該法人に生じた利益の額の1倍～2倍の罰金
教唆犯	刑法84条 （反汚職法に規定なし）	正犯と同じ
幇助犯	刑法86条 （反汚職法に規定なし）	正犯の3分の2

---

4) 裁判官、検察官、捜査官等に相当する。

3 公務員贈賄罪の要件は？

タイにおいては、上記2で説明したとおり、公務員贈賄罪は刑法及び反汚職法の両方において規定されている。

(1) 公務員に対する贈賄罪

刑法144条は、公務員（competent official）、国会議員、地方議員に対し、作為若しくは不作為又は遅延をするよう誘導する目的で、財物その他の利益（benefit）を供与し、供与を申し出、又は約束する行為を禁じている。

また、反汚職法176条1項は、公務員（public official）、外国公務員、国際機関の職員に対し、作為若しくは不作為又は遅延をするよう誘導する目的で、財物その他の利益（benefit）を供与し、供与を申出、又は約束する行為を禁じている。

このように、刑法、反汚職法共に「公務員」に対する贈賄を禁止しているが、これらの法律の間で「公務員」の定義は若干異なっている。

まず、刑法における「公務員」とは、「法律上公務員（competent official）とされる者、又は、常勤・非常勤を問わず、報酬を得るか否かを問わず、公務を行う者」（刑法1条16号）とされている。

一方で、反汚職法における「公務員」とは、国家公務員・地方公務員、国営企業で職務を遂行する者、地方行政官、地方議会議員等を含むものとされている（反汚職法4条）。

ここで、反汚職法4条は、「国営企業」で職務を遂行する者も公務員に含むとしているところ、国営企業民営化法（State Enterprises Corporatization Act）3条及び同条が引用する予算手続法（Budgetary Procedure Act）4条は、「国営企業」を以下のように定義している。

① 政府組織の設立に関する法律に基づく政府組織、法律により設立された国家事業体、又は、政府が保有する事業体
② 政府機関又は①の国営企業によって、50％超の資本が出資されている非公開会社又は公開会社
③ 政府機関及び①又は②の規定に基づく国営企業によって、50％超の

資本が出資されている非公開会社又は公開会社
④　①又は②の規定に基づく国営企業によって、50％超の資本が出資されている非公開会社又は公開会社
⑤　②の規定に基づく国営企業によって、50％超の資本が出資されている非公開会社又は公開会社

その結果、反汚職法上の贈賄罪における「公務員」には上記の①〜⑤で職務を遂行する者の全てが含まれることとなる。

このように、タイにおいては、国営企業とされる企業の範囲が広いため、思いがけず贈賄罪の処罰対象となる場合があることに注意を要する。

(2) 司法官に対する贈賄罪

司法官に対する贈賄については、刑法167条により、他の公務員に対する贈賄より重い法定刑が定められている（下記6⑴参照）。最高裁判例（No. 8181/2547）によれば、同法167条にいう「司法官」とは、贈賄者が便宜を受けることを企図している事件につき責任を有する公務員でなければならないとされており、仮に収賄者が当該事件につき責任を有する公務員でなかった場合、同条の罪は成立しない（ただし、反汚職法176条及び刑法144条の罪は成立し得る）。

4　公務員贈賄罪の適用が除外される場合とは？

タイにおいては、反汚職法128条1項に基づき、公務員による倫理的理由のある財産その他の利益の受領に係る規定に関する国家汚職防止委員会告示（Notification of the Office of National Counter Corruption Commission Concerning the Provisions of the Acceptance of Property or Any Other Benefit on Ethical Basis by State Officials）（以下本節において「NACC告示」という）の定める一定の要件を満たしている場合には、公務員が財物その他の利益を受け取ることが許容されている。ただし、NACC告示の要件に該当する場合に、必ずしも利益提供者も贈賄罪に問われないとは限らないことには留意する必要がある。

社会的儀礼・慣習として公務員による利益の受領が許容される場合には、

以下の場合がある（NACC 告示 6 条）。
① 親族以外の者から、3,000 バーツ（約 1 万 2,500 円）を超えない範囲で利益を受け取る場合
② 一般人として贈与を受けたと考えられる状況において利益を受け取る場合

これらに該当しない場合で、公務員が、親善、友好又は良好な人間関係を維持するために必要であるとして、利益の受領を行う際には、上司にその事実の詳細を報告しなければならず、上司から当該利益を受領してはならない旨の指示があったときは、当該利益を利益提供者に返還しなければならない（NACC 告示 7 条）。

NACC 告示とは別に、首相府から、2023 年 1 月に、国家公務員の贈答品の授受に関する規則（Regulations of the Office of the Prime Minister re Giving or Receiving Gifts of State Officials）が新たに公表された。同規則は、上司が部下又は部下の家族から利益を受領すること、部下及び部下の家族が上司に対して利益を提供すること等の禁止を内容としているが、上記①と同様に 3,000 バーツ（約 1 万 2,500 円）を超えない範囲で利益を受け取る場合は、社会的儀礼・慣習として許容されることが定められている。

なお、タイにおいては、ファシリテーション・ペイメントについて明文の規定がなく、少額であっても贈賄罪の構成要件に該当し得る点に留意が必要である。この点、NACC 告示に基づき、3,000 バーツ（約 1 万 2,500 円）を超えない支払は許容されると誤解されているケースが散見される。しかし、上記のとおり、当該告示は、社会的儀礼・慣習等の理由で利益を享受した者に適用除外が認められる場合を定めたものにすぎず、便宜を図ってもらう見返りに金銭等を渡した場合は、金額の多寡にかかわらず、贈賄罪が成立し得る。

5 ①外国法人・個人による贈賄行為、②外国公務員に対する贈賄行為、③外国における贈賄行為に公務員贈賄罪が適用されるか。

①について、外国法人・個人がタイの公務員に贈賄行為を行った場合、国内の法人・個人が当該行為を行った場合と同様に、贈賄罪が成立する（刑法

144条、167条)。

②について、外国公務員（外国の立法機関、行政機関又は司法機関に職を有する者、外国政府のための職務に従事する者等をいう）及び国際機関の職員（国際機関に勤務する者、又は国際機関を代理して行為する者として当該国際機関により任命された者）に対する贈賄行為についても、反汚職法上の贈賄罪が成立する（反汚職法176条1項）。

③について、外国法人・個人がタイの公務員に対して贈賄行為を行った場合で、その贈賄の結果がタイ国内において生じたといえる場合には、贈賄罪が成立する（刑法5条）。

6　公務員贈賄罪の罰則その他の制裁は？　法人に対する制裁、海外の親会社に対する制裁は？

(1)　個人に対する罰則

① 刑法144条に違反した場合

違反者は5年以下の禁錮、10万バーツ（約42万円）以下の罰金又は両者を併科される。

② 刑法167条に違反した場合

違反者は7年以下の禁錮、14万バーツ（約59万円）以下の罰金又は両者を併科される。

③ 反汚職法176条に違反した場合

違反者は5年以下の禁錮、10万バーツ（約42万円）以下の罰金又は両者を併科される。

(2)　法人に対する制裁

反汚職法は、従来の判例に基づくルールを踏まえ、法人処罰の規定を明文化しており、その処罰範囲としては、タイで設立された法人だけでなく、タイで事業活動を行う外国法人が含まれることが明確化されている（反汚職法

176条3項)。そして、個人の贈賄行為が法人の利益のために行われたものであり、当該法人が当該違反行為を防止するための「適切な内部統制措置」を講じていなかった場合、生じた損害又は当該法人に生じた利益の額の1倍～2倍の罰金刑が当該法人に科されることとされた（反汚職法176条2項)。そして、NACCは、2017年9月に、法人における贈賄行為防止のためにとるべき内部統制措置に関するガイドライン（以下本節において「本ガイドライン」という）を公表し、法人が贈賄行為防止のために採るべき方策（すなわち法人処罰の適用を免れるために必要な「適切な内部統制措置」の具体的指針）を示した。外国法人であっても、タイにおける事業展開が想定される企業においては、法人としての処罰を免れるための「適切な内部統制措置」を具体的に講じておくことが望まれる。

本ガイドラインにおいて、大きく8つの指針が示されている。各指針とその重要な留意点は、以下のとおりである。

① トップ経営陣からの強力かつ明確な贈賄防止に対する政策・支援

トップ経営陣（取締役会、CEO等）自らが、贈賄行為に対するZero Tolerance（不寛容）な姿勢を明確に打ち出すこと、そして経営陣による積極的な関与が贈賄防止に不可欠であるとされている。

② 贈賄リスクの効果的な特定・評価のためのリスク査定

贈賄行為の生じやすい場面（公務員と接する場合）は各会社の規模、構造、事業、場所等によって異なるため、会社ごとにリスクを具体的に分析することが効果的な内部統制措置の構築に寄与することが指摘されている。

③ ハイリスクかつ脆弱な分野に対するより強固かつ詳細な対応策

いわゆるファシリテーション・ペイメント、贈答や寄付等、贈賄行為が生じやすい行為について、より明確・詳細な手続（事前承認やモニタリング制度等）を規定することが奨励されている。

④ 事業パートナーに対する汚職防止策の適用

会社内部のみならず、会社が責任を問われ得る代理人や仲介人等の第三者、及び合弁事業（Joint Venture）のパートナー等についても、可能な範囲で適

切な統制を及ぼすことやデューデリジェンスの実施の努力が求められている。

⑤　正確な帳簿・会計記録

贈賄・不正行為の隠匿を防止するため、独立監査の実施や、正確かつ透明性のある会計システムの構築が求められている。

⑥　贈賄防止策を補完する人事管理政策

十分な訓練によるコンプライアンス意識の向上、法令遵守に対するインセンティブの設定、違反行為に対する適切な規律の適用等、採用や人事評価においてもコンプライアンスの要素を取り入れることが、望ましい実務として指摘されている。

⑦　贈賄の疑惑の報告を促す意思疎通メカニズム

会社の規模に適した内部通報システムと、報復等の恐れを取り除くための通報者の適切な保護・守秘性の確保が肝要であると指摘されている。

⑧　汚職防止策とその効果の定期的な検証・評価

贈賄リスクの所在はビジネス環境（法改正等を含む）により常に変化するため、従前の統制措置の有用性にかかわらず、定期的な制度の評価と見直しの実施が求められている。

(3) 海外の親会社に対する制裁

例えば日本企業が保有するタイ子会社の役職員が贈賄行為を行った場合に、日本の親会社が処罰されるということは通常考えられない。

上記6(2)のとおり、役職員の贈賄行為が会社の利益のために行われたものであり、会社が当該贈賄行為を防止するための「適切な内部統制措置」を講じていなかった場合には、会社も刑事責任を負う場合がある（反汚職法176条2項）。しかし、この規定の適用範囲は、タイ法人及びタイで事業を行う外国法人に限られているから（同条3項）、日本の親会社がタイ法人を設立し、同法人でタイにおける事業運営をしている場合の日本の親会社は含まないと解される。したがって、タイにおいて海外の親会社が処罰される事態は、

海外親会社の社員が直接タイにおいて贈賄行為を行わない限り、考えにくい。

なお、海外の親会社が子会社に指示を行って贈賄を行わせたような場合には、下記7において述べる教唆犯又は幇助犯に当たることはあり得る。

7　第三者を通じた贈賄行為が処罰される場合とは？

タイにおいては、第三者を通じた犯罪行為を処罰する規定が定められている（刑法84条）。すなわち、雇用や強制、脅迫、請負、依頼、教唆、その他あらゆる手段によって他人に贈賄行為を行わせた者は、刑法上「教唆犯」に当たるとされ、教唆犯に用いられた者が贈収賄を行った場合には、教唆犯は正犯として処罰される。したがって、エージェントやブローカー、仲介者、コンサルタント又は取引先等を通じて贈賄行為を行った者は、正犯として処罰され得ることになる。他方、教唆犯により贈賄行為を行わせるための行為がなされたにもかかわらず、何らかの理由で実際に贈賄行為が行われなかった場合には、教唆犯は法に定められた罰則の3分の1の限度でのみ処罰され得ることとなる。

また、教唆犯の規定とは別に、贈賄行為が第三者の補助や便宜によってなされた場合には、仮に贈賄行為を行う主犯者がその補助や便宜を実際に認識していなかったとしても、当該第三者は幇助犯として、法に定められた罰則の3分の2の限度で処罰され得る（刑法86条）。

8　公務員贈賄罪はどのような手続を経て執行されるか？　自主報告により制裁が軽減される制度はあるか？　時効期間は？

(1)　執行の手続

1997年、贈収賄を防止し調査する機関としてNACCが設立された。NACCは広範な調査権限を有しているものの、訴追権限は有しないため、訴追をするためにはしかるべき訴追機関に送致しなければならない。すなわち、NACCは調査を行った後に検察官に送致し、検察官は犯罪事実を立証できると判断すれば、行為者を訴追することになる。他方で、NACCは国会の上院に対して、行為者を告発するかどうかを決定することを求めるため

に報告を行うこともできる。

　なお、NACCの2021年の年次報告書によれば、近年も、NACCが扱っている事件のうち多くが（約7割から8割）、年度内に解決せずに次年度に持ち越されていることが確認できる。

　なお、反汚職法176条及び刑法144条、167条に基づく公務員贈賄罪の公訴時効期間はそれぞれ10年間である。

(2) 自主申告制度

　タイにおいては、本執筆時点において、捜査機関に事件が発覚する前に、贈賄を行ったことを捜査機関に対して自主的に申し出ることによって刑の減免を受ける制度は存在しない。

9 民間企業の役職員に対する賄賂・リベート供与は処罰対象となるか？

　タイにおいては、現在、民間の法人等・個人に対して利益を供与した場合に、これを処罰する規制は存在しない。もっとも、民間人が談合や不公正な取引方法を行った場合には、談合防止法や取引競争法（Trade Competition Act）等、贈賄規制法以外の法律によって罰せられる可能性がある点に留意する必要がある。

　例えば、談合防止法の下では、①政府系機関との契約を締結できるような取計い、②不自然な高額／低額での入札、又は③入札への不参加若しくは入札の取下げのいずれかを誘導するために、他者に対して金銭、財産その他の利益を供与し、供与を要求し、又は供与を引き受ける行為を禁じているところ（同法5条）、利益の供与の主体も、相手方も、公務員に限られないことに留意が必要である。また、かかる行為が企業の利益のために行われた場合には、当該企業の代表者、当該入札の責任者等、かかる入札を行うことについて権限を有している者は、自身が関与していないことを証明しない限り、共犯者と推定される（同法9条）。談合防止法5条の罪が成立する場合、1年以上5年以下の禁錮、若しくは違反者間における最高入札額の半額若しくは落札額のうちのいずれか高い額の罰金を科され、又は両者を併科される。

10　コンプライアンスプログラム等に関する規制・ガイドライン等はあるか？

　上記のとおり、2017年9月にNACCにより本ガイドラインが公表されており、タイ法人におけるコンプライアンス体制については、本ガイドラインの指針に基づいた対応が求められている。

　また、民間レベルにおいて、公務員贈賄を防止する運動が行われている。その代表的な例が、タイ反汚職民間共同運動（Thailand's Private Sector Collective Action Coalition Against Corruption）である。

　タイ反汚職民間共同運動は2010年に発足したプロジェクトである。このプロジェクトは、タイ経営者協会（Thai Institute of Director：IOD）、タイ商工会議所（Thai Chamber of Commerce：TCC）、各国商工会議所（Joint Foreign Chambers of Commerce：JFCCT）、上場企業協会（Listed Companies Association）、タイ銀行協会（Thai Bankers' Association）、タイ資本市場協会連盟（Federation of the Thai Capital Market Organizations）、タイ工業連盟（Federation of Thai Industries）、及びタイ観光評議会（Tourism Council of Thailand）の8つの民間機関が共同で設立したもので、民間の側から贈収賄リスクに対する自覚を醸成することや、贈収賄に立ち向かうために企業・産業レベルでの政策及び仕組みづくりを推進することを目的としている。企業が同プロジェクトに参加するには、タイ反汚職民間共同運動設立宣言（Declaration of Intent in View of Establishing Thailand's Private Sector Collective Action Coalition Against Corruption）に署名する必要がある。参加企業は贈収賄リスクについて内部評価を行い、反贈収賄のための政策やコンプライアンスプログラムを構築することに加え、かかる政策や経験、ベストプラクティスや成功談等、タイにおける倫理的で清廉かつ透明性の高いビジネスを行うための情報を共有する等の活動を行う。

Column

タイ独特の慣習「グラチャオ・ピーマイ」

　タイにおいては、年末年始に、取引先等に「グラチャオ・ピーマイ」と呼ばれる贈り物をする慣習がある。日本のお歳暮に似た文化で、「グラチャオ」は「バスケット」、「ピーマイ」は「新年」という意味であり、新年も健康でお過ごしくださいという気持ちが込められている。

　「グラチャオ・ピーマイ」の一番の特徴は、「グラチャオ」すなわち「バスケット」が使われることである。お歳暮商戦ならぬ「グラチャオ・ピーマイ」商戦とでもいうべきか、年末になるとスーパーマーケットやデパート等には菓子や缶詰、果物等が詰め合わされた大ぶりな「バスケット」がずらりと並ぶ。お店によっては指定した商品を「バスケット」に詰めてもらい、オーダーメイドの「グラチャオ・ピーマイ」を購入することも可能なようである。大体1,000バーツ（約4,200円）から、高くても3,000バーツ（約1万2,500円）程度のものが多い。

　税務署等、関係のある役所にバスケットを贈る民間企業も多いが、一般的には、社会的儀礼の範囲内の行為として許容されると解されているように見受けられる。

第4節 フィリピン

1 フィリピンにおける贈収賄行為の実情は？

　フィリピンにおいても、贈収賄は企業活動を行う上での重大な問題の1つとして認識されている。フィリピンにおける贈収賄は、地方政府から取得する許認可に関するものも多く、とりわけ、ビジネス上の必要により、迅速に許認可を取得することを希望する場合には、地方政府から賄賂の支払を求められることが多い。日常的に製品や原材料の輸入を行っており、関税、手数料及び納税について税関当局や内国歳入庁（Bureau of Internal Revenue）との間で頻繁にやり取りをしている業界も、贈収賄が多いといわれる。

　フィリピン当局は、贈収賄やその他の汚職の排除に力を入れ、贈収賄規制の執行を強化しており、2016年8月には、汚職等を通報するための手段として汚職防止ホットラインが設置された。一方、前大統領（ロドリゴ・ドゥテルテ氏）の下で設置された大統領汚職防止委員会（Presidential Anti-Corruption Commission）は、現大統領であるフェルディナンド・マルコス・ジュニア氏により2022年6月30日に廃止されている。

　フィリピン当局においては、元裁判官、元上院議員、元市長、元国家警察長官や元保健省長官の汚職に関する捜査も継続している。

　トランスペアレンシー・インターナショナルが公表する2022年度腐敗認識指数によれば、フィリピンは180か国中116位であり、2014年の85位をピークに悪化している。

2　フィリピンにおける公務員贈賄規制の概要は？

　フィリピンにおいて、贈収賄を取り締まる基本的な法律は、改正刑法（Revised Penal Code）及び汚職防止法（Anti Graft and Corrupt Practices Act）である。改正刑法は、その行為形態に応じて、直接収賄（direct bribery）、間接収賄（indirect bribery）、特別収賄（qualified bribery）という３つの類型を定め、当該類型に該当する贈収賄を規制する。他方、汚職防止法は、腐敗政治の削減と公務の公正を目的に制定されたものであり、改正刑法における贈収賄に該当する行為のみならず、一定の具体的な違法行為の類型を定めた上で、贈収賄を誘発する行為（例えば、公務員が、その地位に基づかずに継続的に贈答品等を収受するような行為）をも規制する。

　さらに、公務員倫理規範（Code of Conduct and Ethical Standards for Public Officials and Employees）は、公務員の一定の行為規範及び倫理規範を定め、私人であっても公務員の共同正犯、幇助犯として処罰され得る旨が定められている。

　このほか、改正刑法や汚職防止法の潜脱行為に対処するために、大統領令46号（Presidential Decree No. 46）が定められている（下記４参照）。

　フィリピンでは、贈収賄規制に関する捜査、被疑者の訴追等は、司法省の中に設置された、国家調査局（National Bureau of Investigation）が行う。ただし、贈収賄は公務員に関する犯罪であるため、一般的な司法権限を有する司法省とは別に、オンブズマン（行政監察院）も調査権限を有する。オンブズマンは、自ら、又は市民からの申立てに基づき、公務員（選挙で選ばれた公務員とその他の公務員のいずれも含む）による行為や不作為が違法、不正、不適切又は非効率であった場合に、当該行為を調査する権限を有している。

　フィリピンでは、贈収賄規制違反について特別な裁判所が設置されており、司法省又はオンブズマンにより訴追がなされた場合、反汚職裁判所（サンディガンバヤン：Sandiganbayan）が専属的な管轄権を有する。

　なお、以上のような一般的な贈収賄規制の捜査機関、裁判所のほか、元大統領フェルディナンド・マルコスやその近親者等により不正に取得された資産の清算を目的に、良い政府のための大統領委員会（Presidential Commission on Good Government）が設置されている。また、改正会社法に

も汚職行為を禁止する規定が存在するが、改正会社法の違反については、証券取引委員会に調査や制裁を行う権限が付与されている。

3 公務員贈賄罪の要件は？

(1) 改正刑法

　改正刑法は、直接収賄、間接収賄、特別収賄という3つの類型の収賄について規定している。

　まず、直接収賄の構成要件は、公務員が、その職務の執行に関連して、①犯罪行為を行い、若しくはその約束をし、その対価として現に賄賂を収受し、若しくはその約束又は申出を受けること、②（犯罪には至らない）不正な行為を行い、若しくはその約束をし、その対価として賄賂を現に収受すること、又は③職務上の義務に反して公務を行わず、若しくはその約束をし、その対価として現に賄賂を収受し、若しくはその約束をすることをいう（改正刑法210条）。

　これに対して、間接収賄の構成要件としては、公務員が、その地位に関連して、現に賄賂を収受することが必要とされる（改正刑法211条）。

　直接収賄と間接収賄の違いは、(イ)直接収賄は、公務員と贈賄者の間に、上記①～③の一定の作為・不作為に関する合意を必要とし、賄賂と具体的な作為・不作為との間に対価関係があることを要するのに対し、間接収賄では、そのような合意が不要であること、(ロ)直接収賄は、上記②の場合を除き、現に賄賂を収受した場合に限らず、賄賂を収受する約束で足りるのに対して、間接収賄の場合には、現に賄賂を収受して初めて犯罪が成立する点にある。

　このほか、逮捕権又は訴追権限を有する公務員が、死刑又は一定期間後仮釈放の可能性のある終身刑（ruclusion perpetua）によって罰せられるべき被疑者を逮捕又は起訴せず、その対価として賄賂を収受し、又はその約束をした場合、特別収賄として処罰の対象となる（改正刑法211A条）。

　公務員に対して、上記の直接収賄・間接収賄・特別収賄のいずれかに該当することとなる賄賂を供与し、その約束をし、又は供与の申出を行った者は、何人であっても、「公務員の汚職」（Corruption of Public Officials）罪として処罰され、収賄を受けた公務員と同じ刑罰（資格の剥奪・停止を除く）を科さ

れる（改正刑法 212 条）。

(2) 汚職防止法

　改正刑法は、上記(1)のとおり、公務員の職務又は地位に関連する一定の賄賂の収受を禁止する。これに対し、汚職防止法は、腐敗政治の削減と公務の公正を目的に制定されたものであり、改正刑法における贈収賄に該当する行為のみならず、一定の具体的な違法行為の類型を定め、当該行為を行った公務員と、その相手方となる者を処罰する。

　汚職防止法においては、多様な行為類型が定められているが、例えば、以下のような行為が禁止されている。

① 公務員が、その職務上仲介する政府と第三者との契約又は取引につき、自己又は第三者のために、直接的又は間接的に賄賂を要求し、又は収受すること

② 公務員が、その方法や地位にかかわらず、政府からの許認可の取得につき便宜を図ったこと、又は図ることへの対価として、自己又は第三者のために賄賂を要求し、又は収受すること

③ 公務員又はその親族が、その在職中又は離職後 1 年以内に、その職務に関係する私企業で雇用されること

　なお、ある行為が改正刑法における贈収賄と、汚職防止法違反の構成要件のいずれをも充足する場合には、双方の違反が成立することとされている。

(3) 公務員倫理規範

　公務員倫理規範は、公務員の信頼性を維持し、模範となるべき行為に対するインセンティブを付与すること、及び禁止行為を具体的に定めること等を目的としたものである。同法においては、公務員が、自己が承認権限を有する取引について金銭的又は重要な利害関係を持つことや、公務員の在職中又はその離職後 1 年以内に企業への雇用のあっせんを受けること等が禁じられている（同法 7 条）。また私人であっても、これらの行為を公務員と共に行い、又は幇助した場合、共同正犯又は幇助犯として公務員と同等の刑が科せられる（同法 11 条）。

ただし、公務員倫理規範違反の行為が、改正刑法等、より重い刑を科す他の法律により罰せられる場合には、公務員倫理規範違反の刑罰は科されない（同法 11 条）。

以上の各法令で用いられる用語のうち、改正刑法の「公務員」とは、法令、普通選挙又は所轄官庁による指名に基づき、公的機関等に勤務する者を指す。他方、汚職防止法及び公務員倫理規範において「公務員」とは、報酬の有無や職種の違い、選挙により選任されるか否かを問わず、永年雇用者及び臨時雇用者のいずれも含み、政府により運営・所有される準政府機関に勤務する者も含むとされている。

また、「賄賂」の意義については、各法令において明確な定義は置かれていないが、基本的には、公務員による便宜の対価として供与された物であれば、有形・無形、金額の多寡を問わず広く「賄賂」に含まれると解されている。

(4) 改正会社法

2019 年に制定された改正会社法は、汚職行為の仲介者としての行為（同法 166 条）、汚職行為の仲介者の任命（同法 167 条）、汚職行為の容認（同法 168 条）を禁止している。具体的には、以下の行為が禁止されている。

① 汚職を行ったり、隠したりするために会社を利用すること（同法 166 条）
② 会社の利益のために、汚職を行う仲介者を任命すること（同法 167 条）
③ 会社の取締役、受託者、オフィサー又は従業員による汚職行為を知りつつ、制裁、報告又は適切な機関への申告を怠り、汚職行為を許容又は容認すること（同法 168 条）

改正会社法 166 条によれば、会社の取締役、オフィサー、従業員、代理人又は代表者のいずれかが汚職行為に関与していると認定された場合、会社が透明性かつ適法性のあるサービスを提供するための保護措置又は汚職に対する方針、倫理規定若しくは手続を導入していないことは、会社の責任を推定させる証拠となるとされている。

4　公務員贈賄罪の適用が除外される場合とは？

　フィリピンにおいては、米国 FCPA のファシリテーション・ペイメントのように、公務員の機械的業務に関する円滑化のための少額の支払について公務員贈賄罪の適用を除外する旨の規定はない。したがって、機械的業務の円滑化のための少額の支払であっても、上記 3 の各公務員贈賄罪の構成要件に該当する可能性がある。

　このほか、汚職防止法は、規制の対象となる「贈答品の収受」（receiving gift）を、一定の者（当該公務員の直近の血縁関係の家族を除く）から、公務員やその家族又は 4 親等内の親族（血族、姻族のいずれも含む）が、明らかに高額（manifestly excessive）な贈答品を直接的又は間接的に収受することと定義しており、家族の祝い事やクリスマス等の社会的儀礼の時期であっても当該行為は許されないとしている。他方で、同法では、自ら依頼していない少額の贈答品や、地域的慣習に基づき、感謝の証の目的でのみ供与された少額の贈答品については、同法は適用されないと規定されている。なお、汚職防止法上、「明らかに高額」であるか、「少額」であるかについて、明確な金額の基準は定められていない。

　ただし、当該贈答品を収受した見返りに、公務員が、政府の許認可やライセンスを付与したような場合には、当該例外の適用は否定されるとした判例（Mendoza-Ong v. Sandiganbayan 事件）がある。また、改正刑法や汚職防止法の潜脱行為に対処するために制定された大統領令 46 号においては、公務員が、公務員であることを理由に、直接的又は間接的に、贈答品その他の価値のあるものを収受し、又は私人が公務員にこれを供与し、又はその申出をした場合には、クリスマスを含むいかなる場合であっても、当該贈答品等の金額を問わず、また、当該贈答品等の供与が当該公務員による過去の便宜のため又は将来の便宜を期待してなされたかどうかを問わず、処罰対象になるとされており、公務員倫理規範でも同様に、金額を問わず処罰対象になるとされている。

5 ①外国法人・個人による贈賄行為、②外国公務員に対する贈賄行為、③外国における贈賄行為に公務員贈賄罪が適用されるか？

①について、フィリピンの公務員贈賄規制は、当該贈賄行為がフィリピンの公務員に対して行われている限り、フィリピン国外で設立された法人やフィリピン国籍を有しない個人に対しても適用される可能性がある。

②について、フィリピンの公務員贈賄規制は、外国公務員に対する贈賄行為を想定しておらず、当該贈賄行為がフィリピンの公務員に対して行われた場合にのみ適用され、外国公務員に対する贈賄行為には適用されない。

③については、①と同様、フィリピンの公務員に対して行われた贈賄行為である限りは、当該贈賄行為の行為地がフィリピン国外であったとしても、フィリピンの公務員贈賄規制が適用される可能性がある。

6 公務員贈賄罪の罰則その他の制裁は？　法人に対する制裁、海外の親会社に対する制裁は？

(1) 制裁の概要

公務員に対する賄賂の申出・約束・供与を行った者には、収賄を行った公務員と同じ刑罰が科されるとされている。

① 改正刑法

直接収賄については、下記の3類型のいずれに該当するかにより罰則が異なっている。公務員が、その職務の執行に関連して、(イ)犯罪行為を行い、又はその約束をし、その対価として現に賄賂を収受し、又はその約束をした場合には、6年1日以上10年以下の禁錮刑（*prision mayor* in its medium and mini- mum periods：改正刑法の各条項で具体的な期間が定められているわけではなく、(イ)の期間は、いずれも改正刑法76条の表に従って計算される期間を示している）及び賄賂の価値の3倍以上の罰金刑が（なお、約束された犯罪行為が実行された場合には、当該犯罪に関する刑も科されることになる）、(ロ)犯罪には至

らない不正な行為を行い、又はその約束をし、その対価として賄賂を現に収受した場合には、2年4か月1日以上4年2か月以下の禁錮刑（*prision correccional,* in its medium period）及び賄賂の価値の2倍以上の罰金刑が、(ハ)職務上の義務に反して公務を行わず、又はその約束をし、その対価として現に賄賂を収受し、若しくはその約束をした場合には、4年2か月1日以上8年以下の禁錮刑（*prision correccional* in its maximum period to prison mayor in its minimum period）及び賄賂の価値の3倍以上の罰金刑が科され、これらに該当する賄賂の申出・約束・供与を行った私人にも同等の刑が科されるとされている。

　間接収賄が行われた場合には、贈賄者である私人及び収賄者である公務員には2年4か月1日以上6年以下の禁錮刑（*prision correccional* in its medium and maximum period）が科されるとされている。

　特別収賄が行われた場合には、贈賄者である私人及び収賄者である公務員には、逮捕又は訴追を免れる対象とされた犯罪と同等の刑罰が科されるとされている。なお、公務員の側から賄賂を要求した場合、当該公務員には20年1日以上40年以下の禁錮刑が科されるとされている（改正刑法211A条）。

②　汚職防止法

　汚職防止法3条に定める禁止行為を行った公務員又はその相手方となった私人には、1年以上10年以下の禁錮刑が科されるとされている（同法9条）。

③　公務員倫理規範

　公務員倫理規範に違反する行為をした公務員及び当該公務員と共にかかる行為を行い、又はこれを幇助した私人には、5年以下の禁錮刑及び5,000ペソ（約1万2,900円）以下の罰金刑が科されるとされている（同法11条）。

　また、大統領令46号に違反した場合には、1年以上5年以下の禁錮刑が科されるとされている。

　なお、政府調達改革法（Government Procurement Reform Act）65条によれば、上記の各法律のいずれかに違反した私人は、政府と取引を行う資格を永久に失うとされている。

④ 改正会社法

汚職行為の仲介を行った法人には10万～500万ペソ（約25万8,000～1,290万円）の罰金刑（改正会社法166条）、会社が汚職の仲介者を任命した場合には10万～100万ペソ（約25万8,000～258万円）の罰金刑（同法167条）、及び、汚職行為を容認した取締役、受託者又はオフィサーには50万～100万ペソ（約129万～258万円）の罰金刑が科される（同法168条）。

なお、改正会社法166条又は167条の行為を会社が行った場合、裁判所の裁量により、違反に責任があり、又は違反の実行に不可欠であった取締役、受託者、株主、社員、オフィサー、又は従業員に対して刑が科され得る（改正会社法171条）。

(2) 法人及びその役員等に対する制裁

フィリピン法上、禁錮刑等の自由刑は自然人のみに科されるものであり、法人に科されることはないが、罰金刑については、法人にも科されるとされている。

なお、会社の他の役員が贈収賄規制に違反する行為を行った場合でも、自らが贈収賄規制違反の構成要件に該当しない限り、原則として他の取締役が贈収賄規制違反として処罰されることはない。ただし、会社法（Corporation Code）上、取締役が、故意若しくは重過失により会社の明白な違法行為を承認した場合には、会社及び株主に生じた損害につき連帯責任を負うとされており（会社法30条）、当該条項を根拠に、直接贈収賄規制に違反する行為を行っていない取締役であっても、会社や株主に対しての責任を問われる可能性はある。

(3) 親会社の責任

フィリピン国内の現地子会社の従業員が違反行為を行った場合であっても、原則として、フィリピン国外に所在する親会社の責任が問われることはない。もっとも、親会社が子会社を支配しており、事情を知った上で子会社に対して贈賄を指示していたような場合には、法人格否認の法理が適用され、親会社が責任を負うこともあり得る。

7 第三者を通じた贈賄行為が処罰される場合とは？

私人のエージェント・仲介者・代理人等の第三者を通じて公務員に対する贈賄行為が行われた場合、汚職防止法の下では、当該第三者が公務員に対して贈賄行為を行うことを知っていた場合（なお、当該第三者に支払ったコンサルティングフィーが業務内容に比して不相当に高額である場合等は、当然知っていたとみなされる可能性もある）、あるいは、第三者に対して贈賄行為を教唆・幇助したといえる事情が認められる場合には、自ら直接贈賄行為を行っていない場合であっても、公務員贈賄罪が適用される可能性がある。

8 公務員贈賄罪はどのような手続を経て執行されるか？ 自主報告により制裁が軽減される制度はあるか？ 時効期間は？

(1) 公務員贈賄罪の執行手続

フィリピンでは、公務員贈賄罪は特殊警察官によって捜査され、嫌疑があると判断される場合には、特殊検察官が反汚職裁判所に訴追し、裁判所が判決を下すことにより執行される。訴追後に、特殊検察官と被告人との間で司法取引の合意を行うこともできる。海外に所在する個人が違反行為を行った場合、反汚職裁判所は、当該被疑者が逮捕されているか、フィリピン国内に所在している場合に限り、当該事案について管轄権を有するものとされ、その他の場合は、被疑者が自主的に出頭しない限り、反汚職裁判所は管轄権を有しない。

(2) 司法取引・捜査協力による刑の減免

大統領令749号（贈収賄その他公務員に対する汚職事件にかかる贈賄者及びその共犯者の起訴免除。Granting Immunity from Prosecution to Givers of Bribes and Other Gifts and to Their Accomplices in Bribery and Other Graft Cases Against Public Officers）は、改正刑法210条、211条及び212条その他公務員の収賄等を処罰する法律等についての違反行為について情報を提供し、か

つ、進んで公務員又は当該公務員の共犯又は幇助犯である私人に対して不利な証言を行った者は、自己が贈賄者又は共犯者である当該犯罪につき起訴又は処罰を免れることができると規定している。

ただし、当該免除を受けるためには、①当該情報及び証言が被告人たる公務員等の有罪判決のために必要であること、②捜査機関が当該情報及び証言の内容を当該情報提供及び証言より以前に把握していないこと、③当該情報及び証言の重要な部分について裏付けが可能であること等の一定の要件を満たすことが必要である。

(3) 公訴時効

公務員贈賄罪の時効は、犯罪行為を行い又は行うことを約束する直接収賄の場合は、捜査機関が違反行為を認知した日から 10 年間、その他の直接収賄及び間接収賄の場合は 5 年間、特別収賄の場合は 15 年間、汚職防止法違反の場合は 20 年間、改正会社法違反の場合は 1 年間である。

9 民間企業の役職員に対する賄賂・リベート供与は処罰対象となるか？

フィリピンの公務員贈賄規制は、民間企業の役職員に対する賄賂・リベート等には適用されない。また、私人に対する贈賄行為が他の刑法上の犯罪に該当することもない（もっとも、当該行為によって損害を被った第三者に対して民法上の損害賠償責任が発生する可能性はある）。

10 コンプライアンスプログラム等に関する規制・ガイドライン等はあるか？

フィリピンでは、上場会社については、2017 年 1 月 1 日付で発効した上場会社コーポレートガバナンス・コード（Code of Corporate Governance for Publicly-Listed Companies）が適用される。上場会社コーポレートガバナンス・コードにおいては、「コンプライ・オア・エクスプレイン」アプローチが採用されており、上場会社の取締役会は、行動規範として汚職防止方針及

び汚職防止に係るコンプライアンスプログラムを採用し、また、研修等を通じて従業員にこれらを周知するか、これらを遵守しない理由を説明しなければならない。なお、フィリピン証券取引委員会によれば、上場会社は、汚職防止方針及びコンプライアンスプログラムにより、贈収賄、詐欺、恐喝、談合、利益相反行為、マネーロンダリング等の行為を減少させること、これらの行為に関する従業員の報告を推奨すること、これらの行為を防止する手続の概要を定めること等に向けて努力することが求められている。また、2019年には、公開会社及び登録発行体コーポレートガバナンス・コード (Code of Corporate Governance for Public Companies and Registered Issuers) が公表されており、「コンプライ・オア・エクスプレイン」アプローチのもと、汚職防止に関して上場会社コーポレートガバナンス・コードと同様の定めが設けられている。

Column

フィリピンの汚職と司法

　フィリピンは、国民の平均年齢が約25歳と若く、人口は2024年時点で1億1,000万人を超えるとされている。また、2022年の実質GDP成長率は約7.6％と高い経済成長率を記録している。これらに加え、教育水準が高く英語を話すことができる労働力、海外からの投資に対する規制緩和の流れ等を背景に、フィリピンは日系企業にとって魅力的な投資先の1つとなっている。

　一方、トランスペアレンシー・インターナショナルが公表する2022年汚職認識指数において、フィリピンは180か国中116位であり、フィリピンにおける事業展開に当たっては、贈収賄のリスクに十分に留意する必要がある。

　贈収賄のリスクは、司法の場においても存在しており、裁判の公正性や独立性に影響を及ぼしているといわれている。2013年には著名な弁護士が、TVインタビューにおいて、高等裁判所における差止命令に500万フィリピンペソ（約1,300万円）を要求された事例等と共に裁判所における贈収賄の問題を指摘し、話題となったこともある。フィリピンの裁判の公正性や独立性の問題は、贈収賄に加え、低い賃金、高い離職率、裁判官に対する脅迫等も影響しているといわれている。なお、このような裁判所のさまざまな問題に

取り組むため、最高裁判所は、2022年に裁判所の改革に関する5か年計画（2022年〜2027年）を公表している。

　フィリピンにおいて裁判所ではなく仲裁が好まれ、また、国内仲裁よりも国際仲裁が外資系企業に好まれる傾向があるのは、このような事情も影響しているように思われる。

第5節　ベトナム

1　ベトナムにおける贈収賄行為の実情は？

　トランスペアレンシー・インターナショナルが公表する2022年度腐敗認識指数において、ベトナムは、2020年には104位、2021年には87位、2022年には77位となっており、直近3年間で順位の改善がみられる。しかし、ベトナムにおいては、従前から贈収賄行為が問題となることは多く、現在でも、そのような傾向が劇的に改善されるまでには至っていないように思われる。実際、ベトナムでは、特に、取得の難しい業種の投資登録証（Investment Registration Certificate）を申請する際に、当局から袖の下を求められることも少なくないのが実情であり、また、ビジネスとは離れるが、無免許運転（特にオートバイの免許）で警察に捕まった際等には、無免許運転を不問とする見返りに、いくらかの金銭の支払を要求されることも少なくない。

　ベトナムでは贈収賄行為の処罰事例に関して情報が公開されているわけではないものの、上記のように贈収賄行為が行われている状況に鑑み、ベトナム政府は、近年、贈収賄行為に対する取締りを強化している。また、外国企業が関与する贈収賄の実例も存在する。

　例えば、2008年、大手コンサルタント会社のパシフィックコンサルタンツインターナショナル（PCI）がベトナムでの政府開発援助（ODA）事業を受注した際に、現地高官に多額の賄賂を提供したとして、日本の不正競争防止法違反（外国公務員への贈賄）容疑で、元PCI幹部4人が逮捕され、2009年1月、一審の東京地裁は、被告人の元幹部ら3人とPCI社に対し、不正競争防止法違反でいずれも有罪とする判決を下した。

　また、比較的近時の実例として、大手プラスチック製品製造会社である天

馬株式会社のベトナム子会社に対する追徴課税金を減免させるため、2017年及び2019年に、現地の税務当局職員に対し合計50億ベトナムドン（当時の円換算で約2,260万円）の現金を提供した事案において、東京地裁が、2022年11月、本社の代表取締役及び執行役員、現地子会社社長、並びに天馬株式会社を不正競争防止法違反の罪（外国公務員贈賄罪）でいずれも有罪とした判決が広く知られている。また、他にも、富山県内のプラスチック製造会社が、追徴課税や罰金を免れるためベトナムの公務員に賄賂を渡したとして、2022年に同社の代表取締役ら3名が不正競争防止法違反（外国公務員への贈賄）の疑いで日本で書類送検されたという報道もある。

なお、下記のとおり、2018年1月1日から施行されたベトナム刑法下では、民間企業の職員に対する贈賄行為についても贈賄罪が成立する可能性も出てきており、これまで以上に厳格な対応が求められている。

2　ベトナムにおける贈賄規制の概要は？

ベトナムにおいて贈賄行為を取り締まる基本的な法律は、2015年100号刑法（Law No. 100/2015/QH13- Penal Code）（以下本節において「刑法」という）である。

これに加えて、ベトナムにおいては、汚職行為、主に収賄行為を規制する法律として、2018年36号汚職防止法（Law No.36/2018/QH14 on Anti-Corruption）（以下本節において「汚職防止法」という）が存在する。汚職防止法は、公務員や（公的・民間を問わず）組織において管理職の地位にある者を含む概念である「地位・権限を有する者」に適用される。汚職防止法自体は、贈賄行為を直接に規制する法律ではないものの、下記3のとおり刑法の贈賄罪の規定の解釈に際し汚職防止法の規定が参照されたり、下記10のとおり汚職防止法上企業に対し一定のコンプライアンス体制構築が求められたりしていることもあり、企業としては贈賄防止の観点から汚職防止法の規定にも目配りをする必要がある。

3　贈賄罪の要件は？

ベトナムにおける贈賄罪は、刑法364条に定められている。刑法364条

は、「地位・権限を有する者（"người có chức vụ, quyền hạn"）やその他の者又はその他の組織に、直接又は仲介を通じて、贈賄者の利益のために又はその要請に応じて、地位・権限を有する者が特定の業務を行う又は行わないよう、以下の利益のいずれかを与えた又は与えようとする」ことを禁じている。各要件の詳細は以下のとおりである。

(1) 客体（収賄の対象）

刑法364条は「地位・権限を有する者やその他の者又はその他の組織」に対して贈賄行為を行うことを禁じているが、これ自体からは誰に対する贈賄行為が禁じられているのかの具体的内容は明らかではない。

この点、公務員贈賄罪は、刑法第23章「職務に関する犯罪」として規定されており、刑法352条においては「職務に関する犯罪」の主体を、「権限を有する者」と規定し、「任命、選挙、契約、又はその他の方法により、給与の有無を問わず、一定の職務及び権限を与えられた者」をいうと定義している。そして、この刑法352条に規定される「権限を有する者」は、汚職防止法上の収賄の主体である「地位・権限を有する者」と同義に解されている[5]。さらに、汚職防止法上、「地位・権限を有する者」とは、「指名され、選出され、又は契約やその他の雇用形態に基づき雇用され、給与の有無を問わず、一定の任務や職務の遂行を委託され、かつ、当該任務や職務の遂行に関して一定の権限を有する者」をいうと定義され、以下が例示されている（汚職防止法3条2項）[6]。

① 役人及び公務員
② ベトナム人民軍の将校、職業軍人、国防労働者、若しくは公務員又はベトナム人民警察の将校、下士官若しくは労働者

---

[5] 2020年12月30日付け最高人民法院司法委員会決議No.03/2020/NQ-HDTPの2条4項によれば、刑法352条2項に規定される「権限を有する者」は汚職防止法3条2項に規定される者を指すとされている。

[6] なお、上記のとおり、刑法364条は、「地位・権限を有する者やその他の者又はその他の組織」とし、「地位・権限を有する者」のほかに「その他の者又はその他の組織」という文言を加えていることから、直接的な権限を有さなくとも「地位・権限を有する者」に影響を及ぼし得る者であれば、贈賄罪の客体として広く捕捉する趣旨であるものと思われる。この点は、今後の実務運用を注視する必要がある。

③ 国が出資している企業の代表者
④ 組織における管理職の地位にある者
⑤ その他、一定の任務や職務の遂行を委託され、かつ、当該任務や職務の遂行に関して一定の権限を有する者

また、刑法364条6項は「外国公務員、公共国際組織の公務員、国有以外の企業、組織に職務を有する者に贈賄するか贈賄しようとした者」についても贈賄罪の規定を準用すると規定している。

このように、ベトナムの公務員だけでなく、外国公務員や公共国際組織の公務員、さらに民間企業の役職員[7]についても贈賄罪の成立に必要な客体（収賄の主体）の対象となる点に留意が必要である。

(2) 主観的要件

刑法上、「贈賄者の利益のために又はその要請に応じて、地位・権限を有する者が何らかのことをする又はしないこと」を企図して贈賄を行うことと規定されていることから、収賄側の地位又は権限内において贈賄側の利益につながる何らかの作為又は不作為を誘発する目的である主観的要件（「汚職の意図」等）を有している必要がある。したがって、上記の主観的要件を満たさない限り、ベトナム法上、贈賄罪は成立しないと理解されている。

(3) 利　益

刑法364条が贈ることを禁じている「利益」は以下と定められている（刑法364条1項）。
① 金銭、財産その他財産的利益であり、200万ドン（約1万2,000円）以上の価値を有するもの
② 非財産的利益[8]

---

[7] もっとも、民間企業におけるどのような役職の者が贈賄罪の成立に必要な客体（収賄の主体）となるかについては明確ではなく、今後の実務運用を注視する必要がある。
[8] 2020年12月30日付け最高人民法院司法委員会決議No.03/2020/NQ-HDTPの3条4項によれば、称号や賞の授与及びその提案、投票、試験の成績の改ざん、学校卒業等についての約束、又は性的サービス等がこれに当たるとされている。

ただし、たとえ上記①の場合で財産的利益の価値が200万ドン未満であっても、(イ)組織的に行われた場合、(ロ)欺罔手段を用いた場合、(ハ)国の財産を用いた場合、(ニ)職務・権限を利用した場合又は(ホ)2回以上行われた場合（刑法364条2項）のいずれかに該当した場合、贈賄罪は成立する。

なお、下記6で詳述するとおり、刑法上、贈賄の対象となる利益の金額によって法定刑が異なる。

(4) 贈賄行為

刑法上、利益を「与えた又は与えようとした」場合に処罰されると規定されており（刑法364条1項）、したがって、利益が贈賄の客体となる相手に実際に交付される前であっても、贈賄罪は成立する。

4 贈賄罪の適用が除外される場合とは？

ベトナムにおいては、米国FCPAのファシリテーション・ペイメントのように、公務員の機械的業務に関する円滑化のための少額の支払について適用を除外する旨の規定はない。したがって、円滑化のための少額（具体的な金額については上記3(3)を参照）の支払であっても、贈賄罪の構成要件に該当する可能性がある。

この点、ベトナム法上明確な規定はなく、また、広範な関連当局の裁量に服することになるものの、上記3(2)で述べたように、収賄側の地位又は権限内において何らかの作為又は不作為を誘発する目的を有していないと評価できる場合には、ファシリテーション・ペイメントの支払を行ったとしても、主観的要件を満たさないものとして、公務員贈賄罪は成立しないものと考えられる。しかし、公務員に対する支払について、それが作為又は不作為を誘発する目的を有するのかそうでないのかを区別することは非常に困難であり、基本的にこのような支払を行うことには慎重になるべきと考えられる。

同様に、ベトナムの会社の従業員が会社の費用による会食等の接待を通じて公務員等の贈賄罪の客体（収賄の主体）と社交的な付き合いを行うことについても贈賄罪の成否が問題となる。一般的に、当該接待にかかる費用が合理的であり、かつ、当該接待が不適切な内容を含むものでない場合には、収

賄側の地位又は権限内において何らかの作為又は不作為を誘発する目的を有していないと評価できる可能性はある。しかし、個別の事情に照らして実質的に何らかの作為又は不作為を誘発する目的を有するものと評価されるような性質のものではないかは、慎重に検討することが肝要であろう。

なお、かつては、公務員等の収賄行為に関する規制を定める旧汚職防止法及びその下位規範（首相決定第64-2007-QD-TTg）において、一定の要件の下で、公務員が少額の贈答品・接待を受けることが認められていたが、現在ではこの下位規範は失効しており、公務員はいかなる場合でも贈答品・接待を受けることは認められていない。

なお、下記8で述べるように、刑法上、贈賄罪に関する適用除外の規定があり、贈賄を行うことを強制された者が発覚前に自発的に当局に対して報告した場合には、無罪として扱われる（刑法364条7項）。また、贈賄をした者が、強要されていなくても、発覚前に自発的に当局に対して報告した場合は、刑事責任の免除が認められる可能性がある（同項）。

5　①外国法人・個人による贈賄行為、②外国公務員に対する贈賄行為、③外国における贈賄行為に贈賄罪が適用されるか？

(1)　ベトナムの贈賄罪は、ベトナム国内における贈賄行為については、外国人に対しても適用される（刑法5条）。なお、下記6にて述べるとおり、贈賄罪は法人に対しては適用されない。

(2)　上記3(1)で述べたとおり、刑法上、贈賄罪の規定は「外国公務員、公共国際組織の公務員」に対する贈賄行為にも準用されると規定されている（刑法364条6項）。したがって、外国公務員、公共国際組織の公務員に対して行われた贈賄行為に対しても、贈賄罪は適用される。

(3)　ベトナム国民がベトナム国外において贈賄行為を行った場合、贈賄罪が適用される（刑法6条1項）。外国人がベトナム国外においてベトナムの公務員に対して贈賄行為を行った場合、当該贈賄行為がベトナム市民の法的権利、利益を侵害するか、又はベトナム社会主義共和国の利益を侵害するときは、刑法又はベトナム社会主義共和国が批准する国際条約（該当するものとして、腐敗の防止に関する国際連合条約がある）の規定に基づいて、贈賄罪が

適用され得る(刑法6条2項)。

6 贈賄罪の罰則その他の制裁は? 法人に対する制裁、海外の親会社に対する制裁は?

贈賄行為に対する罰則は、原則として賄賂の価値によって区分されている(刑法364条)。その概要は以下のとおりである。なお、贈賄行為の仲介者(intermediary)に対しても同様の固有の罰則が規定されているが、贈賄者より法定刑が若干低く定められている(例えば贈賄者であれば7年以上12年以下の懲役(贈賄額が5億ドン以上10億ドン未満の場合)となる箇所は、贈賄行為の仲介者の場合5年以上10年以下の懲役とされている。刑法365条)。

法人に対する両罰規定は存在しないが、親会社の役職員が子会社の役職員を通じて贈賄を行った場合には、第三者(子会社の役職員)を通じて贈賄を行ったものとして贈賄罪に該当する可能性がある点には留意が必要である。

〔図表5-2〕 ベトナムにおける贈賄行為に対する罰則

賄賂の価値	罰則
200万ドン未満(約1万2,000円未満) ※組織的である場合、欺罔手段を用いた場合、国の財産を用いた場合、職務・権限を利用した場合又は2回以上犯した場合を除く	– ただし、左記の※に該当する場合は、2年以上7年以下の懲役
200万ドン以上1億ドン未満(約1万2,000円以上59万4,000円未満) 又は非財産的利益	2,000万ドン以上2億ドン以下(約11万9,000円以上118万8,000円以下)の罰金、3年以下の非拘束矯正又は6月以上3年以下の懲役
1億ドン以上5億ドン未満(約59万4,000円以上297万円未満)	2年以上7年以下の懲役
5億ドン以上10億ドン未満(約297万円以上594万円未満)	7年以上12年以下の懲役
10億ドン以上(約594万円以上)	12年以上20年以下の懲役

また、上記の懲役刑又は非拘束矯正[9]に課せられる場合、贈賄者又は贈賄行為の仲介者は、別途、2,000万ドン以上2億ドン以下（約11万9,000円以上118万8,000円以下）の罰金を支払う必要がある（刑法364条1項、365条1項）。

なお、上記要件を満たさない場合であっても、贈賄行為に関し、特定のセクターに関連する行政上の罰金の対象となる場合がある点にも留意が必要である。例えば、道路輸送に関して、行政罰を回避するために贈賄行為を行うと、600万ドン以上800万ドン未満（約3万5,000円以上4万7,000円未満）の罰金が科される。

7　第三者を通じた贈賄行為が処罰される場合とは？

当事者が第三者（仲介者）に賄賂の供与を委託し、かかる第三者（仲介者）を通じて賄賂の供与を行ったような場合、当該第三者（仲介者）を通じて賄賂の供与を行った当事者について、贈賄罪の対象となる（なお、上記6のとおり仲介者による仲介行為自体についても罰則の対象となる）。他方、当事者が賄賂の供与を意図せずに第三者に金銭等を渡し、かかる金銭が結果的に賄賂として利用された場合には、原則として、当該金銭等の提供者に贈賄罪は適用されないが、当事者が賄賂として使われることを知り得たような場合には贈賄罪が適用される可能性も否定できないと解されているため、注意が必要である。

8　贈賄罪はどのような手続を経て執行されるか？　自主的な申告による制裁の減免制度はあるか？　時効期間は？

ベトナムにおいては、贈賄罪について特別の手続規定はなく、2015年第101号刑事訴訟法（Law No. 101/2015/QH13 on the Criminal Procedures Code）（以下本節において「刑事訴訟法」という）に基づく一般的な刑事手続に則って行われる。なお、ベトナムにおける刑事裁判手続は、基本的には日

---

[9]　居住場所において、所管機関又は所管人民委員会の監督及び教育を受けながら、社会奉仕活動等の実施及びそこから生ずる収入の一部を国庫に納入する義務を負うことを内容とする措置であり、受刑者の義務には、居住場所の制限、一定期間ごとの当局への活動報告義務を含む。

本と似た手続であるものの、その特徴の1つとして、2審制であることが挙げられる。

ベトナムにおいては、①贈賄を行うよう強制された結果贈賄を行った者が、当局から探知される前に率先して当該贈賄行為について報告した場合、当該贈賄者に対する刑罰は免除される。また、②強制を受けてはいないものの贈賄を行った者が、当局から探知される前に率先して当該贈賄行為について報告した場合、当該贈賄者に対する刑罰は免除される可能性がある。上記①の場合、当該贈賄者は、当該贈賄の対象となった物の返還を受けることができるが（刑法364条7項）、上記②の場合、当該贈賄の対象となった物の一部又は全ての返還を受けることができる場合があるにとどまる（同項）。

なお、法令上、どのような場合に「強制」に該当するかは定められてはいないが、実務上、少なくとも公務員から何らの要求なく自ら贈賄を行った場合には、「強制」があったと解釈することはできないと解されている。

ベトナムの刑事手続上、以下の時効期間が定められている（刑法27条2項）。

〔図表5-3〕　ベトナムの刑事手続における時効期間

犯罪の程度	時効期間
①軽度の犯罪	5年
②重大な犯罪	10年
③非常に重大な犯罪	15年
④極めて重大な犯罪	20年

なお、各犯罪が上記①から④のいずれに該当するかは、当該犯罪の法定刑の最高刑罰によって以下のとおり区別されている（刑法9条3項）。
① 軽度の犯罪：最高刑罰が罰金、非拘束矯正罰又は懲役3年以下の場合
② 重大な犯罪：最高刑罰が懲役3年以上7年以下の場合
③ 非常に重大な犯罪：最高刑罰が懲役7年以上15年以下の場合
④ 極めて重大な犯罪：最高刑罰が懲役15年以上20年以下、終身刑又は死刑の場合

上記6で述べたとおり、贈賄罪の法定刑は主として賄賂の金額により区分

され、時効期間についてもいずれの贈賄罪が成立するかによって異なることとなる。

9 民間企業の役職員に対する賄賂・リベート供与は処罰対象となるか?

1999年に公布された旧刑法（Law No.15/1999/QH10）（以下本節において「1999年刑法」という）の下では、ベトナムの贈賄罪は、法令に定められた一定の公的地位を有する者（1999年刑法277条）に対する贈賄行為のみを対象としていたため、民間企業の役職員に対する賄賂・キックバック等には適用されないのが原則であった[10]。

しかし、上記3(1)で述べたとおり、現行の刑法では、贈賄罪の規定は「国有以外の企業、組織に職務を有する者」に対する贈賄行為にも準用されると規定されており（刑法364条6項）、また、刑法上の贈賄の客体である「権限を有する者」の範囲を解釈する際に参照される汚職防止法上の「地位・権限を有する者」の範囲については、「組織における管理職の地位にある者」、「その他、一定の任務や職務の遂行を委託され、かつ、当該任務や職務の遂行に関して一定の権限を有する者」（汚職防止法3条2項）と民間企業の役職員が含まれていることから、民間企業の職員に対する賄賂についても贈賄罪が成立する可能性がある。したがって、現在では、取引先の個人担当者に対してキックバックを供与したような場合にも贈賄罪が成立する可能性があるため、民間贈賄も意識したコンプライアンス態勢の構築が必要となる。

10 コンプライアンスプログラム等に関する規制・ガイドライン等はあるか?

汚職防止法では、民間企業・組織に対して、利益相反を管理・防止し、汚

---

[10] この点、2012年に、民間の銀行の役員が顧客に対するローンの実行について便宜を図ることを目的として当該顧客から手数料を個人的に受領したことにつき、「収賄罪」（1999年刑法279条）の判決が下された事例が生じたこと等から、法令と実務の間に剥離があり、民間企業の役職員に対する贈収賄の成否に関しては不明確な状況にあった。

職を防止し、健全で汚職のない企業文化を発展させるために、行動規範と内部での管理システムを確立・実施することを求めている（汚職防止法79条1項）。他方で、そのような贈賄行為を防止するためのコンプライアンスプログラムの詳細に関し、政府が発表するガイドライン等は定められていない。

> **Column**
>
> ## ベトナムにおける贈答品と贈賄
>
> 　ベトナムでは、旧正月（テト）や中秋節に取引先等との間で贈答品を贈り合うことが慣習として行われており、公務員に対してそのような時期に贈答品が渡されることも珍しくない。ベトナムへ赴任した日本人も、当初はそのような慣習にやや戸惑いつつ、ローカル従業員からその重要性を説明され、何となくそのようなものだと受け入れているように思われる。
>
> 　実際のところ、このような贈答行為は、贈賄規制との関係で一切許されないというわけでもない。贈賄罪は、金銭等の贈与が「汚職の意図」をもってなされたと判断される場合に成立するため、それが真に社会的儀礼としての贈答行為にすぎず、「汚職の意図」はないといえるならば、問題はないはずである。しかし、ある贈答行為が社会的儀礼によるものかそうでないのかの切り分けは非常に困難であるため、安全を期するのであれば、やはり、贈賄罪の客観的構成要件（200万ドン（約1万2,000円）以上の金銭等の贈与）に該当しない範囲で、すなわち、200万ドン（約1万2,000円）未満相当の品物を贈るにとどめることが望ましい。
>
> 　なお、汚職防止法上、公務員は、金額にかかわらず、自身の業務に関わる組織・個人から一切の贈与を受けてはならないとされている。この点、本文でも触れたとおり、旧汚職防止法（Law No.55/2005/QH11 on Anti-Corruption）及びその下位規範（首相決定第64-2007-QD-TTｇ）では、一定の要件を満たす限り50万ドン（約3,000円）以下の贈答品を受け取ることが明示的に認められていたが、現行法ではこのような例外が設けられていない。そのため、このような贈答品は、むしろ公務員側で率先して受取りを拒絶しなければならないともいえるが、2019年7月の現行汚職防止法施行からそれなりに時間が経過した本執筆時点においても、この辺りの意識や取扱いが大きく変わった様子は特に見受けられない。ベトナムにおける贈答品と贈賄規制に関する議論はしばらく続きそうである。

第6節　マレーシア

1　マレーシアにおける贈収賄行為の実情は？

　トランスペアレンシー・インターナショナルが公表する2022年度腐敗認識指数において、マレーシアは、180か国中61位であり、近隣国のタイが101位、インドネシアが110位、ベトナムが77位とされていることからしてアジア各国の中では比較的高い評価を得ているともいえる。もっとも、2020年のPwCマレーシアによる調査（Global Economic Crime and Fraud Survey 2020 – Malaysia report）によれば、回答企業の25％は「過去2年に賄賂の支払を求められたことがある」と回答しており、2018年に行われた同調査から11％上昇している。また、トランスペアレンシー・インターナショナル・マレーシアによる調査（Global Corruption Barometer – Asia Pacific 2020）によれば、国会議員は汚職を行っていると認識している回答者が36％、政府の職員は汚職を行っていると認識している回答者が28％存在した。また、警察は汚職を行っていると認識している回答者は30％存在し、警察官に賄賂を支払ったことがあるとした回答者も17％存在していた。そのほかにも立法・司法・教育・医療といったさまざまな分野において、主に事務をより早く処理してもらうことを目的として、贈賄行為が広く行われていることが報告されている。このように、贈収賄の根絶はいまだ同国の大きな課題となっている。

　マレーシア汚職防止委員会（Malaysian Anti-Corruption Commission）（以下本節において「汚職防止委員会」という）が公表している年次統計によれば、2023年には1,137名が違反行為により逮捕されている。汚職防止委員会によるこれまでの代表的な実績としては、マレーシア政府の開発会社である1Malaysia Development Berhadによる汚職、収賄、マネーロンダリング

への関与について、2020年にマレーシアの元首相が有罪判決を受けた（2022年に確定）ことや、マレーシアの世界的なエネルギー会社の子会社である Petronas Carigali Sdn Bhd の幹部が、2017年から2020年の間に建設業者に対して賄賂を働きかけた上で賄賂を受け取ったとして、2023年に起訴されたこと等が挙げられる。

政府は、2010年より「政府改革プログラム」に乗り出し、汚職対策を重点分野として位置付けた上で、汚職根絶に向けた取組を強化している。さらに、政府は、汚職根絶の取組として、2019年に「国家汚職防止計画2019-2023」を策定し、同計画において、政治ガバナンス、公共機関管理、公共調達、法律・司法制度、法執行及び企業ガバナンスの6つの分野に重点的に取り組んでいる。汚職防止委員会は、2024年半ばに、新たに「国家腐敗防止戦略2024-2029」を公表する予定である。

また、マレーシアは、国際連合腐敗防止条約（United Nations Convention Against Corruption）に2008年から加盟しているほか、アジア太平洋マネーロンダリング対策グループ（Asia Pacific Group on Money Laundering）、アジア太平洋経済協力会議腐敗対策・透明性向上作業部会（APEC Anti Corruptions and Transparency Working Group）、国際腐敗行為防止当局・法執行機関連盟（International Association of Anti-Corruption Authorities）といったさまざまな国際機関に参加しており、他国と協同して汚職防止に取り組む姿勢を打ち出している。

2　マレーシアにおける贈賄規制の概要は？

マレーシアにおいて贈賄を取り締まる基本的な法律は、2009年マレーシア汚職防止委員会法（Malaysian Anti-Corruption Commission Act 2009）（以下本節において「汚職防止委員会法」という）であり、公務員に対するものにとどまらず、民間人・民間企業に対するものも規制の対象となっている。マレーシア刑法（Penal Code）には、収賄罪の規定が存在するものの、贈賄罪についての規定がなく、贈賄行為の取締りにおいては専ら汚職防止委員会法が主要な役割を果たしているといえる。

汚職防止委員会法は、旧法（Anti-Corruption Act 1997）を廃止し、より踏み込んだ規制を実現することを目的として新たに制定されたものであり、こ

の法律によって捜査や摘発を行う専属の取締機関としての汚職防止委員会が設置され、同委員会には、通信の傍受や財産の没収を含む広範な権限が与えられている。同法は、贈収賄に関する犯罪を類型ごとに詳細に規定した上で、処罰対象を広範に定めている。また、同法は、2018 年に改正され、法人処罰に関する規定が新たに追加された（下記 6 参照）。

3　贈賄罪の要件は？

　汚職防止委員会法は、贈賄一般に関する規制として、何人も、単独で又は他人と共に、何人に対しても、①ある者が何らかの事項について何らかの行為を行い若しくは行わないこと、又は、②公務員がその所属する公的機関にかかわりのある業務について何らかの行為を行い若しくは行わないことについて、その誘引又は見返りとして、利益（gratification）を汚職の意図をもって（corruptly）供与し、又は供与を約束し若しくは申し出ることを禁止する（同法 16 条）。かかる贈賄罪の規定は、収賄者が公務員であるか民間人・民間企業であるかを問わず適用される。

　また、このような一般的・包括的な規定のほかに、公務員（officer of a public body）に対する贈賄罪について別途禁止規定が存在する。これによれば、何人も、公務員に対して、①当該公務員が公的機関における票決に参加する場合に、投票し又は投票をしないこと、②当該公務員が自己の公務を行い若しくは行わず、又は公務の遂行に関して促進、周旋、遅延、妨害若しくは阻害に助力すること、③当該公務員が何らかの事項についての可決を促進若しくは阻害し、又はある者に有利になるように契約若しくは利益を与えること、又は④当該公務員が自己の立場で可能な限りにおいて、ある者に対し有利な取扱い若しくは不利な取扱いを行い若しくはこれらを行わないことについて、その誘引又は見返りとして、利益の供与を申し出ることが禁止される（汚職防止委員会法 21 条）。この公務員贈賄罪は、当該公務員に上記①～④の行為を行う権限や機会がなかった場合、当該公務員が上記①～④の行為を行う意図なく利益を収受した場合、当該公務員が実際には上記①～④の行為を行わなかった場合、又は当該誘引若しくは見返りが当該公務員の属する公的機関の業務と無関係であった場合であっても成立する（同条ただし書）。

　各文言の定義は以下のとおりである。

(1) 公務員

汚職防止委員会法において、「公務員」とは、公的機関（public body）の構成員、役員、従業員又は使用人をいい、行政機関、国会又は州議会の構成員や、高等裁判所、上訴裁判所又は連邦裁判所の裁判官のほか、公的資金から報酬を受け取る者も含まれる（3条）。なお、公的機関には、マレーシア中央政府、州政府その他行政機関のほか、これらの行政機関が支配権を有する会社（いわゆる国有企業等）も含まれる点に注意が必要である。

(2) 利　益

汚職防止委員会法において、「利益」には、財産又は財産的利益のほか、あらゆる形態のサービスや便宜が広く含まれる（3条）。

(3) 汚職の意図をもって

「汚職の意図をもって」とは、汚職防止委員会法上の定義はないものの、判例上、①合理的な一般人の判断基準に基づき客観的にみて、利益の授受に係る取引自体に汚職の要素が存在し、かつ、②利益の授受に係る取引を行った者が、上記の意味における汚職について故意を有していたことが必要であると解されている。もっとも、利益の授受行為（その約束又は申出を含む）が証明された場合には、「汚職の意図をもって」行われたのではないことの反証がない限り、当該利益の授受行為（その約束又は申出を含む）は「汚職の意図をもって」されたものであることが推定される（汚職防止委員会法50条）。

4　贈賄罪の適用が除外される場合とは？

汚職防止委員会法上、米国のファシリテーション・ペイメントのような公務員の機械的業務に関する円滑化のための少額の支払について公務員贈賄罪の適用を除外する旨の規定はない。したがって、機械的業務の円滑化のための少額の支払であっても、公務員贈賄罪の構成要件に該当する可能性がある。また、一定額以下の利益について適用を除外するような規定は法文上存在し

ない。なお、問題となる利益の授受が慣習的なものであることを示す証拠は裁判において用いることができないとされている（汚職防止委員会法57条）。

他方、公務員に対する通達では、次のような規定がある。すなわち、1993年公務員（行為規範）通達（Public Officers (Conduct and Discipline) Regulations 1993）においては、公務員は、自己の公務に直接的又は間接的に関連して、有形無形を問わずいかなる贈答品（present）も受け取ってはならないとされる一方で、その受領を拒むことが困難であった場合には、所属部署の最高責任者の許可を得た上で贈答品を保持することが認められる（1993年公務員（行為規範）通達8条）。また、公務の遂行に影響を与えない限度であれば、同通達に規定される行動規範に反しない限りであらゆる種類の接待（entertainment）を受けることができる（同通達4条。ただし、当該行為規範においては、自らの公的地位を私益のために利用する行為や、公益より私益を優先していると疑いを持たれる行為一般が禁止されており、接待を受ける行為もかかる一般原則の規制を受ける）。さらに、公務上の贈答品の授受に関するガイドライン（Guidelines for Giving and Receiving Gifts in the Public Service）における贈答品受領の規制対象について、500リンギット（約1万5,500円。又は対象公務員の月額給与の4分の1のほうが低い場合にはその額）を基準とするものがある。

しかし、これらはあくまで公務員向けの内部規程であり、これを公務員が遵守していた場合であっても、贈賄者が汚職防止委員会法に定める公務員贈賄罪により刑事責任を追及される可能性はなお否定し得ないものと考えられる。

5　①外国法人・個人による贈賄行為、②外国公務員に対する贈賄行為、③外国における贈賄行為に贈賄罪が適用されるか？

①について、汚職防止委員会法上の贈賄罪及び公務員贈賄罪は、犯罪行為がマレーシアで行われる限り、国外で設立された法人や同国籍を有しない個人に対しても適用される（法人処罰に関する規定については下記6のとおりである）。

②については、汚職防止委員会法上、禁止規定が別途存在する。これによ

れば、何人も、単独で又は他人と共に、外国公務員（foreign public official）に対して、(イ)当該外国公務員が、自己の地位を利用して、所属する国家や公的な国際機関の行為や決定に影響を与えること、(ロ)当該外国公務員が自己の公務を行い若しくは行わず、又は公務の遂行に関して促進、周旋、遅延、妨害、若しくは阻害に助力すること、又は(ハ)当該外国公務員がある者に有利になるように契約締結の促進若しくは阻害に助力することについて、その誘引又は見返りとして、利益を供与すること、利益の供与を約束し若しくは申し出ること、又は利益の供与若しくは申出に同意することが禁止される（同法22条）。なお、「外国公務員」には、(i)任命又は選任されて外国の立法、執行、行政又は司法の官庁に在勤している者、(ii)外国の公的機能を行使する者（外国の任務や機能を果たすために設置された部局、委員会、会社その他の機関又は当局に雇用されている者を含む）、及び(iii)国際的な機関から当該機関のために行動する権限を与えられている者が含まれる（同法3条）。この外国公務員贈賄罪は、当該外国公務員に上記(イ)〜(ロ)の行為を行う権限や機会がなかった場合、当該外国公務員が上記(イ)〜(ロ)の行為を行う意図なく利益を収受した場合、当該外国公務員が実際には上記(イ)〜(ロ)の行為を行わなかった場合、又は当該誘引若しくは見返りが当該外国公務員の公務の範囲と無関係であった場合であっても成立する（同条ただし書）。

　③について、マレーシア国民又はマレーシアの永住者が犯した犯罪行為である限りは、当該贈賄行為の行為地が同国外であったとしても、汚職防止委員会法が適用される可能性があるとされている（同法66条1項）。

6　贈賄罪の罰則その他の制裁は？　法人に対する制裁、海外の親会社に対する制裁は？

(1)　贈賄罪の罰則

　汚職防止委員会法が定める贈賄罪（16条）、公務員贈賄罪（21条）又は外国公務員贈賄罪（22条）を犯した場合、20年以下の禁錮刑に加え、贈賄の対象となった利益の5倍以上又は1万リンギット（約30万9,300円）のうちいずれか高いほうの額の罰金刑が併科される（同法24条）。なお、汚職防止委員会法上、行政上の制裁に関する規定は特に存在せず、同法に基づく制裁

ではないものの、贈賄行為に関与した疑いにより会社がいわゆるブラックリストに掲載され、公共事業の入札から排除されたというケースも存在するようである。

(2) 法人に対する制裁

　法人に対する制裁に関しては、汚職防止委員会法の 2018 年の改正法により、17A 条が追加され、営利組織（commercial organisation）の利益又は便益のため、営利組織の従業員その他の「関係者（person associated with the commercial organisation）」により汚職行為が行われた場合、当該汚職行為に関し営利組織が刑事責任（法人責任）を負うという原則が確立された。改正がなされたのは 2018 年であるが、法人責任に関する規定は 2020 年 6 月 1 日に発効した。

　17A 条の下では、営利組織の関係者が、いかなる者に対しても、その営利組織のために事業や利得（advantage）を得るか又は維持する目的で、利益（gratification）を汚職の意図をもって（corruptly）供与し、又は申し出る場合、営利組織についても犯罪が成立する。ここでの「営利組織」には、マレーシアで事業を営む、マレーシア企業、外国企業、パートナーシップが含まれる。また、営利組織の「関係者」とは、取締役、共同経営者、従業員その他営利組織のために、又は営利組織を代表して、役務を提供する者（代理人や請負業者等）を指す。

　さらに、営利組織が 17A 条の罪を犯した場合、取締役、役員、共同経営者その他当該犯罪行為の時点で営利団体の経営（management of the affairs）に関与していた者に対しても、その者が当該犯罪行為を知っていたかどうかを問わず、刑事責任が及ぶとされる。かかる刑事責任を免れるためには、当該犯罪行為がその者の同意や共謀なしに行われたこと、及びその者の職務の性質や状況を考慮し、犯罪の実行を防止するために相当の注意を払ったことを証明する必要がある。営利組織が 17A 条の罪を犯したとして起訴された場合であっても、下記 10 のとおり、営利組織が、当該営利組織の関係者が汚職行為を行うことを防止するための適切な手続（adequate procedures）を備えていたことを証明できた場合には、刑事責任を免れる。

　17A 条の罪を犯した営利組織が有罪判決を受けた場合、犯罪の対象と

なった利益の金額又は価値の10倍（当該利益が評価可能又は金銭的性質のものである場合）又は100万リンギット（約3,093万円）のいずれか高いほうの金額以上の罰金、若しくは20年以下の禁錮、又はその両方が科される。

　かかる法人処罰の適用事例として、2021年3月、船舶レンタルサービスを提供する現地の船舶用船会社が、石油・ガス採掘作業用の船舶リース下請契約を受注するための贈収賄疑惑に関連して、17A条が施行されて以来、同条に基づいて起訴された最初の営利組織となった。また、2023年4月5日には、現地総合商社が、17A条に基づき起訴された2番目の営利組織となったと報じられた。これらの事件は現在も進行中である。

(3) 海外の親会社に対する制裁

　なお、マレーシア国内の現地子会社の従業員が違反行為を行った場合、海外の親会社が当然に処罰の対象となるわけではない。しかしながら、解釈上、贈賄行為を親会社が指示したり、親会社が贈賄行為に寄与したりしたような場合には当該親会社も処罰の対象となる可能性は否定し得ない。

7　第三者を通じた贈賄行為が処罰される場合とは？

　贈賄罪（汚職防止委員会法16条）又は外国公務員贈賄罪（同法22条）については、「単独で又は他人と共に」という規定上の文言からも明らかなとおり、ある者が第三者を通じて贈賄行為を行った場合であっても、各犯罪の構成要件に該当するものと解される。

　他方、公務員贈賄罪（同法21条）については、法文上「単独で又は他人と共に」という文言が含まれていないことから、第三者を通して贈賄行為を行った場合には、同条の禁止の対象外と解される余地がある。もっとも、その場合であっても、本人の事業又は業務に関して本人の代理人（収賄者の代理人）に対する贈賄をすることを禁止する代理人贈賄罪（同法17条）に該当する可能性がある。代理人贈賄罪においては、何人も、本人の業務や事業に関して、何らかの行為を行い若しくは行わないこと、又はある者に対して有利な取扱い若しくは不利な取扱いを行い若しくは行わないことにつき、その誘引又は見返りとして、当該本人の代理人に対して、汚職の意図をもって利

益を供与し、又は供与に同意し若しくは供与を申し出ることが禁止され、この代理人贈賄罪は収賄者が公務員であるか民間人・民間企業であるかを問わず適用される。なお、ここにいう「代理人」とは、被用者又は他人のために行動するあらゆる者を指し、公務員、故人の受託者、遺言管理人、遺産執行人、下請人等が含まれる（同法3条）。また、「本人」には、雇用者、信託受益者等が含まれ、公的機関もこれに該当し得る。この代理人贈賄罪は、代理人が、本人の業務や事業に関して、何らかの行為を行い若しくは行わないこと、又は有利な取扱い若しくは不利な取扱いを行い若しくは行わないことにつき、権限又は機会を有していなかったとしても、当該代理人がかかる権限又は機会を有していると信じるに足りる理由があったといえる場合には成立する（同法19条）。これに違反した場合の罰則は、上記6の贈賄罪及び公務員贈賄罪に対する罰則と同様である。

営利組織の関係者による汚職行為があった場合の、汚職防止委員会法上の法人責任については、上記6を参照されたい。

8 ①贈賄罪はどのような手続を経て執行されるか？ ②自主報告により制裁が軽減される制度はあるか？ ③時効期間は？

汚職防止委員会の委員は、違反行為の疑いがある場合には自ら捜査を行い、検察官に捜査結果を引き継ぐ。訴追の決定は、検察官が行う。違反者が海外に所在する場合も、手続に特段の違いはない。なお、マレーシアでは、2011年以降、贈収賄罪に特化した法廷が設置されている。

違反者が共犯者の裁判において真実を全て証言した場合には、自らの違反行為について免責を受け得る（汚職防止委員会法63条）。さらに、違反者が訴追された場合に、自らの違反行為を自主的に認めることにより、検察官との間で司法取引を行うことが可能である（刑事訴訟法（Criminal Procedure Code）172C条）。なお、贈賄に関する罪について、時効制度は存在しない。

9 民間企業の役職員に対する賄賂・リベート供与は処罰対象となるか？

　贈賄罪（汚職防止委員会法16条）及び代理人贈賄罪（同法17条、19条）は、収賄者が公務員であるか民間人・民間企業であるかを問わず適用される。また、これらとは別に、公共事業に関して競争相手の企業に対して贈賄行為を行うことが禁止されている（同法20条）。すなわち、公共事業を落札して公共機関との間での契約を締結しようとする意図をもって、入札者に対して、入札を撤回することの誘引又は報酬として利益の供与を申し出ること等が禁止されている（同条）。これに違反した場合の罰則は、上記6の贈賄罪及び公務員贈賄罪に対する罰則と同様である。

10 コンプライアンスプログラム等に関する規制・ガイドライン等はあるか？

　上記6のとおり、汚職防止委員会法17A条において、営利組織が「適切な手続」を有していたことを証明できた場合、同条に基づく法人責任を免れるとされているところ、同条(5)に従い、首相府が、営利組織が事業活動に関連して汚職行為の発生を防止するために実施すべき適切な手続を理解するのを支援するため、「適切な手続に関するガイドライン」を発行している。
　適切な手続に関するガイドラインは、①経営陣のトップレベルのコミットメント、②リスクアセスメントの実施、③管理措置の実施、④体系的な見直し・モニタリング・エンフォースメント、及び⑤訓練とコミュニケーションから成る5つの主要原則を定めている。
　「適切な手続に関するガイドライン」においては、営利組織は、特に以下のような分野をカバーする方針と手続を確立すべきであると規定されている。
　(イ)　利益相反
　(ロ)　贈答、接待、もてなし、旅行
　(ハ)　政治献金を含む寄付及びスポンサーシップ
　(ニ)　ファシリテーション・ペイメント
　(ホ)　職務と承認権限の分離、複数署名による取引等の財務上の管理

(ヘ) 職務と承認権限の分離、入札前のプロセス等の非財務上の統制

また、導入するか否かは完全に企業の自主性に委ねられているものの、贈収賄対策のために用意されたコンプライアンスプログラムとして、「会社の清廉性に関する誓約」（Corporate Integrity Pledge）というものが存在する。これは、マレーシア首相府等の公的機関のサポートを受けて創設されたマレーシア清廉化機構（Malaysian Institute of Integrity）により推進されている枠組みの一環をなすものであり、公正・透明で腐敗のないビジネス環境を作っていくために会社が採用すべきガイドラインを示した文書である。企業はこれに署名することによって腐敗のないビジネス環境の創出のために取り組むことを誓約することになる。また、このほかにもマレーシア汚職委員会の下で設けられた Corruption-Free Pledge（IBR）という取組があり、これは組織のリーダーや個人が責任をもって職務に当たり汚職に関与しないことを誓約するものである。

第7節 ミャンマー

1 ミャンマーにおける贈収賄行為の実情は？

　ミャンマーは、トランスペアレンシー・インターナショナルが公表する2022年度腐敗認識指数において、177か国中157位とされ、世界的に腐敗度の高い国として知られている。同国の歴史を振り返ってみると、社会主義政権から軍事政権の時代を経て、2011年以降に急速に進んだ民主化の流れの下、アウンサンスーチー氏率いる国民民主連盟（NLD）が総選挙で圧倒的多数の議席を獲得し、同党による政権が樹立されたものの、2021年に発生したミャンマー国軍による政変後は、再度軍事政権体制に戻っている。NLD政権においては、汚職防止の取組が相当進み、クリーンな社会への兆しが感じられたが、政変後は、旧来の軍事政権と同じく、権力が特定の集団に集中することで、汚職が発生しやすい社会に逆戻りをしているように感じられる。同国における汚職行為の規制に関わる法令としては、従前から、汚職抑止法（Suppression of Corruption Act）及び刑法（Penal Code）が存在していたが、刑法は贈賄者側の処罰規定が限定的であるなど処罰範囲が十分でなく、また法執行の面においても政府の組織的な対応が不十分であるなどの問題があった。このため、抜本的な汚職対策の立法の必要性が指摘されていたところ、汚職防止法が2013年9月17日に施行され（同法の施行に伴い、従前の汚職抑止法は廃止された）、2015年6月には汚職防止規則も制定されている。さらに、NLD政権は、反汚職への取組を重要な政策の1つとして、公務員の贈答品の受領に関するガイドラインを出すなど、反汚職を国家的課題とした取組が行われていた。汚職防止法の執行を担う機関として、汚職撲滅委員会が設置され、現職の政府高官による汚職行為に関する捜査や立件が実際に行われ、一定の成果を挙げてきたといえる（同委員会の2022年度年次

報告書によると、2014年2月の設置から2023年3月までに同委員会には3万5,204件の申立てがあり、1万9,803件の事案について同委員会が調査し、措置がとられた。措置の対象者には、政治的地位の保有者の他、民間人31名も含まれる)。2021年2月の政変後も、同委員会による汚職行為の規制は引き続き行われているが、賄賂の受取りを理由にアウンサンスーチー氏に対する刑事訴追を行うなど、民主政権下で要職に就いていた者を収賄行為により摘発する例が多数見られる。事実関係は必ずしも明らかではないが、一部では、軍事政権による政敵追放のための手段として贈収賄規制が利用されているという見方もされており、軍事政権下においては、贈収賄規制の適切な執行は行われていない状態にある可能性が高いように思われる。

2　ミャンマーにおける公務員贈賄規制の概要は？

現在、ミャンマーにおける贈収賄行為の規制に関わる主要な法律として、汚職防止法及び刑法が存在する。収賄行為については、両法は、いずれも公務員による収賄及び収賄への関与、並びに私人によるあっせん収賄行為を収賄罪の対象としている。これに対し、贈賄行為については、汚職防止法では贈賄罪の規定が存在するのに対し、刑法では独立した贈賄罪の規定は存在せず、贈賄行為については原則として収賄罪の教唆、幇助又は共謀犯（abetment.）が成立すると考えられる。また、汚職防止法上は、贈収賄罪に問われている者は、捜査対象である金銭又は財産の取得経緯等について確たる証拠に基づく説明義務を負うが（同法64条）、刑法ではこのような規定は見受けられない。なお、汚職防止法において、賄賂に関連する捜査や訴追等については、既存のその他の法令ではなく、汚職防止法が適用される旨が規定されているものの（同法68条）、刑法に基づく訴追をも排除する趣旨であるかは文言上必ずしも明らかではない。しかし、汚職防止法が刑法より重い罰則を規定していることや、抜本的な汚職対策のために汚職防止法が制定された経緯からすると、今後の汚職関連事件は、汚職防止法に基づいて訴追されることが実務的な運用となるように思われる。このため、以下では同法及び汚職防止規則の内容について説明を行う。

3 公務員贈賄罪の要件は？

　汚職防止法上、汚職罪を構成する汚職行為として2類型が存在する。より一般的な類型として、①立場を濫用し又は他の方法により、②違法な作為、適法な行為を回避すること、法律上の権利を有する者若しくは法律上権利を有しない者に権利を認めること、又は適法な権利行使を妨害することを目的として、③直接又は間接に、④賄賂を、⑤供与、供与の試み、収受、収受の試みをすることと規定されている（同法3条(a)(i)）。もう1つの類型としては、関連する政府機関、政府組織、公的組織又は他の組織の公共の財政を取り扱い、当該組織の財産を請求、取得、管理、清算、又は当該組織の契約を管理する過程で、既存の法令、規則又は手続に違反し、国の財産に損害を与えること（同法3条(a)ii）と、国家財産に対して損害を与える行為に着目をした定義が規定されている。

　このうち、④の「賄賂」の範囲は非常に広く定義されており、賄賂の目的で、正当な対価なく収受又は供与される金銭、財物、贈答品、手数料、接待その他の不正な利益をいう（同法3条(b)）。②の「権限者」とは、権限を有する公務員、外国公務員、政治的地位の保有者、政府機関、国有企業、国が出資する合弁企業の上級役職者、又は公的機関の管理権限を有する者若しくはその代表者と規定されている（同法3条(j)）。「権限者」に対する又は「権限者」による贈賄は、通常よりも罰則が重くなっている（下記6(1)参照）。

4 公務員贈賄罪の適用が除外される場合とは？

　ミャンマーにおいては、米国FCPAのファシリテーション・ペイメントのように、公務員の機械的業務に関する円滑化のための少額の支払について汚職防止法や刑法の適用を除外する旨の規定はない。

　この点につき、2016年4月1日付けで、大統領府より贈答品の受領についてのガイドラインが出された。同ガイドラインは民主政権下で発出されたものであるため、2021年2月の政変後も引き続き有効なものであるかどうかは明らかではないが、軍事政権下において特に同ガイドラインの廃止に関

するアナウンス等は行われていないことを踏まえ、現在も引き続き有効なものであることを前提としている。

同ガイドラインでは、政府のメンバー、政府が設立した委員会その他の組織のメンバー及び公務員が、その権限に基づく便益を享受し得る個人又は組織から贈答品を受領することを禁じた上で、①価格が2万5,000チャット（約1,750円）を超えない贈答品（ただし、同一人から受領する贈答品の総額は1年で10万チャット（約7,000円）を超えないこと）を受領すること、②家族又は個人的な関係にのみ基づく贈答品を受領すること、③宗教上の特別な日（例えばタディンジュやクリスマス）に10万チャットを超えない贈答品を受領することは例外として許容される旨規定している（なお、外国政府からの贈答品又は旅費等の受領については別途の例外が存在する）。ただし、公務員の義務に影響を及ぼすようないかなる贈答品も受領してはならないとの条項が別途存在することからすると、そのような場合には上記①〜③の場合に該当しても、贈答品の受領は許されないことになると思われる。また、贈答品のオファーを受けた場合には、それを受領したか否かにかかわらず、上司に報告をする義務があるとされている。同ガイドラインは、あくまで公務員が守るべきガイドラインであり、法規範性はないと考えられるが、少なくともガイドラインの対象となる公務員等はこれに従うことになると思われる。

5 ①外国法人・個人による贈賄行為、②外国公務員に対する贈賄行為、③外国における贈賄行為に公務員贈賄罪が適用されるか？

①について、汚職防止法は、犯罪行為地がミャンマー国内である限り、国外で設立された法人や同国籍を有しない個人に対しても適用されることが明示的に規定されている（同法2条）。②について、汚職防止法上、汚職罪における贈賄の対象となる権限者の定義に外国公務員も含まれ（同法3条（j））、外国公務員に対する贈賄についても汚職の罪が成立することが明確にされている。なお、汚職防止法上、外国公務員には①外国の立法、行政及び司法部門の職員、②外国により組織された公的機能を担う委員会、会社又はその他の組織の職員、及び③国際機関の代理人が含まれる（同法3条（g））。

③について、汚職防止法は、ミャンマー国籍保有者又はミャンマー国内に

永住する外国人が国外で行った行為にも適用がある（同法2条）。したがって、ミャンマー国籍保有者又はミャンマー国内に永住する外国人が国外で贈賄行為を行った場合には、同法の汚職の罪が成立する可能性がある。

6 公務員贈賄罪の罰則その他の制裁は？ 法人に対する制裁、海外の親会社に対する制裁は？

(1) 汚職防止法上の制裁

汚職防止法上、行為者の地位に応じ刑事責任の軽重の差が設けられている。すなわち、汚職行為に対する法定刑は、①行為者が政治的地位の保有者の場合には15年以下の禁錮及び罰金、②政治的地位の保有者以外の権限者の場合には10年以下の禁錮及び罰金、③その他の者（私人を含む）の場合には最大で7年以下の禁錮及び罰金とされる（同法55条～57条）。なお、政治的地位の保有者は、次官又はそれと同等か上位の政治的立場を有する者と定義されている（同法3条(h)）。

(2) その他の制裁・法人に対する制裁、海外の親会社に対する制裁

ミャンマーにおいては、上記の刑事責任のほか、贈収賄規制に違反した場合の行政上又は民事上の制裁は法令上明示的に定められていない。法人や組織に対する制裁は、自然人に対する制裁と同様になされる（法律の解釈に関する法5条）。他方、法人の従業員が違反行為を行った場合、どのような場合に法人も罰せられるのかという点についての明確な解釈指針は存在しない。

同様に、海外の親会社に対する制裁がどのような場合になされるかという点も明確ではない。

7 第三者を通じた贈賄行為が処罰される場合とは？

汚職防止法上、第三者を通じた贈賄行為についての個別の規定は存在しないが、同法の汚職罪の対象となる汚職行為は間接的な贈収賄も含むため、第三者を介して贈賄行為を行った場合も汚職行為に該当し、汚職の罪が成立す

る可能性がある。

8 ①公務員贈賄罪はどのような手続を経て執行されるか？ ②自主報告により制裁が軽減される制度はあるか？ ③時効期間は？

(1) 執行手続

汚職防止法に基づく執行手続の概要は以下のとおりである。

① 端緒

関係当局に対する情報提供や大統領や上下両院からの付託、汚職行為があったとの風説等の端緒があった場合（汚職防止法44条及び43条(a)）、汚職撲滅委員会は捜査委員会を組織して捜査を開始しなければならない（同法23条及び21条）。

② 捜査

捜査委員会は、被疑者からの証拠の収集（汚職防止法25条）、銀行口座に関わる書類等の捜査（同法32条）、帳簿、書類、口座及び金銭の差押え（同法33条）等の方法で捜査を行い、汚職撲滅委員会の議長に捜査の結果を報告する（同法27条(a)）。なお、汚職防止規則によれば、実際の捜査については、汚職防止委員会のメンバーを長とするワーキンググループを組織し、同グループがこれを行うこととされている（同規則36条）。

③ 汚職撲滅委員会の審査

汚職撲滅委員会は捜査委員会からの報告を踏まえ、①十分な証拠がないと判断する場合には申立てを却下し、②汚職防止法上の犯罪があったと判断する場合には訴追の許可を与え、捜査委員会の委員長又は主任捜査官に管轄裁判所での訴追を指示する（汚職防止法28条(a)、18条及び17条(g)）。また、これらに加え、汚職防止法上の訴追ができない場合でも、公務員法に基づく措置がとれるように関連部局の長に知らせることとされている（汚職防止法規則36条(e)(2)）。

④ 訴　追

　汚職撲滅委員会は訴追の判断につき、大統領、上下両院及び当該事件の申立者に対する通知・報告の義務を負う（汚職防止法28条(a)(3)及び30条）。なお、政治的地位の保有者の訴追については政府の事前承諾、連邦議会議員に対する訴追については法令上の事前手続がそれぞれ必要となる（同法65条）。

⑤ 財物の差押え・返還

　捜査委員会による報告を精査した結果、贈収賄による富の形成があったと汚職撲滅委員会が判断する場合、汚職撲滅委員会は暫定精査委員会を組成し、暫定精査委員会による精査及び報告が行われる（汚職防止法28条(b)、19条、20条及び51条）。汚職撲滅委員会は暫定精査委員会の報告書に基づき、財物の差押え又は返還の命令を行う（同法53条）。

⑥ 公務員の手続上の責任

　上記の捜査及び審査において、公務員は、自らが所有する金銭及び財物を適法に取得したこと、及び自らの所得について十分な証拠をもって示す必要がある（汚職防止法64条）。このように、立証責任がいわば公務員側に転換されていることは特徴的である。

(2) **自主報告による制裁の軽減・時効**

　汚職防止法上、自主報告による制裁の減免に関する明示的な規定は存在しない。また、公訴時効の規定はなく、同法に基づく犯罪について公訴時効制度は存在しない。

9　民間企業の役職員に対する賄賂・リベート供与は処罰対象となるか？

　汚職防止法上の「権限者」には、「公的機関」の管理権限を有する者若しくはその代表者が含まれるところ、「公的機関」には、立法・行政・司法の行政機関、既存の法律により設置された公的機関に加え、ミャンマー会社法に基づき設立された公開会社（public company）も含むとされている（同法3

条(e))[11]。

　したがって汚職防止法上の文言上は、公開会社に対する贈賄は処罰の対象となることとなる。しかしながら、これが公開会社に対する贈賄については特に処罰の対象とする趣旨であるか否かについては、はっきりせず、少なくとも報道ベースでは、いわゆる商業賄賂と呼ばれる、公務員の職務との関連性を有しない民間企業の役職員に対する贈賄を処罰の対象とした事例は報告されていない。

10　コンプライアンスプログラム等に関する規制・ガイドライン等はあるか？

　会社の設立等を所管する投資企業管理局（DICA）が、2018年8月にAnti-Corruption Code of Ethics for Companies and Body Corporatesを発表している。内容としては、ミャンマーで設立された法人は、汚職防止のために、違法な贈答、接待、寄付等をしてはならないということを規定する抽象的なものであり、当時の政権が反汚職の取組を重視していたことの一例と評価できるものであろう。

Column

汚職行為に関するミャンマー人の意識
〜民主政権下での変化

　思い返せば、筆者が初めてミャンマーを訪れたのは、2015年の初頭であった。新規合弁事業の立ち上げ案件で、パートナーとなる現地企業の社長へのインタビューを行うべく、蒸し暑いヤンゴン国際空港の旧ターミナルに降り立ったことを昨日のことのように覚えている。
　インタビューは、和気藹々とした雰囲気で進行し、我々が聞きたかったほ

---

11)　ミャンマー会社法（Myanmar Companies Law）上、公開会社は、非公開会社（private company）以外の会社と定義されている。ここでいう「非公開会社」は、①株主数が50名以下（会社に雇用されている者を除く）であること、及び②会社の株式等の公衆に対する募集を禁じていることという要件を満たす会社をいい、非公開会社のみ定款において株式の譲渡に制限を付すことができるとされている。

ぼ全てのイシューについて満足する回答が得られていた。質問事項も終盤に差しかかったところで、我々から単刀直入にこう質問した。

「貴社事業は政府との取引もそれなりにあると思うが、政府関係者への利益供与等が行われていることはないか」

社長より、「その点は問題ない。安心しろ」との回答。一同胸を撫で下ろしたところで、社長はこう続けた。「会社のビジネスに関わる政府関係者への付け届けは、定期的に、きちんと行っている。だから、心配する必要はない」

これは、2015年当時のミャンマーの実態がよくわかるエピソードであると思う。当時のミャンマーの人々の間では、まだまだ「賄賂の支払は悪いものではなく、事業を成功裏に進めるために必要な経費である」というような認識があったことがうかがわれる。

その後、2015年11月の総選挙でアウンサンスーチー氏が率いる国民民主連盟（NLD）が圧勝し、2016年4月より政権を担うこととなった。NLD政権では、反汚職の取組が重点課題とされ、公務員の贈答品受領に関するガイドラインの制定や、汚職撲滅委員会の設置が行われたのは本文記載のとおりである。

NLD政権下での取組の甲斐もあり、ミャンマー人の賄賂に関する意識が変化したことは間違いない。

2018年頃にも、ミャンマーにおける合弁事業のパートナー候補企業の社長に対してインタビューを実施し、ほぼ同じような質問をぶつけてみた。

「賄賂なんてとんでもない。そんなもの、うちの会社が支払っているわけがない！」

その会社の真実はともかく、少なくとも、賄賂は「悪」であるという認識が人々の間で広く共有されてきたことを痛感した瞬間であった。

2021年2月に発生した国軍による政権奪取により、ミャンマーは再び軍事独裁政権に戻ってしまった。軍事政権下でどこまで汚職撲滅の取組が行われているのか、ほとんど情報発信が行われておらず明らかではないが、民衆の間での賄賂に関する規範意識が、2015年当時のような状態に戻るようなことがないことを祈るばかりである。

第8節 中国

1 中国における贈収賄行為の実情は？

　中国では、従来から贈収賄行為が社会的に大きな問題となっている。2012年に習近平が中国共産党中央委員会総書記に就任し、党及び国家を指導する体制（以下「習近平体制」という）となった後、公務員の汚職が依然として多発していることや悪質・重大事例が存在することが民衆の大きな不満の元となっていることから、贈収賄の防止・撲滅が、中国において、最優先に解決すべき重要課題の1つとして位置付けられている。さらに、下記のとおり中国では、公務員及び国有企業の職員に対する贈収賄だけでなく、民間人の間での贈収賄（商業賄賂）も処罰の対象となっていることに注意する必要がある。

　2018年3月9日、第13期全国人民代表大会第1回会議における最高人民検察院の報告によれば、習近平体制移行後の5年間、検察により贈収賄等の職務犯罪で立件調査された対象人数は25万4,419人で、前の5年間と比べて16.4％増加した。特に、「収賄と贈賄を同時に取り締まる」という方針の下で、検察は、贈賄についても3万7,277人もの対象者を調査して処分し、前の5年間と比べて87％の増加となっている。

　以上のとおり、習近平体制となって以降、中国政府は、贈収賄の取締りを強化する傾向にある。

　さらに、2018年3月11日、第13期全国人民代表大会第1回会議において、「中華人民共和国憲法改正案」が可決され、国家機構として「監察委員会」が新設された。憲法（全国人民代表大会公告第1号）127条によれば、監察委員会は、法律の規定により、独立して監察権を行使し、行政機関、社会団体及び個人による干渉を受けない。国家の監察委員会を含む各級の監察機

関は、職務違法事件及び職務犯罪事件を処理するに当たって、裁判機関、検察機関、法律執行部門と相互に協力し、互いにチェックし合わなければならないこととされている。

上記の憲法改正を受け制定された監察法（主席令第3号）15条によれば、監察委員会の監察対象は公職にある者（公務員、国有企業の従業員等を含む）であり（監察法15条）、贈賄犯罪を含む汚職賄賂犯罪について調査権限を有する（同法11条）。2023年3月7日、第14期全国人民代表大会第1回会議における最高人民検察院の報告によれば、2022年までの5年間において、検察では、各級の監察委員会から贈収賄等の職務犯罪で8.8万人が移送され、7.8万人について訴訟提起し、そのうち、贈賄犯罪で訴訟提起した者は1.4万人である。今後、公務員による収賄とそれに関連する贈賄側に対する取締りが両方とも引き続き厳しく行われることが予想される。

外国企業が出資して設立される外商投資企業に対する中国国内における処罰の実例も存在する。2013年には英国の製薬会社が設立した中国子会社が、政府部門関係者、医師等に対し、薬価引上げや販路拡大のために合計約30億元（約600億円）もの贈賄を行ったとして、中国子会社の幹部従業員が身柄拘束をされた事例が生じている。この事例では、最終的に、中国子会社、幹部従業員の商業賄賂行為が認定され、中国子会社に対し30億元の罰金、幹部従業員に対し2年から3年の有期懲役刑（ただし、いずれも執行猶予付き）が科された。

2　中国における贈賄規制の概要は？

中国において国の職員に対する贈賄を取り締まる基本的な法律は2024年3月1日改正後の中国刑法（中華人民共和国主席令第18号。以下本節において「刑法」という）である。刑法は刑事犯罪一般に適用されるものであるが、贈収賄に関する規制も定めている。

また、そのほかに贈賄罪立件基準に関する規定（最高人民検察院、2000年12月22日施行）、商業賄賂刑事事件の処理における法律適用の若干問題に関する意見（最高人民法院及び最高人民検察院、2008年11月20日施行。以下「商業賄賂刑事事件意見」という）、贈賄刑事事件の処理における具体的法律適用の若干問題に関する解釈（最高人民法院及び最高人民検察院、2013年1月1

日施行。以下「贈賄刑事事件解釈」という）、汚職賄賂刑事事件の処理における法律適用の若干問題に関する解釈（最高人民法院及び最高人民検察院、2016年4月18日施行。以下「汚職賄賂刑事事件解釈」という）、が贈収賄に関する規定を設けている。

3 贈賄罪の要件は？

　刑法は、個人が、不正な利益をはかるために、国の職員個人に対して財物を供与することを禁止する（刑法389条1項）。一方、「不正な利益をはかる」という主観的な目的がない場合であっても、①経済取引において国の規定に違反し国の職員に対して財物を供与し、その金額が比較的大きい場合、又は②国の規定に違反し国の職員に対して各種名義のリベート、手数料を供与した場合には贈賄行為として扱われる（同条2項）。

　不正な利益をはかるため、国の職員本人に対してではないが、国の職員の近親者若しくはかかる国の職員と密接な関係にあるその他の者、又は離職した国の職員若しくはその近親者及びこれと密接な関係にあるその他の者（以下本節において「影響力を有する者」という）に贈賄した場合も刑事処罰の対象になる（刑法390条の1）。

　また、不正な利益をはかるために、国家機関、国有の会社、企業、事業単位、人民団体に財物を供与すること、又は経済取引において国の規定に違反し、各種名義のリベート若しくは手数料を供与することも禁止される（刑法391条1項。単位に対する贈賄罪）。

　さらに、単位（会社、企業、事業単位、機関、団体を含む概念である。以下同じ）が不正な利益を得るために贈賄し、又は国の規定に違反し、国の職員に対してリベート若しくは手数料を供与する行為（刑法393条）や、単位による上記刑法390条の1又は391条1項に定める贈賄行為も禁止されている（単位贈賄罪）。

　各文言の定義は以下のとおりである。
　①　「国の職員」：「国の職員」とは、国家機関において公務に従事する者をいう。国有の会社、企業、事業単位、人民団体において公務に従事する者、国家機関、国有の会社、企業、事業単位から非国有の会社、企業、事業単位、社会団体に派遣されて公務に従事する者、及びその他法によ

り公務に従事する者は、国の職員として取り扱う（刑法93条）。
② 「不正な利益をはかる」：「不正な利益をはかる」とは、法律、法規、規則、政策の規定に反する利益をはかること又は国の職員に対し、法律、法規、規則、政策、業界規範の規定に違反し、自己に幇助又は便利な条件を提供するよう要求することを指す。公平、公正の原則に反し、経済、組織人事管理等の活動において、競争上の優位を獲得しようとする場合も「不正な利益をはかる」場合に含まれる（商業賄賂刑事事件意見9条、贈賄刑事事件解釈12条）。
③ 「財物」：賄賂犯罪における「財物」は、通貨、物品及び財産的利益を含む。財産的利益は、通貨に換算できる物質的利益（例えば、建物の内装、債務免除等）、及び通貨の支払を要するその他の利益（例えば、会員サービス、旅行等）を含む。通貨の支払を要するその他の利益について、その犯罪金額は、実際に支払われた金額又は支払われるべき金額に従って計算する（汚職賄賂刑事事件解釈12条）。

4　贈賄罪の適用が除外される場合とは？

　中国においては、米国FCPAのファシリテーション・ペイメントのように、国の職員の機械的業務に関する円滑化のための少額の支払について適用を除外する旨の規定はない。したがって、円滑化のための少額の支払であっても、国の職員に対する贈賄罪の構成要件に該当する可能性はある。
　ただし、中国においては、次のとおり、贈賄罪に関して立件基準が設けられており、当該基準に達しない贈賄については立件を免れる場合がある。当該基準は実務上、贈賄行為が犯罪として立件されるかを判断する重要な基準とされている。

(1)　贈賄罪（刑法389条）について（汚職賄賂刑事事件解釈7条）

① 不正な利益をはかるため、国の職員に贈賄をし、金額が3万元（約51万円）以上である場合は、刑法390条の規定に基づき贈賄罪として刑事責任を追及することとされている。
② 贈賄金額が1万元（約20万円）以上3万元（約60万円）未満であり、

次の各号に掲げる事由のいずれかに該当する場合は、刑法390条の規定に基づき贈賄罪として刑事責任を追及することとされている。
 (イ) 3人以上に贈賄をした場合
 (ロ) 違法所得を贈賄に用いた場合
 (ハ) 贈賄を通じて職務上の抜擢、調整をはかった場合
 (ニ) 食品、薬品、安全生産、環境保護等の監督管理職責を負う国の職員に贈賄をし、不法な活動を行った場合
 (ホ) 司法職員に贈賄をし、司法の公正に影響を及ぼした場合
 (ヘ) 金額が50万元（約1,000万円）以上100万元（約2,000万円）未満の経済損失をもたらした場合

(2) 影響力を有する者に対する贈賄罪（刑法390条の1）について（汚職賄賂刑事事件解釈10条）

刑法390条の1に定める影響力を有する者に対する贈賄罪の立件基準については、上記4(1)の規定が参照され、上記4(1)と同様の基準に従い刑事責任を追及することとされている。

単位による影響力を有する者に対する贈賄については、個人による影響力を有する者に対する贈賄と基準が異なり、贈賄額が20万元（約400万円）以上である場合に影響力を有する者に対する贈賄として刑事責任を追及することとされている。

(3) 単位に対する贈賄罪（刑法391条）について（贈賄罪立件基準に関する規定2条）

次に掲げる事由のいずれかの疑いがある場合は、立件しなければならないとされている。
 ① 個人の贈賄額が10万元（約200万円）以上、単位の贈賄額が20万元（約400万円）以上である場合
 ② 個人の贈賄額が10万元未満、単位の贈賄額が10万元以上20万元未満であるが、次の各号に掲げる事由のいずれかに該当する場合
 (イ) 不法な利益を得るために贈賄をした場合

(ロ) 3人以上に贈賄をした場合
(ハ) 共産党若しくは政府機関の幹部、司法職員又は行政法律執行員に対して贈賄をした場合
(ニ) 国又は社会の利益に重大な損失をもたらした場合

(4) 単位贈賄罪（刑法393条）について（贈賄罪立件基準に関する規定3条）

次の各号に掲げる事由のいずれかの疑いがある場合は、立件しなければならない。

① 単位の贈賄額が20万元以上である場合
② 単位が不正な利益をはかるために贈賄し、金額が10万元以上20万元未満であるが、上記4(3)②の各号に掲げる事由のいずれかに該当する場合

国の職員に対する少額の贈答品・接待について、明確な贈賄罪の適用除外規定は存しないが、次の規定があることに留意する必要がある。

すなわち、対外公務活動における贈答品の供与及び収受に関する規定（国務院、1993年12月5日施行）7条によれば、対外的公務活動において贈答品を収受した場合は、適切に処理しなければならず、価値が200元（約4,000円）以上に相当するときは、収受した日から（国外において贈答品を収受したときは帰国日から）1か月以内に贈答品申告書に記入し、上納すべき贈答品を贈答品管理部門又は収受者の所属先単位に上納しなければならないこととされている。また、「党及び国家機関の職員が国内交流において収受した贈答品について登記制度を実施することに関する規定」におけるいくつかの問題についての回答（中国共産党中央規律検査委員会、1996年10月9日施行）3項は、およそ公正な公務の執行に影響するおそれがあるものは、たとえ親族友人から贈呈された贈答品であっても、収受してはならないと規定している。さらに、党及び政府機関の節約励行浪費反対条例（国務院及び中国共産党中央委員会、2013年11月18日施行）は、公正な公務の執行に影響するおそれのある贈答品、宴席への招待及び旅行、スポーツ、レジャー等の活動の手配を受けることは認められないと規定している。

また、その他に、賄賂を強要された場合に関する適用除外の規定があり、強要されたことにより国の職員に対して財物を供与し、不正な利益を取得し

なかった者には、贈賄罪が適用されない（刑法389条3項）。

5　①外国法人・個人による贈賄行為、②外国公務員に対する贈賄行為、③外国における贈賄行為に贈賄罪が適用されるか？

①　中国の贈賄罪は、中国外で設立された法人や中国籍を有しない個人に対しても適用される（刑法6条）。

②　中国の贈賄罪は、原則として当該贈賄行為が中国の国の職員に対して行われた場合を対象としていると考えられるが、刑法には、外国の公職にある者等に対する贈賄罪を定めた規定も存在する。

すなわち、刑法164条2項は、不正な商業的利益を取得するため、外国の公職にある者又は国際公共組織の職員に財物を供与することを禁止している。単位が罪を犯した場合には、単位並びに、その直接に責任を負う主管者及びその他の直接責任者を処罰することとされている。

③　中国の公民（中国籍を有する個人）が領域外において贈賄行為を行った場合は、中国の贈賄罪が適用される（刑法7条）。また、中国の国の職員に対して行われた贈賄行為である限りは、当該贈賄行為の行為地が中国国外であったとしても、贈賄罪が適用される可能性がある（同法8条）。

6　贈賄罪の罰則その他の制裁は？　法人に対する制裁、海外の親会社に対する制裁は？

贈賄罪に対しては、（収賄罪のように死刑は定められていないものの）罪状によっては無期懲役の可能性があるなど、重い罰則となっている。具体的には以下のとおりである。

(1)　個人による公務員に対する贈賄

個人による贈賄罪については、3年以下の有期懲役又は拘役に処し、罰金を併科する（罰金の金額について、汚職贈賄刑事事件解釈19条によれば、10万元（約200万円）以上、犯罪金額の2倍以下でなければならない、とされている。以下の「罰金」についても同様である）。贈賄により不正な利益をはかり、情

状が重い場合、又は国の利益に重大な損害を被らせた場合には、3年以上10年以下の有期懲役に処し、罰金を併科する。情状が特に重い場合、又は国の利益に特に重大な損害を被らせた場合には、10年以上の有期懲役又は無期懲役に処し、罰金又は財産没収を併科するとされている（刑法390条）。そして、次に掲げる状況のいずれかに該当する場合には、重きに従い処罰するとされている。

① 多数回にわたり贈賄し、又は複数名に贈賄したとき
② 国の職員が贈賄したとき
③ 国家重点工事、重大プロジェクトにおいて贈賄したとき
④ 職務、職級の昇格、調整を図るために贈賄したとき
⑤ 監察職員、行政法執行職員、司法職員に贈賄したとき
⑥ 生態環境、財政金融、安全生産、食品薬品、防災救災、社会保障、教育、医療等の分野で贈賄し、違法犯罪活動を実施したとき
⑦ 違法所得を贈賄に用いたとき

(2) 影響力を有する者に対する贈賄

個人による影響力を有する者に対する贈賄罪については、3年以下の有期懲役又は拘役に処し、罰金を併科する。情状が重い場合、又は国の利益に重大な損失を被らせた場合には、3年以上7年以下の有期懲役に処し、罰金を併科する。情状が特に重い場合、又は国の利益に特に重大な損失を被らせた場合には、7年以上10年以下の有期懲役に処し、罰金を併科するとされている。単位がこの罪を犯した場合には、単位に罰金を科し、かつその直接に責任を負う主管者及びその他の直接責任者は3年以下の有期懲役又は拘留に処し、罰金を併科するとされている（刑法390条の1）。

(3) 単位に対する贈賄

個人による単位に対する贈賄罪については、3年以下の有期懲役又は拘役に処し、罰金を併科する。情状が重い場合は、3年以上7年以下の有期懲役に処し、罰金を併科する。単位がこの罪を犯した場合には、単位に罰金を科し、かつその直接に責任を負う主管者及びその他の直接責任者を処罰すると

されている（刑法391条）。

(4) 単位による贈賄

単位贈賄罪については、情状が重い場合には、単位に罰金を科し、かつその直接に責任を負う主管者及びその他の直接責任者は3年以下の有期懲役又は拘役に処し、罰金を併科する。情状が特に重い場合は、3年以上10年以下の有期懲役に処し、罰金を併科する。また、贈賄により取得した違法所得を個人の所有に帰属させた者は、刑法389条、390条の規定により処罰される（刑法393条）。

(5) 具体的な認定基準等

これらの犯罪における情状が重い場合、国に重大な損害を被らせた場合の認定や多数回の贈賄行為が行われた場合の取扱い等については、汚職贈賄刑事事件解釈において、具体的な認定基準等が規定されている。

(6) 親会社等の責任

中国内の現地子会社の従業員が贈賄行為を行った場合において、中国外に所在する親会社の責任が問われることは原則としてない。しかし、親会社又はその役職員若しくは従業員が、贈賄行為の実行者と共同して贈賄行為を行った場合（刑法25条）、又は実行者を教唆して贈賄行為を実行させた場合（同法29条）等には、親会社又はその役職員若しくは従業員が果たした役割等に応じて処罰の対象となる可能性もある。

(7) 調達、入札に関する規制

また、上記の刑事罰以外に、次のような調達、入札に関する規制がある。政府調達法（全国人民代表大会常務委員会、2014年8月31日改正法施行）には、調達者、調達代理機構に賄賂を供与し、又はその他の不当な利益を提供した場合に、調達金額の0.5％以上1％以下の過料を科し、不良行為記録名簿に

載せ、1年ないし3年の間、政府調達活動への参加を禁止するとの規定がある。違法所得があるときは、さらに違法所得を没収し、情状が重いときは、工商行政管理機関が営業許可証を取り消すとされている（政府調達法77条）。

さらに、入札法（全国人民代表大会常務委員会、2017年12月28日改正法施行）によれば、入札評価委員会の委員に贈賄を行って落札した場合は、落札を無効とし、落札プロジェクト金額の1,000分の5以上1,000分の10以下の過料に処し、当該単位の直接責任主管者及びその他の直接責任者に対しては、単位が処された過料金額の100分の5以上100分の10以下の過料に処するとの規定がある。違法所得がある場合は没収し、情状が重大な場合は、1年から2年の間、法により入札が必要であると定められているプロジェクトの入札募集資格を取り消し、かつこれを公告し、最も重い場合は、工商行政管理機関が営業許可証を取り消すとされている（入札法53条）。

7　第三者を通じた贈賄行為が処罰される場合とは？

中国において、エージェント、仲介者、代理人等の第三者を介した贈賄について（本人又は第三者の責任や処罰等についての）特別の規定は存在しないものの、贈賄罪が適用され得る。第三者を通じた国の職員に対する贈賄行為に対して贈賄罪が適用されるか否かについては、専ら刑法総則に定められている共同犯罪の規定の解釈の問題となる。

本人が第三者に贈賄を依頼し、第三者が本人のために贈賄を実行した場合は、基本的には、本人が主犯、当該第三者が従犯（共同犯罪において副次的又は補助的な役割を果たした者で、処罰を減軽若しくは免除され得る）とされるが、双方が主犯とされることもある。

また、本人が第三者が贈賄を行う可能性が高いことを知りながら、第三者に敢えて業務を委託し、当該第三者が実際に贈賄を行ったような場合には、本人に贈賄の故意があるとして、贈賄罪が適用される可能性がある。

8 ①贈賄罪はどのような手続を経て執行されるか？ ②自主的な申告による制裁の減免制度はあるか？ ③時効期間は？

(1) 贈賄罪はどのような手続を経て執行されるか？

従来、贈賄罪は通常の犯罪と同様に、人民検察院によって捜査されていたが、2018年に監察委員会が設置された後、贈賄罪を含む賄賂犯罪の調査権限が監察委員会に移譲された（監察法11条）。また、監察法によれば、人民法院、人民検察院等が業務執行中に汚職賄賂犯罪に関する手掛かりを発見した場合、監察委員会に移送し、監察委員会が法に従って調査し、処理しなければならない、とされている。（同法34条）。現在、汚職賄賂犯罪の捜査は監察委員会が中心となって行われている。

監察法に基づいて監察委員会が調査した事件について、調査の結果、贈収賄に関わる場合、監察委員会が調査を経て、事実が明らかで、証拠が確実かつ十分と判断した場合、起訴意見書を作成し、事件記録資料及び証拠と合わせて人民検察院に移送し、人民検察院が法に従って審査し、公訴を提起しなければならない（監察法45条）。人民検察院が嫌疑ありと判断する場合に、検察官が地方裁判所に起訴し、裁判所が判決を下すことにより執行される。当局との和解や司法合意に類する手続は特に存在しない。海外に所在する法人・個人が違反行為を行った場合も、手続に特段の違いはない。

(2) 自主的な申告による制裁の減免制度はあるか？

中国の刑法上、一般的に自主的に当局に申告することにより刑罰が減免される制度として、自首（刑法67条。なお、強制措置をとられた被疑者又は被告人及び刑に服している犯罪者が、司法機関の掌握していない本人のその他の犯罪行為を事実のとおりに供述した場合にも、自首として処理する）、功績（同法68条。他人の犯罪を告発する行為をし、調査によりそれが事実であると証明された場合、又は重要な手がかりを提供し、それによりその他の事件を解決することができた等の功績行為）がある。

特に注目されるのは、贈賄罪については、上記の一般的な自首等に関する

規定に加えて、贈賄者が、訴追前に自ら贈賄行為を自白した場合には、軽きに従い処罰し[12]、又は処罰を減軽することができること、そのうち犯罪が比較的軽微な場合、重大事件の解決に重要な役割を果たした場合、又は重大な功績行為をした場合には、処罰を減軽し、又は免除することができることが明記されている点である（刑法390条3項）。ここでの訴追前とは、検察機関が贈賄者の贈賄行為を刑事事件として立件する前を指し（贈賄刑事事件解釈13条）、刑法の一般的な自首、功績に関する規定（刑法67条、68条）よりも軽きに従い処罰し、又は処罰を減軽、免除することができる要件がより広く設定されている。

また、贈賄刑事事件解釈7条では、単位が贈賄した場合において、訴追前に、単位の贈賄行為を自発的に申し述べることを単位が集団で決定し、又は単位の責任者が決定したときは、刑法390条3項の規定に従い、単位及び関連責任者に対し、処罰を減軽し、又は処罰を免除することができると規定されている。また、委託を受けて単位の贈賄事項を直接処理した直接の責任者が訴追前に自らが知る単位の贈賄行為を自発的に申し述べたときは、当該直接の責任者に対し、刑法390条3項の規定に従い処罰を減軽し、又は処罰を免除することができるとされている。

贈賄者が訴追後に自己の犯罪行為を事実のとおりに供述した場合でも、刑法67条3項の自首の規定に従い、軽きに従い処罰することができる。また、自己の犯罪行為を事実のとおりに供述したことにより、特に重大な結果の発生を回避したときは、処罰を減軽することができる（贈賄刑事事件解釈8条）。

贈賄者がその贈賄行為と無関係の収賄者のその他の犯罪行為を告発し、調査によりそれが事実であると証明された場合は、刑法68条の功績に関する規定に従い、法定刑の範囲内で軽きに従い処罰し、処罰を減軽し、又は処罰を免除することができる（贈賄刑事事件解釈9条）。

なお、贈賄刑事事件解釈10条によれば、刑法390条3項に定める事由に該当する場合を除き、次の犯罪については、原則として執行猶予及び刑事処罰の免除を適用しない。

① 3人以上に対して贈賄したとき

---

[12] 「軽きに従い処罰する」とは、法定刑の限度内において軽く処罰することをいうが、「処罰を減軽する」とは、法定刑以下の処罰を与えることをいう。

② 贈賄により行政処罰又は刑事処罰を受けたことがあるとき
③ 違法犯罪活動を実施するために贈賄したとき
④ 重大な危害結果をもたらしたとき
⑤ 執行猶予及び刑事処罰の免除を適用しないその他の場合

　裁判において自ら罪を認めた場合には、実務上、裁判官の裁量により刑罰が軽減されることがある。

(3) 時効期間は？

　贈賄罪の時効期間は、適用される条文及び情状（他の贈収賄行為の有無、贈賄金額等）により、原則として5年から20年の間のいずれかとなる（刑法87条）。

9　民間企業の役職員に対する賄賂・リベート供与は処罰対象となるか？

　中国では、民間企業の役職員に対する賄賂、リベート供与等も処罰の対象となり得る。中国において、業種、地域にもよるが取引先の関係者に対するリベートや贈答等、商業賄賂の疑いが強い取引慣行が残っていることも多く、中国企業、外国企業（日本企業を含む）を問わず民間企業の役職員等に対する贈賄、すなわち商業賄賂の処罰事例（行政処罰事例及び刑事罰事例）は多数存在する。商業賄賂は、事業者に対して行政処罰を行うことにより処理されることが多いが、情状が重い場合、事業者及びその関係者個人に対して刑事責任が追及されることもある。

(1) 刑法164条

　民間企業に対する贈賄に関する刑事責任を定める規定としては、以下が挙げられる。すなわち、不正な利益を取得するため、会社、企業又はその他の単位の職員に財物を与え、その金額が比較的大きい場合（基準となる具体的な金額は、以下に詳述する基礎基準のとおり）に処罰する旨の規定がある（刑

法164条)。法定刑は、3年以下の有期懲役又は拘役に処し、罰金を併科するとされ、金額が巨額である場合には、3年以上10年以下の有期懲役に処し、罰金を併科するとされている。

上記刑法164条の非公務員に対する贈賄罪の起訴基準については、公安機関が管轄する刑事事件の立件訴追基準に関する規定(二)（最高人民検察院及び公安部、2022年5月15日施行）11条により、個人の贈賄金額が3万元（約60万円）以上である場合、又は単位の贈賄金額が20万元（約400万円）以上である場合とされている。上記について、単位が罪を犯した場合には、単位に罰金を科し、かつその直接に責任を負う主管者及びその他の直接責任者も処罰される。

(2) 不正競争防止法7条

また、商業賄賂については、中国不正競争防止法（追記：2019年4月23日改正施行。以下本節において「不正競争防止法」という）7条にも規定があり、行政処罰の対象とされている。

すなわち、事業者は、取引の機会又は競争上の優位性の獲得をはかるために、財産又はその他の手段を用いて次の各号に掲げる単位又は個人に対して賄賂行為を行ってはならない。

① 取引相手の従業員
② 取引相手の委託を受けて関連事務を処理する単位又は個人
③ 職権又は影響力を利用して取引に影響を及ぼす単位又は個人

上記の不正競争防止法7条に規定する賄賂を収受する単位又は個人は、民間企業又は民間の個人であることが主として想定されている。

事業者が当該禁止に違反し、上記の単位又は個人に対し賄賂行為を行ったときは、監督検査部門が違法所得を没収し、10万元（約200万円）以上300万元（約6,000万円）以下の過料に処する。情状が重大であるときは、営業許可証を取り消すとされている（不正競争防止法19条）。

10　コンプライアンスプログラム等に関する規制・ガイドライン等はあるか？

　中国では、国の職員に対する贈賄を防止するためのコンプライアンスプログラム等に関する規制等について、全国レベルのものは特段存在しない。

　ただし、地方性の推薦標準（適用は強制ではなく、企業が自主的に適用を決定する）としてではあるが、深セン市政府は、2017年に深セン市「賄賂防止管理システム深セン標準」（以下「深セン標準」という）を公布し、同年7月1日から施行されている。深セン標準は、2016年10月に国際標準化組織（ISO）により公布された国際標準である「賄賂防止管理システム」（ISO3700）を参考にしたものとされる。

　深セン標準においては、賄賂防止システムの基本要求、組織管理者の職責、賄賂リスクの評価手続、賄賂防止体制の実施及びサポート措置・効果評価・改善等について、それぞれ参照すべき標準が規定されている。また、あらゆる領域の商業組織が、深セン標準を自主的に適用することができ、その他の非商業組織も本標準を参照することができるとされている。

Column

中国の商業賄賂の法執行

　中国では、実務上、商業賄賂に対する法執行も厳しく行われている。

　中国の裁判例データベースにおいては、商業賄賂の刑事責任に関する判決文書が公表されている。近時の企業に対する商業賄賂の刑事罰の事例としては、北京の某企業及びその代表者が2020年2月から6月までの期間において取引相手との契約の締結等を図るために取引相手の担当者に複数回にわたって合計158.8万元（約3,176万円）を支払ったことが、贈賄行為と認定され、当該企業（贈賄側）に対して罰金20万元（約400万円）、その代表者に対して有期懲役1年6か月（執行猶予2年）と罰金10万元（約200万円）の刑事罰が下された例が公表されている（2022年11月の北京市の地方人民法院の判決文書）。また、他の地域（例えば、安徽省、四川省、上海市）についても、類似の刑事罰の事例（公開入札での落札や取引機会の獲得

のために取引相手の担当者に高額のリベートを提供した事例等）の判決文書が公表されている。

さらに、贈賄の金額等の情状の程度により、商業賄賂が刑事罰の対象とはならない場合であっても、行政処罰の対象になる可能性もある。行政処罰の事例としては、某日本企業の上海市の現地法人が、市場開拓及び長期的な提携関係の維持のため、2019年9月及び2020年8月に取引先病院に茅台、五糧液等の酒（合計金額1万5,258元）（約30万円）を贈答品として提供した行為が商業賄賂と認定され、2022年に上海市楊浦区市場監督管理局により98万元（約1,960万円）の過料に処された事例が公表されている。本文に記載のとおり、贈賄金額に起訴基準が定められている刑事罰とは異なり、商業賄賂の行政処罰については、不正競争防止法及びその下位法令において、贈賄金額に関する基準が明確に定められておらず、また、実務上数百元程度の少額の商業賄賂の提供であっても行政処罰の対象とされた実例が存在する。中国では、取引相手に贈答品を提供する旨の取引慣行が残っているケースも少なくないため、注意が必要である。

この点、商業賄賂刑事事件意見10条において、商業賄賂刑事事件の処理の際に贈賄に該当するかの考慮要素として、①財物の受渡しが発生した背景、②財物の価値、③財物の受渡しの原因、時期及び方式（財物提供者から受領者に対し職務上の請託があったか否か等）、④受領者が職務上の便宜を利用して提供者のために利益を図ったか否か、が挙げられており、これは商業賄賂に対する行政処罰リスクを検討する上でも、一定程度、参考となる。

以上のとおり、中国では商業賄賂で刑事罰又は行政処罰を受けるリスクに特に注意する必要があり、贈答、接待等に関する基準、手続等のルールを設けるなどの対応を行うことが望ましい。

さらに近時、特定の分野、例えば医療、薬品関連分野における贈収賄への取締りが強化されており、留意が必要である。例えば、山東省の某企業が病院に対し、輸血用の試薬及び医療用消耗品の供給を行うに際し、当該病院に無料で25台の検査設備を提供することを約束したことについて、当該検査設備の提供は商業賄賂に該当すると認定され、当該企業が20万元（約400万円）の過料と約460万元（約9,200万円）の違法所得の没収の行政処罰を受けた事例が存在する。なお、不正競争防止法7条1項においては、商業賄賂における利益・財産を収受する主体は、①取引相手の従業員、②取引相手の委託を受けて関連事務を処理する単位又は個人、③職権又は影響力を利用して取引に影響を及ぼす単位又は個人と規定されており、（売買等の）取引相手自体は含まれていない[13]。上記事例は形式的には取引

相手に対する利益供与であり、不正競争防止法上の商業賄賂に該当しないとも考えられる事案であった。しかし、取引の背後に消費者や患者等、他の利害関係者が存在し、形式的には取引相手に対する利益供与であるとしても、取引全体を実質的にみると背後に存する利害関係者の権益を侵害し得る、又は公平な競争を害するような取引と判断され、商業賄賂に該当するとして処罰を受けた可能性も考えられる。

---

13) 2022年11月22日に公表された不正競争防止法（改正草案意見募集稿）において、取引相手も利益・財産を収受する主体として追加されている。同意見募集稿はいまだに正式な法令として成立していないが、今後の不正競争防止法の改正動向を引き続き注視する必要がある。

第9節　台　湾

1　台湾における贈収賄行為の実情は？

　台湾において、贈収賄の件数は最近でこそ減少傾向にあるものの、贈収賄は引き続き重要かつ深刻な問題として捉えられている。そこで、台湾政府は2011年7月20日に廉政署を設立し、汚職撲滅に力を入れている。廉政署の特徴として、①台湾唯一の汚職撲滅のための専門機構であること、②法務部から派遣された検察官が贈収賄事件の捜査について、直接指揮を執ることとなっており、かつ早期の段階から関与する体制となっていること、③廉政署の透明な業務執行を監督し、組織の独立性を確保するため、関係機関の代表、専門の学者等のメンバーで構成される廉政審査会が設置されていることの3点が挙げられる。

　地方裁判所検察署の「汚職案件起訴状況表」によれば、2022年度の地方裁判所検察署による贈収賄の非公務員の起訴人数は749人で、直近5年と比較すると明らかに増加しているが、2017年から2021年までは起訴人数が300人台から400人台（2017年336人、2018年361人、2019年457人、2020年415人、2021年349人）で推移している。また、廉政署が地方裁判所検察署の資料に基づき作成した統計資料によれば、汚職処罰条例（下記2参照）に基づき起訴された案件は、2017年242件、2018年239件、2019年228件、2020年266件、2021年216件であったが、2022年は318件に増加した。

　台湾において、注目を集めた贈収賄事例について、以下を紹介する。すなわち、台湾の建設会社を中核とするグループの代表者であった者が、当該建設社で進めていた不動産開発プロジェクトについて、都市計画審議、環境影響評価審査等の進行を促進するため、古くからの知り合いであった市会議

員に対して、当該市会議員が実質的に支配する会社に別案件の工事を不当に高く発注するなどの方法により、不正の利益を供与したとして、起訴された。さらに、同代表者は、上記の不動産開発プロジェクト及び別の不動産開発プロジェクトの進行を促進するため、都市計画審議業務を担当する審議科の科長職にあった者（公務員）に対して、約 10 万 8,000 ニュー台湾ドル（約 51 万円）の高級高麗人参を贈与し、当該公務員及びその家族の高級ホテルでの宿泊、飲食等の費用（総額約 7 万ニュー台湾ドル（約 33 万円））を負担することにより、不正の利益を供与したとして、起訴された。2022 年 10 月、台湾台北地方裁判所は、同代表者に対し、1 つ目の起訴事実について、懲役 2 年及び 2 年の公民権はく奪、2 つ目の起訴事実について、懲役 1 年及び 1 年の公民権はく奪の有罪判決を下した。

2　台湾における公務員贈賄規制の概要は？

　台湾において公務員に対する贈収賄を取り締まる法律は台湾刑法（最新改正日：2024 年 6 月 24 日）（以下本節において「刑法」という）及び汚職処罰条例（中国語：貪治罪條例。最新改正日：2016 年 6 月 22 日）である。汚職処罰条例は、刑法の特別法であり、原則として刑法に優先して適用される。

　汚職処罰条例は、公務員が、職務に違背する行為又は、（職務に違背しない）職務上の行為の対価として、賄賂又は不正の利益を要求、約束又は受け取る行為を、収賄行為として処罰する（汚職処罰条例 4 条 1 項 5 号、5 条 1 項 3 号）。同様に、これらに対応する贈賄行為（公務員に対して、職務に違背する行為又は職務上の行為に関して、賄賂又は不正の利益を供与することの申込み、約束又は供与する行為）も処罰の対象となる（同条例 11 条 1 項・2 項）。刑法には、収賄行為について、上記と同様の行為の処罰を定める規定がある（刑法 122 条 1 項、121 条。ただし、公務員に加え、仲裁人の収賄行為も処罰対象となる）。他方、贈賄行為については、汚職処罰条例とはやや異なり、職務に違背する行為に関する贈賄行為の場合のみ、刑法にも同様の規定がある（刑法 122 条 3 項。ただし、公務員に加え、仲裁人に対する贈賄行為も処罰対象となる）。

　いずれも刑罰は、刑法に比べ汚職処罰条例のほうが加重されている。

3 公務員贈賄罪の要件は？

汚職処罰条例 11 条 1 項及び刑法 122 条 3 項は、行為者が、公務員に対し、職務に違背する行為に関し、賄賂又はその他不正利益を供与することの申込み、約束又は供与する行為を処罰する旨を定める。

また、公務員の職務に違背しない行為（すなわち公務員の職務上の行為）にかかる贈賄について、刑法には規定はないが、汚職処罰条例 11 条 2 項は、行為者が、公務員に対し、職務に違背しない行為に関し、賄賂又はその他不正利益を供与することの申込み、約束又は供与する行為を処罰する旨を定める。

文言の定義等について、以下解説する。

(1) 公務員

「公務員」は、「身分公務員」、「職務公務員」及び「授権公務員」に分類される。「身分公務員」とは、法令により国家、地方自治体の所属機関に勤務して法定職務権限を有する者を指す。「職務公務員」とは、法令により公共事務に従事して法定職務権限を有するその他の者を指す（刑法 10 条 2 項 1 号）。そして「授権公務員」とは、国家、地方自治体の所属機関の法による委託を受けて、委託機関の権限に関する公共事務に従事する者を指す（同項 2 号）。

(2) 賄賂又はその他の不正利益を供与することの申込み

「賄賂又はその他の不正利益を供与することの申込み」とは、公務員に対して賄賂又はその他の不正利益を供与する意向を表示する通知行為を指す。当該通知行為が行われ、かつ当該意向が相手方に到達した場合、「申込み」が成立し、相手方による承諾の有無は問わない（最高裁判所 100 年度台上字第 488 号刑事判決）。

(3) 賄賂又はその他の不正利益を供与することの約束

「賄賂又はその他の不正利益を供与することの約束」とは、贈賄者と収賄者の間で賄賂又はその他の不正利益の供与につき双方の意思表示が一致することを指す。台湾では、まだ供与がなされていない段階でも「約束」は成立し（最高裁判所83年台上字第6829号刑事判決）、処罰の対象となるので注意を要する。

(4) 賄賂又は不正利益

「賄賂」とは、金銭又は金銭で計算できる財物のことを指し、「不正利益」とは、賄賂以外で、人の必要に供する、あるいは人の欲望を満足させるに足る一切の有形又は無形の利益のことを指す。公務員の職権に関する一定の作為又は不作為と供与される当該賄賂又は不正利益との間には、後者が、前者の対価として供与されるという関係の存在が必要である（最高裁判所102年台上字第1755号刑事判決、最高裁判所101年台上字第577号刑事判決）。

(5) 職務に違背しない行為

「職務に違背しない行為」とは、公務員が、その職務上の義務に違背せず、その職務の権限責任の範囲内で行うべき、又は行うことができる行為を指す（最高裁判所102年台上字第1999号刑事判決参照、法務部検察司の発行する2011年6月7日付け法務部ニュース）。

(6) 行為者

刑法及び汚職処罰条例には、法人等の従業員等が贈賄を行った場合の当該法人に対する刑事処罰の有無に関し、法人を処罰する規定がないため、ここでいう「行為者」には法人は含まれず、法人が罰金刑等の刑事処罰の対象となることは予定されていない（ただし、法人への行政処分について、下記6参照）。なお、法人の責任者らが従業員を教唆、幇助又は利用等して贈賄を行った場合、刑法28条〜30条に定める共同正犯、教唆犯又は幇助犯の規

定により、当該従業員と共に汚職処罰条例又は刑法122条の刑事責任を問われることになる（ただし、以上について、法人自体が刑事責任を負うものではない）。

4　公務員贈賄罪の適用が除外される場合とは？

　台湾においては、米国FCPAのファシリテーション・ペイメントのように、公務員の機械的業務に関する円滑化のための少額の支払について贈賄罪の適用を除外する旨の規定はない。公務員は法により職務を執行すべきであり、公務員に対して賄賂又はその他不正利益の供与の申込み、供与の約束又は実際の供与が行われたときは、それが機械的業務の円滑化のための少額の支払に関するものであっても、贈賄罪の構成要件に該当する可能性がある。
　ただし、台湾においては、以下の要件の下で、公務員に対する少額の贈答品の供与又は接待が認められている。

(1)　贈答品たる財物を収受すること

　台湾行政院が定める公務員廉政倫理規範によれば、公務員は原則として、その職務と利害関係のある者に対する財物の要求、約束又は収受をしてはならず、その職務と利害関係のある者から財物を贈答されたときは、拒絶又は返還しなければならない。ただし、以下の場合は、偶発的であって、特定の権利義務に影響をもたらすおそれがないときは、収受することができる（公務員廉政倫理規範第二、㈢及び第四参照）。

①　公務の礼儀であるとき
②　上司からの奨励、援助又は慰問であるとき
③　収受した財物の市価が500ニュー台湾ドル（約2,380円）以下である、又は、当該公務員が所属する機関（機構）内の多数の者に対する贈答であって、その市価総額が1,000ニュー台湾ドル（約4,760円）以下であるとき
④　婚約、結婚、出産、引越、就職、昇進異動、定年退職、辞職、離職及び本人、配偶者又は直系親族の傷病、死亡により収受した財物の市価が通常の社交の常識的な基準（一般人の社交上のやり取りに属し、市価が

3,000ニュー台湾ドル（約1万4,285円）を超えないことを指す。ただし、同一年度に同一の出所から収受する財物は1万ニュー台湾ドル（約4万7,620円）を限度とする）を超えないとき

(2) 接 待

台湾行政院が定める公務員廉政倫理規範によると、公務員は原則として、その職務と利害関係のある者により行われる宴会接待に参加してはならない。ただし、以下の場合はこの限りではない（公務員廉政倫理規範第七参照）。
① 公務の礼儀により明らかに参加する必要があるとき
② 民間習俗たる祝日（例えば、正月、元宵、端午又は中秋等）に公開挙行される活動であって、かつ一般人も招かれて参加するとき
③ 上司の部下に対する奨励、慰労であるとき
④ 婚約、結婚、出産、引越、就職、昇進異動、定年退職、辞職、離職等により挙行される活動であり、通常の社交の常識的な基準（一般人の社交上のやり取りに属し、市価が3,000ニュー台湾ドル（約1万4,285円）を超えないことを指す。ただし、同一年度に同一の出所から収受する財物は1万ニュー台湾ドル（約4万7,620円）を限度とする）を超えないとき

(3) 職務に関する活動の制限

台湾行政院が定める公務員廉政倫理規範によると、上記(1)及び(2)の他、その職務活動に関して以下の制限を受ける。
① 公務員は講演、座談会、研修及び審査（選抜）等の活動に出席した対価として受領する金額は1時間当たり5,000ニュー台湾ドル（約2万3,810円）を超えてはならない（公務員廉政倫理規範第十四、㈠参照）。
② 公務員は前項の活動に参加し、別に原稿料を受領するときは、1,000字当たり2,000ニュー台湾ドル（約9,525円）を超えてはならない（公務員廉政倫理規範第十四、㈡参照）。
③ 視察、調査、出張又は会議への参加といった活動の際は、茶菓子及び公務執行に明らかに必要がある簡単な食事、宿泊及び交通等を除き、関係機関（機構）から宴会又はその他の接待活動を受けてはならない（公

務員廉政倫理規範第九参照)。

5　①外国法人・個人による贈賄行為、②外国公務員に対する贈賄行為、③外国における贈賄行為に公務員贈賄罪が適用されるか？

①について、台湾公務員に対して贈賄行為を行った者に対しては、国籍を問わず、外国人に対しても、汚職処罰条例又は刑法が適用される。また、上記3⑹の説明のとおり、汚職処罰条例と刑法には、贈賄に関し、法人を処罰する規定がないため、外国法人も、汚職処罰条例と刑法の贈賄に関する規定が適用されない。

②について、汚職処罰条例11条3項の規定によると、外国、中国、香港又はマカオの公務員に対し、「貿易、投資又はその他の商業活動」に係る職務に限り、当該職務に違背する事項又は違背せずとも当該職務に係る事項について、賄賂又はその他の不正利益を供与することの申込み、約束又は供与したときは、処罰の対象となる。したがって、これらの職務を担当する公務員との関係では、外国公務員に対する贈賄行為も処罰対象となり得る。

③について、汚職処罰条例11条6項によれば、台湾外で、同条1項(職務違背行為に関する贈賄)、2項(職務に違背しない行為に関する贈賄)及び3項に該当する贈賄行為を行った者は、汚職処罰条例により刑事責任を負うとされており、これらの贈賄行為を行った場合、犯罪行為地を問わず処罰される可能性がある。

6　公務員贈賄罪の罰則その他の制裁は？　法人に対する制裁、海外の親会社に対する制裁は？

⑴　公務員贈賄罪の罰則その他の制裁

汚職処罰条例は、公務員の職務に違背する行為に関する贈賄行為に対し、職務に違背しない行為に関する贈賄行為と比べ、より重い処罰を科している。公務員の職務に違背した行為に関し贈賄を行ったときは、1年以上7年以下の懲役に処し、300万ニュー台湾ドル(約1,428万円)以下の罰金を併科す

ることができるとされ（同法11条1項）、職務に違背しない行為に関し贈賄を行ったときは、3年以下の懲役又は拘留に処し、又は50万ニュー台湾ドル（約238万円）以下の罰金を科し、若しくは併科するとされている（同条2項）。

また、刑法122条3項は、行為者が、公務員又は仲裁人に対し、職務に違背する行為につき、賄賂又はその他不正利益の申込み、約束又は供与をすることを処罰する規定を設けており、3年以下の懲役に処し、30万ニュー台湾ドル（約143万円）以下の罰金を併科することとされている（すなわち、汚職処罰条例11条1項のほうが重い処罰となっている）。一方、上記3のとおり、公務員の職務に違背しない行為（すなわち公務員の職務上の行為）にかかる贈賄について、刑法には規定はない。

法人等の従業員等が贈賄を行った場合、贈賄者個人は汚職処罰条例又は刑法によって処罰されるほか、法人の責任者らについては共同正犯等の罪に問われる可能性があり、また、当該法人等に対しても、以下のとおり、場合によって、政府調達法により行政処分が科される可能性がある。

(2) 法人・海外親会社への制裁の可能性

まず、汚職処罰条例及び刑法には、法人等の従業員等が贈賄を行った場合の当該法人に対する刑事処罰の規定がないため、法人が罰金刑等の刑事処罰の対象となることは予定されていない。

また、法人の責任に関する規定として、政府機関による入札募集等に関わる贈賄等を規定するものであるが、政府調達法（最新改正日：2019年5月22日）がある。

例えば、政府機関による入札募集に際し、法人等の従業員等が、当該入札を担当する公務員等に対し、贈賄行為を行った場合、当該機関は、当該法人等が納付した入札保証金を返還せず、既に返還している場合には改めて納付させることができる（政府調達法31条2項6号）。

また、政府機関が選択入札募集又は制限入札募集を行う場合、法人等が、当該機関に対し、第三者にコミッション、仲介費、謝礼金又はその他の利益を支払うことを条件として調達契約の締結を促した場合には、当該機関は、当該法人等との契約を終了し、又は解除し、かつ不正利益の2倍を契約金

額から控除することができる（政府調達法59条1項・2項）。

なお、法人等が入札を担当する公務員に対して贈賄を行った場合、当該法人は、「政府調達公報」に掲載される可能性があり、掲載された場合、その翌日から3年間は、入札に参加、又は落札対象若しくは下請業者となることができない（政府調達法101条1項15号、103条1項1号）などの処分が科される可能性がある。

加えて、法令解釈上は、公務員が賄賂を受け取り職務違背行為に及んだことで、台湾人民の権利を侵害した場合には、国家賠償法により国家賠償の対象となる可能性があるところ、贈賄者である個人も、当該不法行為の共同不法行為者として民事責任を追及される可能性がある（国家賠償法5条、台湾民法185条）。この場合、贈賄者が所属する法人等は、使用者責任を定める台湾民法188条1項により、同時に損害賠償責任を負う可能性もある。

海外の親会社等に対する制裁に関し、上記のとおり、台湾の法令上は、上記の行政処分以外には、法人に対する処罰を定めた規定はない以上、親会社等に対して台湾の法令に基づき、処罰が及ぶことは考えにくい。

7　第三者を通じた贈賄行為が処罰される場合とは？

エージェント、代理人、仲介者等の第三者と共謀して、又は、かかる第三者を教唆、幇助、利用して贈賄を行ったと認められる場合には、刑法28条〜30条に定める共同正犯、教唆犯又は幇助犯の規定により、第三者と共に、汚職処罰条例又は刑法に従い刑事責任を負うことがあり得る。

8　公務員贈賄罪はどのような手続を経て執行されるか？　自主報告により制裁が軽減される制度はあるか？　時効期間は？

贈賄者に対する法執行手続は、原則として、一般の刑事犯罪訴追手続と同じであり、検察が捜査を経て、起訴し、裁判所が審理の上、判決を下すこととなる。

汚職処罰条例は、自首（犯罪事実が捜査機関に発覚する前に、犯罪事実を自ら進んで申告すること）若しくは自白をした者、又は犯罪の情状が軽い者に対して責任を免除する条項を定めている。同条例11条5項によると、同条

の罪を犯して自首した場合は刑を免除する旨定められ、捜査又は公判中に自白した場合は、刑を免除又は減軽する旨定められている。また、同条例12条2項によると、犯罪の情状が軽く、贈賄額が5万ニュー台湾ドル（約24万円）以下の場合には、裁判所はその刑を減軽することとされている。

　刑法及び汚職処罰条例に規定される公務員贈賄罪の時効は、いずれも20年である（刑法80条）。

9　民間企業の役職員に対する賄賂・リベート供与は処罰対象となるか？

　2024年1月現在、私人間の賄賂供与等に関する一般的な処罰規定はない（個別の業態における規制については以下を参照）が、立法院において、企業賄賂防止法（中国語：企業賄賂防制法）という名称の法律案が審議されている（法案成立時期は未定）。当該草案の概要は以下のとおりである。

①　現行法では、一部の金融業者に対する賄賂の支払を規制する法律があるが（例えば証券取引法（證券交易法）172条及び173条、先物取引法（期貨交易法）113条及び114条、銀行法35条及び127条等）、企業賄賂防止法は全ての業種を規制する一般法であり、その規制対象は法人又は個人事業者である（台湾が許可した外国法人又は個人事業者も含まれる）。

②　法人等の従業員が、当該法人の事業に関して贈賄又は収賄を行った場合、刑事責任を問うことができ、当該法人等がこれにより損失を受けたか否かを立証する必要はない（4条1項・2項、5条1項・2項）。

③　企業賄賂防止法は法人等における収賄防止のための刑法の特別法であり、刑法の横領、詐欺又は背任の刑事責任より刑罰が加重されている（4条1項・2項、5条1項・2項）。

④　減刑事由がある（4条3項・4項、5条3項、6条）。すなわち、犯罪後に、収賄者が自首をして、自ら取得した財物等を提出した場合、その刑を減軽又は免除する。これによりその他の正犯又は共犯を発見した場合、その刑を免除する。贈賄者が自首した場合、その刑を免除する。捜査又は公判中に自白した場合、その刑を軽減又は免除する。情状が軽く、贈収賄に係る額が5万ニュー台湾ドル（約24万円）以下の場合、その刑を減軽する。

10　コンプライアンスプログラム等に関する規制・ガイドライン等はあるか？

　2024年1月現在、台湾においては贈賄を防止するために会社に適用されるべきコンプライアンスプログラムは定められていない。法務部政風司（行政機関の内部監査部門）が国際的な非政府組織であるトランスペアレンシー・インターナショナルが作成したガイドラインである The Business Principles for Countering Bribery の中国語訳を作成したことがあるが、公務の参考に使われているだけである。

第10節　ブラジル

1　ブラジルにおける贈収賄行為の実情は？

ブラジルは、トランスペアレンシー・インターナショナルが公表する2022年度腐敗認識指数において、180か国及び中94位（南米諸国の中ではウルグアイ（14位）、チリ（27位）、スリナム（85位）、ガイアナ（85位）、コロンビア（91位）に次ぐ6番目で、隣国アルゼンチンとは同順位）（https://www.transparency.org/en/cpi/2022）であり、世界的に見た場合にも、相当程度贈収賄行為のリスクが高い国であるといえる。

ブラジル国内においても、贈収賄行為は容認されているものではなく、関与した法人はその企業イメージへの悪影響が避けられないものとして認識されているものの、依然として汚職事件は頻発している状況にある。一方で汚職事件について当局が具体的な調査を開始し、処罰する傾向は、2013年の腐敗防止法（Brazilian Anti-Corruption Act. 2013年8月1日法12846号）（以下本節において「腐敗防止法」という）の施行後の時期に特に高まり、汚職に関与した疑いのある法人及び個人に対して、2014年以降、2万4,116件（2014年）、2万3,355件（2015年）、2万5,569件（2016年）、2万5,953件（2017年）という多数の法的手続が開始された。

特に、2014年から2021年2月まで行われた「洗車作戦（OperaçãoLava-Jato）」と名付けられた一連の捜査においては、ブラジル最大手の石油会社であるペトロブラス社を主とする公的機関が関与した多数の汚職事件が明らかになった。また、2013年から開始された「ゼロテス作戦（Operação Zelotes）」と呼ばれる一連の捜査では、税務上訴委員会（Conselho Administrativo de Recursos Fiscais）における汚職に関して、多数の企業や公共機関が関与したことが明らかになった。また、同時期、米国FCPAの執

行において、米国当局がブラジル当局を含む海外当局と協調・共同する傾向が一層強まった点にも留意が必要である。例えば、ペトロブラス社が関与した汚職事件に関する捜査の過程で明らかになったブラジルの建設大手であるオデブレヒト社の不正事件に関しては、同社が各国での契約獲得のために公務員等に対する贈賄を行っていたとして、米国、ブラジル及びスイスの各当局が共同で捜査を実施した。この件においては、2017年4月17日、米国連邦地方裁判所が、同社に、米国政府、ブラジル政府及びスイス政府に対し、それぞれ9,300万ドル（約134億4,966万円）、23億9,100万ドル（約3,457億8,642万円）及び1億1,600万ドル（約167億7,592万円）という多額の罰金を支払うよう命じたことも注目を集めた。

2　ブラジルにおける公務員贈賄規制の概要は？

　ブラジルにおいて公務員への贈賄に関する規制を定める主要な法律は、ブラジル刑法（Brazilian Penal Code. 1940年12月7日法2848号。以下本節において「刑法」という）及び腐敗防止法である。
　上記2つの法律の主な違いとしては、第1に、刑法は公務員への贈賄行為についての刑事責任を定めるものであるのに対し、腐敗防止法は公務員への贈賄行為を行った者に対する行政処分としての制裁と司法処分としての制裁を定めるものであること、第2に、刑法は具体的な贈賄行為を行った自然人のみを適用対象とするものであるのに対し、腐敗防止法は、贈賄行為に関与した法人のみを適用対象とし、贈賄行為に直接関与した法人だけでなくその親会社等も連帯責任を負うべき旨を定めていることが挙げられる。
　なお、ブラジルには、刑法及び腐敗防止法のほかにも、行政不正行為法（Administrative Improbity Act. 1992年法8429号）、公共調達法（Public Procurement Act. 2021年法14133号）等、汚職行為の規制を目的としたその他の関連法令が存在する。直近では、2021年に刑法及び公共調達法の改正がなされ、公共入札に関する不正行為が刑法上の犯罪として規定し直された。

3　公務員贈賄罪の要件は？

(1) 刑法における公務員贈賄罪

　刑法上、国内公務員に対する贈賄行為と外国公務員に対する贈賄行為はそれぞれ異なる構成要件が定められている。同法においては、もともと国内公務員に対する贈賄行為のみが犯罪として規定されていたところ、OECD条約への調印を受け、2002年の法改正により新たに外国公務員に対する贈賄罪の規定が設けられたものである。

　このうち、国内公務員に対する贈賄については、刑法333条において、「公務員に対し、ある行為を遂行させる、その遂行を差し控えさせる、又はその遂行を遅延させるために、公務員に対して不当な利益の申出、約束又は供与を行うこと」と規定している。他方、外国公務員に対する贈賄については、刑法337-B条において、「外国公務員に対し、国際的な商取引に関する行為を遂行させる、その遂行を差し控えさせる、又はその遂行を遅延させるために、外国公務員に対して不当な利益の申出、約束又は供与を行うこと」と規定している。なお、刑法333条に定める「公務員」とは、①期間の長短、報酬の有無を問わず、政府の公務に従事する者、②政府が一部出資する機関において事務に従事する者、及び③典型的な行政サービスの提供を行う会社又は典型的な行政活動の遂行のために起用される民間の委託先において事務に従事する者と定義される。ここでいう「典型的な行政サービス」や「典型的な行政活動」とは、公共のニーズに対応するために、法律上、政府が市民に対して直接又は他への委託を通じて提供することが定められている活動全般を指し、「民間の委託先」の具体的な例として、廃棄物収集業者や電力会社、ブラジルの保険制度上の医療サービスを提供する機関、電気通信会社、公共交通機関、及び保険会社が挙げられる（いずれの機関も政府からの委託を受けているなど、政府と一定の関係を有している場合に限る）。

　また、刑法337-B条に定める「外国公務員」とは①期間の長短、報酬の有無を問わず、外国政府の公務に従事する者、②外国政府が直接又は間接に支配権を有する機関において事務に従事する者、及び③国際機関において事務に従事する者と定義される。

(2) 腐敗防止法における公務員贈賄規制

　腐敗防止法は、公務員に対する贈賄に関する規制として、行政活動若しくは公共の財産、行政活動の指針、又はブラジルが当事者となっている国際的協定等に対して悪影響を及ぼし得る行為を禁じており、同法5条において、①公務員又はその関係者に対して直接又は間接的に不当な利益の供与をすること、②健全な行政活動の遂行に反する行為に対する金銭的援助その他の幇助を行うこと、③健全な行政活動の遂行に反する違法行為により実際に得られた利益を隠蔽するために第三者を利用すること、及び④公共入札において談合等の不正行為を行うこと等を違反行為として規定している。なお、腐敗防止法は、刑法上の「国内公務員」及び「外国公務員」の双方に対する贈賄行為を規制している。

4　公務員贈賄罪の適用が除外される場合とは？

　刑法及び腐敗防止法上、特定の贈賄行為を処罰の対象外とするような例外規定はない。米国FCPAのファシリテーション・ペイメントのように、公務員の機械的業務に関する円滑化のための少額の支払について適用を除外する旨の規定もない。また、社会通念上相当な範囲での贈答品や接待を処罰の対象外とする明示的な規定もない。したがって、円滑化のための少額の支払や社会儀礼上の贈答・接待についても、刑法及び腐敗防止法が適用される可能性がある。

　なお、行政庁幹部のための行動規範（Code of Conduct for Senior Government Services）によれば、外国の行政当局関係者から贈られるものである場合を除き、原則としていかなる公務員も贈答品を受け取ってはならないとされているが、図表5-4に挙げるものについては、例外的にここでいう「贈答品」に該当しないと定めている。

　しかしながら、当該規定に基づき、「贈答品」に該当せず、公務員が受け取ったとしても上記行動規範上は問題とならない場合であっても、刑法及び腐敗防止法の構成要件上は、「不当な利益」に該当する可能性があり、これらの法律の適用対象となり得る点には注意が必要である。

図表5-4 贈答品に該当しないもの

	贈答品に該当しないもの
①	以下の要件1～要件3を全て満たすもの。 要件1：経済的な価値を有しないもの、又は100ブラジルレアル（約3,000円）を超えない金額のカレンダー、ペン等の会社名やロゴの入った無償の販促用物品 要件2：1年に2度以上の頻度で受け取っていないこと 要件3：公務員一般に提供される性質のもので、特定の公務員を利する目的を有しないもの
②	学術的貢献の認知や、学術・科学・技術・文化的貢献に関する公の競争に起因して与えられる賞
③	私的利益を有しないスポンサーから付与される、公務員の職務能力向上に関連する奨学金

5 ①外国法人・個人による贈賄行為、②外国公務員に対する贈賄行為、③外国における贈賄行為に公務員贈賄罪が適用されるか？

(1) 刑法上の公務員贈賄罪の適用関係

　刑法は、自然人の行為のみを適用対象とし、法人に対する両罰規定を置いていない。そのため、刑法上の公務員贈賄罪及び外国人贈賄罪については、内国法人であるか外国法人であるかを問わず、法人が刑事責任を負うことはない。なお、自然人の行為については、贈賄行為がブラジル国内で行われた場合、当該行為者がブラジル国籍を有するか否かにかかわらず刑法上の公務員贈賄罪が適用される。他方、贈賄行為が国外で行われた場合、国内公務員に対する贈賄については、行為者の国籍にかかわらず刑法が適用され、外国公務員に対する贈賄については、ブラジル国籍を有する者に限り適用対象となる。つまり、贈賄行為がブラジル国内、贈賄者がブラジル国籍者、又は収賄者が国内公務員、のうちいずれか1つにでも該当すれば刑法上の公務員贈賄罪が適用される。また、上記3(1)に記載のとおり、刑法上、外国公務員

に対する贈賄は、国内公務員に対する贈賄とは別の罪として規定されている。以上を整理すると、刑法上の公務員贈賄罪の適用関係は、**図表5-5**のとおりとなる（いずれも自然人の行為のみが対象）。

図表5-5　ブラジルにおける刑法の適用関係

行為地	行為者（贈賄側）ブラジル国籍の有無	公務員（収賄側）	適用の有無
国内	ブラジル国籍・有	国内公務員及び外国公務員	適用あり
国内	ブラジル国籍・無	国内公務員及び外国公務員	適用あり
国外	ブラジル国籍・有	国内公務員	適用あり
国外	ブラジル国籍・有	外国公務員	適用あり
国外	ブラジル国籍・無	国内公務員	適用あり
国外	ブラジル国籍・無	外国公務員	適用なし

(2) 腐敗防止法上の公務員贈賄規制の適用関係

腐敗防止法は、法人の行為のみを対象とし、法人の役職員及びエージェントやブローカー、仲介者、コンサルタント又は取引先等の第三者による公務員への贈賄について、ブラジルの国内国外のいずれで行われたものであるかを問わず、その法人が厳格責任を負い、同法上の制裁の対象となるものとされている（同法2条）。外国法人についても、期間の長短を問わずブラジル国内に出張所、本店又は代表者を有する場合には、同法の適用対象となる（同法1条1項）。さらに、①ブラジルの法人による外国の公的機関に対する行為（国外でのみ行われた場合を含む）、②ブラジル国内において全部又は一部が実施されるか、当該行為によりブラジル国内に影響を及ぼし、又は及ぼし得る場合、③国外で行われた場合であっても、ブラジルの国内の公的機関に対する行為には、腐敗防止法が適用され得る（腐敗防止法施行令（2022年7月11日施行令11129号（以下本節において「腐敗防止法施行令」という）1条1項）。

また、ある法人が同法上の制裁の対象となった場合、制裁金の支払及び違

反行為から生じた損害の補填については、(ブラジル国内外を問わず) その親会社・子会社・関連会社等も連帯して責任を負うこととされている (同法4条2項)。なお、上記3(2)に記載のとおり、同法は、国内公務員と外国公務員の双方に対する贈賄行為を同様に規制している。以上を整理すると、腐敗防止法上の公務員贈賄規制の適用関係は図表5-6のとおりとなる (いずれも法人の行為のみが対象)。

図表5-6　ブラジルにおける腐敗防止法の適用関係

行為地	行為者 (贈賄側) ブラジル法人／外国法人	公務員 (収賄側)	適用の有無
国内及び国外	ブラジル法人	国内公務員及び外国公務員	適用あり
	外国法人 (ブラジル国内に出張所本店又は代表者を有する場合)		
	外国法人 (ブラジル国内に出張所本店又は代表者を有しない場合*)		適用なし

＊この場合であっても、腐敗防止法の適用対象となる法人の親会社・子会社・関連会社等である外国法人の場合には、制裁金の支払と違反行為から生じた損害の賠償については連帯責任を負う。

6　公務員贈賄罪の罰則その他の制裁は？　法人に対する制裁、海外の親会社に対する制裁は？

(1)　刑法上の公務員贈賄罪に関する罰則

公務員贈賄罪に関する刑事罰は、国内公務員に対する贈賄罪 (刑法333条) と、外国公務員に対する贈賄罪 (同法337-B条) とで異なる。国内公務員に対する贈賄罪については、2年以上12年以下の禁錮及び罰金、外国公務員に対する贈賄罪については、1年以上8年以下の禁錮及び罰金である。罰金は、国の定める法定最低賃金 (2023年5月現在、月額1,302ブラジルレアル。約3万9,000円) の30分の1から5倍の範囲で日額が定められ、日額の

360倍の金額を上限として宣告される。いずれの場合も、収賄者である公務員の下において、贈賄者からの依頼に基づく作為、不作為又は業務遂行の遅延が実際に生じた場合には、これらの罰則は3分の1を上限として加重される。なお、上記2のとおり、刑法の規定は自然人のみを適用対象とするものであり、また法人に対する両罰規定も設けられていないことから、ブラジルの国内国外を問わず、法人に対する制裁が問題となることはない。

(2) 腐敗防止法上の公務員贈賄規制違反に関する制裁

腐敗防止法は、行政処分としての制裁と、司法処分としての制裁を定めており、いずれも具体的な違反行為者である自然人が役職員又はエージェント等を務める法人に対して科されるものである。

行政処分としての制裁について、腐敗防止法6条は、原則として、違反行為についての調査が開始されたタイミングの前年度における法人の総売上高の0.1～20%の範囲での制裁金の支払及び法人の費用負担での新聞等のメディア、官報及び会社ウェブサイトへの掲載による違反事実の公表を定めている。

このうち、制裁金に関しては、腐敗防止法施行令（2022年7月11日施行令11129号）において、その金額を算出する基準が定められている。腐敗防止法施行令では、制裁金の加算及び減額のいずれについても、具体的な要件や増額及び減額の算出基準が細かく定められており、中でも、コンプライアンスプログラムの実施により、制裁金が最大5%減額される可能性があることが明記されている点が特徴として挙げられる（腐敗防止法施行令20条から27条）。具体的には、図表5-7記載の項目に該当する事由がある場合には、各該当項目に対応する比率を積算し、図表5-8記載の項目に該当する事由がある場合には、各該当項目に対応する比率を減算する。このようにして得られた比率を前年度における総売上高に乗じて得られる金額が、上記制裁金の金額となる。なお、下記表中の比率のうち一定の幅のあるものについては、行政当局の裁量によりその幅の範囲内で具体的な比率が決定される。

なお、制裁金の範囲は、前年度における総売上高が算出できる場合であれば、違反行為により獲得した利益の額（算出可能な場合）又は前年度におけ

図表 5-7　制裁金の額を決定する基準（加算項目）

	加算項目	比率
①	違反行為が継続的に行われた場合	最大 4％
②	経営陣が違反行為を認知していたか、違反行為の防止について懈怠があった場合	最大 3％
③	違反行為の結果、公共サービスの提供や公共事業の実施が妨害された場合	最大 4％
④	贈賄者の財務状況について、支払能力を有し流動性比率が100％を超えており、調査開始の直前の会計年度において純利益を計上している場合	1％
⑤	前回の違反行為の審決から 5 年以内の再度の違反行為である場合	3％
⑥	違反行為によって契約を締結した場合又は締結しようとした場合	i 当該契約の金額が50万ブラジルレアルを超える場合、1％。 ii 当該契約の金額が150万ブラジルレアルを超える場合、2％。 iii 当該契約の金額が1,000万ブラジルレアルを超える場合、3％。 iv 当該契約の金額が5,000万ブラジルレアルを超える場合、4％。 v 当該契約の金額が2億5,000万ブラジルレアルを超える場合、5％。

図表 5-8　制裁金の額を決定する基準（減算項目）

	減算項目	割合
①	違反行為が完了しなかった場合	最大 0.5％
②	自発的に、違反行為により獲得した利益が全額返還され、違反行為による損害が補填された場合	最大 1％

③	違反行為による利益の収受や損害の発生に関する証拠が不十分である場合	最大1％
③	違反行為の調査に協力した場合	最大1.5％
④	違反行為についての調査開始前に自ら申告した場合	最大2％
⑤	法人が腐敗防止法施行令に規定された考慮要素を踏まえ適切なコンプライアンスプログラムを制定・運用していた場合[1]	最大5％

る総売上高の 0.1％のいずれか最も高い金額が下限となり、違反行為により獲得した（若しくは獲得しようとした）利益の額の3倍の額又は前年度における総売上高の 20％のいずれか低いほうが上限となる（腐敗防止法施行令 25条）。また、前年度における総売上高が算出できない場合は、下限が 6,000 ブラジルレアル（約 17 万円）、上限が 6,000 万ブラジルレアル（約 18 億 680 万円）とされる（ただし、この上限は違反行為により獲得した利益の額が算出不能である場合に限る）（腐敗防止法施行令 25 条）、この範囲内で行政当局が具体的な制裁金の額を決定する。

司法処分としての制裁について、腐敗防止法 19 条は、裁判所への申立てを経て科される制裁として、①違反行為により得られた資産の没収、②法人の事業の全部又は一部の停止、③強制解散及び④公的機関又は公的金融機関による補助金や公的なローン等の公的資金の供給の停止（1～5年の範囲で定められる）を定めている。また、違反行為により第三者に損害が生じた場合、違反行為者たる法人は、具体的な損害を補填する責任を負う。

5(2)に記載のとおり、これらの制裁のうち、行政処分としての制裁である制裁金の支払と司法処分としての損害の補填については、違反行為者である法人を含む企業集団全体で連帯して責任を負うこととされている。連帯責任が及ぶとされる企業集団の範囲は、支配権とコンソーシアムの組成の有無に基づいて判断され、支配権を有する親会社だけでなく、違反行為者である法人が支配権を有する子会社も企業集団に含まれる（腐敗防止法 4 条 2 項）。そ

---

[1] 減算比率の最大値である 5％が適用されるためには、コンプライアンスプログラムが違反行為の前に制定・運用されている必要がある。

して、支配権の有無は、過半数の議決権を保有しているか又は役員の過半数を選出する権限を保有しているかにより判断され（ブラジル民法1098条）、コンソーシアムは通常損益の分配についての定めを有する契約関係の有無により判断される（具体的には組合やJVがコンソーシアムを組成しているとされる典型的な場面である）。したがって、腐敗防止法上、ブラジルの国内法人が公務員贈賄規制に違反した場合、その親会社は、ブラジル国外の法人であっても連帯責任を負う可能性があることに注意する必要がある。

7 第三者を通じた贈賄行為が処罰される場合とは？

　刑法上の公務員贈賄罪は、原則として直接違反行為を行った自然人を対象としている。第三者を通じた贈賄行為を処罰するためには、直接の行為者である第三者と本人との間で、贈賄行為を行うことについての合意がなされていることが証明されなければならない。したがって、第三者による公務員への利益の供与により、自らに利益が及ぶことを本人が認識していたという事実が立証された場合に限り、当該本人による第三者を通じた贈賄行為が処罰の対象となる。

　他方、腐敗防止法上の規制の対象となる贈賄行為については、第三者による贈賄行為についても法人は免責されないと定められている。特にエージェントやブローカー、仲介者、コンサルタント又は取引先を贈賄行為において意図的に介在させた場合には、腐敗防止法5条3項に定める利益の隠蔽のための第三者の利用に該当するものとして同法に定める制裁の対象となり得る。

8 公務員贈賄罪はどのような手続を経て執行されるか？　自主報告により制裁が軽減される制度はあるか？　時効期間は？

(1) 刑法上の公務員贈賄罪

　刑法上の公務員贈賄罪は、ブラジルの刑事当局により執行される。贈賄行為が疑われる場合の捜査は、通常、警察の協力を得て検察庁が行う。検察庁は刑事裁判手続も担当し、捜査の結果、贈賄行為があったことが明らかに

なった場合には、被疑者を裁判所に訴追するのも検察庁の職責である。刑事裁判においては、被告人に、防御の機会と適正手続が保障されている。被告人に対する有罪無罪の判断は裁判所により行われる。

刑法上、自主的に当局に対して贈賄行為の報告を行ったことにより制裁が軽減されるような制度は設けられていない。

ブラジル刑法における時効の考え方は、所定の期間経過後は被告人を訴追することができなくなるとする日本における公訴時効の考え方とはやや異なり、①犯罪行為の行われた時点から被告人の訴追までの期間だけでなく、②訴追から各審級における終局判決までの期間についても問題となる。これらのうち、①犯罪行為の時点から訴追までの時効期間は、当該犯罪行為に関する法定刑のうち最も重いものに応じて定められ、国内公務員に対する贈賄罪（2年以上12年以下の禁錮）は16年、外国公務員に対する贈賄罪（1年以上8年以下の禁錮）は12年である。他方、②各審級における訴追から終局判決までの時効期間は、当該事件について最終的に確定した判決において宣告された刑に応じて図表5-9のとおり定められる。いずれかの審級において時効期間を徒過した手続があった場合、当該確定判決における刑罰は執行されない（例えば、確定刑が10年の場合において、いずれか1つの審級における手続が16年以上かかった場合には、当該判決は執行されない）。

図表5-9　訴追から各審級における終局判決までの時効期間

確定刑	時効期間
12年超	20年
8年超12年以下	16年
4年超8年以下	12年
2年超4年以下	8年
1年以上2年以下	4年
1年未満	3年
罰金刑（罰金以外の刑罰も併科されている場合を除く）	2年

(2) 腐敗防止法上の公務員贈賄規制

　腐敗防止法上の公務員贈賄規制の違反に関する執行については、同法8条において、「（贈賄行為の対象となった）行政府、立法府又は司法府の組織や機関の最上級部署」が、違反行為についての調査と、それに基づく行政上の制裁の決定を行う、と定めている。ここで定める「最上級部署」と共に、各州の検査官（Controladoria-Geral da Uniao）（以下本節において「CGU」という）が腐敗防止法上の違反行為の執行権限を有している。贈賄行為が外国公務員に対して行われた場合には、CGUのみが違反行為の調査と制裁の決定を行う権限を有する。調査及び制裁の対象とされた法人には防御の機会と適正手続が保障され、行政庁の決定について裁判所へ上訴することができる。他方、司法処分としての制裁は司法手続を経て決定されるものであるが、かかる手続は、連邦政府、州政府（連邦直轄区政府を含む）又は市政府が、贈賄行為に関与した法人又は個人に対する告訴を行うことにより開始される。検察庁にも同様の告訴権限が与えられている。

　腐敗防止法上の公務員贈賄規制においては、リニエンシー制度が設けられているという特徴があり、同法上の一定の制裁については、行政当局による調査及び処分の手続への自発的な協力による免除又は軽減が認められている（同法16条）。行政当局への協力により、違反行為への他の関与者の特定や、違反行為に関する情報及び資料の確保につながった場合、協力を行った法人に関して、①違反事実の公表措置の免除、②制裁金の減額（最大3分の2まで）及び③補助金等の公的資金の供与停止の免除が恩恵として定められている。このような制裁の減免を受けるためには、行政当局との間で違反行為の調査及び処分への協力に関する契約を締結しなければならず、当局への協力を行う法人は以下の要件を含む所定の要件を満たす必要があるとされている。なお、仮に行政当局との間で上記契約を締結したことにより腐敗防止法上の制裁の減免がなされた場合であっても、違反行為者に対する刑事責任は免除されない。

　(イ)　当該法人が違反行為の第一の申告者であること
　(ロ)　当該法人が違反行為への関与を中止したこと
　(ハ)　当該法人が違反行為への関与を認め、行政当局による調査等の手続について、その終了まで全面的な協力を行うこと

このような制度の下、実際に関係当局との間でリニエンシー契約が締結された事案も一定数存在する。もっとも、腐敗防止法においては、原則として各公的機関の長がリニエンシー契約の締結権を有する旨規定されている一方で、連邦政府に関する場合や外国政府に関する違反行為の場合はCGUも締結権を有するとされており、個別具体的な事案においてどの行政機関とリニエンシー契約を締結すべきなのかを判断するのは容易ではない。そのため、実際にリニエンシー契約の締結を検討する場合には、現地の法律事務所と共に迅速かつ詳細に事実関係を分析し、適切な対応を検討することが重要である。

時効期間は、贈賄行為が明らかになった時、又は贈賄行為が終了した時から起算して5年間である（腐敗防止法25条）。

9 民間企業の役職員に対する賄賂・リベート供与は処罰対象となるか？

ブラジルの刑法及び腐敗防止法は、いずれも公務員に対する贈賄行為のみを規制の対象としている。ブラジル法上、民間企業の役職員に対する賄賂・リベート供与の禁止や取締りを定めた規制は設けられていない。

10 コンプライアンスプログラム等に関する規制・ガイドライン等はあるか？

上記6のとおり、腐敗防止法の違反行為に関する制裁金の算出に当たり、腐敗防止法施行令に規定された要素を踏まえ適切なコンプライアンスプログラムの制定・運用が行われていることは減額要素として考慮される。腐敗防止法施行令に定めるところによれば、コンプライアンスプログラムの内容や実施方法が適切であるか否かは図表5-10の諸要素を考慮の上判断される（腐敗防止法施行令57条）。

そして、腐敗防止法施行令に定めるところによれば、上記の要素を踏まえたコンプライアンスプログラムの評価は、当該法人の規模及び特徴を勘案して実施される。その指標としては、①従業員、使用人及び請負業者の数、②会社の総売上（零細企業又は小規模事業者への該当性への考慮を含む）、③コー

ポレートガバナンスの構造や社内部門・グループ構造の複雑さ、④仲介業者又は代理店の利用の有無、⑤当該法人が営む事業の種類、⑥直接間接を問わず当該法人が事業を営む国、⑦当該法人の事業における政府機関とのかかわり合いの程度及び当該事業における公的契約、投資、補助金、政府の許認可の重要性、⑧当該法人の属するグループ会社の数と所在地が挙げられている（腐敗防止法施行令57条1項）。

図表5-10　コンプライアンスプログラムを評価する際の考慮要素

	考慮要素
①	取締役会を含む経営幹部がどの程度明確に関与しているか（コンプライアンスプログラムへの支援や資金配分の適切性等から判断される）
②	職種や肩書を問わず全ての従業員及び経営幹部に適用されるか
③	必要に応じてサプライヤー、ベンダー、サービスプロバイダー、仲介業者、ビジネスパートナー等の第三者に適用されるか
④	定期的な研修等が実施されているか
⑤	コンプライアンスプログラムの修正や効率的な予算配分のために、定期的にコンプライアンスプログラムの再評価や分析等のリスク管理を行っているか
⑥	取引を適切かつ完全に反映した会計帳簿を作成しているか
⑦	財務書類及び財務報告の迅速な作成とこれらの正確性を確保するための内部統制が構築されているか
⑧	公共入札手続、行政契約の締結その他の政府機関との全ての取引（第三者が仲介する場合を含み、納税、調査の実施及び許認可の取得の場面を含むがこれらに限られない）における詐欺的な不法行為を防止するための特別な手続を定めているか
⑨	コンプライアンスプログラムを実施・監督する部署が独立し、組織化され、また、権限を与えられているか
⑩	内部通報制度が従業員や第三者に対して周知されているか、不正行為の通報に対応し、通報者を保護する仕組みが構築されているか
⑪	コンプライアンスプログラムに違反した場合の懲戒制度を定めているか

⑫	認知した違反行為の即時中止と損害の賠償を確保するための手続を定めているか		
⑬	以下のケースに対して適切な対策を講じているか		
	(イ)	サプライヤーや販売業者等の第三者の起用及び監査	
	(ロ)	政治的に露出している人物やその家族、関係者の雇用及び監督	
	(ハ)	スポンサーシップ及び寄付行為の実施及び監督	
⑭	企業買収や組織再編の場面において、関係当事者の不正行為その他の問題点を確認するための適切なデューデリジェンスが実施されているか		
⑮	不正行為の防止、発見、抑制に関するコンプライアンスプログラムの効果的な改善を目的として、コンプライアンスプログラムを継続的に監視しているか		

第11節 メキシコ

1 メキシコにおける贈収賄行為の実情は？

メキシコは、トランスペアレンシー・インターナショナルが公表する2022年度腐敗認識指数において、180か国中126位であり、世界的に腐敗度の高い国として知られている。

メキシコでは、2015年5月27日、憲法の一部が改正され、政府のあらゆるレベルにおける贈賄行為をより効果的に規制し、処罰するための「国家汚職防止システム（National Anticorruption System）」（以下本節において「SNA」という）が創設された。

SNAの下で実際に取締りが行われたメキシコにおける贈賄に関する著名な例として、ウォルマート・ストアーズのメキシコ子会社が、メキシコ当局の役人に多額の贈賄を行っていたとして、DOJより米国FCPA違反の調査を受けたという事例がある。なお、近年では、保険分野での贈収賄の増加傾向も見られる。

2 メキシコにおける公務員贈賄規制の概要は？

メキシコにおいて公務員に対する贈賄を規制する基本的な法律は、メキシコ連邦刑法（Federal Criminal Coder）（以下本節において「連邦刑法」という）及び行政責任に関する一般法（General Law on Administrative Responsibilities）（以下本節において「行政責任一般法」という）である。

連邦刑法はメキシコの連邦政府の公務員に対する贈収賄を罰するほか、メキシコに所在する個人又は法人によるメキシコ以外の政府の公務員に対する贈賄を罰する規定も有している。また、各州の刑法においても、連邦刑法と

実質的に同様の規定が置かれているため、州の公務員に対する贈収賄行為についても同様の規制がなされているが、本節においては、基本的に連邦刑法の内容を解説することとしている。

行政責任一般法[14]は、公務員並びに個人及び法人に対する行政上の制裁及びその手続並びに制裁金を減免する制度及びその手続等を定めており、連邦・州・市のいずれの公務員に対する行為にも適用される。

連邦刑法及び行政責任一般法は、その規制対象が公務員に対するあらゆる賄賂行為である点で共通している。他方で、連邦刑法に基づく制裁のための手続は刑事手続、行政責任一般法に基づく制裁のための手続は行政手続となり、それぞれ別個の手続であることから、連邦に対する行為の場合、連邦刑法による刑罰及び行政責任一般法に基づく制裁金が併科されることもあり得る。

3　公務員贈賄罪の要件は？

(1)　連邦刑法

連邦刑法上の贈賄罪は、個人又は法人が、公務員の職務に関連して、当該公務員の特定の作為又は不作為（不公正なものであるか否かを問わない）を目的として、金銭その他の利益の供与を申出、又は供与することを禁止する。ここでいう「利益」とは、金銭、有価証券、不動産、動産、時価を著しく下回る価格での売却、寄付、役務の提供、仕事のあっせん等を指す。なお、実際に公務員が利益を受け取ったか、また実際に贈賄の目的が達成されたかを問わない。

連邦刑法における「公務員」とは、選挙で選ばれた代表者、候補者、連邦政府司法府（Federal Judicial Branch）又は連邦地方司法府（Federal District's

---

14) なお、2012年6月11日付で制定された政府調達に関する連邦汚職防止法（Federal Anticorruption Law in Public Procurement）は、政府調達（政府による資産の購入、公共工事の発注、許認可の付与等をいう）の手続に関して贈賄を行った個人又は法人に対し制裁金を科していたところ、行政責任一般法はこれに代わる法律と位置付けられている。もっとも、行政責任一般法では政府調達の手続に関して行われた賄賂であるかにかかわらず、公務員に対するあらゆる賄賂行為が規制の対象とされている点で、より広く規制する法律となっている。

Judicial Branch) の構成員、並びに国民議会 (National Congress)、連邦地方議会 (Federal District Congress)、連邦政府 (Federal Public Administration)、連邦地方政府 (Federal District Public Administration)、その他のメキシコ憲法が自治を与える組織において何らかの職務・地位を有する者をいう。同様に、メキシコ以外の国における政府機関及び公営・国営企業等の職務遂行者や国際的な公的機関の役員及び代理人等も「公務員」とみなされる。なお、「公務員」とは個人のみを指し、政府機関はこの定義に含まれない。

(2) 行政責任一般法

　行政責任一般法は、個人又は法人が、公務員が一定の行為を遂行すること、又はその遂行を差し控えること、若しくは不当な影響力を行使することにより、不正の利益を得ることを目的として、直接的又は間接的に当該公務員に対し、金銭その他の利益を約束し、申出、又は供与した場合に適用される。なお、実際に公務員が利益を受け取ったか、また実際に贈賄の目的が達成されたかを問わない。「公務員」の定義は、連邦刑法における定義と同様である。

4　公務員贈賄罪の適用が除外される場合とは？

　メキシコにおいては、米国FCPAのファシリテーション・ペイメントのように、公務員の機械的業務に関する円滑化のための少額の支払について適用を除外する旨の規定はない。したがって、円滑化のための少額の支払であっても、連邦刑法上の贈賄罪に該当し、又は行政責任一般法違反となる可能性がある。

　また、贈答品や接待についても、連邦刑法及び行政責任一般法上、社会通念上相当な範囲として許容される金額等の基準はなく、どのような贈答品・接待等の利益の供与であっても処罰の対象となる可能性がある。

5 ①外国法人・個人による贈賄行為、②外国公務員に対する贈賄行為、③外国における贈賄行為に公務員贈賄罪が適用されるか？

①について、連邦刑法及び行政責任一般法は、メキシコ以外の国で設立された法人又はメキシコ国籍を有しない個人が、メキシコの公務員に対して贈賄行為を行った場合にも適用される。

②について、連邦刑法は、メキシコの公務員に対して贈賄行為が行われた場合だけでなく、メキシコに所在する個人又は法人が、メキシコ以外の国の公務員に対して贈賄行為を行った場合にも適用される。一方、行政責任一般法については、談合等、外国公務員にかかわる特定の行為を適用範囲に含むものの、外国公務員に対する贈賄行為は適用対象となっていない。

③について、贈賄行為の行為地がメキシコの国外であったとしても、それがメキシコの公務員に対して行われた贈賄行為であれば連邦刑法及び行政責任一般法が適用される。また、個人又は法人による、メキシコ国内への影響がある、若しくは影響を及ぼすことを意図されているような外国公務員への贈賄行為については、たとえそれがメキシコ国外で行われた場合でも、連邦刑法が適用される。

6 公務員贈賄罪の罰則とその他の制裁は？ 法人に対する制裁、海外の親会社に対する制裁は？

(1) 連邦刑法

連邦刑法が定める贈賄罪の罰則は、個人に対しては、贈賄の価額が1日当たりの Unit of Measurement and Update [15]（以下本節において「UMA」という）の500倍（約48万円）を超えないか、又は算定不能の場合、3か月以

---

[15] UMAは、2016年1月27日付けで公布された憲法改正において制定された新たな罰金及び制裁金に関する単位であり、インフレ率を元に毎年改定され、行為時におけるUMAに基づく算定がなされる。2024年は、1日当たりで108.57ペソ（約955円）とされている。

上2年以下の禁錮及び被告人の日給の30日分以上100日分以下の罰金が科され得る。また、贈賄の価額が1日当たりのUMAの500倍を超える場合、2年以上14年以下の禁錮及び被告人の日給の100日分以上150日分以下の罰金が科され得る。

また、法人の代表者、従業員等が当該法人を代理して、当該法人の助力を得て、又は当該法人の利益のために公務員又は外国公務員に対する贈賄行為を行ったときで、裁判官が公共の安全（public safety）の観点から必要と判断した場合には、当該法人に対し、上記の枠組みに応じた罰金の賦課に加え、当該法人に対して、6年以下の事業停止又は解散を命じることも認められている。

(2) 行政責任一般法

行政責任一般法が定める罰則は、贈賄行為を行った個人に対して、①得られた利益の額の2倍までに相当する額、又は何らの利益を得ていない場合には、1日当たりのUMAの100倍から15万倍に相当する額の制裁金（約10,800ペソ（約9万5,000円）から約1,620万ペソ（約1億4,263万円））、②3か月以上8年以下の期間の全ての政府関係機関との間の取引の禁止、若しくは③国庫に生じた損害の補償、又はこれらが併科され得るものとされている。

さらに、法人の代表者、従業員等が当該法人を代理して、当該法人の助力を得て、又は法人の利益のために贈賄行為を行ったような場合は、当該法人に対し、①得られた利益の額の2倍までに相当する額、又は何らの利益を得ていない場合には、UMAの1,000倍から150万倍に該当する額の制裁金（約11万ペソ（約96万円）から約1億6,285万ペソ（約14億3,381万円））、②3か月以上10年以下の期間の全ての政府関係機関との間の取引の禁止、③事業活動の3か月以上3年以下の期間の停止、④法人の解散若しくは⑤国庫に生じた損害の補償、又はこれらが併科され得るものとされている。

(3) 親会社に対する制裁

メキシコ国内の現地子会社が連邦刑法上の贈賄罪に該当する行為又は行政

責任一般法に違反する行為を行った場合においても、これらの行為を親会社の行為とみなす旨の規定は存在しない。したがって、子会社が連邦刑法又は行政責任一般法に違反したことのみをもって、親会社がこれらの法律により処罰されることはないと考えられるものの、親会社が子会社を通じて自ら連邦刑法上の贈賄罪に該当する行為又は行政責任一般法に違反する行為を行ったと判断されるような場合には、親会社が処罰の対象となる可能性があることには留意が必要である。

7 第三者を通じた贈賄行為が処罰される場合とは？

連邦刑法及び行政責任一般法上、エージェント、仲介者、代理人等の第三者を通じて間接的に公務員に対する贈賄行為を行ったといえる事情が認められる場合には、贈賄者及びエージェント、仲介者、代理人等の第三者の双方について、連邦刑法及び行政責任一般法が適用される可能性がある。

8 公務員贈賄罪はどのような手続を経て執行されるか？ 自主報告により制裁が軽減される制度はあるか？ 時効期間は？

(1) 連邦刑法

メキシコにおいて、連邦刑法上の贈賄罪に該当する行為が疑われる場合、検察官が捜査を行った上で、訴追された場合には、通常の刑事裁判手続に則って審理が行われ、有罪の場合には刑事罰が科される。海外に所在する法人又は個人が贈賄行為を行った場合も、手続に特段の違いはない。

なお、メキシコでは、被告人の自主報告により起訴自体がなされない、又は制裁が軽減等される制度として、①起訴猶予合意（Deferred Prosecution Agreement）及び②略式手続（Abbreviated Procedure）が存在する。

①起訴猶予合意とは、被疑者と検察との間で結ばれる合意であり、(イ)被害者に生じた損害が回復又は保証され、(ロ)被疑者が自らが訴追されている犯罪よりも重大な犯罪の訴追のために必要不可欠な情報を提供し、(ハ)当該犯罪の最終受益者（被疑者を除く）に損害回復義務があると判断された場合に締結され、検察官が被告人を不起訴処分とする。なお、起訴猶予合意がなされた

場合でも、被疑者には出頭義務が課される。

また、②略式手続は、㈤被告人が起訴された犯罪事実を認め、口頭審理を放棄した上で、㈹被害者が反対しない場合に手続がとられることになる。略式手続の場合、検察官は、刑の下限の3分の1までの減刑を求めることができる。

連邦刑法上、贈賄罪の時効は原則として8年間であるが、贈賄額が1日当たりのUMAの500倍に相当する金額以下の場合には3年間である。

(2) 行政責任一般法

メキシコにおいて、行政責任一般法違反の行為が疑われる場合、個人による申立て又は政府機関の独自の判断により調査が開始され、調査が開始された場合、政府機関は、関係当事者からの必要情報の取得及び違反の有無の判断のために必要な行為を行い、その調査が完了すると、連邦行政裁判所（Federal Court of Administrative Justice）又は地方行政裁判所の審判の前に行政上の制裁手続（Administrative Penalty Procedure）を開始するかを決定することができる。行政上の制裁手続において、手続の対象者は、関係する証拠を提出することができ、かかる証拠に基づき連邦行政裁判所又は地方行政裁判所が、制裁金の賦課について最終的な判断を下すことになる。

行政責任一般法上の制裁金については、違反者が違反行為を自主的に申告することにより制裁金が50％〜70％減免される制度が存在する。かかる減免が認められるためには、以下の要件を満たす必要がある。

① 違反者が自らに関する行政上の制裁手続の開始を認識していないこと
② 違反者が違反行為の存在を証明する証拠を最初に提供した者であること
③ 違反者が手続の進行中、当局に全面的に協力すること
④ 違反者が行政責任一般法の違反となり得る行為を停止すること

なお、海外に所在する法人・個人が違反行為を行った場合も、手続に特段の違いはない。

行政責任一般法上、時効は7年間である。

9 民間企業の役職員に対する賄賂・リベート供与は処罰対象となるか？

連邦刑法及び行政責任一般法は、民間企業の役職員に対する賄賂・リベート等には適用されない。

10 コンプライアンスプログラム等に関する規制・ガイドライン等はあるか？

行政責任一般法は、一定のコンプライアンスプログラムの実施の有無が、法人に対する行政責任一般法上の制裁の内容の判断において考慮されると規定している。なお、同コンプライアンスプログラムの実施は、義務ではない。

この点、行政責任一般法は、かかるコンプライアンスプログラムには以下の事項を含めなければならないと規定している。

① 各部門の責任と権限分掌を明確かつ網羅的に定める組織・手続規程
② 一般に公開された、コンプライアンスプログラムの実際の運用にかかわるシステム及びメカニズムを定めた行動規範
③ 一貫して定期的に実施される適切かつ効果的な管理・監督・監査システム
④ 内部及び関係当局に対する適切なレポーティングシステム及び違反者に対する制裁等
⑤ 適切な研修プログラム
⑥ 採用プロセスにおいて高リスクな個人をスクリーニングするための人事規程
⑦ 企業利益の透明化にかかるメカニズム

第12節　南アフリカ

1　南アフリカにおける贈収賄行為の実情は？

　南アフリカは、トランスペアレンシー・インターナショナルが公表する2022年度腐敗認識指数において、180か国中72位であり、贈賄をはじめとする汚職問題は南アフリカにおいて引き続き大きな問題であり続けている。近時では、電力や鉱業部門などにおける国有企業や政府高官を当事者とする汚職の摘発事例が目立つ。著名な事案としては、前大統領ジェイコブ・ズマ氏が汚職や資金洗浄などの嫌疑により起訴された事案があるほか、日本企業を含むグローバル企業が現地国有企業や政府高官との間の贈賄を含む汚職行為の嫌疑により摘発された事例は多数あり、中には米国FCPA違反に問われ多額の制裁金を課された事例も複数存在する。

　このような状況下において、南アフリカにおいてビジネスを行うグローバル企業にとって、贈賄リスクは極めて重要な課題であり、その対応策・予防策への関心はますます高まっている。

2　南アフリカにおける公務員贈賄規制の概要は？

　南アフリカにおいて腐敗防止に関連する法律は複数あるが、最も基本的な法律は腐敗行為防止及び抑止法（Prevention and Combating of Corrupt Activities Act.）（以下本節において「PRECCA」という）である。PRECCAは公務員に対する贈賄を取り締まるだけでなく、私人間の汚職行為（corruption）についても規律している。上記の一般的な汚職行為に加え、同法は、公務員による贈収賄等、特定の類型の汚職行為を規制している。

　なお、2024年1月現在、PRECCAについて、UKBAにおける贈賄防止

措置懈怠と同様の違反類型の追加を含む重要な改正が提案されている（下記9参照）。また、司法憲法開発省（Department of Justice and Constitutional Development）は、公益通報者の保護を強化し公益通報を通じた汚職行為の取締を活発化するべく、現行の公益通報者保護制度の改正を検討しており、2024年から2025年にかけて改正案が公表される可能性が高いと見込まれている。

3 公務員贈賄罪の要件は？

　PRECCAに定める汚職の罪（一般贈収賄罪。general offence of corruption）は、「一定の行為を行うため、又は行わせるため、ある者が利益（gratification）を受領し若しくは受領することを約束し、又は利益を与え若しくは利益を与えることを約束し、それが不公正な事態となるような場合」に成立する（PRECCA3条）。

　上記のとおり、PRECCA3条は私人の行為も規律しているため、公務員を当事者とする贈収賄のみならず私人間の贈収賄も処罰の対象となる。また、PRECCA3条は、贈賄側も収賄側も処罰の対象としている。公務員に対する贈賄及び公務員による収賄は、PRECCAの上記の一般規定に抵触し得るほか、PRECCA4条にも抵触し得る。すなわち、「公務員が不公正な行為のために利益を授受した場合、利益の授受が当該公務員の権限濫用となる場合、又は利益の授受により信頼が損なわれる場合」には、4条の贈収賄行為としても処罰の対象となる。なお、いずれの条文との関係でも贈収賄の金額が些少でも処罰の対象となり得る。

　PRECCAに定める利益（gratification）は非常に広く定義されており、金銭、寄付、贈答、貸付け、有体物か無体物かを問わず一切の資産、役職又は雇用の提供、義務又は責任の免除、役務や便益等が含まれる。

4 公務員贈賄罪の適用が除外される場合とは？

(1) 南アフリカにおいて、贈答品や接待に関する事項は以下の各規定に分散して規定されている。
　① 公務員法（Public Service Act）

② 公務員規則（Public Service Regulations）
③ 予算規則（Treasury Regulations）
④ 地方サプライチェーンマネジメント規則（Municipal Supply Chain Man-agement Regulations）
⑤ 役員倫理規範（Executive Ethics Code）

現状では、南アフリカにおける贈答品や接待に関する規制には曖昧な点や首尾一貫しない点が存在しており、さまざまな政府機関により異なる解釈や運用がなされている状況にある。

一般的には、こうした少額の費用負担や便宜の供与、贈答品や接待が適法とされるか否かは、当該利益の供与が、相手方に不適切な行為を行わせる意図をもって行われたものかどうかによって決せられる。なお、公務員による贈答・接待に関する贈収賄規制については、現在、司法調査委員会（Judicial Commission of Inquiry）による制度設計の問題点に関する精査が進められており、今後数年のうちに新たな関連法案が公布される可能性がある。

具体的には、贈答品や接待に関する事項の概要は以下のとおりである。

① 公務員法（Public Service Act）

職員は、職務の遂行に際し、本法の定め又は大臣による定め以外の報酬、手当又は見返りを受け取った場合には、当該額と同額を歳入に繰り入れなければならない（公務員法31条1項a号）。ただし、関係部局の会計担当者は、当該従業員がそうした報酬、手当又は見返りを保持することを認めることができる。本条に違反した場合は、罰金又は、長期1年の禁錮に処せられる（同項c号）。

② 公務員規則（Public Service Regulations）

①公務員規則において規定される行動規範により、職員は、家族から年間350ランド（約2,660円）までの贈答品を受け取ることを除いて、事前の承認なく、当該職員の職務の範囲に関して職務を行い又は行わないことの見返りとしていかなる贈答品も受け取ったり、要求したり、受け入れたりしてはならない。また、職員は、承認なく、報酬を得て職務外の労働を行ってはならず、承認を得た場合でも、当該職員は職務外の労働を職務時間中に行ったり、公の物品を使用して職務外の労働を行ってはならない。

②特定の役職に就いた公務員に関しては、家族以外から受け取った贈答品や接待をはじめとする経済的利益を開示しなければならない。受け取った贈答品や接待を開示するに当たっては、品目やその価値、贈与者と当該職員及び当該職員の属する部署との関係を明らかにしなければならない。

③　予算規則（Treasury Regulations）

国に対する贈答品については、現金か現物かにかかわらず、会計担当者において、受け取るかどうかを承認することができるものとされている。全ての贈答品は所定の会計に組み込まれ、毎年の予算において開示される。

④　地方サプライチェーンマネジメント規則（Municipal Supply Chain Management Regulations）

地方政府との関係では、サプライチェーンマネジメントに関係する職務に携わる公務員は、350ランド（約2,660円）を超えない限りにおいて贈答品や接待を受けることができる。

⑤　役員倫理規範（Executive Ethics Code）

本規範は内閣の構成員、副大臣、地方における執行組織の構成員に適用される。本倫理規範は、当該個人の地位に関し、当該個人又は当該個人の家族に対して行われる、贈答品や接待による海外旅行、年金、接待やその他の物質的利益について、開示することを定めており、350ランド（約2,660円）を超える贈答品又は接待について開示が求められる。また、1,000ランド（約7,600円）を超える贈答品については、大統領や長による承認が求められている。

(2)　贈賄防止及び汚職防止に関する法律については、違反行為の要件を満たす限り、関係当事者に違反行為が成立し、こうした場合に主張できるその他の抗弁等は特に存在しない。

5　①外国法人・個人による贈賄行為、②外国公務員に対する贈賄行為、③外国における贈賄行為に公務員贈賄罪が適用されるか？

①外国法人・個人による贈賄行為についても、当該行為が南アフリカ国内において行われた場合には、PRECCAが適用される。なお、違反行為は、共謀や教唆、事後行為に参加した者が活動していた場所においても行われていたものとみなされる。

②外国公務員に対する贈賄行為についても、当該行為が南アフリカ国内において行われた場合、南アフリカにおける公共機関や公共事業、公務員に影響を与え、又は与えることを企図した違反行為である場合、違反行為者が南アフリカにいる場合等には、PRECCAが適用される。

③南アフリカ国外において行われた贈賄行為に関しても、違反者が南アフリカ国民である場合には、PRECCAが適用される。

6　公務員贈賄罪の罰則その他の制裁は？　法人に対する制裁、海外の親会社に対する制裁は？

PRECCAは汚職行為を行った個人、法人に対して等しく適用され、いずれも処罰の対象となる。

汚職行為を行ったとして有罪となった法人は罰金を払う義務を負い、当該罰金には上限額は定められていない。また、当該罰金に加え、裁判所は、違反行為に関する経済的利益の5倍を上限とする第2罰金を科すことができる。

加えて、汚職行為を行っていたとして有罪になった個人のほか、当該汚職行為に関与した共同経営者、経営者、取締役等の氏名等の詳細が、裁判所の命令によって、入札不適格事業者登録簿（Register for Tender Defaulters）に登録されることがあり、かかる登録がなされた者は、政府との間の取引参加資格を失う。

会社の取締役や従業員がその会社の事業に関して贈賄行為を行った場合、個人と法人のいずれか一方又はその双方のいずれが責任を負うべきかという

点を判断するに際しては、意思決定主体（directing mind）に関する原則（doctrine）に留意する必要がある。同原則は、会社を代表したり、支配したりしている者の行動や主観を、会社自身の行動や主観として取り扱うものである。同原則は、刑事手続と民事手続の双方において適用され、刑事手続においては行為者の主観が犯罪の構成要件となっている場合に適用される。

同原則との関係では、会社の通常業務を事実上支配しているかどうかが重要であり、取締役以外の従業員も意思決定主体とみなされることがある。当該違反行為が嫌疑をかけられている個人の権限を越えていること、当該個人に対する正式な委任や授権がなかったこと、取締役会が当該違反行為に関して認識がなかったことを会社が主張しても、この原則の適用を防ぐことはできず、当該個人による違反行為について会社が責任を免れることができない。

南アフリカ法において、持株会社が子会社の行為について責任を負う場合についての一般的な成文法又はコモンロー上の定めは存在せず、持株会社が責任を負うのは、同社自身が全ての違反行為の要件を満たす場合か、当該違反行為との関係では、子会社が形式的なものにすぎない場合等である。

7　第三者を通じた贈賄行為が処罰される場合とは？

南アフリカにおける代理人をめぐる法律関係は、コモンローによって定められており、代理人（受任者）の行為に関しては、本人（委任者）が責任を負う可能性がある。

PRECCAは、汚職行為が代理人（受任者）を通じて行われる場合について規定を置いているが、代理人（受任者）を通じて行われる場合の違反行為の要件及び効果は、代理人（受任者）を通じずに行われる汚職行為の要件及び効果と同一である。

8　公務員贈賄罪はどのような手続を経て執行されるか？　自主報告により制裁が軽減される制度はあるか？　時効期間は？

南アフリカにおいて、贈賄罪はまず、中央警察（South African Police Service）によって捜査される。嫌疑があると判断される場合に、中央警察から検察庁（National Prosecuting Authority）に事件が送致され、検察庁が

裁判所に訴追するか否かの判断をする。訴追された場合、被告人に対し、出廷に関する通知がなされ、被告人が出廷しない場合は、身柄拘束に関する命令が出されることになる（一定の条件の下、保釈が認められることもある）。被告人は、有罪又は無罪に関する主張をする機会を与えられ、当該手続を経た後、裁判所が判決を下すこととされている（上級裁判所への上訴が認められている）。なお、贈賄行為により発生した損害については、民事訴訟により賠償請求をすることができる。

　海外に所在する法人又は個人が違反行為を行った場合、当該法人又は個人が所在する国と南アフリカとの間に身柄引渡しに関する合意が締結されている場合は、南アフリカ当局は、当該被告人の身柄の引渡しを要求することができるものとされている。もっとも、2023年12月現在、日本と南アフリカとの間で、かかる身柄引渡しに関する合意は締結されていない。

　PRECCAにおいて、違反行為の当局に対する自主報告に関する規定はない。

　もっとも、刑事訴訟法（Criminal Procedure Act, 1977）において、検察官は、被告人との間で減刑に関する司法合意を行うことができる旨規定されている。裁判所は、かかる司法合意等、諸要素を考慮して、その裁量により、被告人の刑を減軽することができるものとされている。また、刑事訴訟法において、大統領（State President）に刑の減免に関する権限が付与されている。なお、現在、南アフリカ法改正審議会（The South African Law Reform Commission）において、違法行為を自己申告し、行政罰に服する代わりに刑事罰を免れる、いわゆる起訴猶予合意制度（Deferred Prosecution Agreement）の導入が検討されている。

　贈賄罪の時効は、違反行為から20年間である。

9　民間企業の役職員に対する賄賂・リベート供与は処罰対象となるか？

　上記のとおり、PRECCAにおいては、利益供与を受ける者が公務員であるか私人であるかを問わず、一般贈賄罪が成立するものとされており、収賄者が公務員であるか否かによって構成要件に差異はない。

　したがって、収賄者が、民間セクター、企業、企業の役職員等の個人で

あっても、一般贈賄罪が成立し得る。

なお、上記2のとおり、現在、PRECCAの改正案が検討されており、同改正案おいて、民間企業の役職員などの関係者が当該企業のために事業又は優位性を獲得又は維持するために第三者に利益を与え、又はその合意若しくは提案をした場合、当該法人は、かかる贈賄行為を防止するための適正な手続（adequate procedure）を講じていた場合を除き、同法違反の責任を負うという、UKBAにおける贈賄防止措置懈怠と同様の違反類型の追加を含む重要な改正が提案されている。

10　コンプライアンスプログラム等に関する規制・ガイドライン等はあるか？

南アフリカでは、贈賄防止のみを目的としたコンプライアンスプログラム、政府が発表するガイドライン等は特段存在しない。

もっとも、南アフリカの上場企業（JSE Limitedに上場している企業）は、KingCodesと呼ばれる指針を遵守すべきこととされており、当該指針において、監査委員会（audit committee）に対し贈賄行為が判明したことの報告義務を課すこと、内部監査機能に贈賄行為の有無に関する情報の収集義務を課すこと等が推奨されている。また、当該指針においては、会社が、制定法のみならず法的拘束力を持たない各種規範に従うこと、及び不正と贈賄行為の発見と対応について良き企業人として責任ある対応をすることも要請されている。当該指針は、コーポレートガバナンス・コードであり、法的拘束力はない。なお、非上場企業は、当該指針を遵守する必要はない。

第13節　ロシア

1　ロシアにおける贈収賄行為の実情は？

　ロシアにおいては、従来から長年にわたって贈収賄行為が社会問題とされてきた。特に政府調達、建設、医療・保健、文化・科学事業においてそうした行為が発生しやすいとされている。トランスペアレンシー・インターナショナルが公表する2022年度腐敗認識指数において、ロシアは180か国中137位とされ、汚職の根絶は依然として大きな課題となっているといえる。2012年2月にロシアはOECD条約を批准し、OECD贈賄作業部会より2012年3月に第1回勧告、2013年10月に第2回勧告を受領しているものの、第2回勧告で指摘された事項のうち「約束」「申出」を違反行為とするための法改正を行うこと[16]及び「真摯な反省」「経済的な強要」の抗弁[17]を認める法律の枠組みを廃止することについての対応がされなければ第3回の審査を行わない（したがって、第2回勧告への対応状況の確認もされない）とされている状態にある。

　最高裁判所が発表した資料によれば、2022年において、2,234人が贈賄罪により、1,367人が収賄罪によりそれぞれ有罪判決を受けたとされ、このような事例には1万ルーブル（約1万6,000円）程度の額の贈収賄も多く見受けられる一方、2022年においては、5万ルーブル（約7万8,000円）以上あるいは100万ルーブル（約157万円）を超える額の贈収賄も同程度の数存

---

16)　2023年時点で「約束」「申出」は違反行為とはされていない。
17)　「真摯な反省」については下記8(2)③に記載している刑法75条の制度（自首や捜査への協力等を行うことにより刑事責任を免れ得る）、「経済的な強要」については刑法75条及び行政的法令違反法19.28条における賄賂の強要があった場合には刑事責任・行政責任を免責されるという定めをそれぞれ指している。

在するとされている。また、合計379の法人が、行政的法令違反法（Russian Code of Administrative Offences）19.28条に基づく行政的法令違反法上の責任を問われたとされている。

加えて、近年、違反行為により失職した公務員の氏名を失職の原因となった判決から5年間公表することとする法改正がなされ、2018年1月1日より改正法が施行されている。

2　ロシアにおける公務員贈賄規制の概要は？

ロシアにおいては、汚職行為に対する主要な条項を規定している法律として、2008年12月25日汚職対策に関する連邦法（Federal Law of December 25, 2008 No 273-FZ "On Combating Corruption"）（以下本節において「汚職防止法」という）が存在する。汚職防止法は、汚職対策に関する基本原則や、汚職対策の組織基盤、汚職予防に関する諸措置について規定すると共に、国家公務員及び地方公務員が負う一定の義務について規定している。

贈収賄行為の構成要件及び罰則については、1996年6月12日ロシア刑法（Russian Criminal Code）（以下本節において「刑法」という）及び2001年12月30日行政的法令違反法に規定されている。また、裁判所が贈収賄行為に関して刑法を適用する際の解釈指針について定めた2013年7月9日最高裁判所総会決議第24号（Resolution of the Plenum of Supreme Court of July 9, 2013 No.24 "On Court Practice In Case Of Bribery And Other Corruption Offences"）（以下本節において「最高裁判所総会決議第24号」という）もロシアにおける公務員贈賄に関する規制を理解する上で参照すべき重要な文書である。2019年12月24日に同決議は修正され、最高裁判所総会決議第24号におけるいくつかの定義の拡張・明確化が行われた。例としては、電子マネーが賄賂に含まれることや、贈賄行為を行った者又は収賄行為を行った者が、意図した金額よりも実際に贈賄又は収賄した金額が少額であった場合であっても、当該行為者は、当初贈賄又は収賄を意図した金額に基づいて起訴されることが明らかにされた。

3 公務員贈賄罪の要件は？

(1) 刑法上の贈賄罪

　刑法291条は、①公務員、外国公務員又は公的な国際機関の職員に対して、②「賄賂（bribe）」を、③自ら又は第三者を通じて供与することを禁止している。
　それぞれの文言の意義は以下のとおりである。

① 公務員

　刑法上、「公務員」とは、恒久的、一時的若しくは特別な権限により政府を代理する職務を行う者、又は国家機関、地方自治体、政府及び地方自治体の公共機関、国の予算外の機関、国営会社、国立企業、公法上の会社[18]、国及び地方自治体の独立採算制企業、ロシア連邦が支配権を有する株式会社、ロシア連邦、ロシア連邦を構成する組織又は地方自治体が直接又は間接（その支配下にある者を介して）に過半数の議決権を有するか又は唯一の執行者（sole executive body）を選任し若しくは複数人が対等な権限を有する執行機関（collegial management body）の構成員の過半数を決定する権利を有する会社、ロシア連邦、ロシア連邦を構成する組織、又は地方自治体が特別な経営権（黄金株）を有する株式会社、ロシア連邦軍、その他のロシア連邦の軍隊及び軍隊の編成において、組織、規制、行政及び経済に関する職務を行う者と定義されている（2021年改訂後の刑法285条注釈1）。

　また、「外国公務員」については、外国の立法、執行、行政若しくは司法機関に職を有する者として指名若しくは選出された者、又は外国（特に公共部門や公営企業）において公的な機能を果たす者とされており、「公的な国際機関の職員」は国際公務員又は公的な国際機関を代表して行為する権限を有する者とされている（刑法290条注釈2）。

---

[18] 国家や社会の利益になる公法上の活動を行うため設立された非営利組織であり、公法上の会社の設立のための特別法に基づき設立されたものを指す。

② 「賄賂」

「賄賂」の趣旨は収賄罪について定めた刑法290条に規定されている。刑法290条において、賄賂とは、①(イ)当該公務員がその公的な権限行使の一環としてある作為若しくは不作為を行う場合、若しくは(ロ)当該公務員がその公的な地位によってある作為若しくは不作為を推し進めることができる場合に、贈与者若しくは贈与者が代理する者の利益となる作為若しくは不作為のために、又は②一般的な支援若しくは黙認を公務において行わせるために、金銭、証券その他の財産、財産に関連する不法な役務、若しくはその他の財産的利得を供与することを指している。最高裁判所総会決議第24号によれば、ここでの「一般的な支援若しくは黙認を公務において行わせるために」とは、供与の時点では贈与者及び当該公務員においてどのような作為又は不作為を行うかを明示的に特定していないものの、将来、そうした供与と引き換えに行われ得る作為又は不作為があり得ることを贈与者及び当該公務員において認識しており、そうした不特定の作為又は不作為のために供与がなされるような局面を指している[19])とされる。

また、最高裁判所総会決議第24号により、賄賂として供与される対象には、市場におけるレートよりも低い利息での借入れや、休暇における旅行、家の修補、自動車の使用等による利益も広く含まれるものとされている。

③ 「供与」

ここでの「供与」は、金銭等の一部又は全部を、公務員又は公務員が指示した第三者に与えることを指す。

なお、公的権限を行使し、又は行使しないことに対する見返りとして金銭等の供与を相手方に約束したが、実際に全く供与するには至らなかったという場合には、贈賄罪の準備罪が成立するにとどまる（これに対し、一部でも供与した場合には、上記2の最高裁判所総会決議第24号の説明の箇所に記載のとおり、供与を約束した全額について贈賄罪が成立する）。

---

[19]) 最高裁判所総会決議第24号では、一般的な支援の例として、確立された手続に反する形で下位の役職者を上位の役職に不合理に昇進させたり、手当を受給できる者のリストに加えたりすることが挙げられている。また、黙認の例として、賄賂を受け取った公務員が贈賄者による違反に気付いていながら責任追及を行わないことに同意することが挙げられている。

(2) 行政的法令違反法上の違反行為

　行政的法令違反法上、法人を代表して又は法人の利益のために、公務員、営利組織の経営者、外国公務員又は公的な国際機関の職員に対し、それらの者の公的な役職と関連して、当該法人の利益のために作為（又は不作為）を行わせる目的で、不法に金銭、証券又はその他の物を譲渡することは禁じられている（行政的法令違反法 19.28 条）。こうした行為が行われた場合、当該法人は行政法上の責任を負う。なお、ロシアにおいて、法人は刑法による処罰の対象とはならないが、当該行政法上の責任は負うものとされている。また、法人に行政法上の責任が生じたとしても、贈賄行為を行った自然人が刑事責任を免れるものではない。

4　公務員贈賄罪の適用が除外される場合とは？

　ロシアにおいては、米国 FCPA のファシリテーション・ペイメントのように、公務員の機械的業務に関する円滑化のための少額の支払について適用を除外する旨の規定はない。また、刑法上、賄賂の金額について特段の規定は設けられておらず、裁判実務においても、500 ルーブル（約 780 円）の贈賄に刑事責任が認められた例も存在する。したがって、円滑化のための少額の支払であっても、公務員贈賄罪の構成要件に該当する可能性はある。

　なお、ロシアにおいては、民法に、3,000 ルーブル（約 4,700 円）を超えない儀礼的な贈答品を除き、公務員に対する贈答は禁止される旨の規定があるところ（民法 575 条）、刑法上の責任は必ずしもこの規定と連動してはいない。そのため、公務員に対する贈答は金額の多寡に関係なく刑法上の贈賄罪に該当し得る点に注意が必要である。

5　①外国法人・個人による贈賄行為、②外国公務員に対する贈賄行為、③外国における贈賄行為に公務員贈賄罪が適用されるか？

　①について、刑法上、ロシア連邦領域内で罪を犯した者は、刑法上の刑事

責任を負うと規定されており（刑法11条1項）、その適用を自国民に限定する旨の定めはない。そのため、ロシアの刑法の規定は外国人による贈賄行為についても適用があり、例えば、日本国民がロシアの公務員にロシア連邦の領域内で贈賄行為を行った場合には、刑法上の責任が生じると考えられる。外国法人については、上記3のとおり法人には刑事責任が生じないことから、刑法に基づく処罰の対象とはならない。他方、法人の行政責任について定める行政的法令違反法との関係では、一般的に、条約にこれに反する定めがない限り、ロシア連邦領域内で行政法規に違反した場合には行政法上の責任が生じると解されているため、外国法人についても一定の場合行政的法令違反法に基づく責任が生じる可能性がある。

②について、刑法上の贈賄罪の規定は、ロシア連邦領域内での外国公務員や公的な国際機関の職員に対する贈賄も禁止の対象としており、外国公務員に対する贈賄行為も公務員贈賄罪の適用対象となる（刑法291条）。したがって、例えば、ロシア人が日本の公務員にロシア連邦の領域内で贈賄行為を行った場合には、刑事責任が生じる。

③について、ロシア連邦の市民又はロシア連邦内の永住者である無国籍者がロシア連邦の国境外で、刑法上保護されている法益を侵害するような罪を犯した場合には、外国において既に有罪判決を受けていない場合には刑法上の責任を負うと規定されている（刑法12条1項）。また、ロシア連邦の永住者でない外国人及び無国籍者がロシア連邦の国境外で罪を犯した場合には、当該犯罪がロシア連邦の利益に反する、又はロシア連邦が締結した国際条約その他刑法に関連する事項でロシア連邦が認識するその他の義務を含む国際的な取り決めに規定がある場合には、外国において既に有罪判決を受けておらずかつ別途ロシア連邦内で起訴されたときに限り、ロシア連邦刑法典の下での刑事責任を負い得ると規定されている（同条3項）。これらの規定を踏まえれば、一定の場合には、外国における贈賄行為に対してもロシアの刑法の公務員贈賄罪の適用があることになる。

法人の行政責任について定める行政的法令違反法については、2016年の改正により、下記6(2)に記載されるように、同法19.28条に定める違反行為をロシア国外で行った場合でも、それがロシア連邦の利益に反する場合や、条約にロシア連邦による処罰を認める定めがある場合には、当該外国において別途責任追及がされている場合を除き、ロシアにおいて行政法上の責任を

負うこととされている（行政的法令違反法 2.6 条）。

6 公務員贈賄罪の罰則その他の制裁は？ 法人に対する制裁、海外の親会社に対する制裁は？

(1) 個人に対する刑法上の制裁

① 贈　賄

　刑法上、上記 3(1)記載の贈賄行為を行った場合については、賄賂の金額や態様（意図的に違法な行為を行わせるために行ったか、共謀又は組織的に行ったかなど）に応じて、①400 万ルーブル（約 627 万円）以下若しくはその者の給与その他の収入 4 年分以下の罰金、②賄賂の 90 倍以下の金額の罰金及び特定の職業への就職・特定の活動への従事の最長 10 年間禁止、又は③最長 15 年の自由の剥奪（deprivation of liberty）並びに賄賂の金額の最大 70 倍の罰金及び特定の職業への就職・特定の活動への従事の最長 10 年間禁止が科せられるとされている（刑法 291 条各項）。

　なお、上記 3(1)③記載のとおり、贈賄の約束をしたが実際に供与するには至らなかった場合、贈賄罪の準備罪が成立するが、このような場合の処罰は、贈賄罪に対する法定刑の上限の 2 分の 1 を超えない範囲内で行うものとされている。

② 賄賂の仲介[20]

　賄賂の仲介については、賄賂の金額や態様に応じて、①300 万ルーブル（約 470 万円）以下若しくはその者の給与その他の収入 3 年分以下の罰金、②賄賂の 80 倍以下の金額の罰金及び特定の職業への就職・特定の活動への従事の最長 7 年間禁止、又は③最長 12 年の自由の剥奪並びに賄賂の金額の最大 70 倍の罰金及び特定の職業への就職・特定の活動への従事の最長 7 年間禁止が科せられるとされている（刑法 291.1 条 1 項～4 項）。

---

20) 最高裁判所総会決議第 24 号において、ここでの「仲介」には、単に賄賂の交付を仲介する場合のみならず、賄賂の交付目的での会議をセッティングすることといった形での助力等も含むことが明確化されている。

賄賂の仲介の約束又は申出については、①300万ルーブル（約470万円）以下若しくはその者の給与その他の収入3年分以下の罰金、②賄賂の60倍以下の金額の罰金及び特定の職業への就職・特定の活動への従事の最長5年間禁止、③最長7年の自由の剥奪並びに賄賂の金額の最大30倍の罰金及び特定の職業への就職・特定の活動への従事の最長5年間禁止が科せられるとされている（刑法291.1条5項）。

③ 少額の賄賂

上記の贈賄又は賄賂の仲介の場合において、賄賂の額が1万ルーブル（約1万6,000円）未満の場合には、①100万ルーブル（約157万円）以下若しくはその者の給与その他の収入1年分以下の罰金、②最長3年の矯正労働（corrective labor）、③最長4年の自由の制限、又は④最長3年の自由の剥奪が科せられるとされている（刑法291.2条）。

(2) 法人に対する行政的法令違反法上の制裁

上記に加え、行政的法令違反法上、上記3(2)記載の違反行為を行った場合については、不法に供与された利益の価値の多寡に応じて、①法人のために違法に移転、供与、約束又は申出られた金銭の金額、又は証券その他の物、対価性のある役務の提供若しくは他の権利の価値の100倍以下（ただし100万ルーブルを下回らないものとする。）の罰金、及び②金銭、証券、その他の物、役務の対価又はその他の権利の対価の没収が法人に科せられるとされている（行政的法令違反法19.28条）[21]。

また、2013年5月4日連邦及び地方政府による物、労務及びサービスの調達のための契約システムに関する連邦法（Federal Law No. 44-FZ of 05.04.2013 "On the Contract System of the Federal and Municipal Procurement of Goods, Works and Services"）の下では、行政的法令違反法19.28条に基づく責任を負うこととなった企業は、その後2年間、国が主催する入札手続に参加することはできないとされている。2021年1月以降は、企業が行

---

[21] 本条に基づく執行を確実なものとする観点から、法人の資産の凍結等が行われることがある。

政的法令違反法 19.28 条に基づく責任を負うこととなった場合、その情報が国及び自治体の統一情報システムに自動的に登録し、公表されるため、国が主催する入札手続に参加する場合は、過去 2 年間にこのシステムへの登録がないことが必要とされている。

(3) 親会社に対する制裁

ロシアにおいては、子会社の従業員が贈賄行為を行った場合の親会社の責任について特に定めた法令はない。

7 第三者を通じた贈賄行為が処罰される場合とは？

ロシアにおいては、エージェント、仲介者、代理人等の第三者を通じて公務員に対する贈賄行為が行われた場合、当該第三者に対し贈賄行為を行うことを黙示的に指示した場合にとどまらず、当該第三者の贈賄行為を知りながら放置したような場合にも、処罰の対象となり得ると考えられている。なお、賄賂の仲介者に対する処罰については、上記 6(2)を参照されたい。

8 公務員贈賄罪はどのような手続を経て執行されるか？ 自主報告により制裁が軽減される制度はあるか？ 時効期間は？

(1) 執行手続

ロシアにおいて、公務員贈賄罪は、ロシア連邦調査委員会（The Investigative Committee of the Russian Federation）によって捜査され、嫌疑があると判断される場合に検察官が地方裁判所に起訴し、裁判所が判決を下すことにより執行される。贈賄行為にのみ独自に規定されている手続は存在しない。また、違反行為を行った者が外国人である場合も、手続に特段の違いはない。

(2) 自主報告等

ロシアには、贈賄行為を当局に自主報告したり、捜査に協力したりすることにより制裁が軽減される制度がいくつか存在する。

① 強要及び捜査への協力（刑法291条）

刑法291条の下では、贈賄行為が公務員の強要に基づいて行われたものであってかつ、贈賄行為を行った者が捜査に協力した場合には、当該贈賄行為を行った者は、刑事責任を負わないものとされている（刑法291条注釈1）。

なお、行政的法令違反法19.28条に基づく行政上の責任に関しても、類似のルールがあり、贈賄行為の強要があった場合、当該法人は免責されると定められている（行政的法令違反法19.28条注釈5）。もっとも、この免責は外国公務員又は公的な国際機関の職員に対し、商取引に関して行われた違反行為には適用されないとされている（行政的法令違反法19.28条注釈6）。

② 自主報告及び捜査への協力（刑法291条）

刑法291条は、贈賄行為を行った者が、訴追を開始する権限を有する機関に贈賄行為について任意に申告を行った上で、捜査に協力した場合には、当該贈賄行為を行った者は、刑事責任を負わないものともしている（刑法291条注釈1）。こちらについても行政的法令違反法19.28条に類似のルールがあり、違反行為の捜査等に協力的であった法人は免責されると定められている。外国公務員等の場合にはこのような免責がなされない点についても上記①と同様である。

③ その他刑法上の規定について

上記①②は贈賄罪に関する規定であったが、贈賄罪に限らない一般的な制度として、刑法上以下のようなものが定められている。

犯罪行為を行った者が初犯であって、かつ同人が犯した犯罪が軽い罪[22]又は中等度の重さの罪[23]の場合には、自首を行い、捜査等への協力を行い、犯罪により生じた損害の賠償や利得の返還を行うなど、積極的な反省を行う

---

22) 法定刑が長期3年を超えない身体拘束である罪を指す。

ことにより犯罪の社会的危険が取り除かれた場合には、刑事責任を免れる可能性があるとされている（刑法75条）。

また、犯罪行為を行った者が自首を行い、捜査等への協力を行ったことは、刑事責任を軽減する要素であるとされている（刑法61条。なお、法人に対する行政法上の制裁についても、行政的法令違反法4.2条により、類似の規定が設けられている）。

④ 簡易裁判手続（simplified trial）

犯罪行為を行った者が有罪であることを認めた上で捜査に協力する場合には、簡易裁判手続（simplified trial）が適用される余地があり、かかる手続が適用されると刑罰の上限の3分の2を超える刑罰は科されない（刑事訴訟法314条～317条）。具体的には、捜査機関との間で捜査協力契約を締結し、これに従った義務を全て履行した場合等に簡易裁判手続によることとなる（刑事訴訟法317.1条～317.9条）。

(3) 時効期間

公務員贈賄罪の時効は、法定刑の重さにより異なり、2年間～15年間である。

9 民間企業の役職員に対する賄賂・リベート供与は処罰対象となるか？

ロシア法上、公務員贈賄罪とは別途に、①試合等の結果に影響を及ぼすことを目的として、選手や審判をはじめとするスポーツ関係者等に対し贈賄行為を行うこと（刑法184条）、②営利団体その他の団体の経営機能を担当する者に対し、当該担当者の公的な役職と関連して、自ら又は第三者の利益になる行為を行い又は行わないことの対価として、不法に財産を移転させ又は不法な対価性のある役務を与えること（刑法204条及び204.2条、行政的法令違反法19.28条）、及び③虚偽の証言をさせるために目撃者や被害者に対して

---

23) 法定刑が長期5年を超えない身体拘束である罪を指す。

贈賄行為を行うこと又は虚偽の意見表明や通訳をさせるために専門家や通訳に対して贈賄行為を行うこと（刑法309条1項）が禁止されている。

10　コンプライアンスプログラム等に関する規制・ガイドライン等はあるか？

汚職防止法13.3条は、企業は贈収賄防止のための措置を講じなければならない旨を規定しており、この条項はロシアにおいて事業を行う外国企業にも適用され得る。同条では、講じるべき措置の具体的な内容として、贈収賄防止を担当する役員及び部署の設置、執行機関に対する協力、倫理的な事業遂行のための基準及び手続の実施、全従業員向けの倫理規程の策定、利益相反の防止・解消、非公式情報又は虚偽情報の作出・使用の防止等が挙げられている。こうした措置は、企業のニーズ、リスク評価、具体的な活動、組織構造に応じて決定しなければならない。

もっとも、こうした措置についての質的・量的な基準が汚職防止法13.3条において定められているわけではない。また、同条に基づく措置を欠くことについて行政・刑事の責任が定められているわけではないため、仮に措置がなかったとしても行政上の制裁や刑事罰の対象となるわけではない。しかし、同条違反の企業に対しては、検察官が当該企業を相手方として、一定期間内に贈収賄防止のための措置を講じることを義務付ける判決を求める民事訴訟を提起するという措置がとられている。

汚職防止法13.3条において、贈収賄防止のための措置があるからといって、企業が行政上の責任を免除される、又は軽減される可能性があるという明示的な規定はない。

第14節　トルコ

1　トルコにおける贈収賄行為の実情は？

　トルコも他の新興国と同様、贈収賄は重大な問題の1つとして認識されており、特に公共部門（公共事業、土地の管理、税金、関税、公共調達等）において透明性が低いといわれている。

　近時、トルコにおいては社会保障局検査官、裁判所執行部等の公職が関わる贈収賄事件が摘発されている。また、2017年には、土地投機局の職員が関与した大規模な贈収賄・汚職事件が摘発され、登記局の局長、副局長等の公職者を含む46名が拘束された。2012年には、約50の病院や約10の製薬会社に対して医薬の採用に関連する贈収賄について大規模な調査も行われている。

　外国企業が、トルコでの贈賄に関連して米国当局等から調査を受けるケースも珍しくない。Siemensは、2008年、複数の国における贈賄に関して米国DOJ及び米国SECとの間で8億米ドル（約868億6,400万円）で和解をしているが、トルコにおける贈賄もその対象となっている。そのほか、Daimler、3M等も過去トルコにおいて贈賄の調査を受けている。トランスペアレンシー・インターナショナルが公表する2022年度腐敗認識指数において、トルコは180か国中101位である。2020年における同指数は86位、2021年は96位であり、同指数によれば、状況は悪化しているように見受けられる。

2　トルコにおける公務員贈賄規制の概要は？

　トルコは、贈収賄や汚職に関して統一的な法令を有していないが、トルコ

刑法 (Turkish Penal Code No. 5237)(以下本節において「刑法」という)及びトルコ軽犯罪法 (Misdemeanour Code No. 5326)(以下本節において「軽犯罪法」という)において贈収賄行為が禁止され、また、公務員法 (Civil Servants Code No. 657) において公務員の汚職を防止する規定が設けられている。

刑法は、252条において公務員がその職務に関して利益を得ることを禁止し、その行為態様に応じて刑の軽重を定めている[24]。また、軽犯罪法は、43条Aにおいて、法人の代表者等を通じて贈賄を行った法人に対する行政制裁金を規定している。なお、贈収賄等に関する捜査、被疑者の訴追等は、トルコ刑事訴訟法 (Turkish Penal Procedure Code no. 527 (以下本節において「刑事訴訟法」という) に基づいて、検察官により行われる。

また、公務員法は、贈収賄等で有罪判決を受けた者が公務員となることを禁止し、また、公務員が、自らが監督する者その他自らの所属する機関と関係する者等から直接又は間接に利益を得ることを禁止するなど、公務員の汚職を防止する規定を設けている。さらに、公務員倫理規則 (Regulation on the Principles of Ethical Behavior of Public Officials and Application Procedures and Essentials) において、公務員が贈答品等を受領することが禁止されている。なお、贈収賄及び汚職を防止するための資産申告に関する法律 (Code No.3628 on the Declaration of Assets and Combatting Bribery and Corruption) は、公務員、公選された者、政党の党首、行政組織の職員、公認会計士、新聞社のオーナー、取締役、監査委員及び公証人に対し、自ら又は配偶者及び子供の資産のうち、一定額を超える資産等について申告義務を課している。また、これらの者は、外国、国際機関等から最低賃金の10か月分を超える贈答品等を受領した場合には、自らが所属する機関に受領から1か月以内に当該贈答品等を寄付しなければならないとされている。

上記のほか、トルコは、欧州協議会腐敗に関する刑事条約 (The Council of Europe Criminal Law Convention on Corruption of 27 January 1999)、OECD条約、国際連合腐敗防止条約 (United Nations Convention Against

---

24) トルコ刑法の他にも、公的調達法 (Public Procurement Code No. 4734) や公共入札法 (State Bidding Code No. 2886) において、公共入札等に関連する贈収賄が禁止されている。

Corruption) 等、国際的な条約にも加盟している。

3 公務員贈賄罪の要件は？

(1) 刑 法

　トルコにおいては、ある者が、直接的に又は他の者を通して間接的に、公務員又は公務員によって指定された者に対して、その職務を執行し又は執行しないことに関して不正な利益を与えた場合は、4年から12年の禁錮刑を受ける（刑法252条1項）。また、公務員が、直接的に又は他の者を通して間接的に、自ら又は公務員によって指定された者をして、その職務を執行し又は執行しないことに関して不正な利益を得た場合は、同じく4年から12年の禁錮刑を受ける（同条2項）。なお、贈収賄が成立するためには、贈収賄が実際に実行されたことまでは必要ではなく、贈収賄の合意があれば足りる（同条3項）。また、賄賂の申出又は要求の伝達、賄賂の提供等を行った第三者や、贈賄関係の結果として利益を受領した第三者についても、その者が公務員であるか否かを問わず、贈収賄の共犯として処罰の対象となる（同条5項・6項）。

　なお、刑法においては、公務員は広く定義されており、公務の執行のために、一定期間、又は継続的、又は一時的に、任命され、選ばれ、又は従事している者が公務員とされる。また、下記9のとおり、刑法の贈収賄の規定は、以下の団体を代表又は代理する者にも適用され（同条8項）、上場企業の代表者等、公務員ではない者も贈収賄の対象となっている点に留意を要する。

　① 公的団体の性質を有する職業団体
　② 公的機関、公的企業又は公的団体の性質を有する職業団体によって設立された会社
　③ 公的機関、公的企業又は公的団体の性質を有する職業団体として活動する慈善団体
　④ 公益団体
　⑤ 協同組合
　⑥ 上場企業等の公開会社

(2) 公務員法及び公務員倫理規則における贈答品の禁止

公務員法は、公務員が職務に関して贈答品（詳細は下記4を参照)[25]を要求し又は受け取ることを禁止しており、また、公務員倫理規則は贈答品の禁止に関してより詳細な内容を規定している。

公務員が、贈答品の受領等を禁止する公務員倫理規則に違反した場合、倫理委員会（Public Officials Ethical Board）が調査を行い、調査の結果は当該公務員が雇用されている当局に連絡される。当該贈答品の受領等が公務員法に違反しているときは、公務員法に基づく制裁が行われる。

公務員法においては、職務に関係して何らかの方法で利益を得た者は、行為の重大性に応じて1年から3年の期間、昇格が停止される。また、刑事捜査を受けている公務員は、捜査の期間中、職務停止となることがある。なお、私人は、公務員法における処罰の対象とはならない。

4　公務員贈賄罪の適用が除外される場合とは？

トルコにおいては、米国FCPAのファシリテーション・ペイメントのように、公務員の機械的業務に関する円滑化のための少額の支払について、公務員贈賄罪の適用を除外する旨の規定はない。したがって、円滑化のための少額の支払であっても、上記3の公務員贈賄罪の構成要件に該当する可能性がある。

ただし、公務員による贈答品の受領を禁止する公務員倫理規則においては、禁止される贈答品と許容される贈答品が区別されており、その内容は以下のとおりである。

(1) 禁止される贈答品

① 公務員が所属している組織との間で雇用関係、役務提供関係その他利害関係のある者から与えられる、歓迎、送別又は祝賀の贈答品、奨学金、

---

25)　贈答品には、経済的価値の有無にかかわらず、公務員の公平性、執行、判断又は職務に影響する可能性のあるあらゆる物品及び利益が該当するとされる。

旅行、無料の宿泊又は商品券
② 不当に低い価値で行われた動産・不動産又は役務の取引
③ 関連するサービスから利益を受ける者によって与えられる物、衣服、宝石、食品を含む全ての贈答品
④ 公務員が所属している組織との間で雇用関係又は役務提供関係にある者からの借入れ等

(2) **許容される贈答品**

① 公的機関の目録に記録され、かつ、公開された、公的機関に寄付された贈答品又は公的サービスに使用される贈答品
② 本、雑誌、記事、カセット、カレンダー、CD等
③ 公的なコンテスト、キャンペーン又はイベントにおいて受領した賞品や贈答品
④ 公の会議、シンポジウム、フォーラム、討論会、食事会、レセプション等のイベントにおいて受領した記念品
⑤ 全ての人に配布され、象徴的価値を持っている、広告及び手工芸品
⑥ 市況に沿った金融機関からの借入れ

5 ①外国法人・個人による贈賄行為、②外国公務員に対する贈賄行為、③外国における贈賄行為に公務員贈賄罪が適用されるか？

(1) **個 人**

①について、トルコにおいて犯罪を犯した個人は、国籍に関係なく、トルコ刑法における刑事上の責任を負う（刑法8条）。

②について、個人が、トルコにおいて、直接的に又は他の者をとおして間接的に、外国において任命された公務員、国際又は外国の法廷の裁判官、陪審員等、国際的な立法機関の構成員、外国（公的な機関を含む）のために公的な活動を行う者、外国仲裁人、条約等により設立された国際機関の職員等に対して、その職務を執行し又は執行しないこと等に関して不正な利益を与

えた場合、刑法の贈収賄の規定が適用される（同法252条9項）。

③について、トルコ人が、外国において贈賄行為を行った場合、当該贈賄が1年以上の禁錮に罰せられるものであり、外国において当該贈賄行為について処罰されておらず、かつ、当該トルコ人がトルコに所在するとき、一定の条件の下で刑法に基づいて処罰され得る（同法11条1項）。これに対し、外国人が、外国において贈賄行為を行った場合、トルコに損害を与えるものであり、当該贈賄が1年以上の禁錮に罰せられるものであり、かつ、当該外国人がトルコに所在するとき、一定の条件の下で刑法に基づいて処罰され得る（同法12条1項）。また、当該贈賄行為が、外国人による外国公務員に対する贈賄行為（同法252条9項）である場合、当該贈賄行為が、(イ)トルコ、(ロ)トルコの政府機関、(ハ)トルコの法人、(ニ)トルコ人が当事者となる紛争、又はこれらの者が関係する取引の履行に関係し、かつ、当該外国人がトルコにいるとき、職権により調査及び起訴が開始され得る（同条10項）。

(2) 外国法人

刑法上、法人は刑事上の責任を負わないが（刑法20条）、外国法人であっても、違法行為について行政上の責任を負う。下記 **6** のとおり、法人の代表者等が贈賄について有罪判決を受けた場合、当該代表者等を通じて贈賄を行った法人に行政制裁金等が科されるため、①～③のケースにおいても、法人の代表者等が贈賄について有罪判決を受けた場合に当該法人に行政制裁金等が科され得る。

6 公務員贈賄罪の罰則その他の制裁は？ 法人に対する制裁、海外の親会社に対する制裁は？

(1) 個 人

個人が公務員贈賄罪を犯した場合、4年から12年の禁錮が課される（刑法252条1項）。公務員が賄賂を要求したが断られた場合、又は公務員に対して不正な利益の提案をしたが断られた場合には、刑期は半分となる（同条3項）。

また、賄賂を受領し、要求し、又は賄賂の合意を行った公務員が、裁判官、仲裁人、専門家証人、公証人、又は宣誓した公認会計士の場合、刑期は3分の1から半分に相当する期間加重される（同条7項）。

なお、一般的に、法人の取締役や経営幹部は、従業員の贈賄行為について認識し、黙認し、若しくは許容していた場合、又は当該贈賄行為に関与していた場合を除き、従業員が行った贈賄について責任を問われないとされる。

(2) 法 人

刑法は、個人責任の原則を採用しており、法人には刑法は適用されない（刑法20条）。しかし、軽犯罪法43条Aは、法人の代表者等が法人の利益のために行った贈賄等について有罪判決を受けた場合、当該代表者等を通じて贈賄等を行った法人に対して1万トルコリラ（約48万円）から5,000万トルコリラ（約2億4,113万円）の行政制裁金が科され得る旨を規定している。なお、当該行政制裁金は法人の代表者等についての捜査・起訴が完了する前に科され得る（その後の捜査で贈賄等が法人の利益のためになされたものでないことが明らかになった場合、行政制裁金は返還される）。

また、贈賄により法人が不正な利益を収受した場合は、当該法人が取得している許認可が取り消され、当該犯罪において使用され、若しくは犯罪の結果である物品を没収され、又は当該犯罪により発生若しくは犯罪のために提供された金銭的利益が没収される（刑法54条、55条、60条及び253条）。

なお、刑法は法人には適用されないため、トルコ子会社の役職員が贈賄を行った場合に親会社は責任を負わないのが原則であるが、親会社の役職員が子会社を通じて贈賄を行ったと評価される場合には、親会社の当該役職員は、刑法に基づいて責任を負う。軽犯罪法による行政制裁金は、行政委員会や関連する行政当局により賦課される（なお、検察官が捜査中に行政制裁金の対象となる事実を認識した場合には、関連する行政当局等に通知するか、自ら行政制裁金を賦課する）。

7　第三者を通じた贈賄行為が処罰される場合とは？

刑法は、自ら、「又は他の者を通して間接的に」贈賄行為を行った場合を

対象としているため（刑法252条1項）、第三者を通じた贈賄行為も処罰の対象となる。また、かかる場合、贈賄の申出又は要求の伝達、賄賂の提供等を行った第三者や、贈賄関係の結果として利益を受領した第三者についても、その者が公務員であるか否かを問わず、贈賄罪の共犯として処罰の対象となる（同条5項、6項）。

第三者を通じて行われた贈賄には、第三者に対し贈賄を行うよう要求し、当該者に実際に実行させたような場合はもちろん、第三者が公務員に対し贈賄を行うことを認識した上で当該第三者に金員を提供した場合（コンサルティングフィーが通常の場合に比して不相当に高額であり、それが贈賄に利用されることを認識した上で支払った場合等）も含まれる。また、贈賄者、第三者及び収賄者（公務員）の間で贈収賄についての合意がなされた場合、当該第三者が実際に贈賄を行わなくとも、犯罪行為とみなされる。

例えば、建設許可を得るために登記所の所長に賄賂を提供するよう担当官に依頼した場合や、取締役に代わって従業員が調査官に対して昼食代として400米ドル（約5万8,000円）の提供を申し出た場合において、第三者を通じて贈賄がなされたと判断されたケースがある。

8　公務員贈賄罪はどのような手続を経て執行されるか？　自主報告により制裁が軽減される制度はあるか？　時効期間は？

(1)　公務員贈賄罪の執行手続

トルコ国内で行われた犯罪行為に対する刑事手続は、以下の手続に従い、執行される。

検察官は、覚知した犯罪について捜査を行う。なお、捜査が秘密に行われる場合や、嫌疑のある公務員が勤務する部署が捜査の事実を知らされれば証拠が隠滅されるおそれがある場合は、当該部署に対する通知に先立ち、重要な証拠の差押えが行われる。

捜査の結果、訴追に足る十分な証拠がある場合には起訴が行われ、また、証拠不十分である場合には不起訴の決定が下される（刑事訴訟法160条）。

起訴された場合は重罪事件を担当する刑事裁判所が第1審の管轄となり、同裁判所の判断については控訴裁判所（Bölge Adliye Mahkemeleri）に控訴

することができ、さらに最終審であるトルコ最高裁判所（Yargitay）に上訴することが認められている。

(2) 自主申告制度による刑の免除

贈賄又は収賄を行った者が、捜査開始前に贈収賄の事実を当局に申告した場合は、刑が免除される（刑法254条1項〜3項）。

具体的には、①収賄を行った者が、捜査機関が事実を認識する前に、捜査機関に対して賄賂を提出した場合（なお、収賄の合意をしたにとどまる場合には、捜査機関が認識する前に収賄の事実を申告した場合）、②贈賄を行った者が悔悟し、捜査機関が認識する前に贈賄の事実を申告した場合、又は③贈収賄に関与したその他の者が悔悟し、かつ、捜査機関が認識する前に事実を申告した場合に自主申告による刑の免除が適用される。

ただし、当該規定は外国公務員に対して贈賄を行った者には適用されない（刑法254条4項）。

(3) 公訴時効

贈収賄罪の時効は、犯罪行為が行われた時点から15年とされている（刑法66条1項）。

9 民間企業の役職員に対する賄賂・リベート供与は処罰対象となるか？

民間人に対する贈賄・リベートの供与一般について広く規制対象とはされていない。しかし、上記3(1)のとおり、刑法の贈収賄の規定は、以下の者に対しても適用され、公務員以外でも公共性が高いと認められる一定の範囲の法人や団体に対する贈賄も処罰の対象とされている（刑法252条8項）。
① 公的団体の性質を有する職業団体
② 公的機関、公的企業又は公的団体の性質を有する職業団体によって設立された会社
③ 公的機関、公的企業又は公的団体の性質を有する職業団体として活動

する慈善団体
④　公益団体
⑤　協同組合
⑥　上場企業等の公開会社

上記の団体を代表又は代理する者の職務に関し不正な行為をし、又は相当の行為をしないことについて、何らかの利益が直接又は間接に提供され又は約束された場合、当該者が利益を要求又は収受した場合、利益の収受が容易にされた場合、又は第三者が利益を得た場合には、当該者が公務員であるか否かを問わず、贈収賄についての規定が適用される。

10　コンプライアンスプログラム等に関する規制・ガイドライン等はあるか？

2014年コーポレートガバナンスコミュニケ（2014 Corporate Governance Communique）は、上場会社に対し、利害関係を有する団体との関係における倫理的な対応や汚職の禁止を求めている。もっとも、トルコにおいては、企業に対して一定の汚職防止プログラム等の作成義務を一般に定めた法令は存在しない。

第15節　シンガポール

　アジアにおける貿易・金融の中心地として発展してきた本節のシンガポール及び香港（**第16節**）は、他のアジア諸国・新興国と比較すれば、贈賄リスクは必ずしも高くない。一方、アジア進出の足がかりとしてシンガポール及び香港に拠点を置く日本企業は多く、両地域は、地理と経済の両面において重要性が高い。
　そのため、シンガポール及び香港については、以下のとおり要点を絞って、公務員贈賄規制の概要を説明する。

1　シンガポールにおける贈収賄行為の実情は？

　シンガポールは、トランスペアレンシー・インターナショナルが公表する2022年度腐敗認識指数において、180か国中5位タイに位置付けられており、世界的に最も汚職・腐敗が進んでいない国の1つといえる。これは、長年にわたる汚職撲滅の政府方針と汚職防止法制の高い実効性によるものといえる。
　シンガポールにおける汚職事例の現況は、汚職防止法制の執行を担当している汚職調査局（Corrupt Practices Investigation Bureau）による逐次のプレスリリースにて公表されている。2023年に公表された同局のリリースによれば、同局は2022年に計234件の汚職関連の報告を受けており、そのうち83件が調査対象の新件として登録されたものであった。また、同年中に152名の個人が裁判所に提訴され、提訴された個人に対してなされた同年中の判決のうち99％が有罪判決であった（有罪率は長年、高い数値を保っている）。
　後述するとおり、シンガポールの汚職防止法（Prevention of Corruption Act）（以下本節において「汚職防止法」という）は、公務員が関与する贈収賄

行為だけでなく、私人間の贈収賄行為も規制の対象としている。上記プレスリリース中のデータでは、2022年に調査対象として登録された上記83件のうち約86％に相当する71件（71／83件）は民間部門に関する事案であり、このうち約14％に相当する10件（10／71件）が民間部門の個人が公的部門の個人に贈賄を試みたが当該公的部門の個人が利益の受取りを拒否した類型の事案であった。他方で、上記83件のうち、公的部門に関する事案（公務員が贈収賄を行ったケース）は約14％に相当する12件（12／83件）にとどまっている。なお、法人については、当局との合意により、法人が一定の条件（罰金の納付、内部統制や内部ポリシーの強化等）を遵守することと引換えに、起訴を猶予されることがある。

　上述のとおり、シンガポールの腐敗レベルは依然として低いが、近時、以下の2件の汚職事件が注目を集めた。

　1件目は、スーパーマーケットチェーンを運営する会社のシニア・チームリーダーである従業員とその部下が、2013年から2020年にかけて、魚介類の仕入先から仕入れの見返りとして52万3,000シンガポールドル（約5,650万円）の金銭的な利益を受け取っていたという事案である。本件では、当該従業員らに禁錮刑及び25万シンガポールドル（約2,700万円）を超える罰金が科された。

　2件目は、2021年に保健科学庁（Health Sciences Authority）の職員6名が、没収後に処分される予定であった密輸タバコを横領していたという事案である。当該職員らは、本件により2週間から3か月の禁錮刑を科されている。

2　シンガポールにおける贈賄規制の概要は？

　シンガポールにおいて贈収賄を取り締まる法律は、汚職防止法及びシンガポール刑法（Penal Code）（以下本節において「刑法」という）である。

　両者の最大の違いは、汚職防止法は公務員に対する贈収賄のみならず、民間企業の役職員に対する贈収賄にも適用される（下記8参照）のに対し、刑法の汚職に関する規定における規制対象は収賄を行ったか又はそれに関与した公務員に限定されていることである。また、汚職防止法には、公務員に何らかの利益（gratification）を得させた場合、それだけで贈収賄であると推定

する旨の規定があるのに対し、刑法には、そのような推定規定はない。汚職防止法には当該推定規定があるため、汚職については刑法ではなく汚職防止法に基づいて提訴するのがシンガポールの実務的な運用である。そのため、以下では刑法に関する記載は割愛し、汚職防止法に対象を絞って説明する。

3 贈賄罪の要件は？

汚職防止法上禁止されている贈賄行為は、汚職の目的をもって、所定の作為又は不作為の対価として、何人に対しても利益を、供与し、約束し又は申し出ることである。各文言の定義は以下のとおりである。

(1) 汚職の目的

「汚職の目的をもって（corruptly）」の意義は、汚職防止法では定義されていないが、①取引における汚職の要素（corrupt element）の存在、及び②違法な贈賄に該当する事実の認識（guilty knowledge）という2つの要件を満たす場合に、これが認められると解釈されている。

要件①（汚職の要素）は、取引の当時、その取引の背後にあると客観的に推測される取引の意図によって、当該取引が客観的に汚職の性格を帯びたことを意味する。

要件②（違法な贈賄に該当する事実の認識）は、行為者が自らの行為について、合理的な判断能力を持つ者の客観的な基準に従えば贈賄に該当すると知っていたか又は認識していたことを意味する。具体的には、隠匿すべきような取引であったり、何らかの規則に意図的に違反していたり、取引が明らかに贈賄としての性格を帯びていたりする場合に、より認められやすい。また、実際に利益を受け取っていたと認定されたにもかかわらずその事実を否定していたような場合、論理的かつ合理的な認定として、違法な贈賄に該当する事実の認識があったものと判断される可能性が高いといえる。

(2) 利 益

「利益（gratification）」の範囲は非常に広く、動産・不動産にかかわらず

いかなる名目の財産及びそれに係る利益、役職、雇用及び契約、債務の支払、放棄及び免責、その他名目の如何を問わない一切のサービス、便宜及び利得、並びにこれらを供与する旨の申出、引受及び約束を含み、これらには非金銭的な利益も含まれる。

賄賂であると認めるための閾値はない（下記4参照）。そのため、少額であっても構成要件を充足し得るものであり、実際に当職らが経験するところでは、500シンガポールドル（約5.4万円）の商業賄賂（キックバック）のみの授受で逮捕された実例もある。もっとも、一般論としては、金額が大きければ大きいほど、賄賂であると認められやすいといえる。

(3) 公務員

前述のとおり、汚職防止法上の規制の対象は公務員に対する贈賄に限られるものではないが（下記8参照）、公務員に対する贈賄はそうでない者に対する贈賄よりも刑が重い（公務員贈賄罪）ため、公務員の範囲も問題となる（下記6参照）。

「公務員」とは、政府、省庁又は公的機関によって雇用されている者、及び公的機関の構成員をいう。ここでいう公的機関とは、公衆衛生若しくは事業に関する法令に基づき活動する権限を有する法人、委員会、評議会その他の機関、又は法令に基づき徴収する料金・賦課金を取り扱う公益企業等をいう。他方、国会議員は政府によって雇用されているわけではないため「公務員」には当たらず、政府、省庁又は公的機関と取引関係にあるというだけの者もまた同様である。

4　贈賄罪の適用が除外される場合とは？

汚職防止法上、特定の贈賄行為を規制の対象外とするような例外規定はない。米国FCPAのファシリテーション・ペイメントのような、公務員の機械的業務に対する円滑化のための少額の支払について贈賄罪の適用を除外する旨の規定もない。

贈答品・接待が少額な場合を規制の対象外とするような規定もない。もっとも、個別具体的な事情の下、贈答品が賄賂性のない「感謝の印にすぎな

い」（mere token of appreciation）と認められる場合、又は、相手との間の特別な関係上、贈答品が賄賂ではないことが明らかである場合には、裁判実務上、贈賄罪の適用が除外されることもある。

5 ①外国法人・個人による贈賄行為、②外国公務員に対する贈賄行為、③外国における贈賄行為に贈賄罪が適用されるか？

①について、汚職防止法は、シンガポール国籍保有者に対しては国内外を問わず適用され、かつ、シンガポール国内に所在する者については国籍にかかわらず適用される。そのため、外国法人・個人による贈賄行為については、当該贈賄行為の一部がシンガポール国内で行われた場合には外国法人・個人に対しても同法が適用され得る。また、外国法人の雇用する役職員であるシンガポール国籍保有者が行った贈賄行為に対しては、その行為地を問わず同法が適用され得る。

②について、汚職防止法は前述のとおり、シンガポール公務員の関与する贈収賄行為に限らず、私人間の贈収賄行為をも規制対象としている。そのため、外国公務員に対する贈賄行為であっても、贈賄者が前段落で挙げた者に当たる限り、同法が適用され得る（外国公務員に対する贈賄という特別な類型の処罰規定があるわけではない）。

③について、外国における贈賄行為については、当該贈賄行為が完全にシンガポール国外で行われた場合であっても、前述のとおり、シンガポール国籍保有者に対しては汚職防止法が適用され得る。

6 贈賄罪の罰則その他の制裁は？　法人に対する制裁、海外の親会社に対する制裁は？

汚職防止法上、汚職の罪に問われた者の刑事罰は、10万シンガポールドル（約1,080万円）以下の罰金若しくは5年以下の禁錮、又はその両方である。ただし、シンガポール政府その他の公的機関との間の契約又は契約の申込みに係る取引に関与した者の法定刑は、7年以下の禁錮に加重されている（公務員贈賄罪）。これに加え、仮に利益の収受があった場合、裁判所は罰金刑に加え、当該賄賂の価値相当額の支払を命じることができる。

また、上記刑事罰のほか、シンガポール政府関係者又はシンガポールの会社の取締役については、その資格要件が剥奪されるなどの制裁を受けることもあり得る。

法人については、贈賄行為をした取締役又は従業員等の個人に「違法な贈賄に該当する事実の認識」（guilty knowledge）が認められ、かつ、その個人が法人の「管理的意思」（directing mind and will）であると認められる場合に、法人自体が処罰の対象となる可能性がある。個人がその法人の「管理的意思」であると認められる場合とは、法人の支配下にある個人の意思が法人の意思と同視し得る程度にその職務に関連して権限を有する場合をいう。

シンガポール子会社の従業員が贈賄行為をした場合、国外の親会社が汚職防止法上の責任を直接問われることは、通常考えられない。シンガポール子会社の従業員の行為について国外の親会社の責任を問うためには、子会社の従業員が親会社の「管理的意思」であると認められる必要があるが、親会社と子会社は別の法人格であって、子会社の従業員が親会社における職務の権限を有することは通常想定されないからである。

もっとも、シンガポール子会社の担当従業員が当該親会社の「管理的意思」であると認められる場合や、親会社がシンガポール子会社の従業員の贈賄行為に関与したといえるときは、国外の親会社が、正犯、教唆犯、共謀犯又は幇助犯として処罰の対象とされる可能性はある。

7　第三者を通じた贈賄行為が処罰される場合とは？

法人の従業員以外の第三者（エージェント、ブローカー又はコンサルタント等）が行った贈賄行為について、法人が汚職防止法上の責任を直接問われることは、通常考えられない。上記6で述べたとおり、法人の責任を問うことができるのは、贈賄行為を行った個人が法人の「管理的意思」であると認められる場合に限られるところ、従業員でもない第三者が法人の「管理的意思」であると認められることは通常ないからである。実際、法人の責任が追及されるケースの多くは、その法人の役職員が贈賄行為の実行者に当たる場合である。

もっとも、法人が、贈賄行為の実行者たる第三者との関係で、教唆犯、共謀犯又は幇助犯として処罰の対象とされる可能性はある。

8 民間企業の役職員に対する賄賂・リベート供与は処罰対象となるか？

汚職防止法は前述のとおり、公務員の関与する贈収賄行為だけでなく、私人間の贈収賄行為をも規制対象としている。そのため、汚職防止法上は、民間企業に対する接待又はリベートに対して適用がある旨が明示的に定められているわけではないが、個別具体的な事情によっては、これらの供与が汚職防止法上の「利益」に該当し、かつ「汚職の目的」で供与されたとみなされるリスクは否定できない。

第16節　香　港

1　香港における贈収賄行為の実情は？

トランスペアレンシー・インターナショナルが公表した2022年度腐敗認識指数において、香港は180か国中12位に位置付けられており、腐敗問題の抑止に関しては、日本及び欧米の主要国と同程度に高い水準であるといえる。

実際、香港における汚職の取締りを行う機関である独立汚職調査委員会（Independent Commission Against Corruption）（以下本節において「委員会」という）は、これまで贈収賄事件の調査及び訴追に対して積極的な姿勢をとってきた。例えば、香港の元行政長官である曽蔭権（Donald Tsang Yam-kuen）は、2015年に公務員不適切行為罪で、2016年に公務員収賄罪で訴追されたことが注目を集めた（ただし、前者については、2019年に最高裁にて、有罪判決が取り消され、後者については2017年に陪審による評決が下されず、検察が上訴を行わずに手続が終了した）。

統計上の数字をみると、2023年1月から6月まで、贈収賄に関する申立てが合計1,043件（選挙関連のものを除く）、訴追された者が合計111人、有罪判決を受けた者が合計71人であり、それぞれ前年（2022年1月～6月）比で16％の増加、10％の増加、61％の増加と、申立件数、訴追件数及び最終的に有罪に至る割合は増加傾向にある。

中国本土その他の国・地域との間における、国際的な捜査の共助に関する枠組みの法的な整備も進んでいる。東アジアにおけるビジネスの中心としてこれまで獲得した信頼と評判を保持するため、委員会の贈収賄に対する積極的な取組は、今後も継続するものと考えられる。

2 香港における公務員贈賄規制の概要は？

　香港において公務員に対する贈賄を取り締まる最も基本的な法律は、贈収賄防止法（Prevention of Bribery Ordinance（Cap. 20））である。同法は、一定の地位にある公務員に対する贈賄を禁止しているほか、民間同士での贈賄についても規律している。贈収賄防止法のほか、汚職・違法行為に関する選挙法（Elections（Corrupt and Illegal Conduct）Ordinance（Cap. 554））、組織的重大犯罪法（Organized and Serious Crimes Ordinance（Cap. 455））も贈収賄に関する規制を設けており、また多くの機関が贈収賄に関するガイドラインを公表している。

　なお、判例法上の贈収賄犯罪という類型も存在するが、贈収賄防止法という制定法が既に存在することから、今日ではそれが適用されることは実務上ほとんどない。

3 公務員贈賄罪の要件は？

　贈収賄防止法上の贈賄に関する主要な犯罪は、「所定の役人」若しくは「公務員」がその職務の範囲内で一定の行為をする、又は差し控えることに対する誘因、見返り又はその他の名目で、第三者が、当該役人若しくは公務員らに対して、適法な権限又は合理的な理由がないにもかかわらず、利益の申出を行う場合に成立する。この「利益の申出」には、公務員による要請（solicit）に応じて利益を提供した場合も含まれる。所定の役人に対する贈賄行為は同法8条、公務員に対する贈賄行為は同法4条で、それぞれ規律される（なお、民間同士での贈収賄については、贈収賄防止法9条が別途規律しているが、この点は下記8にて後述する）。

　以下、各要件の意義について整理する（いくつかの文言は、同法2条に定義されている）。

(1) 所定の役人（prescribed officer）

　「所定の役人」には、政府から給与を受ける役職にある者、公益事業委員

会の議長及び委員会の職員、司法府の職員等が含まれる。

(2) 公務員（public servant）

「公務員」には、所定の役人、特定の機関と結びついた特定の者（例えば、クラブや団体を構成する公的機関において業務又は管理を行う責任者）、その他の「公的機関」（public body）に所属する者が含まれる。つまり、「所定の役人」は「公務員」の特別な類型である。

ここでいう「公的機関」には、政府、行政会議、立法会、区議会、理事会・委員会、公益サービス事業者、大学その他行政長官に指名され又はそれを代理する機関等が含まれる。

(3) 利益（advantage）

同法において「利益」は非常に広く定義されており、金銭・物品の贈答、役職又は雇用、権利の行使、法的措置からの保護、義務又は責任の免除等、有形無形の利益が含まれる。なお、条件付きでの利益の申出であっても、「利益」の申出に該当するとされている。もっとも、汚職・違法行為に関する選挙法で定義されている「選挙に際しての寄付」や、一定の「接待」（飲食物の提供であって、その場での消費を目的とするもの、及びそのような提供に関連し又は同時に提供されるその他の接待）（entertainment）は贈収賄防止法上、利益から除外されている。同法がこのように「接待」を「利益」から除外しているのは、接待行為を処罰の対象とすると通常の事業活動に対する不合理な阻害につながるとの実業界の懸念に配慮したからであるといわれている。もっとも、その接待が過度にわたる場合、公務員準則上、公務員は懲戒処分を受ける可能性がある。

(4) 申出（offer）

利益の申出が行われた時点で直ちに犯罪が成立し、これらが直接本人により行われるか、又はエージェント等の第三者を通じて行われるかは問われない。犯罪の成立には、訴追されている者の内心のみが問題となり、例えば利

益の申出を受けた相手方（収賄側）が、訴追されている者が意図したような行動をとらなかったことは、犯罪の成立を阻害する抗弁とはならない。さらに、利益の申出を受けた相手方が、その申出の不正な目的を知らなかったとしても、訴追されている者に犯罪が成立する可能性がある。

(5) 適法な権限（lawful authority）又は合理的な理由（reasonable excuse）のないこと

これらの具体的な内容は贈収賄防止法に規定されておらず、個別の事案の具体的な事実や状況によることとなる（下記4参照）。

4 公務員贈賄罪の適用が除外される場合とは？

公務員贈賄罪の適用が除外されるのは以下のような場合である。一般的には、適用が除外される場面は限定的と考えられている。

(1) 贈収賄防止法3条に関する適用除外

贈収賄防止法3条は、所定の役人が利益を要請又は収受することを原則として禁止するが、行政長官（Chief Executive）による一般許可又は特別許可がある場合には、例外的にその適用が除外される。かかる一般許可・特別許可は、行政長官による許可に関する2010年通知（Acceptance of Advantage (Chief Executive's Permission) Notice 2010）（以下本節において「2010年通知」という）において具体的に定められている。

例えば贈答品について、所定の役人が、所定の役人の所属する組織等との関係のない親しい友人から、特別な機会に3,000香港ドル（約5万5,500円）を超えない贈答品を受け取ることや、特別の機会に当たらない場合であっても、500香港ドル（約9,200円）を超えない贈答品を受け取ることは「一般許可」として許容されている。

ところで、2010年通知により許可されている利益の要請・収受については、贈収賄防止法3条に基づく処罰の対象とはならないが、職権濫用の要請に対して便宜を図った場合、同法4条に基づく処罰の対象となる可能性

がある。また、当該利益の要請・収受がその個人的利益と職務との間に軋轢を生じさせる、又は生じさせる可能性がある場合、当該所定の役人は、同法とは別に、懲戒処分を受ける可能性がある。なお、「公務員の手引き」によれば、公務員は公務の品位を損なう又は評判を落とすような贅沢な接待や不当に豪華な接待、頻繁な接待は回避すべきと定められている。

(2) 贈収賄防止法4条に関する適用除外

贈収賄防止法4条は、公務員に対して利益の申出を行うこと、及び公務員がその職務に関し、何らかの行為をすること又は差し控えることの対価として利益を要請・収受することを、原則として禁止する（同法4条1項、2項）。

他方、当該利益を要請・収受した公務員が所定の役人に該当しない場合であって、当該公務員が自身の所属する公的機関から利益の受領について許可を得ているときは、当該公務員に加え、贈賄側についても、例外的に贈収賄防止法4条違反は成立しない。ただし、当該許可は、公的機関が具体的な事情を考慮した上で、かつ書面により付与したものでなければならず、また、その付与のタイミングも、利益の申出がなされる前か、又は、利益の申出や受領後となる場合には、利益の申出を受け、又は利益を収受してから、合理的期間内に可及的速やかに申請等していることが要求される（同条3項、4項）。

(3) 「適法な権限又は合理的な理由」がある場合

贈賄罪の各類型には、一部を除き、「適法な権限又は合理的な理由」のないことが条文上の構成要件とされているため、そのような権限・理由がある場合には贈賄罪は成立しない。

上記3(5)のとおり、この具体的な内容については明文がなく、事案ごとに判断されるが、実務上、所属する組織の同意がある場合がこれに該当するとされる。この抗弁の立証責任は、被告人が負う。

なお、実際にはそのような同意がなかった場合でも、真正かつ真摯にそう信じていたと被告人が立証できれば、贈賄罪は成立しないとされている。

(4) 贈収賄防止法の適用が除外されない場合

香港においては、米国FCPAのファシリテーション・ペイメントのように、公務員の機械的業務を円滑化するための少額の支払について贈賄罪の適用を除外する規定はない。また、贈収賄防止法においては、「利益」が僅少であること、又は取引上若しくは職業上の慣習であることは、贈賄罪の成立を妨げる事由とはならないとされている（月餅事件として知られる2009年の事例では、警察官に15箱の月餅を供与した会社役員が禁錮2か月の判決を受けている）。

(5) 小 括

上記3(3)のとおり、贈収賄防止法上、「接待」は「利益」の定義から明確に除外されているものの、「利益」の意義が幅広く規定されているため、上記に述べた例外に該当しない限り、贈答品等の供与は賄賂とみなされる可能性がある。したがって、個々の事案ごとに金品の価値を評価し、当該金品を授受する目的を検討することが重要である。

5 ①外国法人・個人による贈賄行為、②外国公務員に対する贈賄行為、③外国における贈賄行為に公務員贈賄罪が適用されるか？

①について、外国法人・個人が香港の公務員に対して贈賄行為を行った場合には、その行為が香港の内外いずれで行われたかを問わず、公務員贈賄罪が成立する。

②について、香港以外の国の公務員に対する贈賄行為については、当該事案を扱った近時の上告審判決において、利益の申出が香港で行われた場合には、公務員贈賄罪が成立するとの判断が下された。これと同様に、例えば、下記の場合にも公務員贈賄罪が成立する可能性がある。

 (イ) 外国公務員との贈収賄の合意が香港内で行われた場合
 (ロ) 利益の支払が香港内で行われた場合、又は香港を経由した場合
 (ハ) 贈収賄の効果が香港に及ぶ場合

③について、外国における贈賄行為であっても、①のとおり、香港の公務員に対するものであれば、公務員贈賄罪が成立する。香港以外の国の公務員に対するものであれば、②のとおり、香港との結びつきがある場合には公務員贈賄罪が成立する可能性があるが、利益の申出が国外でなされるなど贈賄行為と香港との結び付きが一切ない場合には、立法の趣旨に鑑みて、香港において贈賄罪は成立しないと考えられる。

6 公務員贈賄罪の罰則その他の制裁は？ 法人に対する制裁、海外の親会社に対する制裁は？

香港において贈賄を行った者に対しては、正式起訴の場合、最大50万香港ドル（約926万円）から100万香港ドル（約1,852万円）の罰金、及び最長7年から10年の有期禁錮が科される。また、即決判決の場合であっても、最大10万香港ドル（約185万円）から50万香港ドル（約926万円）の罰金、及び最長3年の有期禁錮が科される。

法人に関しては、委員会による責任追及は一般的には、贈賄を行った個人に向けられ、当該法人や、当該法人の親会社である法人が訴追されることは原則としてない。ただし、会社の法人格が濫用されたケース等においては、その親会社である法人が責任を問われることがないわけではない。

7 第三者を通じた贈賄行為が処罰される場合とは？

現地エージェント等の第三者を通じて贈賄行為が行われた場合、当該第三者が贈賄者の指示によって、又は、贈賄者の同意を得て贈賄を行ったことが証明されれば、贈賄者自身に贈賄罪が成立する。

8 民間企業の役職員に対する賄賂・リベート供与は処罰対象となるか？

上記2及び3にて述べたとおり、香港における贈収賄規制が及ぶ範囲は対公務員の贈賄に限られないため、民間企業の役職員に対して賄賂・リベートを供与した場合であっても処罰の対象となり得る。

すなわち、贈収賄防止法9条によれば、代理関係（principal／agent relationship）が存在する場合に、代理人（agent）が本人（principal）の業務・事業に関連して一定の行為をする／差し控えること、又は当該業務・事業に関連して第三者に対する賛意を示す／反対を差し控えることに対する誘因、見返り又はその他の名目で、第三者が、代理人に対して利益の申出を行う場合であって、それが本人の利益を害するまでに本人と代理人との一体的関係を損なわせたときに贈賄罪が成立する。本人に何らかの損失が現実的に生じたことの証明は要しない。

贈収賄防止法2条の定義によれば、「代理人」とは香港の公務員、又は他人に雇用され若しくは他人のために行為する者をいう。その点で上記犯罪類型は、民間同士の贈収賄のみを問題としたものではない。「本人」は雇用主（雇用されている公務員に関しては、その雇用主である公的機関）等を指す。

「代理関係（principal／agent relationship）」とは、賄賂と引換えに行われる代理人の行為が、本人の業務又は事業に関連していることを意味する。この点、代理人の「行為」と本人の「業務」との間に因果関係があれば足り、代理人の行為が本人の通常の業務の範囲内であることや、代理人の行為が本人の承認に基づき行われたものであることは必要ではない。また、近時の上告審判決は、代理人の行為又は不作為が、本人の業務に「影響を及ぼし、又は影響を与える」ことを「目的とし」、意図されていれば足るとしている。

もっとも、こうした代理人又は利益の申出をした者が訴追された場合、これらの者は、利益を収受することについて本人が同意していたことを証明すれば、処罰を免れることができる。他方、公務員に対する贈賄の場合と同様、供与された利益が取引上又は職業上の慣習であることは贈収賄罪の成立を妨げる事由とはならないし、代理人が実際に汚職行為を行うつもりがなかったことや、現に汚職行為を行わなかったこと、若しくは行うことができなかったこと等もまた、贈賄罪の成立を妨げる事由とはならない。

なお、この場合の罰則は、正式起訴の場合で最大50万香港ドル（約926万円）の罰金及び最長7年間の有期禁錮、即決判決の場合には最大10万香港ドル（約185万円）の罰金及び最長3年間の有期禁錮である。

第17節 カンボジア

1 カンボジアにおける贈収賄行為の実情は？

　カンボジアは、1975年以降のポル・ポト政権時代に行われた法令の廃止及び法曹を含む知識人の大量虐殺によって、基本的な法令の整備が遅れると共に、法令を運用する法曹実務家の不足が往年の深刻な課題となってきた。1996年以降、日本国法務省及び国際協力機構（JICA）による法整備支援の下で、民法（Civil Code, 2007）及び民事訴訟法（Code of Civil Procedure, 2006）をはじめとした基本法の整備が進むと共に、法曹教育も一定の進展を見せているが、依然として法令の解釈・運用が不明確な部分や当局の運用が法令と異なるケースも存在する。

　このような国内の政治的混乱に起因する法制度の立法の未成熟さ及び運用の不安定さを背景に、カンボジアでは、汚職や贈収賄行為、法令に根拠のない手数料等の支払を求められるケースが現在でも多く存在する。

　もっとも、2010年制定の反汚職法（Law on Anti-Corruption, 2010）（以下本節において「反汚職法」という）の下、国家反汚職評議会（National Council Against Corruption）並びに汚職の申告受理、検討及び対処を行う首相直轄の組織である反汚職ユニット（Anti-Corruption Unit）（以下本節において「ACU」という）が設置されたり、日本カンボジア投資協定に基づき設置された日本カンボジア官民合同会議がカンボジア政府に対して改善要請をしたりと、状況の改善に向けた努力は行われている。なお、下記4記載のとおり、反汚職法上は、ファシリテーション・ペイメントに関する除外規定は設けられておらず、また、商業賄賂も処罰の対象とされている。

　トランスペアレンシー・インターナショナルが公表する2022年度腐敗認識指数において、カンボジアは180か国中150位であり、過去数年にわた

り、徐々に順位を上げており、国際的にもその改善状況が少しずつ認識されているといえる。

もっとも、カンボジアでは、贈収賄事件に関するACUの調査記録や裁判所の記録は公開されていない。

2 カンボジアにおける公務員贈賄規制の概要は？

カンボジアにおいて公務員に対する贈賄を取り締まる主な法律は、反汚職法及びカンボジア刑法（Criminal Code, 2009）（以下本節において「刑法」という）である。また、2023年公共調達法（Law on Public Procurement, 2023）においても、公共調達に関する贈賄が規制されている。

まず、公務員贈賄罪は、刑法において処罰対象として規定されている（刑法605条）。他方で反汚職法は、外国公務員又は国際機関の職員に対する贈賄（反汚職法34条。下記5参照）等の同法上の固有の犯罪類型を規定しているほか、同法上、汚職罪（Corruption offence）として扱う犯罪を列挙して定めている（反汚職法32条）。汚職罪に該当する犯罪には、反汚職法上の固有の犯罪類型に加え、公務員贈賄罪のほか、不正競売（刑法387条）、破棄・横領（刑法592条、597条、601条及び608条）、不正蓄財（反汚職法36条）、汚職利得罪（反汚職法37条）等、刑法上の一定の犯罪が含まれる。汚職罪に該当する犯罪には、反汚職法上の特別な手続規定が適用されるほか（反汚職法第5章）、付加刑が科され得る（なお、汚職罪に適用される手続の概要については、下記8、付加刑については下記6参照）。

刑法及び反汚職法上の公務員贈賄に関する主要な規定を簡潔にまとめると、図表5-11のとおりとなる（付加刑については下記6参照）。

図表5-11　公務員贈賄に関する主要な規定

行為	適用条文	法定刑（主刑）
裁判官に対する贈賄	刑法518条	5年以上10年以下の禁錮
公務員又は選挙で選ばれた公職にある者に対する贈賄	刑法605条	5年以上10年以下の禁錮

外国公務員又は国際機関の職員に対する贈賄	反汚職法34条	5年以上10年以下の禁錮
法人処罰	刑法519条及び625条	1,000万リエル以上5,000万リエル以下（約36万円以上180万円以下）の罰金
教唆犯	刑法28条 反汚職法4条18号	正犯と同じ
幇助犯	刑法29条 反汚職法4条19号	正犯と同じ

3　公務員贈賄罪の要件は？

　刑法605条は、「公務員（publicofficial）又は選挙で選ばれた公職にある者（holder of public elected office）に対し、①その役割に関連して若しくはその役割上促進される行為を行わせ、又は②その役割に関連して若しくはその役割上促進される行為を行わせない目的で、権限なく不法に、直接又は間接に、贈答品若しくは寄付を提供し、約束を行い又は便益を供与すること」を禁止している。

　ここでいう「公務員」とは、①法令に基づいて任命された、立法機関、行政機関又は司法機関で働く者（任期の恒久性、報酬の有無、地位又は年齢を問わない）又は②カンボジアの法律において定められた公的機関、公営企業その他の公共施設を含む、公職にあるその他の者をいう（刑法30条1号）。また、「選挙で選ばれた公職にある者」とは、上院、国民議会、首都評議会、州評議会、郡評議会、区評議会の議員、及び村評議会、地区評議会の議員、並びにその他の公的職務を遂行するために選挙を通じて権限を与えられた者をいう（刑法30条2号）。

　これらの贈賄罪は「重罪」（felony）に該当し[26]、そのため、未遂犯も既遂犯同様、処罰の対象となる（刑法27条）。

---

26)　「重罪」（felony）とは、無期又は5年以上30年以下の禁錮刑をいう（刑法46条）。本節で取り上げる贈賄罪の法定刑は、いずれも5年以上10年以下の禁錮とされており、重罪に該当する。

4 公務員贈賄罪の適用が除外される場合とは？

(1) 社会的儀礼・慣習としての適用除外の有無

　刑法上は、社会的儀礼・慣習を根拠に公務員贈賄罪の適用除外を定める規定は存在しない。他方で、反汚職法 4 条 10 号によれば、「贈答品（gift）」とは、ある者に対して、又はある者の便益のために与えられる財産又は役務であって、合意に基づくものとはみなされず、かつ慣習又は伝統に従ったものでないものとされる。したがって、反汚職法上は、慣習又は伝統に従った社会的儀礼の範疇であれば、同法上の「贈答品（gift）」に該当しないと解される。このような慣習又は伝統としては、クメール正月（4 月中旬）の贈答品が考えられる。もっとも、許容される場合の金額規模や供与者及び被供与者間の関係性等、その詳細な条件は明確にされていない。

　上記 2 のとおり、反汚職法は、汚職罪（corruption offence）については反汚職法の一部として同法が適用されると規定していることから（反汚職法 32 条）、刑法自体に明文規定がなくとも、汚職罪の一部を構成している公務員贈賄罪の解釈に当たっては、反汚職法上の定義規定が斟酌されるべきとの解釈もあり得るところである。しかし、他方で、あくまでも刑法上は明文規定がないことから、刑法上の公務員贈賄罪については社会的儀礼・慣習の範疇にとどまる行為についての例外を認めないとの解釈も成り立ち得るところであり、結局のところ、裁判所の解釈・判断次第という不安定な状況にあるといわざるを得ない。

(2) ファシリテーション・ペイメント

　カンボジアにおいては、いわゆるファシリテーション・ペイメントのように、公務員の機械的業務の円滑化のための少額の支払について、刑の適用を免除する規定はない。なお、下記 10 で説明する ACU ガイドブックにおいては「ファシリテーション・ペイメント」とは、利益を供与する者が法的な権利を有する日常的又は必要な行為の履行を確保又は迅速化するために、下級公務員に不当に供与される非公式な少額の支払として言及され、国によっ

ては商慣行上一般的に行われており、そのような環境では、ファシリテーション・ペイメントの支払を控える企業は、競合他社との競争上の不利益に直面する可能性があるとしつつも、カンボジアでは犯罪であると述べられている。

(3) その他

仮に企業において、従業員による贈賄が発覚した場合においても、事前に贈収賄防止のための対策が実施されていたことを根拠に企業が免責を主張できるような規定は刑法上も反汚職法上も定められていない。なお、カンボジアでは、裁判例が原則として公開されていないため、適切な贈収賄防止対策が実施されていたことが刑事裁判所においてどのような位置付けで主張され、かつ裁判所にどのように考慮されたのか等についても確認することができない。

5 ①外国法人・個人による贈賄行為、②外国公務員に対する贈賄行為、③外国における贈賄行為に公務員贈賄罪が適用されるか？

①について、外国法人・個人がカンボジアの公務員に贈賄行為を行った場合、国内の法人・個人が当該行為を行った場合と同様に、贈賄罪が成立する（刑法12条）。

②について、外国公務員又は国際機関の職員に対する贈賄行為についても、贈賄罪が適用される（反汚職法34条）。ここでいう「外国公務員」とは、任命されたか選挙で選ばれたかを問わず、外国の立法機関、行政機関又は司法機関に在職する者、及び外国（公的機関又は公営企業を含む）のために公的役割を担っている外国人をいう（同法4条3号）。また、「国際機関の職員」とは、国際公務員又は当該機関を代理して行為する権限を当該機関により付与されている者をいう（同条4号）。

③について、カンボジア国外でカンボジア国民が犯した重罪については刑法が適用される（刑法19条1項）ことから、カンボジア国外におけるカンボジア国民による贈賄行為については公務員贈賄罪が成立する。また、カンボ

ジア国外における外国法人・個人による行為であっても、カンボジア国民に対して贈賄行為を行った場合にはカンボジアの公務員贈賄罪が成立し得ると解されている。

6 公務員贈賄罪の罰則その他の制裁は？ 法人に対する制裁、海外の親会社に対する制裁は？

カンボジア法上、公務員贈賄罪は、上記2及び3のとおり、公務員又は選挙で選ばれた公職にある者の職務関連行為に対して不法に贈答品等を供与する場合に成立し、未遂犯、既遂犯共に処罰され、法定刑（主刑）は5年以上10年以下の禁錮となる（刑法605条）。さらに、個人が公務員贈賄罪を犯した場合には、付加刑として、裁判所は、特定の市民権や職業を剥奪し、物品や資金の没収を行うなどの刑罰を宣告することができ、当該個人が外国人の場合には、永久又は5年を超えない一定期間でのカンボジアへの入国や滞在を禁止することができる。また、特殊な付加刑の類型として、政府の公共調達からの排除や、紙媒体又は電子媒体による有罪判決の公表が存在する（反汚職法45条及び刑法53条）。

また、法人に対しても同様に付加刑があり、公務員贈賄罪について法人が処罰される場合には、解散命令、裁判所の監督、活動の禁止、公共調達からの排除、物品や資金の没収等のほか、紙媒体や電子媒体を利用した有罪判決の公表等も科される可能性がある（刑法168条）。

そして、下記10にて説明するとおり、贈収賄に関するコンプライアンスポリシーを整備するなど、贈収賄防止のための対策が実施されていることは、汚職関連犯罪の成否に対する抗弁として明示的に認められていない。

カンボジア法上は、基本的に、海外の親会社は、子会社の従業員が犯した犯罪について当然に責任を負うことはない。しかし、法令上法人が刑事責任を負う旨の明示規定がある場合、法人内の組織やその代表者が犯した犯罪については、法人の刑事責任が問われ得る（刑法42条）。また、親会社又はその役員が子会社の従業員による犯罪行為に関与した場合には、以下の要件に該当する限りにおいて、刑事責任を問われる可能性がある。

① 共同正犯（co-perpetrator 刑法26条）：相互の合意の下で犯罪を犯し、又は犯罪を犯そうとする者

② 教唆犯（instigator 刑法 28 条）：犯罪の実行を指示又は命令する者、あるいは贈与、約束、脅迫、教唆、説得、職権濫用等により犯罪の実行を惹起する者
③ 幇助犯（accomplice 刑法 29 条）：故意に幇助する行為や教唆により犯罪の未遂又は実行を助ける者

7　第三者を通じた贈賄行為が処罰される場合とは？

　代理人、ブローカー、仲介者、コンサルタント、ビジネス・パートナー等の第三者が犯した贈収賄について、共犯としての刑事責任を負担することになるのは、当該贈収賄の共同正犯、教唆犯、幇助犯に該当する場合である。責任（量刑等）の内容は、犯罪行為者が行った犯罪の重大性により決まり、具体的な責任の内容は裁判官の裁量に委ねられることになる。

8　公務員贈賄罪はどのような手続を経て執行されるか？　自主報告により制裁が軽減される制度はあるか？　時効期間は？

　刑法上の汚職犯罪及び反汚職法上の汚職罪の執行手続は、反汚職法に別段の手続が規定されていない限りにおいて、カンボジア刑事訴訟法（Criminal Procedure Code）（以下本節において「刑事訴訟法」という）に基づき実施される（反汚職法 21 条）。刑事訴訟法上の手続とは、具体的には、以下のとおりである。まず、汚職罪の被疑事実の捜査は、①管轄裁判所の検察総長室（the Office of Prosecutor General）による捜査又は被害者による訴訟提起を契機として開始され、検察官により、犯罪構成要件の充足の有無の検討が行われる。②そして、①の捜査にて検察官により犯罪構成要件が存在すると判断された場合、事件は捜査判事室（the Office of Investigation Judge）に送致され、捜査判事は、当該犯罪の訴追要件の有無について検討する。捜査判事が、犯罪が行われ、起訴が妥当と結論付けた場合には、③起訴状が発行され、事件は公判裁判官（the trial judge）に送致され、判決に向けた審理が行われる。
　また、反汚職法上の手続としては、同法 13 条において、ACU が、省庁等の公的機関及び私的機関における汚職罪の有無を調査する権限を有する旨

が規定されている。しかし、いずれにせよ起訴は検察官又は捜査判事によって行われるものであり、ACU は捜査権限を有するにすぎず、起訴権限を有さない。

　国内の贈賄者と外国の贈賄者に適用される手続に違いはないが、反汚職法52条によると、ACU 及び関係当局は、複数の国籍を有するカンボジア人の財産状況について、国際協力及び相互法的支援を求める義務がある。

　また、犯罪情状や被告人の属性によって正当化される場合、裁判所は被告人に情状酌量を認めることができる（刑法93条）。ただ、贈収賄行為の自主報告が情状酌量の考慮要素となることは、刑法にも反汚職法にも規定がなく、カンボジアにおいては、制裁の軽減の有無は、犯罪の具体的内容や被告人の性格を考慮した裁判官の裁量に基づくと考えられる。

　公訴時効については、①重罪は15年、②軽罪（misdemeanor）は5年の時効期間が経過した後は公訴を提起することはできない（刑事訴訟法10条）。公務員贈賄罪は、最高刑が10年の禁錮刑（刑法605条）であるため、重罪（同法46条）に当たり、公訴時効期間は15年となる。

9　民間企業の役職員に対する賄賂・リベート供与は処罰対象となるか？

　刑法278条から280条において、民間企業の従業員による賄賂の受取りと賄賂の提供に関する規定が設けられている。従業員による賄賂の受取りとは、従業員が雇用主の許可なく又は雇用主の認識なく、職務に関連する行為を行ったり、行わなかったりすることに対する寄付、贈答、約束又は報酬を要求又は受領する行為を指す（刑法278条）。

　一方、賄賂の提供とは、雇用主の許可なく又は雇用主の認識なく、従業員に対して職務に関連する行為を行わせたり、行わせなかったりすることについて、寄付、贈答、約束又は報酬を提供する行為を指す（刑法279条）。

　両行為に対する罰則は同じであり、6か月から2年の禁錮（刑法280条）と、100万リエルから400万リエル（約3万6,000円から14万4,000円）の罰金が科される（刑法278条及び279条）。

10　コンプライアンスプログラム等に関する規制・ガイドライン等はあるか？

　ACU は、反汚職法に関する法教育を目的として、また、ACU と民間企業の協同を企図して、2022 年 4 月 27 日時点で民間企業と 105 件の覚書を締結している。ただし、これらの覚書に法的な拘束力はない。

　また、ACU は Guidebook on Anti-Corruption Program for Business in Cambodia と呼ばれるガイドブック（以下本節において「ACU ガイドブック」という）を公表している。ACU ガイドブックは法的な拘束力をもたないものの、企業が汚職防止のためのコンプライアンス対応を行うために民間企業が策定すべき贈収賄のコンプライアンスポリシーの内容が記載されている。他方で、ACU ガイドブックは、コンプライアンス対応に関する情報提供を目的とするものにすぎず、新たな法的基準を定立するものではなく、かつ、同ガイドブックに沿った贈収賄のコンプライアンスポリシーを導入することの法的効果を明示していないため、現時点では、民間企業がコンプライアンスポリシーを導入することや、策定したコンプライアンスポリシーに沿った対応を行っていることが、刑法や反汚職法上の贈賄罪の適用において、どのような効力を及ぼすかは明らかではない。

第18節　イスラエル

1　イスラエルにおける贈収賄行為の実情は？

　イスラエルにおいて、贈収賄行為は、商慣習として広く行われているわけではないものの、企業との関係では、公共調達への応募や入札の際等に担当者から賄賂を要求される場合があり得る。

　なお、トランスペアレンシー・インターナショナルが公表する2022年度腐敗認識指数において、イスラエルは180か国中31位に位置しており、比較的上位といえる。

　国内における近年の贈収賄に係る執行傾向としては、高位の政府関係者による収賄行為に関する刑事責任の追及が特に注目を集めている。

　具体的には、2015年、イスラエル最高裁判所は、エフード・オルメルト（Ehud Olmert）前首相がエルサレム市長時代に行った収賄行為に対する有罪判決を是認した。エフード・オルメルト前首相に賄賂を提供したとして起訴された者には、それぞれ3年から5年の懲役刑、1年半の保護観察、又は100万新シェケル（約4,000万円）の罰金が宣告されている。

　また、翌2016年、日本の国会に相当する立法府であるクネセト（Knesset）の議員であったハイム・カッツ（Haim Katz）氏による収賄行為に対して捜査が及び、同氏は詐欺及び背任の罪で起訴されている（なお、ハイム・カッツ氏に賄賂を提供した者は、司法取引により、刑罰を免れている）。

　さらに、2020年、現職のベンヤミン・ネタニヤフ（Benjamin Netanyahu）首相も収賄の罪で起訴され、現在も裁判が係属している。そのほかにも、収賄の嫌疑で、現職のクネセトの議員に対する捜査や、地方自治体レベルの政治家に対する捜査や起訴が複数並行して行われている。

　加えて、2023年2月、イスラエル最高裁判所により厳格な判決が下された。

具体的には、イスラエル最大の公共交通機関であるエゲッド社の元幹部が同社にバスを供給しているドイツ企業に対して賄賂を要求し、100万ユーロ（約1億5,600万円）の賄賂を収受したとして、地方裁判所から、9か月の保護観察期間における社会奉仕活動、25万新シェケル（約1,000万円）の罰金、200万新シェケル（約8,000万円）の財産没収の判決を言い渡されていたが、最高裁判所は、被告人が高齢であることや犯行後長期間経過していることといった軽減事由を地方裁判所が不合理に重視したとして、量刑の見直しを行い、この9か月の保護観察を9か月の懲役の実刑に変更した。

外国公務員に対する贈賄事件についても近年になり積極的に訴追が行われている。

具体的には、2016年12月、イスラエル企業のNIPグローバル社が、事業上の利益を得るためにレソト王国の公務員に50万ドル（約7,200万円）以上の賄賂を提供した旨を自主申告し、イスラエルで初めて外国公務員への贈賄に対する刑事訴追が行われ、有罪判決が下された。その直後にも、イスラエルで最も裕福な実業家の1人であるベニー・シュタインメッツ（Beny Steinmetz）氏が、ギニア共和国における鉄鉱石産業をめぐる贈賄事件に関与した疑いでイスラエル、米国及びスイスの警察当局の調査対象となり、2021年1月、スイスの刑事裁判所は、同事件における贈賄行為と偽造の罪でシュタインメッツ氏に5年間の懲役及び500万スイスフラン（約8億4,000万円）の罰金を言い渡した。シュタインメッツ氏がイスラエルでも有罪判決を受ける可能性は低いと見られているものの、イスラエル法の下では「二重の危険」（double jeopardy）の原則（同じ犯罪行為に対して二重に刑を科されない原則）は徹底されていないため、理論上はイスラエルでも重ねて刑事訴追が行われ、有罪判決を受ける可能性は否定できない。この件がイスラエルにおいてどのように取り扱われるかは、今後の同国における外国公務員に対する贈賄事件の処遇にも影響し得ると考えられる。このほかにも、イスラエルでは近時、外国公務員に対する贈賄行為に関して約10件の大規模な捜査が行われている。

2　イスラエルにおける公務員贈賄規制の概要は？

イスラエルにおいて、贈収賄を規律する主な法律は、1977年イスラエル刑法（Israeli Penal Law of 1977）[27]（以下本節において「刑法」という）であり、同法290条から297条は、贈収賄の犯罪構成要件及び刑罰について規定している。イスラエルでは、イスラエル法務省（Israel's Ministry of Justice）が、他の犯罪と同様の刑事手続法に基づき刑法を執行している。

3　公務員贈賄罪の要件は？

(1)　刑法上の贈賄罪

刑法291条は、国内の公務員に対する贈賄行為を禁止しており、その犯罪構成要素は次の4つに整理できる。
① 「公務員（public official）」に対して
② 「賄賂（bribe）」を
③ 「提供」すること
④ 賄賂の提供が当該公務員の役職における職務の執行に向けられていること

加えて、贈収賄の罪が成立するためには、犯罪意思（mens rea）、すなわち、賄賂を提供してその受領者からの何らかの見返りを求める意思が必要である。裁判所は、状況証拠（例えば、賄賂の価値）に基づき当該犯罪意思が推認できるかを判断する。

なお、公務員への利益供与については、刑法284条の詐欺及び背任（Fraud and Breach of Trust）の罪が成立する場合もある。具体的には、企業の役職員が公務員へ利益を供与することにより、当該企業が直接的に金銭的

---

27)　政府は刑法の英語訳を公表していないが、他の団体による非公式の英語訳は存在し、例えば、OECDのウェブサイトで刑法の英語訳が公表されている（https://www.oecd.org/investment/anti-bribery/anti-briberyconvention/43289694.pdf）。ただし、イスラエルの刑法は頻繁に改正が行われるため、そのような英訳は最新版ではない可能性が高い点に留意されたい。

な損失を被った場合や、レピュテーションの低下に伴い経済的な損害が生じた場合に、詐欺及び背任の罪が成立するとされることがある。また、当該企業が公共サービスを提供する企業である場合には、上記義務違反の結果、当該企業に具体的な損失が生じなかった場合であったとしても、広く公共の利益を害するとして詐欺及び背任の罪が成立するとされる可能性がある。

(2) 「賄賂」

刑法は、その形態や種類が多岐にわたることもあり、「賄賂」について意図的に厳格な定義を定めていない。この点、一般的には、「賄賂」に該当するか否かの判断に際しては、①（有形か無形か、その価値の大小を問わず）価値のある物の提供、及び②当該提供の背後の意図、という２つの要素が考慮されると解されている。

上記のような抽象的な基準に加え、「賄賂」の該当性について、刑法293条は一定の指針を示している。

① 現金、現金同等物、サービス、その他の利益の形式を問わない。
② 作為、不作為、遅延、促進、妨害、優遇、差別的措置等、どのような形態の職務行使に向けられたものであるかを問わない。
③ 賄賂の受領者による行為に向けられたものか、又は当該受領者が影響力を有する第三者による行為に向けられたものかを問わない。
④ 直接的に授受されるか又は第三者を介して間接的に授受されるかを問わない。
⑤ 将来の行為に向けられたものか、又は過去の行為に向けられたものかを問わない。
⑥ 賄賂の向けられた行為が、賄賂の受領者自身の義務かその地位に基づく職務であるかを問わない。

(3) 「提供」

賄賂の提供の勧誘・申込みがあった場合、当該賄賂が実際に提供されたかどうかを問わず、また、当該勧誘・申込みが拒絶されたとしても、賄賂の「提供」があったものとみなされる。

⑷ 「公務員」

刑法上、「公務員」とは、次に掲げる者をいう（刑法290条(b)）。
① 国の職員（軍関係者を含む）
② 地方公共団体又は地方教育機関の職員
③ 宗教団体の役員
④ 国の保険機関の職員
⑤ イスラエル銀行の職員
⑥ 以下のユダヤ系の組織の役職員
　(イ) 世界シオニスト機構（World Zionist Organization）
　(ロ) ユダヤ庁（Jewish Agency）
　(ハ) ユダヤ民族基金（Jewish National Fund）
　(ニ) イスラエル基金機構（Keren Hayesod）
　(ホ) ユナイテッド・ユダヤ・アピール（United Jewish Appeal）
⑦ 政府が経営に参画する工場、施設基金、その他の団体の職員
⑧ 仲裁人
⑨ 上記のほか、法令に基づく役職・地位を保有する者
⑩ 政府系企業・国有企業又はその子会社の従業員又は役員、及びこれらの企業の業務を受託している者
⑪ 公共サービスを提供する企業・団体の従業員

　上記⑪によれば、「公共サービスを提供する」企業であれば、民間企業であっても、その従業員は「公務員」とみなされることになる。

　刑法において、「公共サービスを提供する」という文言に関する明確な基準は設けられていないが、イスラエルの裁判所は、この文言に該当するかどうかの判断に当たり、2つの基準を適用している。1つ目は、当該企業により提供されるサービスが公共の利用のために必要不可欠かどうかという点である。2つ目は、当該企業の従業員が、競合他社に移籍する選択肢がどの程度限られているかであり、そのサービスが少数の企業による独占状態になっていて、競合他社で就業する選択肢が限定的である場合に、当該文言に該当し得る。

　例えば、2016年、ドイツに本社を有する電機メーカーのシーメンスAGが、イスラエルの電力会社からの契約受注を目的として、同社従業員に金員

の支払を行った事案で、準民間企業である当該電力会社は「公共サービスを提供する」企業であり、同社従業員は「公務員」に該当するとの判断がなされた。その結果、シーメンスAGは、本件に関して、罰金4,300万米ドル（約61億5,000万円）を支払うことでイスラエル法務省との合意に至った。

また、健康維持機構（Health maintenance organization）、銀行、投資信託管理会社が、同様に公共部門の事業者であるとして、その従業員がみなし公務員に該当すると判断された事例が存在する。

なお、刑法は、政党の職員・構成員を明示的に「公務員」として規定していない。政党が政府からの資金提供を相当程度受けて活動を継続していることを踏まえれば、実質的には「公務員」に該当するとの解釈もあり得るものの、この点については法律上明確ではなく、これまで明確な公権的解釈や裁判所の判断も示されていないため明らかではない。

4　公務員贈賄罪の適用が除外される場合とは？

(1)　円滑化のための支払

イスラエルにおいては、米国FCPAのファシリテーション・ペイメントのように、公務員の機械的業務に関する円滑化のための少額の支払について適用を除外する旨の規定はなく、刑法上も円滑化のための少額の支払とその他の賄賂の提供は区別されていない。したがって、円滑化のための少額の支払であっても、公務員贈賄罪の構成要件に該当する可能性がある。

(2)　一部の贈答・接待

イスラエルにおいて贈収賄を規制する各種法令は、公務員に対する「賄賂」の提供を禁止しているところ、上記のとおり「賄賂」は具体的に定義されておらず、贈答品、旅費、食事、接待等（以下本節において「贈答等」という）について、別異の取扱いがなされているものでもないことから、贈答等も、その性質や価値の大小にかかわらず、「賄賂」に該当する可能性がある。

他方で、賄賂としてではなく合理的な目的のために行う贈答等は、違法でないと解されている。

「賄賂」に該当する違法な贈答等と、合理的な目的のために行われる「賄賂」には該当しない贈答等を区別する観点から、イスラエルにおいては、外国公務員への贈答等の提供について、許容される金額の閾値を設定するプラクティスが発展してきたほか、イスラエルの公務員を対象として民間から利益を受け取ることができる場合やその手続等を規定した法律の枠組みとして、1979年公務員贈答法（Public Service (Gifts) Law-1979）、1963年国家公務員規制法（State Service (Discipline) Law 1963）、公務員規制規則（Civil Service Regulations (the CSR)）、司法長官指令1.170号（Attorney General Directive No. 1.170）等が定められてきた。

例えば、公務員贈答法において、イスラエルの公務員は、①同僚からの贈答、②政府から授与された賞品、若しくは政府から授与されていない場合でも、公に授与され、メディアや官報に掲載された賞品、又は③合理的な価格（300新シェケル（約1万2,000円）程度）であって、慣習に従った贈答品については、当局への報告等を求められることなく、受け取ることができる。

なお、上記の規定に基づいて公務員による利益の収受が違法とされない場合でも、理論上、贈賄行為は違法となり得る。ただ、収賄側が違法とされず、刑事訴追等の対象とされないことの反射的効果として、結果的に贈賄行為についても刑事訴追等が行われないことになる。

(3) 刑法上の抗弁

贈収賄行為に固有の法律上の抗弁や適用免除規定等は存在しないものの、国内における贈収賄の罪で起訴された者については、必要に基づく場合や強迫等の刑法上の一般的な抗弁を主張することができる。

なお、国外における贈賄行為へのイスラエルにおける訴追・執行については、当該外国における贈収賄規制等の執行の対象にもなり得ることを踏まえ、一定の固有の抗弁・免除があり得る。この点の詳細は、下記5(3)を参照されたい。

5 ①外国法人・個人による贈賄行為、②外国公務員に対する贈賄行為、③外国における贈賄行為に公務員贈賄罪が適用されるか?

(1) 外国法人・個人による贈賄行為

刑法上、イスラエル国内で犯罪を犯した者が刑事責任を負うと定められており、その適用対象は自国民に限定されていない(刑法12条)。下記6(2)のとおり、法人による贈賄行為にも刑法の適用があるとされている。そのため、イスラエルの刑法の規定は外国法人・個人による贈賄行為についても適用がある。

(2) 外国公務員に対する贈賄行為

イスラエルでは、刑法290条において国内の公務員による賄賂の収受等が、刑法291条において国内の公務員に対する贈賄行為が禁止されていたが、2008年の刑法改正によって刑法291条Aが追加され、外国公務員等に対する贈賄行為が犯罪として規定されるに至った。そのため、刑法上、国内公務員だけでなく、外国公務員に対する贈賄も同様に規制されている。そして、近時、イスラエル政府は、外国公務員に対する贈賄行為について、積極的に捜査・起訴を行う傾向にある。

(3) 外国における贈賄行為

刑法上、イスラエル国内で犯罪行為の一部又は全部が行われた場合、及びイスラエル国内で犯罪行為の一部を行う意図があった場合には、イスラエル国外で発生した犯罪の準備・予備、未遂、他人を教唆する行為、及びこれらの共謀に対してもイスラエルの刑法が適用される(刑法12条)。

そのため、外国企業であっても、贈賄行為の一部がイスラエルで行われた場合、又はイスラエル国内で贈賄行為を行う意図をもって、当該贈賄の準備・予備、未遂、他人を教唆する行為、及びこれらの共謀を行った場合、当

該行為について刑法が適用され得る。

ただ、いわゆる域外適用に関しては、犯罪行為とイスラエルとの関係が希薄である場合、事実上、イスラエル当局が外国企業（イスラエルと関連のない企業）によるイスラエル国外での贈賄行為を捜査する可能性は極めて低い。

さらに、国外における贈賄行為へのイスラエルにおける訴追・執行は、当該外国の裁判所による判決が存在する旨の抗弁・免除により一定程度制限される可能性がある。すなわち、被告人が外国裁判所で無罪判決を受けた場合、又は有罪判決を受けたものの刑罰の執行を受けなかった場合は、国内の刑法が適用されず（刑法14条(b)(3)）、また、イスラエル法に基づき外国裁判所以上に厳格な刑罰を課すことができないと定められている（同条(c)）。

なお、イスラエルでは原則として、イスラエル国外における犯罪に対する刑の執行には、当該外国においても、その行為が犯罪となることが必要とされている（刑法14条(b)(1)）。しかし、国外における贈賄罪は、この例外として、イスラエル法上で犯罪となる行為であれば足り、国外での取扱いにかかわらず、イスラエル国内での刑の執行も可能とされている。

6　公務員贈賄罪の罰則その他の制裁は？　法人に対する制裁、海外の親会社に対する制裁は？

(1)　概　要

刑法上、贈賄罪の罰則は、7年以下の懲役又は罰金（個人の場合113万新シェケル（約4,400万円）、法人の場合226万新シェケル（約8,800万円）、若しくは賄賂として支払われた対価の4倍のいずれか高い方）と定められている。

刑事手続においては、会社の利益を目的として贈賄に関与した従業員のみならず、当該法人も訴追可能性がある。

また、贈賄者が有罪の場合には当該従業員及び法人に対して当該賄賂として支払うことになっていた対価の国庫納付を求めることもできる。

贈収賄は、イスラエルにおいて、マネーロンダリング禁止法の訴追対象という形で、マネーロンダリング行為の一類型として位置づけられている。そのため、刑法に列挙された贈収賄特有の罰則に加えて、マネーロンダリング

禁止法に基づく懲役、刑事罰、及び犯罪に使用された財産等の没収を含む追加制裁も命じられる可能性がある（なお、かかる追加制裁は、早ければ捜査開始の時点で命じられる場合もある）。

また、贈賄罪による訴追を受けた場合、確定判決が下されるまでの期間、防衛省の認定サプライヤーリストからの一時的な除名処分のほか、防衛省の防衛輸出管理局（DECA）が発行した輸出許可の取消し等の付随的な制裁を受けることもある。

(2) 法人（親会社）に対する制裁

刑法に基づき、会社は、当該会社の役員の行為に対しても刑事責任を負い得る。

他方で、イスラエルにおいては別法人格の原則が適用されるため、親会社が子会社の従業員による贈収賄行為について直ちに責任を負うものではない。親会社の責任の有無は、海外法人の場合、当該法域の管轄及び子会社の業務への関与の程度によって異なる。

子会社による贈賄事件に関して、その親会社の責任が問われたケースとしては、間接の親会社及び直接の親会社のCEOがいずれも子会社による贈収賄の事実を認識・認容していたとして、その責任を認定した事案がある。同事案では、親会社の元CEOは司法取引に応じたが、孫会社による贈賄に関する共謀と証券法（Securities Law 1968）違反の罪で9か月間の社会奉仕活動及び300万新シェケル（約1億1,700万円）の罰金を科された。

7　第三者を通じた贈賄行為が処罰される場合とは？

刑法は、第三者による賄賂の支払を目的として、当該第三者に対して利益を提供することを禁止している。そのため、第三者を通じた公務員への賄賂の支払についても、贈賄罪が成立する。

8　公務員贈賄罪はどのような手続を経て執行されるか？　自主報告により制裁が軽減される制度はあるか？　時効期間は？

イスラエルにおける、公務員贈賄罪（刑法に基づく贈収賄罪）に関する執行手続は以下のとおりである。

捜査権は、イスラエル警察（Israel Police）又はイスラエル証券庁（Israel Securities Authority。証券法に基づく証券犯罪等、証券関連犯罪の捜査権限を付与されている）が有しており、起訴権限は、国家検事局（State Attorney's office）が有しているが、テルアビブ地方検事局の税務・経済部の検事が関与することもある。

外国企業であっても、公務員への贈賄についてイスラエルとの関連度合いに応じて起訴される可能性がある。具体的には、犯罪の一部がイスラエルで実行された場合やイスラエル国内で贈賄を行う意図をもって行う準備行為、教唆行為、共謀行為が行われた場合、形式的にイスラエル当局が管轄を有する場合がある。

他方で、イスラエルとの実質的なつながりがない場合にイスラエル当局がイスラエル以外の贈収賄行為について外国企業への捜査を行う可能性は極めて低い。

イスラエルのマネーロンダリング及びテロ資金供与禁止局（Israeli Money Laundering and Terror Financing Prohibition Authority）（イスラエル法務省の一機関）は、金融犯罪についての情報機関であり、特に贈収賄を含むマネーロンダリング関連の前提犯罪に関する情報を収集すると共に、イスラエル警察をはじめとする執行当局との情報交換を行っている。

自主申告による刑期の減免は事案ごとに当局との交渉を経た上で獲得する事項であることから、関連法規上、刑期の減免に関する具体的なメカニズムは定められていない。

時効期間は、事案によって異なり、10年から15年の間である。

9　民間企業の役職員に対する賄賂・リベート供与は処罰対象となるか？

　上記3のとおり、刑法290条(b)は、公共サービスを提供している企業の従業員についても「公務員」に含まれると規定している。そのため、公共サービスを提供する民間企業の役職員に対する賄賂・リベートの供与は、公務員に対する賄賂等の供与と同様に贈賄罪として処罰されることになる。「公共サービスの提供」という要件を満たす民間企業のみが対象とされていることから、純然たる商業賄賂の規制というよりは、みなし公務員に対する贈賄を規制する趣旨のものであると考えられるが、一定の場合には民間企業の役職員への賄賂・リベートの供与についても規制される点に留意が必要である。

　なお、ここでいう「公共サービス」に該当するか否かの判断基準等は、上記3のとおりである。

10　コンプライアンスプログラム等に関する規制・ガイドライン等はあるか？

　イスラエル法上、企業におけるコンプライアンスプログラムの策定義務は定められていないが、コンプライアンスプログラムを策定しているという事実は、贈賄事案に関する関係当局による捜査や訴追手続において、有利な事情として斟酌され得る。なお、コンプライアンスプログラムの策定が、贈賄事案に関する捜査・訴追手続における有利な事情として斟酌されるためには、その有効性のレベルが十分なものとして認められる必要がある。この点については、イスラエル証券庁及びイスラエル国防省（Israeli Ministry of Defense）が、コンプライアンスプログラムの有効性を判断するための基準を公表している。

Column

イスラエルにおける贈賄規制の特色

　本節で言及したとおり、刑法は、「公務員」を定義し、これに該当する者を列挙しているが、その範囲は広く、「公共サービスを提供する企業の従業員」も含まれる。つまり、「公共サービス」を提供する企業であれば、民間企業であっても、その従業員は「公務員」とみなされることになる。他国でも、民間企業の役職員に対する不正な利益供与（リベートやキックバック等の支払）を、いわゆる「商業賄賂」として規定しているケースや、国営企業等の場合はその役職員に対する不正な利益供与を「公務員」への利益供与とみなすケースがあるが、イスラエルの場合は、民間人であっても一定の公共的性質を有する職務に従事している者については「公務員」とみなした上で、贈賄罪が成立するとしている点に特色がある。

　贈賄行為を直接的に規制するものではないが、間接的に贈賄行為を抑制する目的で制定されたイスラエルの法律として、2018年現金使用削減法（Law for Reducing the Use of Cash 2018）がある。同法では、取引の類型に応じて定められた一定の基準を超えた現金の使用が犯罪として規制されている。この法律は、一義的には、マネーロンダリングその他の犯罪の防止を主な目的とするものであるが、贈賄行為は（銀行送金等の場合、明確な証拠が残ってしまうこともあり）現金の支払により行われることが一般的であることもあり、同法により現金の使用を抑制することで、間接的に贈収賄行為を抑制する効果も期待されているようである。

■編者・執筆者一覧■

■編者

井上　淳（いのうえ・あつし）

2007年　弁護士登録
2010年〜2011年　金融庁総務企画局市場課にて勤務（金融商品取引法等担当）
2013年〜2014年　ブラジル連邦共和国リオデジャネイロ市 Pinheiro Neto Advogados 法律事務所にて執務
2014年　ニューヨーク州弁護士登録
2015年　森・濱田松本法律事務所（ヤンゴンオフィス）にて執務

※編集及び第5章（ミャンマー・ブラジル・メキシコ・イスラエル）執筆担当

田中　亜樹（たなか・あき）

2010年　弁護士登録
2017年〜2018年　Skrine法律事務所（マレーシア　クアラルンプール市）にて執務
2020年　ニューヨーク州弁護士登録

※編集及び第2章第4節、第3章第2節、第4章、第5章（マレーシア・ロシア）執筆担当

菊池　春香（きくち・はるか）

2020年　弁護士登録

※編集及び第5章（トルコ）執筆担当

重冨　賢人（しげとみ・けんと）

2020年　弁護士登録

※編集及び第5章（フィリピン）執筆担当

■執筆者

石本　茂彦（いしもと・しげひこ）

1994年　弁護士登録
2001年　ニューヨーク州弁護士登録
2009年〜　東京大学大学院法学政治学研究科非常勤講師
2002〜2010　森・濱田松本法律事務所　北京オフィスにて執務
2015年〜　森・濱田松本法律事務所　上海オフィスにて執務

※第5章（ロシア・台湾・中国）執筆担当

宇都宮秀樹（うつのみや・ひでき）
　2000 年　弁護士登録
　2011 年～2023 年　慶應義塾大学大学院法務研究科非常勤講師
※第 1 章及び第 2 章第 1・2・4 節、第 4 章執筆担当

小島　義博（こじま・よしひろ）
　2001 年　弁護士登録
　2007 年　ニューヨーク州弁護士登録
※第 5 章（マレーシア）執筆担当

秋本　誠司（あきもと・せいじ）
　2002 年　弁護士登録
　2009 年　ニューヨーク州弁護士登録
　2008 年～2009 年　Kirkland & Ellis 法律事務所（シカゴオフィス）にて執務
　2015 年～　Chandler MHM Limited（森・濱田松本法律事務所 バンコクオフィス）にて執務
※第 5 章（タイ・南アフリカ）執筆担当

小山　洋平（こやま・ようへい）
　2002 年　弁護士登録
　2009 年　ニューヨーク州弁護士登録
　2011 年　AZB & Partners 法律事務所（デリーオフィス）にて執務（～8 月）
　2011 年　VILAF-Hong Duc 法律事務所（ハノイオフィス）にて執務（～12 月）
※第 5 章（インド）執筆担当

眞鍋　佳奈（まなべ・かな）
　2002 年　弁護士登録
　2006 年　Kirkland & Ellis LLP（ロサンゼルスオフィス）にて執務
　2007 年　ニューヨーク州弁護士登録
　2007 年～2008 年　国際協力機構（JICA）カンボジア法制度整備支援プロジェクト　法律アドバイザー
　2014 年　シンガポール外国法弁護士登録
　2015 年～　森・濱田松本法律事務所（シンガポールオフィス・ヤンゴンオフィス・ホーチミンオフィス）にて執務
　2022 年　ベトナム外国弁護士登録
※第 3 章第 2 節及び第 5 章（カンボジア）執筆担当

梅津　英明（うめつ・ひであき）
　2004 年　弁護士登録
　2006 年～2007 年　経済産業省経済産業政策局産業組織課にて勤務（信託法、会社法、M&A 等担当）

2010 年　ニューヨーク州弁護士登録
2011 年〜2014 年　成蹊大学法学部非常勤講師
2022 年〜2024 年　経済産業省 産業構造審議会 知的財産分科会 不正競争防止小委員会 外国公務員贈賄に関するワーキンググループ 委員

※第 1 章及び第 2 章第 3 節、第 3 章第 1 節執筆担当

川村隆太郎（かわむら・りゅうたろう）

2004 年　弁護士登録
2010 年〜2012 年　三菱商事株式会社法務部にて勤務
2012 年　ニューヨーク州弁護士登録
2012 年　シンガポール外国法弁護士登録
2012 年〜　森・濱田松本法律事務所（シンガポールオフィス）にて執務
2018 年　シンガポール法弁護士（FPC）登録

※第 5 章（シンガポール・香港）執筆担当

佐藤　貴哉（さとう・たかや）

2006 年　弁護士登録
2012 年〜2012 年 12 月　Shearn Delamore & Co. 法律事務所（クアラルンプールオフィス）にて執務

※第 5 章（マレーシア・南アフリカ）執筆担当

臼井　慶宜（うすい・よしのり）

2007 年　弁護士登録
2012 年〜2013 年　ソフトバンクモバイル株式会社・ソフトバンク BB 株式会社・ソフトバンクテレコム株式会社・株式会社ウィルコム 各法務部にて勤務（4 社兼務）
2014 年〜2015 年　AZB & Partners ムンバイオフィスにて執務
2015 年　ニューヨーク州弁護士登録
2020 年〜2023 年　神戸大学客員准教授（神戸大学大学院「アジア法務」担当）

※第 5 章（インド）執筆担当

岸　寛樹（きし・ひろき）

2007 年　弁護士登録
2012 年〜2013 年　みずほ証券株式会社 IB プロダクツ・グループ出向
2014 年〜2015 年　ブラジル Mattos Filho, Veiga Filho, Marrey Jr. e Quiroga 法律事務所（サンパウロオフィス）にて執務
2015 年　ニューヨーク州弁護士登録
2017 年〜2021 年　Chandler MHM Limited（森・濱田松本法律事務所 バンコクオフィス）にて執務
2022 年　森・濱田松本法律事務所ハノイオフィス共同代表

※第 5 章（ベトナム・ブラジル・カンボジア）執筆担当

蘇　春維（そ・しゅんい）

　2007 年　台湾律師資格取得
　2010 年～2017 年　萬國法律事務所（Formosa Transnational Attorneys at Law）にて
　　　　　　執務

※第 5 章（台湾）執筆担当

園田観希央（そのだ・みきお）

　2007 年　弁護士登録
　2010 年～2011 年　株式会社東京証券取引所上場部にて勤務
　2014 年～2015 年　Hergüner Bilgen Özeke（トルコ・イスタンブール）にて執務
　2015 年　フィリピン・マニラの大手法律事務所にて執務
　2016 年　ニューヨーク州弁護士登録

※第 5 章（フィリピン・トルコ）執筆担当

竹内　哲（たけうち・てつ）

　2007 年　弁護士登録
　2011 年～2012 年　三菱 UFJ モルガン・スタンレー証券株式会社投資銀行本部にて勤
　　　　　　務
　2014 年　ニューヨーク州弁護士登録
　2014 年～2017 年　ARFIDEA KADRI SAHETAPY-ENGEL TISNADISASTRA
　　　　　　（AKSET Law、ジャカルタ）にて執務
　2017 年～　森・濱田松本法律事務所（シンガポールオフィス）にて執務

※第 5 章（インドネシア）執筆担当

西本　良輔（にしもと・りょうすけ）

　2007 年 9 月　弁護士登録
　2007 年～2014 年　色川法律事務所にて執務
　2015 年～2016 年　公正取引委員会事務総局審査局管理企画課訟務官付
　2017 年～2018 年　住友ゴム工業株式会社に出向
　2019 年　色川法律事務所にて執務

※第 2 章第 3 節及び第 4 章執筆担当

鈴木　幹太（すずき・かんた）

　2008 年　弁護士登録
　2011 年　萬國法律事務所にて執務
　2016 年～2020 年　北京オフィスにて一般代表として勤務

※第 5 章（香港・台湾・中国）執筆担当

高宮　雄介（たかみや・ゆうすけ）

　2008 年　弁護士登録

2017 年　ニューヨーク州弁護士登録
2017 年　米国連邦取引委員会にて勤務
2017 年〜2019 年　公正取引委員会競争政策研究センター客員研究員

※第 2 章第 2 節及び第 4 章執筆担当

佐藤　浩由（さとう・ひろゆき）

2009 年〜2023 年　検事
2012 年〜2014 年　人事院長期在外研究派遣
2013 年　ニューヨーク州弁護士登録
2019 年〜2021 年　外務省領事局兼監察査察室
2023 年　弁護士登録

※第 2 章第 3 節及び第 3 章第 2 節、第 4 章執筆担当

西尾　賢司（にしお・けんじ）

2009 年　弁護士登録
2015 年〜2016 年　Allen & Overy Dubai Office にて執務
2016 年　ニューヨーク州弁護士登録
2017 年〜2018 年　三菱 UFJ モルガン・スタンレー証券株式会社投資銀行本部にて勤務
2018 年　ベトナム外国弁護士登録
2018 年〜　森・濱田松本法律事務所（ホーチミンオフィス）にて執務
2022 年　森・濱田松本法律事務所（ホーチミンオフィス）共同代表

※第 5 章（ベトナム）執筆担当

細川　怜嗣（ほそかわ・れいじ）

2009 年　弁護士登録
2014 年　株式会社 KKR キャピタル・マーケッツに出向
2015 年　Ropes & Gray 法律事務所（ボストンオフィス）にて執務
2016 年　ニューヨーク州弁護士登録
2016 年　ARFIDEA KADRI SAHETAPY-ENGEL TISNADISASTR（AKSET Law、ジャカルタ）にて執務
2017 年〜2019 年　Chandler MHM Limited（森・濱田松本法律事務所 バンコクオフィス）にて執務
2020 年　シンガポール外国法弁護士登録
2020 年〜　森・濱田松本法律事務所（シンガポールオフィス）にて執務

※第 5 章（シンガポール）執筆担当

黒田　大介（くろだ・だいすけ）

2010 年　弁護士登録
2018 年　Ashurst（ロンドンオフィス）にて執務

※第 2 章第 2 節及び第 4 章執筆担当

金山　貴昭（かなやま・たかあき）

 2011 年　弁護士登録
 2014 年〜2015 年　グリー株式会社に出向
 2019 年　テキサス州弁護士登録
 2019 年〜2020 年　Integreon Managed Solutions, Inc. にて勤務
 2021 年　消費者庁消費者制度課に任期付公務員として赴任
 2021 年〜2022 年　消費者庁参事官（公益通報・協働担当）室に任期付公務員として赴任

※第 3 章第 1 節執筆担当

Colin Trehearne　（コリン・トレハーン）

 2011 年〜2013 年　Fraser Milner Casgrain 法律事務所にて執務
 2012 年　カナダ・アルバータ州弁護士登録
 2013 年〜2018 年　Herbert Smith Freehills 外国法事務弁護士事務所にて執務
 2014 年〜2018 年　慶應義塾大学大学院法務研究科 非常勤講師及び准教授
 2018 年〜2021 年　Boies Schiller Flexner 法律事務所（ロンドンオフィス）にて執務
 2020 年　イングランド及びウェールズ弁護士登録
 2023 年　上智大学法学部　特任教授就任

※第 2 章第 2 節執筆担当

柴　巍（さい・ぎ）

 2012 年　中国律師資格取得

※第 5 章（中国）執筆担当

内田　義隆（うちだ・よしたか）

 2013 年　弁護士登録
 2019 年　シンガポール外国法弁護士登録

※第 5 章（シンガポール）執筆担当

立川　聡（たつがわ・さとし）

 2013 年　弁護士登録
 2017 年〜2018 年　森・濱田松本法律事務所 ジャカルタデスクにて執務
 2019 年　Alston & Bird 法律事務所（アトランタオフィス）にて執務
 2020 年　ニューヨーク州弁護士登録

※第 5 章（インドネシア・フィリピン）執筆担当

福田　剛（ふくだ・たけし）

 2013 年　弁護士登録
 2018 年〜2019 年　Wachtell, Lipton, Rosen & Katz 法律事務所にて執務
 2019 年　ニューヨーク州弁護士登録
 2019 年〜2020 年　Bredin Prat 法律事務所（パリオフィス）にて執務

※第 2 章第 4 節執筆担当

御代田有恒（みよだ・ありつね）

- 2013 年　弁護士登録
- 2017 年　Khaitan & Co. 法律事務所（インド共和国ムンバイ市）にて執務
- 2017 年　Shardul Amarchand Mangaldas & Co（インド共和国デリー市）法律事務所にて執務
- 2018 年～2019 年 Covington & Burling 法律事務所（ワシントン DC オフィス）にて執務
- 2019 年　ニューヨーク州弁護士登録

※第 1 章及び第 2 章第 1 節、第 3 章第 1 節、第 4 章、第 5 章（インド）執筆担当

山本　健太（やまもと・けんた）

- 2014 年　弁護士登録
- 2014 年～2014 年　神奈川県内法律事務所にて執務
- 2014 年～2016 年　インフラ精密機械メーカーに出向
- 2016 年～2019 年　神奈川県内法律事務所にて執務
- 2019 年～2021 年　SCL Nishimura（旧 Siam City Law Offices）にて執務
- 2021 年～　Chandler MHM Limited（森・濱田松本法律事務所 バンコクオフィス）にて執務

※第 5 章（タイ・カンボジア）執筆担当

髙松レクシー（たかまつ・れくしー）

- 2015 年　カリフォルニア州弁護士登録
- 2015 年～2016 年　カリフォルニア州中部地区のアメリカ合衆国連邦裁判所にてロークラークとして執務
- 2016 年～2018 年　Skadden, Arps, Slate Meagher & Flom 法律事務所（ロサンゼルスオフィス）にて執務
- 2018 年～2020 年　Morrison & Foerster 法律事務所（東京オフィス）にて執務
- 2021 年　外国法事務弁護士登録

※第 2 章第 1 節執筆担当

千原　剛（ちはら・ごう）

- 2015 年　弁護士登録

※第 3 章第 1・2 節、第 4 章執筆担当

山田　徹（やまだ・とおる）

- 2000 年～2015 年　検事
- 2009 年～2010 年　東京地方検察庁特別捜査部
- 2010 年～2012 年　預金保険機構法務統括室総括調査役
- 2015 年　弁護士登録

2015年～2019年　西村あさひ法律事務所
※第2章第3節及び第3章第2節執筆担当

大林　尚人（おおばやし・なおと）
　2018年　弁護士登録
　2020年～2021年　日本産業パートナーズ株式会社に出向
　2022年～2024年4月　森・濱田松本法律事務所（シンガポールオフィス）にて執務
　2022年　シンガポール外国法弁護士登録
※第5章（シンガポール）執筆担当

澤　和樹（さわ・かずき）
　2018年　弁護士登録
※第5章（メキシコ）執筆担当

筑井　翔太（つくい・しょうた）
　2018年　弁護士登録
※第2章第1節及び第3章第1節、第4章、第5章（イスラエル）執筆担当

湯浅　哲（ゆあさ・てつ）
　2018年　弁護士登録
　2021年～2023年　厚生労働省 労働基準局に任期付公務員（安全衛生訟務官）として赴任（2022年10月より厚生労働省 大臣官房総務課法務室に併任）
　2023年　ベトナム外国弁護士登録
　2023年～2024年6月　森・濱田松本法律事務所（ホーチミンオフィス）にて執務
※第5章（ベトナム）執筆担当

芳川　雄磨（よしかわ・ゆうま）
　2018年　弁護士登録
　2020年～2021年　株式会社東京証券取引所に出向
　2024年　ベトナム外国弁護士登録
　2024年～森・濱田松本法律事務所（ホーチミンオフィス）にて執務
※第5章（ベトナム）執筆担当

西村　良（にしむら・まこと）
　2019年　弁護士登録
　2023年～　Chandler MHM Limited（森・濱田松本法律事務所 バンコクオフィス）にて執務
※第5章（タイ）執筆担当

松尾　博美（まつお・ひろみ）
　2019 年　弁護士登録
※第 5 章（マレーシア）執筆担当

小林　花梨（こばやし・かりん）
　2019 年　弁護士登録
※第 2 章第 4 節執筆担当

今泉　憲人（いまいずみ・かずひと）
　2013 年～2021 年　検事
　2017 年～2019 年　大阪地方検察庁検事、同庁特別捜査部検事併任
　2019 年～2021 年　横浜地方検察庁川崎支部検事、同庁特別刑事部検事併任
　2019 年～2020 年　法務省検事在外研究員（仏国立司法学院研修生）
　2021 年　弁護士登録
※第 2 章第 4 節執筆担当

石田祐一郎（いしだ・ゆういちろう）
　2022 年　弁護士登録
※第 5 章（ブラジル・メキシコ）執筆担当

橘川　文哉（きつかわ・ふみや）
　2022 年　弁護士登録
　2023 年　森・濱田松本法律事務所（シンガポールオフィス）にて執務
※第 5 章（イスラエル）執筆担当

瀧山侑莉花（たきやま・ゆりか）
　2022 年　弁護士登録
※第 5 章（インドネシア）執筆担当

仲谷佳奈子（なかたに・かなこ）
　2022 年　弁護士登録
※第 5 章（ロシア）執筆担当

平田亜佳音（ひらた・あかね）
　2022 年　弁護士登録
　2023 年～　Chandler MHM Limited（森・濱田松本法律事務所 バンコクオフィス）にて執務
※第 5 章（タイ）執筆担当

福江　真治（ふくえ・しんじ）
　2022 年　弁護士登録
　※第 5 章（香港・ミャンマー・中国）執筆担当

森　　康明（もり・やすあき）
　2022 年　弁護士登録
　2023 年〜　Chandler MHM Limited（森・濱田松本法律事務所 バンコクオフィス）にて執務
　※第 5 章（インド・カンボジア）執筆担当

山下　泰周（やました・たいしゅう）
　2022 年　弁護士登録
　※第 5 章（南アフリカ）執筆担当

■初版編者・執筆者一覧

伊藤　憲二（いとう・けんじ）
武川　丈士（むかわ・たけし）
田中　光江（たなか・みつえ）
小松　岳志（こまつ・たけし）
塙　　晋（はなわ・すすむ）
関口　健一（せきぐち・けんいち）
大野　志保（おおの・しほ）
増田　雅史（ますだ・まさふみ）
今仲　翔（いまなか・しょう）
中野　玲也（なかの・れいや）
羽深　宏樹（はぶか・ひろき）
柿元　將希（かきもと・まさき）
呂　　佳叡（ろ・かえい）
花村　大祐（はなむら・だいすけ）
大川信太郎（おおかわ・しんたろう）
宮原　拓郎（みやはら・たくろう）
水本　真矢（みずもと・しんや）
山崎友莉子（やまざき・ゆりこ）
四宮　雄紀（しみや・ゆうき）
富永　裕貴（とみなが・ゆうき）

■執筆協力法律事務所一覧■

本書の改訂に当たっては、以下の法律事務所から協力を得た。これらの法律事務所は、いずれもそれぞれの国において有力事務所としてこの分野の経験を豊富に有していることから、本書に協力をいただいた。ただし、表現の正確性を含め、本書における執筆内容の最終的な文責は、森・濱田松本法律事務所の編者・執筆者にある。

この場を借りて、以下の各法律事務所の協力に厚く御礼を申し上げる。

■執筆協力法律事務所

米国（主に手続等につき）：Arnold & Porter LLP
英国：Ashurst
フランス：McDermott Will & Emery AARPI
インドネシア：ATD Law
フィリピン：Tayag Ngochua & Chu
マレーシア：Shearn Delamore & Co. 及び Rahmat Lim & Partners
中国：北京市中諮律師事務所／Zhongzi Law Office
台湾：萬國法律事務所／Formosa Transnational Attorneys at Law
ブラジル：Pinheiro Neto Advogados
メキシコ：Creel, García-Cuéllar, Aiza y Enríquez, S.C.
南アフリカ：Bowman Gilfillan
ロシア：ALRUD Law Firm
トルコ：Hergüner Bilgen Özeke
シンガポール：Allen & Gledhill LLP (注)
香港：Slaughter and May
カンボジア：Bun & Associates
イスラエル：Herzog Fox & Neeman

（注）当事務所は、シンガポールにおいて外国法律事務を行う資格を有しています。シンガポール法に関するアドバイスをご依頼いただく場合、必要に応じて、資格を有するシンガポール法事務所と協働して対応させていただきます。

海外進出企業のための
外国公務員贈賄規制ハンドブック〔第2版〕

2018年11月15日　初　版第1刷発行
2024年8月30日　第2版第1刷発行
2024年10月30日　第2版第2刷発行

編　者　森・濱田松本法律事務所
　　　　グローバルコンプライアンスチーム

発行者　石　川　雅　規

発行所　㈱商　事　法　務
〒103-0027　東京都中央区日本橋3-6-2
TEL 03-6262-6756・FAX 03-6262-6804〔営業〕
TEL 03-6262-6769〔編集〕
https://www.shojihomu.co.jp/

落丁・乱丁本はお取り替えいたします。　印刷／そうめいコミュニケーションプリンティング
Ⓒ2024 森・濱田松本法律事務所　　　　　　　Printed in Japan
Shojihomu Co., Ltd.
ISBN978-4-7857-2953-0
＊定価はカバーに表示してあります。

|JCOPY|＜出版者著作権管理機構　委託出版物＞
本書の無断複製は著作権法上での例外を除き禁じられています。
複製される場合は、そのつど事前に、出版者著作権管理機構
（電話03-5244-5088、FAX 03-5244-5089、e-mail: info@jcopy.or.jp）
の許諾を得てください。